Les Grands Singes

WILL SELF

Les Grands Singes

traduit de l'anglais par Francis Kerline

OUVRAGE TRADUIT AVEC LE CONCOURS
DU CENTRE NATIONAL DU LIVRE

ÉDITIONS DE L'OLIVIER

Avec mes remerciements à D.J.O.
La première édition de cet ouvrage est parue chez Bloomsbury
en 1997,
sous le titre *Great Apes.*

ISBN : 2.87929.151.8

L'illustration de couverture est extraite de *Willy The Dreamer*,
par Anthony Browne, 1997, et reproduite avec l'autorisation de
l'auteur et de la Walker Books Ltd, Londres (album publié en
France par Kaleidoscope).

© Will Self, 1997.

© Éditions de l'Olivier / Le Seuil
pour l'édition en langue française, 1998.

Pour Madeleine

« Le singe, cet animal défavorisé par le sort,
mais tellement semblable à nous pour tout le reste. »
CICÉRON

« Quand je reviens à une heure avancée de banquets, de
sociétés savantes ou d'un tête-à-tête agréable, une demoiselle chimpanzée à demi dressée m'attend chez moi et je
m'abandonne avec elle aux plaisirs de notre race. Le jour,
je ne veux pas la voir ; elle montre en effet dans ses yeux
l'égarement de la bête dressée ; je suis seul à le remarquer,
mais je ne peux pas le supporter. »
KAFKA, *Communication à l'Académie.*

HouuGraa ! Nous traversons actuellement, nous autres chimpanzés, une période dans laquelle notre perception du monde naturel évolue plus rapidement qu'auparavant. En outre, cette perception tend à être déformée par le mode de vie qui nous caractérise aujourd'hui, en tant que chimpanzés. Certains penseurs qualifient ce mode de vie de « non naturel », or c'est une simplification abusive, car la chimpanité a justement été très souvent définie par cette faculté adaptative – cette aptitude à l'évolution sociale – et force est de grimacer que ce mode de vie « non naturel » a un impact sur l'écologie du globe.

C'est d'ailleurs un état de choses assez déroutant, en ce sens que notre faculté de juger notre propre objectivité se heurte à une contradiction interne. Comment s'étonner, dans ces conditions, que les chimpanzés qui se sont penchés au plus près sur la question des droits des animaux aient pu envisager d'étendre la notion de chimpanité à des espèces inférieures telles que les humains ?

Il n'est pas inutile de ressinger ici les signes du Dr Louis Leakey, le pionnier de l'archéo-paléontologie. Apprenant que sa protégée, la célèbre anthropologue Jane Goodall, avait pu voir, au cours de ses observations, des hommes sauvages façonner des sortes de bâtons et s'en servir pour sonder des termitières, le Dr Leakey a déclaré : « Nous devons désormais redéfinir l'*outil* et redéfinir le *chimpanzé* – à moins de reconnaître les humains

$comme chimpanzés ! » Il se référait évidemment à la définition traditionnelle du chimpanzé comme *pongis habilis*, le singe faiseur d'outils.

Mon intention, en écrivant ce roman, n'était pas de dresser un plaidoyer simpliste pour les droits de l'homme ou la condition humaine. Je suis personnellement convaincu que, en dépit de l'apparente inchimpanité des traitements infligés aux humains à des fins scientifiques – détention en grandes unités de captivité, isolement, maladie, souffrance, malnutrition, etc. –, ces expériences demeurent nécessaires, particulièrement dans le domaine de la recherche sur le sida et le virus CIV.

La question du CIV nous enferme une fois de plus dans un cercle vicieux moral. Dans la mesure où les humains sont génétiquement assez proches de nous pour être infectés par le CIV (une récente étude montre que les humains pourraient partager 98 % de notre carte génétique et sont plus proches du chimpanzé que du gorille), ne devraient-ils pas avoir droit aussi à un peu de notre compassion ?

La réponse est un oui sans équivoque. Il faut sauvegarder les humains. L'extinction des espèces humaines serait une perte inestimable et constitue déjà, d'ailleurs, une menace réelle, si l'on songe que les bonobos[1] empiètent de plus en plus sur leur habitat[2].

Mais les bonobos ne méritent-ils pas eux aussi notre sympathie ? Ne sont-ils pas plus importants que les humains ? Sans

---

1. Tout au long de ce livre, j'ai employé le terme « bonobo » et ses dérivés pour désigner les chimpanzés d'origine africaine. Je n'ignore pas que certains bonobos préfèrent l'appellation « Afro-Américains » ou, dans le cas des Britanniques, « Afro-Caribéens », mais j'ai préféré m'en tenir à un terme de plus large extension. (*NdA*)

2. On estime que la population des hommes sauvages se limite aujourd'hui à 200 000 individus. Un état de choses alarmant si l'on considère qu'ils étaient probablement plusieurs millions il y a encore cinquante ans. (*NdA*)

doute. Cependant, l'intérêt de la préservation des humains ne se réduit pas à la seule recherche d'un traitement contre le sida ou autres médications. Les humains ont beaucoup à nous apprendre sur nos propres origines et notre nature. Les chimpanzés et les humains ont un ancêtre commun, qui vivait il y a cinq ou six millions d'années, c'est-à-dire un laps de temps très court dans l'histoire de l'évolution.

De plus, si les humains devaient disparaître à l'état sauvage, quel serait le sort des humains domestiques ? Car si, comme le donnent à entendre des anthropologues tels que le Dr Goodall, les humains possèdent une certaine forme de culture, celle-ci serait tout bonnement anéantie. On peut même, à l'appui de cette thèse, avancer l'idée que le comportement des humains domestiques est en fait une forme de résurgence mimétique du comportement des humains sauvages. En cas de disparition des humains sauvages, il est à craindre que les individus apprivoisés auxquels on a appris à gesticuler (certains humains possèdent un lexique de cinq cents signes élémentaires) ne soient, à plus ou moins longue échéance, frappés d'immobilisme. Et c'en serait fini de la gesticulation entre nos deux espèces.

Mais qu'on ne se méprenne pas, il ne s'agit pas pour moi de présenter une vision primatomorphique des humains. Les humains sont ce qu'ils sont à cause de leur humanité. À l'état sauvage, ils diffèrent énormément des chimpanzés. Leurs structures sociales, qui peuvent paraître complexes lorsqu'on les examine d'un point de vue scientifique, sont affreusement primaires pour l'observateur lambda. Les humains s'unissent – et donc s'accouplent – souvent pour la vie ! Face à un conflit, au lieu de régler simplement le litige en fonction des dominations hiérarchiques, ils réagissent de manière totalement anarchique ; on voit des troupes d'humains se rassembler pour tenter d'imposer leur propre « mode de vie » (peut-être une forme primitive d'idéologie) à leurs congénères.

Et, s'il est vrai que les humains consacrent autant d'attention que les chimpanzés à leur progéniture, leur attachement pervers au principe structurel de la monogamie (pervers parce qu'il ne confère aucun avantage adaptationnel apparent) établit une séparation très nette entre les liens du « groupe » et ceux de la communauté. Les vieux humains sont bien plus déconsidérés et négligés que les vieux singes.

Mais la différence la plus significative réside dans l'attitude des humains par rapport au toucher. C'est en cela que leur inchimpanité est le plus criante. Étant dépourvus de fourrure protectrice, les humains n'ont pas élaboré les rituels complexes de grattage et de palpations qui définissent l'organisation sociale et la gesticulation chimpaniques. Imaginez la vie sans se faire gratter ! Il est pratiquement inconcevable, pour un chimpanzé, de ne pas consacrer une partie essentielle de la journée à ces activités sensuelles et intégratrices. C'est indubitablement cette absence de grattage qui rend la sexualité humaine si bizarre à nos yeux.

Les humains recherchent ordinairement l'intimité pour s'accoupler. D'habitude, le mâle pénètre la femelle en se couchant sur elle (une explication anatomique possible de la formation caractéristique des fesses chez l'humain) ; les petits ne sont pas encouragés à participer à l'accouplement. Les femelles sont saillies même lorsqu'elles ne sont pas en chaleur, alors que cette pratique, une fois encore, ne confère aucun avantage évolutif. Quand la femelle a mis bas, le petit est souvent montré à la communauté quelques jours après la naissance et peut être sevré dès l'âge de trois mois.

Comment dès lors ne pas risquer l'hypothèse que ce sont ces particularismes – lesquels, j'insiste, ne jouent aucun rôle dans l'adaptation – qui ont conduit au cul-de-sac évolutionnel de l'espèce humaine ? Serions-nous en présence d'une forme de névrose collective – une névrose de l'espèce ? De telles spéculations sont peut-être hasardeuses du point de vue de la stricte anthropologie, ou de l'éthologie en général ; mais je rappelle que je suis romancier, non scientifique, et qu'à ce titre je ne suis pas limité par des considérations uniquement empiriques.

Un peu à l'instar du Dr Goodall, qui s'est laissé prendre au piège du primatocentrisme en donnant des noms aux humains la première fois qu'elle est allée les observer à l'état sauvage dans la région du Gombe, je n'ai pas craint de bousculer le dogme de la froide objectivité scientifique. Mais qu'on me comprenne bien : je ne crois pas un instant que les hommes sauvages aient un niveau de conscience comparable à celui dont j'ai doté Simon Dykes, j'ai simplement essayé d'imaginer ce qu'aurait pu être le monde si les hominidés avaient remporté la course à l'évolution en lieu et place des pongidés.

En cela, bien sûr, je ne prétends pas faire œuvre d'originalité. Depuis que les premières descriptions d'humains ont été rapportées en Europe en 1699, ceux-ci ont exercé une véritable fascination sur les chimpanzés. Les premiers théoriciens ont situé l'humain à mi-chemin entre le chimpanzé et la « création brute » dans la Chaîne de l'Être. Par la suite, dans le sillage de Darwin, d'aucuns ont supposé que l'humain pouvait être le « chaînon manquant ». Pour d'autres, l'existence des hommes conforte leur désir de nier le statut chimpanique aux bonobos. De nombreux auteurs ont vu dans l'humain un paradigme de la nature chimpanique dans sa dualité clair/obscur. De *Melincourt* à *J'ai épousé une humaine*, de *King Kong* aux films de la série *La Planète des hommes*, écrivains et scénaristes se sont plu à titiller la frontière fragile qui sépare l'homme du chimpanzé.

Mais, quelle que soit la manière dont nous choisissons de définir objectivement l'humanité – et, n'en déplaise au Dr Leakey, la ligne de démarcation est parfois bien floue –, notre réaction subjective devant l'humain est toujours problématique. Il suffit pour s'en convaincre d'aller au zoo de Londres et d'observer

13

les humains dans leurs enclos grillagés lorsque, assis sans se toucher les uns les autres, ils braquent sur leurs visiteurs chimpanzés leurs yeux aux pigments étrangement blancs, empreints de ce troublant regard mêlé de tristesse et de supplique.

Et que dire de la condition des humains qu'on retient en captivité dans de vastes ménageries pour l'expérimentation scientifique ! D'accord, l'humain ne supporte pas de vivre sans confinement : dans la nature, il construit des structures assez complexes où il peut rester immobile des jours durant. Lorsqu'on le lâche en plein air, sans matériaux de construction à portée de main, l'humain est rapidement sujet à une forme d'agoraphobie induisant un état proche de la psychose. Certains chercheurs prétendent que de telles conditions de détention sont nécessaires pour des raisons scientifiques, mais lesquelles exactement ? En vérité, elles ne sont nécessaires qu'à une chose : éviter toute remise en cause de cette fameuse ligne de démarcation scientifiquement établie et prétendument infranchissable entre nos espèces.

Une dernière grimace personnelle concernant ce texte. Par le passé, on m'a beaucoup reproché mon soi-disant cynisme envers mes personnages. Nombre de critiques m'ont sauté sur le poil en criant que je traitais mes personnages avec un mépris diabolique, que je les accablais d'infortune et les noircissais à plaisir. Dans *Les Grands Singes*, j'ai paré d'avance – quoique sans l'avoir cherché – à ces objections idiotes, qui ne peuvent s'expliquer que par une incompréhension chronique de la signification et du propos de la satire : j'ai fait de mon personnage un humain !

H'hououu
W.W.S.,
dans ce vieux trou de Londres, 1997.

CHAPITRE 1

Simon Dykes, l'artiste, debout, un verre (loué) à la main, regardait passer une embarcation de huit rameurs, qui semblait suinter d'un mur d'immeuble en brique brune pour s'étirer sur une bande d'eau verdâtre et s'enfoncer dans le mur en béton gris d'un autre immeuble. Certaines personnes perdent le sens des proportions, pensa Simon, mais qu'adviendrait-il si l'on perdait le sens de la perspective ?

« Une catastrophe pour un peintre...

– Pardon ? dit Simon, croyant qu'il avait parlé à haute voix.

– Ces œuvres. C'est une catastrophe pour un peintre, répéta George Levinson, qui venait de se porter au côté de Simon et regardait par la fenêtre donnant sur le fleuve.

– Une catastrophe pour *le* peintre, tu veux dire ? Tu parles du vernissage ? » Simon se tourna de trois quarts vers le profil bovin de George et, d'un ample geste circulaire, embrassa l'espace blanc de la galerie, les grandes toiles rectangulaires et les invités, debout en groupes épars, les bras croisés ou figés en extension, comme un tableau vivant dans une exposition sur les rapports sociaux humains.

« Oh, non, non, au contraire. » George avala bruyamment une lampée de vin chilien. « J'ai tout vendu. Tout le lot, tous ceux qui ont un petit point rouge. Non, je veux dire que cette technique *pourrait* être une catastrophe pour un peintre tel que toi, cette idée de tendre un écran de soie sur des photogravures. Je

15

veux dire, je sais que ça n'a rien de… hum… de particulièrement remarquable en soi, mais tu avoueras que le rendu final a quelque chose de… qui peut faire penser à…

– Des huiles ? À des peintures à l'huile ? Arrête tes conneries, George. Un mot de plus et je te vire. » Et le peintre se détourna du marchand pour reprendre sa contemplation du ravin d'architecture composite que formait l'association disparate des immeubles modernistes et des façades victoriennes sur la rive de Battersea.

Les ondes périphériques du vernissage – une stridence de musique de chambre contemporaine, une volute de fumée de Marlboro, les lapements d'un couple de jeunes gens adossés contre un pilier et chevillés l'un à l'autre (la cuisse gainée de satin de la fille tendrement emboîtée dans l'entrejambe en velours côtelé de son compagnon), qui se broutaient réciproquement la figure – parvenaient jusqu'à Simon et George qui, isolés dans leur coin, se tenaient debout côte à côte avec la tranquille assurance de deux hommes habitués à se côtoyer dans cette même attitude, liés par une entente tacite.

Une autre embarcation de huit pointa le nez derrière l'immeuble en brique brune, glissa sur un coussin glauque encadré par la maçonnerie, avec son barreur à la poupe – la casquette de base-ball et le porte-voix bien en évidence – puis fut injectée dans le mur en béton gris telle une longue seringue actionnée par huit étudiants en médecine. « Non, dit Simon. Non, quand tu es arrivé, je pensais… en regardant ça » – il pointa le doigt sur le tronçon de Tamise, les rectangles immobiliers, les bordures vertes ornementales – « que ce serait terrible pour un peintre de perdre le sens de la perspective.

– Je croyais que c'était justement la grande affaire du siècle pour toute une flopée de peintres abstraits, cette volonté de voir le monde sans regard préconçu, les cubistes, les fauves, les vorti…

– Ça, c'est la perspective dans son acception intellectuelle.

Moi, je te parle d'une perte réelle de la perspective, une forme de cécité, si tu préfères, qui gommerait toute profondeur de champ, où la vision se réduirait à un jeu de formes et de couleurs sur un plan unique.

– Comme un trouble neurologique, tu veux dire ? Comment on appelle ça, déjà, agnopho...

– Agnosie. Ouais, quelque chose comme ça... Je ne cerne pas très bien moi-même ce que je veux dire, mais je ne parle pas d'une "révolution du voir" à la Cézanne, non, non, pas du tout, plutôt d'une restriction. C'est la perspective qui produit la troisième dimension indispensable à la vision et peut-être aussi à la conscience. Sans elle, l'individu ne serait peut-être plus en mesure de percevoir le temps, tu comprends. Il faudrait... il faudrait en quelque sorte réapprendre la notion de temps, sans quoi on serait emprisonné dans un réel en tranches, comme un microbe entre deux lamelles de microscope.

– C'est à méditer, répondit Levinson après quelques secondes, en s'excluant d'office de la méditation.

– Simon Dykes ? » Une femme s'était approchée pendant son laïus et oscillait entre méfiance et assurance, la main tendue et le corps penché en arrière, en second plan, comme s'il ne fût qu'une dépendance de ladite main.

« Oui ?

– Excusez-moi de vous interrompre...

– Il n'y a pas de mal, j'allais justement... » Et George Levinson battit en retraite sur la bâche blanche de style « désertification industrielle » qui couvrait le sol, tel un palmipède trop engraissé, trempant son bec dans des touffes de gens au passage, lâchant un prénom par-ci, picorant un patronyme par-là, comme pour justifier le récent article d'un magazine de luxe qui l'avait décrit comme « l'arpenteur d'antichambre le plus compétent du monde de l'art londonien ».

« C'est George Levinson, n'est-ce pas ? » dit la femme. Sa

figure ronde, surmontée d'une tempête de vaguelettes brunes, était vissée sur un petit corps gibbeux qui semblait enchâssé dans du vêtement plutôt que vêtu.

« Oui, en effet, répondit Simon, fatigué de ce vernissage et impatient de mettre les voiles, sur un ton plus méprisant qu'il ne l'eût voulu.

– C'est toujours lui qui vous cornaque ?

– Oh, non, non, c'est fini, ça. Depuis le lycée, en fait. À l'époque, oui, il aimait bien me cornaquer dans un coin du vestiaire après les matchs. Mais, aujourd'hui, il se contente de vendre mes toiles.

– Ha... ha ! » Ce n'était pas un rire forcé, ce n'était pas un rire du tout, plutôt l'allusion à l'éventualité d'un trait d'humour. « Je sais cela, bien sûr...

– Alors, pourquoi posez-vous la question ?

– Écoutez, répliqua-t-elle avec un froncement de lèvres qui la trahit, révélant à Simon que cette rancœur de pimbêche était son état d'esprit naturel et tout le reste un prodigieux effort de volonté, si vous avez l'intention d'être grossier...

– Non, excusez-moi, sincèrement... » Il leva une paume ouverte en signe de paix pour tempérer le climat pesant qui s'installait entre eux et, tel un sculpteur tapotant la glaise pour en adoucir les formes, alla même jusqu'à lui tapoter le poignet. « Je ne voulais pas être incorrect, je suis fatigué et... » Ce poignet, ces bouts d'os secs comme son élocution sous le bracelet de sa montre, *os d'oiseau, os de moineau, brisures d'os.*

Et, tapotant, tapotant, il laissa ses yeux dériver vers la fenêtre. Un vol d'oiseaux virevoltait sur un méandre du fleuve – des hirondelles, apparemment, qui tantôt fusionnaient, tantôt s'égaillaient, comme des pensées dans un esprit désordonné. Simon pensa à Coleridge, puis à la drogue. C'est drôle, se dit-il, c'est comme une synesthésie de concepts : quand je pense à Coleridge, je pense drogue, quand je pense aux oiseaux, je pense

Coleridge, ou drogue... Et Simon pensa à Sarah, d'abord spécifiquement à sa toison pubienne, ensuite seulement à la femme qui passait dans sa rêverie, devant ses yeux, à travers ses yeux – pas de perspective, vous saisissez ? – et regardait dans ses prunelles pour voir s'il y avait quelque chose à en tirer. « Je ne voulais pas être incorrect. Je suis fatigué et...

– Je comprends, il y a de quoi, avec la date de votre nouvelle exposition qui approche. Vous aimez travailler dans l'urgence ?

– Non, pas vraiment. Généralement, je peins la veille du vernissage, pour me laisser le temps de tendre la toile et de faire la plupart des encadrements avant de... » Il s'interrompit. « J'allais encore être grossier. Mais, avant d'en dire plus, j'aimerais savoir à qui j'ai l'honneur.

– Vanessa Agridge, de *Contemporanea*. » Elle lui colla sa patte de poulet dans la main, qu'elle gratouilla plus qu'elle ne serra. « Je ne sais pas ce que je vais pouvoir écrire sur *elle*, mais je ne regrette pas d'être venue puisque ça m'a donné l'occasion de... vous rencontrer... au débotté (si je puis dire, hum hum) juste une semaine avant votre nouvelle exposition et... » Et elle cala, moteur enrayé – un raté qui tomba comme un silence à contretemps.

« Elle ? reprit Simon, après un instant d'attente polie.

– Manuella Sanchez », répondit Vanessa Agridge en lui martelant le bras avec un exemplaire roulé du catalogue, dans un élan de privauté coquine.

Simon essaya sur elle sa nouvelle vision sans perspective : un museau en forme de plâtras, rainuré de rouge, cerné en haut et en bas de fourrure noirâtre. Le plâtras s'étala un peu, la rainure s'élargit, laissant apparaître des canines, et elle continua :

« On m'avait dit qu'elle était très excessive, très provoc – enfin, c'est sa réputation – mais pas du tout. Elle est tout à fait ordinaire. Je ne vois pas ce qu'on lui trouve.

19

– Mais son travail ? C'est bien pour ça que vous êtes ici, non ? Pour écrire sur son travail ?

– Hngfh, éternua-t-elle, non, non, *Contemporanea* est plutôt *people*, voyez, comment vivent les artistes, leurs habitudes, ce genre de choses. Mon rédacteur appelle ça du "Vasari commercial".

– Finement trouvé.

– N'est-ce pas ? » Elle porta son verre à ses lèvres, but une gorgée et le lorgna par-dessus le rebord. « Alors, votre exposition ? Figuratif ? Abstrait ? Un retour à votre veine conceptuelle comme *Un monde d'ours* ? À quoi devons-nous nous attendre cette fois ? »

Simon réactiva son sens de la perspective et observa à nouveau Vanessa Agridge. Au zoom, son épaisse omelette faciale semblait presque friable ; son visage n'était pas du tout aplati, plutôt pointu au contraire, avec des yeux tubulaires. Il procéda mentalement à une évaluation de son volume, de sa masse, de son poids, de son degré d'alcool, renifla, capta quelques effluves corporels primaires, puis, au moyen d'antennes tactiles télécommandées, palpa ses excroissances sous le renflement de ses habits, enfonça un doigt psychique dans son anus, un autre dans sa narine gauche, et retourna son anatomie comme une chaussette. Dans l'opération, il oublia momentanément qui était cette emmerdeuse qui lui tenait la jambe, ce qu'elle lui avait raconté jusque-là, et le lui dit en pensée.

« Certainement pas abstrait, enchaîna-t-il. Je pense que la peinture non figurative a fini par devenir ce que Lévi-Strauss avait prédit, "une école de peinture académique dans laquelle l'artiste s'évertue à représenter la manière dont il réaliserait ses tableaux si d'aventure il devait peindre".

– Oh, c'est remarquable, dit Vanessa Agridge, très... touffu. Vous croyez que je peux m'en servir... en vous citant, bien sûr ?

– En citant Lévi-Strauss, vous voulez dire. Ce n'est pas de moi.

– Bien sûr, bien sûr... » Un dictaphone venait d'apparaître quelque part sur elle, comme une colombe sortie du chapeau d'un prestidigitateur. Simon ne remarqua rien. « Donc, ce sont des portraits, alors, des natures mortes...

– Des nus. » *Il se revoyait fumant un cigarillo volé dans un marais, revoyait la gaine planétaire de sa mère, le pénis de son père, courtaud, circoncis...*

« Dans le genre Bacon ou... » – elle gloussa – « freudien, peut-être ? Vous savez, genre "j'effeuille le corps de la femme comme une marguerite pour extérioriser son anatomie" ou genre...

– Ce sont des discours amoureux. » *Pipi-culotte, pipi-par-terre. Le genre nauséeux. Pissures mortes sur lino. Ou peut-être Natures Pissantes au Lino. Une série intitulée* « Soupir ».

« Des quoi ? » Vanessa Agridge avait quelque chose de la truie dans sa façon de tenir son dictaphone – broyé, ratatiné, aplati comme une crêpe –, à l'image de ces crétins qu'on voit accrochés à leur téléphone portable.

« Des discours amoureux. Des tableaux presque narratifs, qui parlent directement de mon amour pour le corps humain. Mon histoire d'amour, à trente-neuf ans, pour le corps humain. »

Pendant qu'ils s'enlisaient dans la vase, le vernissage se terminait. Les invités nageaient vers la sortie, aspirés par d'autres tourbillons de mondanités. George Levinson, qui flottait dans leur direction, vira lentement vers Simon.

« Tu viens, Simon ?

– Excusez-moi... Où ?

– Chez Grindley pour commencer, puis peut-être au Sealink.

– On se retrouve au Sealink, alors, je dois d'abord aller voir ce que fait Sarah.

– OK, à plus. »

Levinson se laissa emporter par le courant, en flirtant avec un jeunot qu'il avait dragué, un garçon félin, en manteau noir, la taille fine, l'œil mauve. Et, dans le remous des au revoir, le souvenir de l'instant précédent refit brusquement surface. Simon se redressa et réémergea dans le présent. Avec la vie qu'il menait, quand une personne sur trois faisait mine de le reconnaître en le rencontrant, pouvait-il encore s'étonner d'être constamment en train de parler à des inconnus comme à de vieux copains ?

Vanessa Agridge brandissait son dictaphone – qu'il venait enfin de repérer – comme une menace.

« Il faut m'excuser…, dit-il.

– Je vous ai déjà pardonné. » Elle se faisait à son style – tout arrive.

« Non, je veux dire maintenant. Je dois partir. J'ai du travail.

– Avec Sarah ?

– C'est mon amie...

– Votre modèle ?

– Mon amie. Écoutez, faut que j'y aille. » Il s'extirpa de la vase et s'éloigna.

« Juste une chose... » appela-t-elle. Il se retourna. Elle n'était plus qu'une ombre vacillante maintenant, qui ondoyait dans le soir d'été.

« Oui ?

– Votre Lévi-Strauss.

– Oui ?

– Vous n'auriez pas son numéro, des fois ? J'aimerais lui parler de cette citation... si je fais l'article, je veux dire. »

Il y avait un petit alignement de téléphones publics près des portes principales de la galerie. Simon sortit sa télécarte de son portefeuille, l'introduisit dans la fente, composa le numéro de Sarah à l'agence artistique où elle travaillait et attendit, dans une volière virtuelle, parmi les piaillements et les gazouillis de la connexion. Puis les lèvres de Sarah chatouillèrent sa pommette, sa voix soupira dans son oreille : « Je suis absente pour le moment, mais si vous me laissez un mess... » Non, pas sa voix. Une voix aussi proche de la sienne que celle de Hal dans *2001* l'était de la voix humaine. Au lieu de ses inflexions pétillantes, une élocution horriblement châtiée, avec un spondée dans chaque mot.

« Tu es là ? demanda-t-il après le bip, sachant qu'elle y était.

— Ouais, je filtre les appels.

— Pourquoi ?

— J'sais pas, j'ai envie de parler à personne. Sauf à toi, évidemment.

— Bon, alors, quel est le programme ?

— On se retrouve à quelques-uns...

— Où ?

— Au Sealink.

— Qui ?

— Tabitha, Tony, je crois... mais il n'a pas confirmé. Peut-être les Braithwaite.

— La fine équipe, quoi.

— Ouais. » Elle eut un petit rire étouffé, leur rire à eux, comme un souffle bref qui disjoint à peine les lèvres. « La fine équipe. Tu penses y être à quelle heure ?

— Je suis déjà en route. »

Il raccrocha sans plus de salamalecs, puis distribua quelques ultimes « On se rappelle », « Faudra qu'on se voie » et autres « À la semaine prochaine » – qui, dans l'esprit, étaient des « À l'année prochaine » – avant de gravir l'escalier en fonte pour regagner la rue.

Londres en été, vers la fin de l'heure de pointe. La galerie ne se trouvait pas à Chelsea Harbour, mais c'était tout comme, tant ce vernissage paraissait déphasé par rapport au monde extérieur. Simon chemina le long des quais, en jetant des regards intermittents derrière lui, par-dessus son épaule, vers la sphère dorée en haut de la tour centrale du grand ensemble. Quelqu'un lui avait dit un jour qu'elle montait et descendait au rythme des marées, mais, comme il ne savait jamais si la marée était haute ou basse, il était incapable d'en interpréter le mouvement.

Il était épuisé et ses bronches charriaient cette mucosité cotonneuse qui précède ou suit une infection pulmonaire. Début ou rémission ? se demanda-t-il en zigzaguant pour contourner les voitures embouteillées dans le crochet qui menait à Earls Court. La nuit s'annonçait longue : vociférations, rires, flirts – toujours le même cinéma, la même production, avec sa distribution interchangeable de personnages anonymes mais récurrents. Retour prévu sur le coup de 3 ou 4 heures du matin, peut-être beaucoup plus tard, dans le prisme des rayons de l'aurore et le désordre que, maladroits déménageurs nocturnes, les narcotiques auraient laissé dans le mobilier du monde.

La drogue, soupira-t-il, la drogue... Quelle drogue ? La cocaïne de merde qu'on vendait dans les bars avec la bénédiction tacite de la direction, laquelle détournait pudiquement les yeux en sachant qu'elle aurait pour seul effet d'inciter les sniffeurs à acheter de plus en plus d'alcool au prix fort ? Ouais, probablement quelque chose comme ça. Il se voyait déjà en train de faire des lignes, recroquevillé dans quelque chiotte pour nabot, se voyait déjà en train de caramboler Sarah avec cette désespérante impression de fin du monde que donnait la mauvaise cocaïne, parce que ça se terminait toujours comme ça. Deux squelettes copulant dans un placard, frottement d'os, stridulations. Et demain, demain, désincarné, fantomatique, il passerait à la caisse avec, incrusté dans les numéros en relief de sa carte de crédit, un cerne de poudre blanche.

À moins qu'il n'y eût de l'ecstasy au menu, celle que Sarah avait réussi à se procurer, il ne savait pas comment – par Tabitha sans doute. Au début, il s'était récrié contre l'ecstasy, surtout contre son appellation, qui était pour lui une publicité mensongère. Après ses deux premiers essais, il avait dit à Sarah : « Si tu appelles ça de l'extase, alors il faut appeler "rage" n'importe quelle drogue qui provoque un petit énervement. » Mais il y avait pris goût. Il avait cessé de la considérer comme une drogue psychédélique, comparable à l'acide et aux champignons qu'il avait plus ou moins – rarement moins – expérimentés quand il étudiait les beaux-arts au Slade, et compris qu'elle n'agissait que sur les interfaces de l'esprit des gens, leurs relations mutuelles. C'était une drogue qui avait besoin d'un intermédiaire, qui se servait des émotions d'une tierce personne comme d'un tremplin vers l'abandon. Toutes les conversations sous ecsta prenaient une intensité adolescente, inclinaient à l'intimité.

Elle avait aussi d'autres effets curieux. Même lorsqu'il avait la panse ripolinée à l'alcool et les naseaux tapissés de cocaïne frelatée, une « colombe blanche » provoquait toujours en lui l'irré-pressible désir de pénétrer tout ce qui passait à portée de sa vue. Homme, femme, cul-de-jatte, pêle-mêle, il ne faisait pas le détail. Il rêvait d'une fosse aux damnés grouillante de corps dénudés et gigotants, barbouillés de glycérine ; ou, mieux encore, d'une farandole de fornicateurs, d'une copulation en enfilade où un coup de bite à un bout eût déclenché une palpitation de chagatte à l'autre bout.

Ecstasié, le corps de Simon était un fleuve en crue, inondait toutes terres environnantes, engloutissait les riverains. Mais, alors, Sarah le prenait en main. Avec une remarquable science de l'hydrologie, elle dressait des barrages, effectuait des travaux de dérivation et canalisait vers elle les écoulements.

Ouais, l'ecstasy. Et puis ils regagneraient leurs pénates, la rési-dence Renaissance où, ménestrels dans la charmille dorée du lit de Sarah, ils pinceraient les cordes de leurs corps-mandolines pour jouir enfin à retardement. Dormir enfin à retardement.

Non, pas ce soir, songea Simon en tournant dans Tite Street, non, je n'ai pas envie de me charger. Je ne me sens pas *chaud* pour ça en ce moment et j'ai une longue journée de travail qui m'attend demain, pas moyen d'y couper. Alors, visualisant par anticipation son slalom nocturne entre les toxicités, il jaugea sa condition physique, la conformité du rapport esprit/métabolisme, métabolisme/chimie, chimie/biologie, biologie/anatomie, anatomie/vêtement. Ses orteils se recroquevillaient dans ses chaussettes à demi durcies par la transpiration, il sentait leur détérioration mycosique, le grattement des petits fils. Il avait les extrémités des doigts engourdies. Un début de sclérose des terminaisons nerveuses ? Il pensa à la demi-bouteille de whisky qu'il s'envoyait presque tous les soirs, puis, comme d'habitude, rejeta l'hypothèse. L'hypothèse alcoolique – d'une dépendance physique à l'alcool.

Mais voilà qu'il était tout ballonné – comme si le vin chilien fermentait encore dans son ventre –, et la flatulence accompagnait sa déambulation comme un contrepoint à ses raclements de gorge et à ses crachats – assez réussis, ceux-là, bien ajustés entre les incisives et faisant mouche à chaque coup sur le pavé visé. C'étaient des copains d'école qui lui avaient enseigné cette technique – dont les démonstrations consternaient son délicat frère aîné –, ainsi que le tour consistant à prout-prouter en serrant les fesses. La pétopropulsion en 2 D, se disait-il, comme dans un dessin animé.

Simon se sentait interpellé par son cul aujourd'hui, comme si son trou de balle avait essayé de lui parler en ânonnant, pour lui annoncer que ses jours étaient comptés.

Alors il se rappela sa jeunesse, quand l'apprentissage de l'intimité avec les nouvelles amantes se définissait par l'interaction sexuelle : le refus mutuel, tacite, de se laisser embarrasser par un pet vaginal ou une éjaculation précoce. Puis l'extension de cette intimité, sa substantification par la volonté d'inclure la merde, la pisse et les sécrétions secrètes de l'autre – jusqu'au paroxysme de l'enfantement, le vagin dilaté à la limite du déchirement et déversant quelques litrons d'une espèce de soupe chinoise sur le drap en plastique. Le placenta, cet organe qui était à elle sans être tout à fait d'elle, peut-être même partiellement de lui. On vous le fait revenir à la poêle, à l'ail et aux petits oignons ? Non, merci, sans façon. Et ça partait à l'incinérateur, dans un emballage cartonné, comme un plat de rognons à emporter.

Désormais, il n'avait plus la patience de cet apprentissage-là. Sarah et lui se soufflaient dans la nuque l'un de l'autre depuis neuf mois maintenant, mais il ne supportait pas de partager la même salle de bains qu'elle. Il ne supportait même pas l'idée de sa présence dans la maison quand il allait à la selle. S'il avait pu, il aurait fui dans une autre ville pour chier. Son trou du cul lui transmettait un mémorandum à usage interne sur sa propre mortalité – mais il y avait des fuites. Le travail de ses tripes n'était même plus discret, elles étaient perpétuellement sur la brèche, à lui télégraphier des bulletins péteurs, lui faxer du jus de chiasse qui laissaient d'affligeantes souillures sur ses caleçons. Du coup, Simon s'arrêta pour tirailler sur la ceinture de son pantalon, histoire de donner à son persécuteur un peu plus d'air à polluer.

Chaque fois qu'il prenait le temps de méditer sur son rapport à son corps, ce double idiot, il était persuadé que quelque chose avait mal tourné, à un moment ou à un autre, sans qu'il s'en aperçût. Cet insistant rappel de sa corporéité le perturbait. Qu'étaient devenus ces après-midi de jadis – souvenirs affleurant à la surface du corps même –, ces après-midi insouciants et intemporels de l'enfance, ces jeux jusqu'au coucher du soleil, jusqu'aux appels parentaux qui résonnaient dans le demi-jour de la banlieue comme des cris de singes dans les lointains ? Et, dans cette insouciance que sa mémoire imprégnait de crépuscule, il y avait aussi l'insouciance du corps, quand il n'était pas encore inhibé, ficelé, couturé par la connaissance de ce qui allait advenir, quand il n'était pas encore ce thermostat régulant tout plaisir ou toute velléité d'action, toute velléité de repos.

Il dépassa la caserne Duke of York, où s'immobilisait la garde mobile, et tourna dans King's Road. Oui, une cassure s'était produite quelque part, mais quand exactement ? Il y avait forcément eu un moment critique, car maintenant, lorsqu'il pensait à son corps, il pensait à un carcan mal ajusté aux entournures, il avait l'impression qu'il y avait du jeu entre les ligaments et les os, entre chaque cellule et sa voisine. Que s'était-il passé ? Le contrecoup de ses trips sous acide ? Parce que ça le travaillait toujours, le souvenir des voyages astraux qu'il avait faits avec d'autres aventuriers du psychisme brillait encore dans les flashes qui crépitaient maintenant dans sa mémoire. Et peut-être, peut-être, au hasard de l'un de ces voyages hors de son corps, avait-il mal réintégré son être physique à l'atterrissage – une légère erreur de parallaxe entre le psychique et le charnel, un petit décalage entre les formes et les contours, comme une mauvaise reproduction photographique qui bave sur les bords.

Mais il n'y avait pas seulement ce défaut d'ajustement, il y avait aussi l'amputation de ses enfants qui déréglait sa perception corporelle, qui le désincarnait. Quand sa vie conjugale avec Jean avait implosé, comme une barre d'immeubles sous l'effet de pétards pernicieusement disposés, ses enfants avaient respectivement cinq, sept et dix ans, mais ses liens physiques avec eux ne s'étaient pas rompus ; leurs nez à moucher et leurs culs à torcher étaient directement connectés à son système nerveux par des câbles de conscience. Pour peu que l'un d'eux s'écorchât ou se coupât, Simon ressentait sa douleur comme une sonde endoscopique dans ses intestins, un scalpel dans ses tendons. Quand ils déliraient sous les fièvres infantiles – « Papa, papa, je suis l'Islande, l'Islande » – il délirait avec eux, s'associait à leurs hallucinations, escaladait le faux Piranèse du papier peint de leur chambre, écartait une feuille pour poser un orteil sur une fleur.

Peu importait la fréquence de leurs retrouvailles, peu importait combien de fois il allait les chercher à l'école, leur faisait des frites et des bâtonnets de poisson surgelés, les câlinait, les embrassait, leur disait qu'il les aimait, rien ne pouvait apaiser le feu de la déchirure, de leur résection de sa vie. Il n'avait peut-être pas mangé le placenta, mais les cordons ombilicaux pendaient encore à sa bouche comme des ectoplasmes, des spaghetti tendus à travers le Londres estival, par-dessus les toits, les toboggans routiers, les panneaux publicitaires, qui le rattachaient à leurs petits ventres.

Simon s'arrêta devant un kiosque à journaux près de Sloane Square. Des filles emmaillotées dans du skaï passèrent, à la fois luisantes et ternes. Il repensa brièvement à la femme qu'il avait baisée à Eaton Square – dans le temps mort entre Jean et Sarah. Jean et Sarah... Non, JeanetSarah – sans césure. Elle apparut tout à coup, là, devant lui, dans Sloane Square, parmi le décor spectral de son appartement étalé sur le trottoir.

Le grand divan, la table basse en verre, les tableaux abstraits et leurs deux corps. Ils se vendaient réciproquement une assurance de façade, se pelotaient, se cartographiaient, comme des géomètres effectuant un relevé topographique. Ici des seins, ici des hanches, ici une bite, ici une chatte... Il éplucha ses jambes, retroussa ses collants qui serpentèrent comme des pelures de pomme de terre. Ses chevilles étaient douces sous le feutre de ses joues mal rasées. Il enfouit sa tête ivre dans les replis de son ventre blanc, les plis de sa peau, sa peau qui ripait sur la chair. Ils rirent, sniffèrent de la coke, à demi nus, en sifflant de la vodka tiède et râpeuse. Quand il la pénétra, il dut s'aider du doigt pour diriger sa queue, mais elle ne s'en formalisa pas, soit qu'elle ne le vit pas, soit qu'elle n'était pas regardante. Au choix.

Rideau. Changement de décor. À sa droite, il y avait un présentoir de journaux. Il parcourut les gros titres : « Nouveaux massacres au Rwanda », « Le président Clinton appelle au cessez-le-feu en Bosnie », « Accusations de racisme dans le procès O.J. Simpson ». Ce n'étaient pas des nouvelles politiques, se dit-il, c'étaient des nouvelles sur le corps, du corporeportage. Des corps malingres traînés par les pieds dans la boue, corps écrasés, corps pulvérisés, gorges tranchées, gorges rougies, trachéotomies gratis pour dégager les bronches avant le dernier soupir.

Ça cadrait bien dans le tableau, au fond, il y avait là une certaine cohérence entre la pénombre qui entourait sa vie, le clair-obscur qui entourait le soleil et ces actualités, ces dernières nouvelles de la désincarnation. Son imagination, toujours trop visuelle, lui permettait de voir ce qu'il y avait derrière ces titres, mais l'image ne fut vraiment parlante que lorsqu'il distribua Henry, son aîné, dans le rôle d'un Hutu et Magnus, le bébé, dans le rôle d'un Tutsi, et les regarda s'étriper.

Il soupira – « C'est un manque de perspective... » – puis toussota en voyant une tête se tourner vers lui, parce qu'il venait de parler à haute voix. Il pensa à acheter du Lucozade, mais n'eut pas la force d'entrer dans le magasin ; il pensa à envoyer une carte postale aux gosses, mais il n'y avait sur le tourniquet que des images de chimpanzés dans des poses humiliantes, en vestons de tweed, portant des attachés-cases, avec des légendes comme : « Amical souvenir de Londres. » Alors, il tâta du bout des doigts le joint qu'il avait roulé tout à l'heure et rangé dans la poche intérieure de sa veste. Il le tint un instant dans sa paume – chiffonné et recourbé comme le pénis d'un tigre en papier – puis l'alluma, pour passer son esprit au fumigène, désinfecter un peu ses visions.

CHAPITRE 2

Sarah était assise au bar du Sealink, assaillie par les dragueurs. Certains la draguaient avec les yeux, d'autres avec la bouche, ou encore la tête, les cheveux. Certains avaient le gringue subtil et allusif, d'autres sortaient la grosse artillerie, étalaient pratiquement leur bite sur le zinc. Certains tentaient des approches discrètes, des manœuvres de contournement, comme des invites à se toucher le bout des doigts, les cuticules, les petites peaux autour des ongles ; d'autres montaient des productions à la Bayreuth, à grand renfort de machinerie, avec des allégories peintes qui descendaient des cintres pour illustrer en couleurs criardes leur Goût, leur Intellect, leur Statut. Les hommes étaient pareils à des singes – songeait-elle – qui gesticulaient et se tapaient sur la poitrine pour montrer leur potentiel sexuel.

Dans ce cyclone d'impersonnalité, elle était un œil blond. C'était une jeune femme qui aimait surprendre, quand l'envie lui en prenait. Ce soir, elle portait un petit tailleur noir, une petite toque noire, une petite voilette noire, des talons noirs, des collants noirs, un corsage en soie crème au col à pointes. Elle bougea légèrement, dans un frôlement de soie qui lui faisait comme une châsse moirée où elle se sentait très en valeur, exposée sur son tabouret telle une apparition magique née d'un faisceau lumineux, les molécules encore en ébullition, enchantée d'incarner son propre personnage dans un rôle de composition.

Peut-être est-ce cela qui excite vraiment les hommes, se disait-elle, cet appel de l'urbanité. En vérité, elle savait que c'était plutôt son physique de chatte, sa félinité blonde ; son nez à l'arête droite, mais légèrement retroussé pour montrer les veinules roses de ses narines, comme une mise en garde ; sa bouche étroite, mais aux lèvres pleines, surtout la lèvre inférieure, qu'on eût pu décrire comme une moue sur un visage plus mobile ; son menton vulpin, pointu, un menton aratoire ; ses yeux violets, réellement violets, d'une couleur étonnante – deux feux grégeois luisant sur des pommettes saillantes, qui apportaient une touche minérale dans un visage en apparence tout animal, mais qui, eût-elle relevé sa toque, eût montré une implacable froideur de pierre dans le V austère de l'implantation de ses cheveux sur son front.

On dit trop souvent, en anglais, que les femmes ont un visage en cœur. Celui de Sarah était en forme de diamant, deux triangles superposés, l'un délimité par la racine des cheveux et les joues, l'autre par les joues et le menton. Et, comme tout diamant, il avait des facettes, des reflets changeants selon le point de vue de l'observateur.

Quand les déferlantes de mondanité force 6 du Sealink, qui bouillonnaient autour du tabouret où brillait ce joyau, se brisaient contre le bar, Sarah profitait du reflux pour boire son cocktail, allumer une Camel filtre, échanger quelques remarques avec Julius, le barman, et contempler son reflet démultiplié dans les glaces des étagères.

« Simon vient, ce soir ? demanda Julius entre deux pirouettes de son shaker, avant d'en faire jaillir l'alcoolat quintessentiel d'une concoction de spiritueux.

– Ouais, il était à un vernissage... Il ne va pas tarder, je pense... » Elle n'acheva pas sa phrase. Un beau jeune homme venait d'approcher du bar. Il la reluqua, ratissa du regard son bibi et dit à Julius :

« Um.

32

– Um quoi ? Umbongo ? demanda le barman.

– Um... euh... » Voilà le gandin déboussolé. Fourvoyé dans son pantalon de toile – vêtement un peu déplacé ici, pensa Sarah –, égaré et suant sous le zénith de sa propre splendeur.

« Je ne crois pas connaître ça, monsieur, c'est à base de grenadine ? » Et, sans attendre la réponse, Julius transporta son grand corps souple à l'autre bout du bar, la semelle fuyante comme sur un tapis roulant.

« Il est très... c'est un marrant, non ? dit le jeune homme à Sarah (simple suggestion, mais exceptionnelle en l'occurrence, dans ce sens qu'elle n'avait rien de suggestif).

– Oui, soupira-t-elle, il est trop bien pour ici. Il gâche ses talents, il aurait pu devenir quelqu'un, vraiment, c'est trop bête. » Elle soupira encore, hocha tristement la tête et remua son cocktail avec le doigt.

« Pourquoi dites-vous ça ? » demanda-t-il.

Avant qu'elle n'ait pu répondre, resserrer un peu le nœud coulant où il avait déjà passé la tête, les portes battantes du bar pivotèrent et Tabitha, la petite sœur de Sarah, fit son entrée.

Elle était accompagnée de Tony Figes, le critique d'art, et des frères Braithwaite, une redoutable paire de jumeaux dissemblables qui considéraient leur vie ensemble – c'est-à-dire l'ensemble de leur vie – comme un art de respiration et de gestique, ce qui induisait l'axiome suivant : leur éclat était inversement proportionnel à la puissance des projecteurs. Adeptes du bizarre en société, c'étaient des artistes bio-luminescents, qui ne brillaient que dans la pénombre d'un contexte mondain.

« Baise-moi dans les coins, dit Tabitha en plantant une bise twigletée sur la pommette pointue de Sarah, une bise si twigletée qu'un peu de Twiglet resta collé à sa joue, tu es toute seule comme une âme en peine. » Elle enlaça sa sœur aînée en plongeant ses ongles sous son sternum.

Sarah se débattit, la gifla et dit : « Va te faire foutre.

– Avec toi. » Tabitha ne désarma pas. Elle se pencha sur Sarah et farfouilla dans la soie, le coton et la chair, en quête d'un petit bout de téton à pincer. Dans son autre main, le sachet de Twiglets s'agitait par saccades.

« Casse-toi ! »

Ayant apparemment trouvé ce qu'elle cherchait, elle virevolta vers l'autre bout du bar pour saluer Julius.

Tony Figes signala sa présence par un « Bonsoir » plus sobre, prit la main de Sarah et, pour bien montrer que l'emprunt n'était que provisoire, la lui rendit aussitôt. Puis il sourit. Sa longue balafre, qui formait un L entre sa joue, la fossette de son menton et sa lèvre inférieure, se crevassa pour lui dessiner une seconde bouche. C'était un drôle de petit homme, voûté, bronzé comme du papier kraft, emballé en paquet-cadeau dans un costume de lin crème, avec une étiquette de cheveux bruns collée sur le front. Des touffes de poils hélas grisonnants dépassaient du col ouvert de sa chemise. « Hmm. » Il jeta un regard dans la salle, considéra les portemanteaux et reprit : « Si j'avais voulu une police d'assurance, je serais resté chez moi et j'aurais appelé Freefone. » Elle rit. Mission accomplie, il s'en alla colporter son double sourire du côté de Julius.

Les frères Braithwaite vinrent encadrer Sarah, le gros d'un côté, le maigre de l'autre, en fredonnant un air qu'elle ne reconnut pas mais qui pouvait être *Les Raisins de la colère*. Malgré leur différence de corpulence, ils avaient tous deux le visage émacié. Et la même couleur de peau café au lait. Comme deux robots, ou des chariots élévateurs humanoïdes, pensa Sarah, ils tendirent les bras droit devant eux, paumes vers le bas. Son regard alla de l'un à l'autre : deux paires d'yeux bruns en autofocus monophasé. Puis, simultanément, les quatre mains fusèrent autour de la tête de Sarah pour exécuter une espèce de bourre-et-bourre-et-ratatam conceptuel, peut-être une variante du langage des sourds-muets à l'usage des mal-voyants. Le fredonnement

34

s'amplifia, puis retomba en même temps que les mains, et les deux zombies se téléportèrent en silence vers les toilettes.

« L'espace corporel, expliqua Tony Figes, qui était en passe de devenir leur exégète attitré, en allumant une Camel filtre. Ils agissent sur l'espace occupé par le corps.

– Je vois.

– Ils ont dit que, dorénavant, ils n'utiliseraient plus leurs corps que pour définir l'espace occupé par les autres corps, afin d'attirer l'attention sur la manière dont l'existence moderne détruit nos facultés de perception sensorielle », poursuivit-il en inclinant la tête d'un côté, tandis que son martini s'inclinait de l'autre. Sarah était persuadée qu'il ne savait pas lui-même si c'était du deuxième ou du troisième degré.

« Et ils vont tenir comme ça combien de temps, d'après toi ?

– Ce soir ?

– Ouais.

– Houu, peut-être une heure. Ils ont une excellente coke. Vraiment super. Encore quelques lignes et, avec un peu de pot, ils nous foutront la paix. »

Tabitha revint en longeant le bar au petit trot. On commanda d'autres verres à Julius. Les Braithwaite revinrent aussi, les yeux et le nez humides, comme deux petits chiens qui eussent reniflé de la cocaïne éparpillée dans les toilettes. Sarah se complaisait dans cette atmosphère de bisbille, de sarcasme et d'ironie, de satire et de dérision, dans la délicieuse impression d'introspection douillette qui s'en dégageait. Elle ressentait chaque pique comme une caresse, chaque repartie acerbe comme une tape d'encouragement.

Mais cela n'avait pas toujours été le cas. Naguère encore, ce genre d'esprit n'était pour elle que de l'esprit-de-sel, un éther social trop évanescent pour endormir son dégoût de soi. À peine six mois plus tôt, ce début de soirée au club, prélude aujourd'hui à l'abandon de son corps d'enfant, eût été le catalyseur de ses détestations. Mais, depuis, il y avait eu Simon. Plus spécifiquement le corps de Simon.

En se concentrant, en tamisant les sons, l'éclat des verres, des miroirs, des montures de lunettes, elle pouvait visualiser par avance l'arrivée de ce corps – un arpège de sonorités tangibles, un vol de bombardiers fondant sur elle à travers les ombres de la soirée : clavicule, cage thoracique, hanches, pénis ; pieds, mollets, cuisses, pénis ; mains, épaules, coudes, pénis. « Sarah aime le pénis de Simon. » Elle aurait pu graver ça sur le bar avec son épingle à chapeau, comme une déclaration de midinette.

Le duvet ras de sa nuque, les poils de sa poitrine, les longues stries de ses muscles – comme des échardes flexibles sous sa peau cependant douce et claire – une peau de garçon, à jamais sensuelle, faite pour être touchée à l'infini – une peau tout imprégnée de son odeur, qui le contenait tout entier, tout chaud, tout bouilli dans un sac lisse – une peau qu'elle eût voulu lacérer, qu'elle eût voulu crever pour le presser comme un fruit et le faire jaillir en elle. En y pensant, elle se frotta les cuisses l'une contre l'autre. Que n'était-il déjà là ? Et pourquoi s'embarrassaient-ils de sortir ? Pourquoi avait-elle voulu l'entraîner dans cette soirée ? L'avait-elle vraiment voulu, d'ailleurs ? N'eût-elle pas cent fois préféré être chez elle en ce moment et se laisser effeuiller, effeuiller, effeuiller ? Il savait faire démarrer son cœur galvanique à la manivelle pour la propulser dans de vertigineux orgasmes à n'en plus finir et la faire jouir, jouir, jouir...

Pourquoi sortaient-ils ? Pourquoi se droguaient-ils ? Pour évacuer le trop-plein ? Parce qu'elle craignait que trop d'amour ne fatiguât l'amour, que l'entraînement ne les épuisât au lieu de les fortifier ? Si elle avait lu Lycurgue, elle eût applaudi la loi spartiate sur l'adultère. À Sparte, l'adultère n'était pas puni, mais malheur à l'homme surpris dans un accouplement avec sa femme, car une mort certaine leur était promise à tous deux.

Ça, c'était vraiment sexy, c'était ajouter le parfum du danger aux relations maritales, ajouter l'interdit au désir. Ainsi en allait-il pour eux de la drogue et du Sealink comme de l'adultère : lasser leurs démons, c'était leur Lacédémone.

Mais il y avait aussi d'autres démons moins abstraits : son ex-femme et ses ex-maîtresses. Ses innombrables ex. À l'intérieur de Simon on trouvait, emboîtées les unes dans les autres, une famille Gigogne de poupées russes, les souvenirs réifiés de ses amours passées. Il était une encyclopédie de caresses, un catalogue raisonné de seins, de clitoris, de vulves. Si elle se laissait aller à y penser quand il la pénétrait, Sarah éclatait en sanglots – parfois dans le tout dernier instant, à la lisière de l'exultation – et alors ses pleurs contenaient deux sortes différentes de cris. Lorsqu'elle s'apaisait, Simon restait alangui sur elle, intrigué par ce trouble qu'il avait pourtant sciemment produit.

Où était-il ? Vite, qu'il vienne, qu'elle puisse se saisir de son mât pour faire voile avec lui sur les eaux mouvantes du Sealink. Car, dès que Simon serait là, le navire prendrait de la gîte et, entraînés par l'inclinaison du pont, ils basculeraient ensemble vers leur lit, en se tenant les mains, jointes d'abord, comme deux bigots, puis tordues, comme deux fous. Où était-il ?

Il était à Oxford Circus, debout devant Top Shop. Il tétait une Camel sans filtre, adossé à la vitrine, face à l'arène d'asphalte, et regardait au loin, vers le sud, où s'incurvait le récif de Regent Street. Ses tempes bourdonnaient. Il se sentait claustrophobe. Il regrettait d'avoir pris le métro. Une erreur. À moins que ce ne fût le joint qu'il avait fumé à Sloane Square juste avant. Il avait espéré un petit répit pour son corps, une excursion mentale pendant le transport vers le West End. Mais le hash était un tortillard poussif qui s'arrêtait toujours aux mêmes endroits, un majordome lourdaud qui l'avait fait entrer dans un salon de déplaisir.

Cela avait commencé dès l'escalator, avec son cortège de banlieusards en transit. Encore eux, s'était dit Simon. Toute ma vie, je les ai vus descendre à la queue leu leu dans des escaliers et des tunnels, en rangs serrés mais sans jamais se toucher. Des robots. Comme dans *Métropolis*. Et ce mot avait fait surgir dans la bouillonnante expansion de sa conscience des souvenirs plus lointains et plus profonds. Quand il avait vu *Métropolis*, à sept ans, il avait été épouvanté par le regard que portait Fritz Lang sur l'avenir des villes, régies par le Moloch de la machinerie. Pour l'enfant qu'il était, ce n'était pas un fantasme noir, mais un documentaire.

Et il ne s'était pas trompé. C'était un reportage fidèle sur l'anonymat de la multitude, où chaque corps était la reproduction de son semblable, rêve réalisé de Frankenstein, assemblage de parties interchangeables. Devant le distributeur automatique, Simon avait blêmi ; sous le panneau d'affichage, il avait transpiré dans son froc, une rigole de sueur avait sillonné son périnée – *actualitésdesviscèresactualitésdesviscèresactualitésdesviscères*.

Il avait menti à l'emmerdeuse du vernissage, la plumitive de *Contemporanea*. Ce qu'il lui avait dit sur sa prochaine exposition était faux. Son histoire d'amour avec le corps humain, c'était du pipeau. Il n'avait pas peint le corps idéal caché dans la chair, les os, le sang, il avait peint le corps distordu par la métropole, par ses trains et ses avions, ses bureaux et ses appartements, ses modes et ses modules, ses façons, ses fascismes, ses piazzas, ses pizzas.

Environ un an plus tôt, dans la période d'ombre entre Jean et Sarah, après un déjeuner au Arts Club avec George Levinson, Simon avait coupé dans le fromage des rues de Chelsea et ses pas l'avaient guidé jusqu'à la Tate Gallery. Ce n'était pas un hasard, il avait une raison d'aller là : il était à nouveau bloqué, il était sec. Il ne voulait plus peindre, ne voulait plus dessiner, construire, sculpter. Il était comme lobotomisé, ne comprenait pas pourquoi d'autres essayaient encore de peindre, de dessiner, de construire, de sculpter. À quoi bon ? Le monde se satisfaisait de sa propre imagerie – perpétuelle répétition du même. Alors, pour se secouer, il avait fait l'effort de mettre un pied devant l'autre dans la direction de la galerie. Il était arrivé défoncé au déjeuner et en était reparti ivre.

Cette visite à la Tate répondait à une sorte de pulsion masochiste. Mais vécue par un sadomaso raté. Il avait l'impression d'être un notaire d'âge mûr avec un penchant pour la flagellation, qui allait lever un minet à Charing Cross Road en sachant que son argent filerait directement dans la poche d'un mac et que la police étalerait son nom dans les tabloïds.

Il grimpa le large escalier de pierre, entra en crabe et en rasant les murs dans le hall principal, se faufila sous la voûte qui menait aux galeries contemporaines en détournant les yeux, de peur d'apercevoir les œuvres d'un de ses pairs, ou pis, l'une des siennes, et chercha refuge dans la salle Renaissance, où il rôda au petit bonheur, en bayant aux corneilles devant des paysages ombriens peuplés de daims et de biches. Cela ne signifiait rien pour lui. Les couleurs, la disposition des personnages, les lignes de force, l'iconographie religieuse, tout cela avait été tellement pompé et banalisé par la photo de mode et la publicité qu'il y voyait une insipide resucée de thèmes cent fois repris sur papier glacé. Il n'eût pas été surpris de voir un *putto* sortir du cadre d'un Titien dans une Peugeot 205.

Il déambula, essaya de s'égarer – en pensant à autre chose, car il connaissait trop bien la galerie pour tomber dans ses pièges. Il se rappela une ancienne visite, à seize ans, peu avant son premier baiser avec une fille. Tous deux, les paumes cimentées et huilées par la transpiration adolescente, avaient longé les cimaises en parlant peinture, mais il se souvenait d'avoir surtout observé les moulures, les grilles d'aération, les extincteurs, les interrupteurs, tout ce qui s'offrait à ses regards fuyants, sauf les Blake incandescents qui avaient servi de prétexte à leur venue, en essayant de ne pas se déconcentrer – de garder les idées claires pendant que, d'un côté, une maigre bite de seize ans poussait contre un slip et que, de l'autre, un cœur fondait de désir dans le creuset d'une maigre poitrine de quinze ans – et l'effort lui avait mis les neurones à plat.

Quand il leva les yeux – distrait, sinon perdu –, il était face à deux tableaux de John Martin, le peintre apocalyptique du XIXᵉ siècle, *Les Plaines du Ciel* et *La Chute de Babylone*. Le premier était un paysage montagneux d'un romantisme assez conventionnel – des pics et des vallées qui bleuissaient et jaunissaient vers des lointains brumeux – mais qui, vu de près, changeait d'aspect. Ce que Simon avait d'abord pris pour un plumet de fumées ou d'embruns jaillissant d'une anfractuosité au premier plan était en fait un grand tumulte d'êtres angéliques attroupés en désordre, dont le nombre altérait complètement l'échelle du tableau et reculait l'horizon de cent ou deux cents kilomètres. Ce n'était plus un horizon, d'ailleurs, ce n'était plus une ligne de montagnes aperçue du haut d'un promontoire, mais un nirvana irréel, sans repère géographique, comme l'image de synthèse d'une autre planète, plus proche des aérographes et manipulations informatiques d'aujourd'hui que des évocations maniéristes d'alors.

L'autre toile, *La Chute de Babylone*, en était à la fois le complément et le correctif. Un tourbillon de pierres, de bois, d'eau, de feu et de chairs aspiré dans un égout broyeur invisible. Des Babyloniens en toges grises, bras et jambes désarticulés, barbes battues en neige, se débattaient dans le maelström. Martin semblait vouloir exprimer… quoi ? Rien. Rien d'autre que la mécanique destructrice propre de son graphisme. C'était le sujet du tableau : montrer que Babylone contenait cette explosion, ce big bang, à l'état latent dans son urbanisme.

Et pourquoi pas *La Chute de Londres* ? Au lieu des *Plaines du Ciel*, pourquoi pas *Les Hauts Plateaux de cumulo-nimbus*, avec des jets en altitude frottant leurs carlingues à des moutons de nuages laineux ? Pourquoi pas ? Simon se méfiait des épiphanies. Il s'était trop souvent égaré dans les impasses de l'autopersuasion pour croire encore à ces jaillissements spontanés d'inspiration. Mais il savait reconnaître une bonne idée quand il en trouvait une, il savait apprécier la solidité d'un échafaudage même en pièces détachées.

Aussi avait-il entrepris, dès la semaine suivante, une série de tableaux apocalyptiques. Dans les toiles de Martin, le corps était violé ou, du moins, toujours violable. Dans celles de Simon, les corps humains étaient à peine viables : c'étaient les termites agglutinés de la cité de Fritz Lang, des corps uniformisés, des uniformes corporéifiés. Des humains arthropodes – tout en carapace, le squelette à l'extérieur. On les voyait assis en rangs dans un avion grand comme une cathédrale, dont ils étaient le transept et les travées, lisant des blocs de bois aux pages délicatement sculptées, et jouant à colin-maillard avec les pouces tendus dans une patiente masturbation de clitoris miniatures en plastique.

Il avait conçu une grande toile représentant l'intérieur d'un Boeing 747 pendant un crash, au moment où – Victoire de Samothrace inversée – son nez s'enfonçait dans la croûte terrestre et son logo mortel explosait sur le fond bétonné d'un réservoir vide près de Staines. On voyait des projections démantelées de formes humaines voler *à l'intérieur* de l'avion, en état d'apesanteur véritable, une grande première en guise d'ultime prouesse avant leur inhumation par perforation.

Et, une fois que cette toile lui était apparue, les autres avaient suivi. Elles montraient toutes la monotonie aseptisée de l'environnement moderne brusquement déstabilisée par une terrible force destructrice qui ébranlait, secouait et déchiquetait sa cargaison humaine. L'intérieur de la Bourse sous un raz-de-marée ; la salle des guichets de la station de métro King's Cross ce soir de novembre 1987, pendant l'explosion de la boule de feu ; le pont auto d'un ferry envahi par une déferlante verte, avec des voitures bleues et rouges à la dérive ; une attaque foudroyante du virus Ebola dans un magasin Ikea, avec des hordes de jeunes mariés, figés main dans la main, chargés de meubles empaquetés en liquéfaction... Et ainsi de suite, vingt toiles en tout.

Et alors que, pendant la phase de conception, Simon avait imaginé que ces tableaux seraient satiriques, une critique de la fragilité de ce qu'on tenait pour pérenne, il avait compris en y travaillant qu'il s'agissait de tout autre chose. Que les décors et les arrière-plans étaient secondaires, n'étaient que des supports, des récifs engloutis, des reliefs nus sur lesquels des enfants pourraient frotter des décalcomanies de formes humaines à leur convenance. Et que c'étaient ces formes qui étaient le vrai sujet des tableaux.

Le corps humain avait été jeté dans un abîme où il perdait pied, un temps suspendu où il pendouillait en équilibre instable comme un Navajo accroché à une poutrelle d'acier au-dessus d'un à-pic de concrétions technologiques en construction. Le vent avait tourné pour donner aux sujets humains de Simon une conformation appropriée à la vie dans ce monde de détresse terminale : une gigantesque torsion avait parcouru les cinq cents étages de la tour de Babel et laissé les hommes dans des poses contordues, le cou en vrille et les épaules dévissées. Voilà ce qu'il avait essayé d'exprimer, mais était-ce la cause ou la conséquence du déphasage de son propre corps ? Il était incapable de le dire.

C'était à peu près vers cette époque qu'il avait rencontré Sarah. Il n'était pas sûr qu'il y eût un rapport entre leurs rapports et son travail, ou que ce fût là ce qui le travaillait dans son travail, mais depuis un an ses journées avaient rallongé. Les tableaux s'étaient succédé, les rencontres aussi, et les gueules de bois – ce qui valait toujours mieux que la gueule d'enterrement qui avait hanté la période précédente, la fameuse césure, le « et » entre Jean et... Et puis, ses enfants étaient revenus vers lui, s'étaient réacclimatés à sa présence. Les parasites qui le rongeaient de l'intérieur avaient paru, pour un temps du moins, rassasiés.

Où était-il ? Il était à Oxford Circus, debout devant Top Shop. Il tétait une Camel sans filtre, adossé à la vitrine, face à l'arène d'asphalte, et regardait au loin, vers le sud, où s'incurvait le récif de Regent Street. Ses tempes bourdonnaient. Il se sentait claustrophobe devant ce paysage urbain, qui lui semblait être le résultat du passage d'un singe géant. Il imaginait qu'un King Kong postmoderne avait écrasé les vitrines des grands magasins. Il le voyait se saisir d'une poignée d'humains gigotants et grouillants comme les termites qu'ils étaient dans le pelage dru et râpeux de ses mains énormes. Des amuse-gueule pour le dieu, du sushi pour le divin. L'animal les désenchevêtrait, lorgnait leurs faces noueuses et les catapultait d'une pichenette entre ses dents, dont chacune avait la taille d'un dentiste.

Mmmm... Croustillant... Un peu caoutchouteux sur la fin, peut-être, mais goûteux. Les clappements et succions de sa bouche-parking résonnaient dans tout le quartier, les bruissements biologiques couvraient le tumulte mécanique. Il s'interrompit, cracha un agent de la circulation dont la bandoulière phosphorescente s'était prise entre sa canine et sa prémolaire du bas, comme un fil dentaire, replia ses bras puissants, tambourina sur le toit de Hamley's et poussa un tonitruant « HouuuGraaa ! » qui semblait vouloir dire : Je suis corps. Je suis *le* corps. Nique ton Père, nique ton Fils, nique le Saint-Esprit et que la pisse soit avec toi.

Le colossal pongidé déambula ensuite autour du pâté de maisons, en shootant dans les voitures comme dans des boîtes de conserve et en avalant trois, quatre cars comme trois quatre-quarts avant de s'accroupir au centre du Circus pour pousser, pousser et produire un étron gros comme un kiosque à journaux, qui ondula, s'étira, de mégot devint cigare et retomba en ser-

43

pentin, à quinze mètres de son cul, sur les têtes rasées d'un détachement de coursiers cyclistes victimes de la mode crâne d'œuf, qui, comme du bétail dans la tempête, s'étaient réfugiés à l'extérieur.

Simon secoua la tête. Ses visions s'estompèrent, se résorbèrent en poussières et pétales d'humanité éparpillés sur le sol. Il consulta sa montre, vit qu'il était en retard et prit la direction du Sealink, cap sur Sarah.

CHAPITRE 3

Debout devant la glace de la salle de bains, le Dr Zack Busner, psychologue clinicien, docteur en médecine, psychanalyste radical, militant de l'antipsychiatrie, bidouilleur d'anxiolytiques et ancienne personnalité télévisuelle, grattait son pelage sous sa mâchoire où quelques miettes s'étaient prises. Il avait mangé du pain grillé à son premier petit déjeuner du matin et, comme d'habitude, avait trouvé le moyen de mettre autant de griottes dans sa fourrure que dans son estomac. Il s'était minutieusement récuré le poil dans la région du cou – avec le peigne-arroseur que les Busner avaient acheté spécialement à cet effet – mais les miettes refusaient obstinément de se dissoudre avec la confiture. Et plus il s'acharnait, plus elles s'incrustaient.

Bah, tant pis, Gambol s'en chargerait sur le chemin de l'hôpital, pensa-t-il en reportant son attention sur ses opérations vestimentaires. Gambol, l'assistant de Busner, était souvent sollicité pour bouchonner son patron. Bien sûr, c'était le lot de tous les internes, infirmières et auxiliaires de l'hôpital Heath, qu'ils fussent ou non attachés au service de psychiatrie, mais, depuis quelque temps, on voyait aussi des médecins plus titrés – même des représentants de l'administration – s'attrouper autour de Busner quand il entrait dans l'hôpital pour essayer de lui mettre les doigts dans le poil, lui faire un petit grattouillis révérencieux ou au moins, s'ils n'arrivaient pas à l'atteindre, lui présenter leur croupe avant de détaler vers leur travail.

Car, si Busner s'était signalé dans sa jeunesse et son âge mûr par son anticonformisme, voire – osons le mot – ses clowneries dans la pratique de la psychiatrie, il avait, à l'automne de sa vie, acquis une tardive mais non moins appréciable respectabilité. Les excès doctrinaux de la *Théorie quantitative de la démence*, à laquelle il avait été associé, à l'issue de son initiation à l'analyse sous la direction du légendaire Alkan, étaient oubliés depuis longtemps. La théorie était aujourd'hui considérée – à supposer que les chimpanzés condescendissent encore seulement à la considérer – comme un spécimen d'aberration drolatique, une sorte de version psychosociologique du positivisme logique, du marxisme et/ou du freudisme. Évidemment, toutes les prédictions s'étaient révélées complètement fausses – ce qui n'avait cependant pas empêché l'éclosion d'une seconde école d'épigones qui reprirent ces idées à leur compte en arguant que la vérification empirique d'une hypothèse n'était pas le seul critère de sa véracité.

Busner décrocha la chemise fraîchement repassée de son cintre derrière la porte et l'enfila sur ses épaules arrondies. Ses doigts étaient toujours aussi agiles. Il ferma prestement les boutons, ses pouces trouvant facilement les articulations de ses index pour effectuer les torsions nécessaires, malgré le début d'arthrite dont il était affligé. Il prit son habituelle cravate en mohair, la passa autour de son cou, la noua, rabattit son col et parut satisfait de ce qu'il vit dans le miroir.

Il eut soin de ne pas boutonner le col jusqu'en haut et de laisser le nœud lâche, afin de permettre à Gambol de trouver plus facilement les miettes. Machinalement, sans réelle volition, un de ses pieds avait attrapé une étrille sur l'étagère en verre du lavabo et il se mit à se peigner distraitement le museau en observant son reflet facial.

Des arcades sourcilières prononcées, avec un léger friselis de poils argentés, une arête nasale renfoncée, des narines en amandes, pas de bajoues, à peine quelques petites rides au-dessus de sa bouche batracienne, aux lèvres autrefois charnues et incurvées en croissants de lune.

Pas mal pour un chimpe qui frise les cinquante carats, se grimaça-t-il en ébouriffant les longues touffes de poils gris qui auréolaient sa calvitie. Pas de goitre, pas de dartres, pas d'ulcère non plus. Si je continue comme ça, je peux atteindre la soixantaine ! Il bomba son large poitrail et détendit ses longs bras. Si, lorsqu'ils étaient en mouvement – ce qui était presque toujours le cas –, ses traits donnaient une impression d'énergie mal contenue, au repos ils avaient tendance à s'affaisser comme un glissement de terrain graisseux, une érosion épidermique. Mais Busner ne le remarqua pas. Se trouvant fort distingué, il alla décrocher une veste en tweed à longs poils d'un second cintre.

Le retour de Busner sur la scène médiatique, qu'il avait occupée avec tant d'assurance – certains diraient d'outrecuidance – dans sa mâle jeunesse, avait été tempéré par la maturité. Au cours des cinq dernières années, il avait publié trois livres [1] qui avaient énormément accru sa réputation. En s'appuyant sur des cas cliniques observés dans sa propre clientèle, il avait réussi le tour de force de rendre accessibles à un large public les théories parfois absconses de la neuropsychologie sans pour autant tomber dans le piège de la vulgarisation. Car Busner méprisait le style racoleur.

Ses livres avaient été remarqués aussi pour le dévouement qu'il manifestait à l'égard de ses curieux patients. Il avait mis au point une méthode d'observation et d'analyse synthétique, unifiant la rationalité objective de sa pratique médicale à Édimbourg dans les années 60, l'imagination créatrice des techniques psychana-

---

1. *Le chimpanzé qui saillit un fauteuil*, 1986 ; *Savoir nicher*, 1988 ; et *Confessions d'un primatologue*, 1992, tous édités chez Parallel Press, Londres et New York. *(NdA)*

lytiques de son maître, le légendaire Alkan[1], et la phénoméno-logie existentielle de ses travaux à la Concept House de Willesden qu'il avait dirigée dans les années 70. Il étudiait les réactions de ses patients à la fois dans un cadre clinique et dans le monde extérieur, où il les promenait lui-même.

« L'important, gesticulait Busner devant ses étudiants et dis-ciples, est d'arriver à une approche intersubjective "chup-chupp" afin de pénétrer la conscience morbide "euch-euch" du patient et de voir le monde à travers ses yeux. Face à certains troubles, on ne peut pas se contenter d'une approche strictement physio-logique ou comportementale, c'est-à-grimacer confinée dans les limites de la pure "houuu" psychiatrie... »

Malgré les atouts évidents de cette « approche intersubjec-tive », tant sur le plan intellectuel qu'éthique, certains farceurs ne purent s'empêcher de mettre l'accent sur le caractère réducteur de cette pratique. On sait que les chimpanzés sont friands d'his-toires morbides et, partant, les récits psychanalytiques de Busner furent des best-sellers, qui bénéficièrent d'une large publicité télévisuelle. Dans le cadre de ses recherches symptomatologiques, Busner faisait du ski nautique avec des paraplégiques, allait à l'opéra avec des épileptiques et dans des rave-parties avec des schizophrènes. La présence de Busner accompagné de l'un de ses protégés était même devenue un must dans les dîners en ville des milieux littéraires.

Aussi voyait-on couramment des chimpanzés aboyeurs en proie aux tics et aux spasmes du syndrome de Tourette, des chimpanzés sous neuroleptiques parcourus d'ondulations par-kinsonniennes, ou des chimpanzés au cerveau emmailloté dans un sparadrap d'amnésie aiguë dansant la Saint-Guy aux côtés

---

1. Pour une approche en profondeur des méthodes analytiques d'Alkan, voir « Techniques de Psychanalyse » in *British Journal of Ephemera*, mars 1956. *(NdA)*

des habituels impresarii, auteurs et autres chroniqueurs aux manières plus réservées, venus à l'assaut des coupes et des petits-fours gratuits. « C'est, signalait Busner aux petits groupes qui s'agrégeaient autour de lui à ces occasions, une illustration *in situ* de la chimpanité "gru-nn" de ma méthodologie. En transportant ces chimpanzés dans un environnement de ce type » – et là il devait généralement s'interrompre pour administrer un grattage d'urgence au sujet considéré – « je déconstruis "chup-chupp" activement les catégories idéologiques qui entourent notre notion de la maladie. »

Busner acheva de s'habiller et sauta pour attraper le bras articulé du rétroviseur suspendu au plafond. Mon anus est-il propre ? se demanda-t-il en se palpant le derrière, puis en portant à ses narines et à ses lèvres frétillantes la main qui avait sondé les replis jaunes et roses de sa région ischiatique. Malgré le petit accès de chiasse qui l'avait affligé la veille au soir en rentrant de L'Escargot, son troufignon semblait honnêtement débourbé. De toute façon, Gambol pourrait vérifier tout ça sur le chemin de l'hôpital, pensa-t-il et, après avoir rajusté sa veste, s'être assuré que l'ourlet ne débordait pas sur son resplendissant trou de balle, Busner éteignit la lumière de la salle de bains, empoigna la barre d'appui de la porte et se projeta dans le couloir, où il se carapata d'un pas sautillant rythmé par l'oscillation pendulaire de ses balloches.

La nomination de Busner au poste de consultant à l'hôpital Heath était le fruit de son regain de popularité et consacrait la renaissance de sa carrière. Officiellement, il était toujours en charge de patients et continuait à assurer des fonctions quotidiennes de praticien, mais tout le monde savait que le Trust l'avait nommé là surtout pour incarner la figure paternelle du doyen, chapeauter la collégialité des psychiatres et redorer le blason de l'hôpital. On lui avait alloué Gambol comme assistant, il était libre de choisir les patients qui l'intéressaient et d'aller écumer les autres hôpitaux de la région à la recherche de cas susceptibles de faire vendre ses livres.

Actuellement à court de projets, Busner abordait la journée avec un enthousiasme mitigé. Une réunion de routine, probablement assommante, du service de psychiatrie était prévue en milieu de matinée et, en fin d'après-midi, il était attendu au University College pour donner sa seconde conférence publique sur l'autisme, dans le cadre d'un cycle intitulé « Les chimpanzés qui se grattent tout seuls » d'ores et déjà promis à un grand succès. En escaladant le podium pour sa première conférence, Busner avait été ravi de voir dans l'assistance, outre la troupe d'étudiants étrangers – principalement bonobos – qu'il s'attendait à y trouver, toute une bande d'auditeurs libres et d'étudiants en psychologie ou primatologie de la faculté.

Toutefois, le sujet commençait à le lasser. Il avait dit à peu près tout ce qu'il avait à dire sur l'autisme dans son livre *Confessions d'un primatologue* et l'idée de développer à nouveau des thèmes déjà rabâchés ne l'excitait guère. Ce qu'il me faudrait, songea-t-il en dégringolant les poignées à degrés de l'escalier manuel, c'est un cas clinique tout à fait nouveau, avec une symptomatologie encore jamais décrite en psychiatrie ou en neurologie. Un cas sans précédent qui forcerait la communauté scientifique à reconsidérer la nature même de la chimpanité !

Il s'arrêta devant la porte de la cuisine, se redressa pour se préparer à affronter son groupe, puis, d'un bond, se suspendit au linteau et se balança à l'intérieur.

Le spectacle qui s'offrit à la vue du distingué professeur lorsqu'il se reçut sur ses pieds ne l'étonna pas. Les Busner formaient un large groupe, aux mœurs assez avancées – comme il seyait à une lignée de médecins et d'universitaires. Ils étaient beaucoup plus fluctuants que la plupart des groupes socioprofessionnels de la classe moyenne, mais on en trouvait toujours une quinzaine en résidence dans le repaire de Redington Road à n'importe quelle heure de la journée.

Zack Busner croyait beaucoup aux vertus du vagabondage, qui selon lui formait la jeunesse, et il n'hésitait pas, à l'occasion, à expulser brutalement des mâles sub-adultes du domicile collectif – ce qui ne manquait pas de susciter des haussements d'arcades sourcilières et des halètements étonnés chez leurs voisins lippus des environs arborés de Hampstead. Les femelles nubiles n'étaient pas logées à meilleure enseigne : s'il estimait qu'elles gâchaient un œstrus en accouplements uniquement endogames, il se rendait lui-même à Hampstead pour ameuter quelques prétendants extérieurs à leur soumettre.

Mais, à mesure que se perpétuait son règne de mâle alpha – passant d'abord de cinq à dix ans, puis presque à quinze aujourd'hui – la cohésion du groupe lui paraissait aussi importante que sa diversification. Parfois, comme maintenant, lorsque deux, voire trois femelles Busner étaient en chaleur simultanément, Zack acceptait de bonne grâce le retour de membres mâles du groupe, quand bien même cela l'obligeait à mettre la main à la poche pour payer les billets d'avion de ceux de ses rejetons adolescents qui voulaient revenir de Bali ou de la Côte d'Azur pour un accouplement endogame.

En pareil cas, la maison était bondée de chimpanzés de tous âges, une trentaine en tout, qui se chamaillaient, se battaient, se grattaient et copulaient. Mais tout cela contribuait à créer cette exubérance de bon aloi qui caractérisait son groupe, et Busner prenait la chose avec philosophie – même le matin au saut du lit.

Le premier chimpanzé qu'il remarqua fut Charlotte, la femelle Busner alpha, accroupie sur la volée de trois marches qui séparait le coin-mangeoire du coin-cuisine, en train de se faire saillir nonchalamment par David, le mâle gamma. Celui-ci ne s'était même pas donné la peine de ranger son journal du matin avant de procéder à la pénétration et, tout en limant avec ardeur, il parcourait les titres de la première page étalée devant lui sur le dos de Charlotte. Une ribambelle de petits essayaient de se mêler de la partie en sautant sur les épaules de David.

Busner n'en reconnut qu'un, son dernier-né, Alexander. Un petit déluré, pensa-t-il, car Alexander, bien qu'âgé de deux ans à peine, avait réussi à se suspendre par un bras au lustre qui surplombait les deux corps en émoi et se balançait en donnant des coups de pied dans le museau de David.

Busner embrassa du regard le reste de la pièce, des chimpanzeaux qui grignochaient des bolées de prunelles et de papayes pour leur second breakfast, des sub-adultes pensifs et maussades qui se grattaient mutuellement dans les coins, un couple de jeunes mères qui allaitaient, deux ou trois guenons debout dans le coin-mangeoire qui préparaient d'autres bols de second breakfast. Un beau soleil filtrait par les portes-fenêtres ouvertes et l'on apercevait, dans le jardin, les poneys de compagnie des Busner qui trottaient en secouant leurs encolures avec des hennissements nasillards.

« HouuuH'Graa ! » panthurla Busner, en tambourinant sur le chambranle, conformément à son statut. Il fit une grimace à Paula, l'une de ses plus jeunes filles, pour qu'elle lui préparât son second breakfast, puis clopina vers les deux copulateurs, le poil à demi hérissé.

Lorsqu'il était apparu dans l'encadrement de la porte, les autres mâles adultes du groupe Busner avaient tous panthurlé, sauf David qui grommeluchait dans les prémices de l'orgasme. Quand le patriarche traversa la salle, tous les membres de son groupe, jeunes, vieux, mâles, femelles, se présentèrent à lui et il gratifia chacun d'un petit geste affectueux, à qui son bisou, à qui sa papouille.

Toute une file de mâles s'étirait depuis le coin-cuisine, dans un ordre hiérarchique plus ou moins correct, Henry derrière

David, Paul derrière Henry. Busner se demanda distraitement pourquoi David avait eu droit aux premières faveurs de Charlotte, mais, en contournant la barre de la mangeoire en haut des marches, il vit que le Dr Kenzaburo Yamuta, un cousin zêta éloigné, enfilait vigoureusement sa fille Cressida devant le lave-vaisselle, pendant que Colin Weeks et Gambol attendaient leur tour.

« Bonjour "chup-chupp" Zack, grogna Kenzaburo en se retirant de Cressida. Vous voulez lui donner un petit "hue-hue" coup de trique ?

– Non, non, fit Busner en assénant une bourrade affectueusement brutale à David, je veux d'abord "hue-ho-hou" » – il haleta avec satisfaction en pénétrant doucement Charlotte, qui se cambrait pour faciliter l'opération – « présenter mes singeries à cette chère "chup-chupp" vieille guenon. » Busner frissonna, s'ébroua, pantela, râla, puis claqua des dents avec délices en sentant le doux et humide coussin sexuel de Charlotte enfler contre ses parties. Mais il lui fallut presque une minute d'effort avant d'éjaculer, sous les chiquenaudes d'Alexander qui lui agaçait le front avec les orteils et les assauts de deux chimpanzeaux qui escaladaient son large dos pour s'agriffer à sa nuque.

Ah, on vieillit, médita-t-il en s'extirpant de Charlotte et en s'essuyant avec un chiffon que Frances, la femelle epsilon, lui avait obligeamment tendu. La première fois que j'ai sailli Charlotte, je me rappelle, j'ai dû jouir en moins de dix secondes ! Houu c'était le bon temps. Si jeunesse savait, si vieillesse pouvait... Il singea un remerciement à Frances et resta quelques instants auprès de Charlotte, à gratter son beau pelage auburn autour des oreilles, pendant que Henry la tronchait avec entrain en faisant grincer ses grosses dents jaunes.

Levant les yeux, il vit Cressida la rouquine, qui en avait fini avec Kenzaburo, lui tendre sa croupe avec un demi-sourire d'invite pommelé de taches de rousseur. Busner s'esclaffa, saliva, clappa de la langue et la saillit en trente secondes avec des gémissements délicieusement euphoriques. Cressida avait toujours été sa fille préférée – sans qu'il sût exactement pourquoi. Elle était loin d'avoir une vulve comparable à celle de Betty ou d'Isabel, mais il y avait quelque chose de profondément affectueux dans sa soumission joyeuse et son maternage attentionné. Busner, quoique sans être en aucune façon phallocrate, se plaisait à répéter à ses collègues, lors des rares occasions où il allait boire un verre avec eux au Flask : « De mes dix-sept rejetons, c'est celle pour qui j'ai le plus de tendresse... les dix-sept dont j'ai "hi-hiii" connaissance, bien sûr. »

Busner avait remarqué, sans y prêter attention sur le moment, que Gambol lui tiraillait le bras droit pendant qu'il honorait Cressida. La chose faite, il réagit enfin au panthurlement interrogatif de son assistant, en s'essuyant derechef avec un chiffon propre apporté par une autre femelle.

« "H'heuu", appela Gambol. Il vient de se passer quelque chose qui me semble très intéressant, Zack...

– "Euch-euch" ça ne peut pas attendre, Gambol ? Je n'ai même pas encore pris mon deuxième breakfast », contre-singea Busner en sautant par-dessus la barre de la mangeoire avec une allégresse postcoïtale mêlée d'irritation. Il s'installa sur l'une des chaises qui entouraient la grande table circulaire en pin et fit signe à Isabel, la delta, de lui apporter deux bols pleins de papayes et de prunelles.

Busner ouvrit un exemplaire du *Guardian* qui traînait sur la table et se mit à feuilleter les pages étrangères, en parcourant les gros titres d'un œil morne : « Nouveaux massacres de bonobos au Rwanda », « Le président Clinton appelle au cessez-le-feu en Bosnie », « Accusations de bonobisme dans la désignation des jurés du procès O.J. Simpson ». Misère, horreurs et violence, hua intérieurement Busner en lisant. Peut-être que Lorenz avait vu juste, et que la tristesse de la condition chimpaine actuelle était une réaction inadaptée à la surpopulation, à la dénaturation de notre mode de vie.

« Patron ! » Gambol avait faufilé son corps déplumé sous la table et tripotait la voûte plantaire gauche de Busner. « C'est quelque chose de vraiment "greu-nn" excitant, quelque chose que nous devr... » Busner le fit taire d'une secousse du pied. Puis, avec une agilité et une force qui rappelèrent immédiatement son statut de mâle dominant, il se ramassa sur sa chaise et décocha une manchette puissante et précise sur la tête du malheureux assistant qui, assommé par le choc, s'étala de tout son long sur le tapis de coco. Busner suivit son attaque éclair en bondissant de sa chaise et en plantant ses deux grands pieds sur le dos de Gambol.

« Ouarf ! » aboya l'éminent psychiatre et, attrapant le mâle epsilon par la peau du cou, il lui signifia par quelques pressions sans équivoque du pied gauche sur le museau : « Tu vas la boucler, oui, espèce de petite merde ? Quand j'aurai envie que tu viennes me tenir la jambe pendant mon second petit déjeuner, je t'appellerai, misérable subordonné de mes deux. Mais, pour l'instant, tu fermes ta grande gueule ! "Ouaaah" !

– Excusez-moi, patron, je suis désolé. » Gambol s'agita frénétiquement, gesticula en tout sens, se prosterna. « Je ne voulais pas vous "ik-iik" embêter, ne me tapez plus, s'il vous plaît, ne me tapez plus. » Il s'accroupit et présenta son échine à Busner, la croupe tremblante.

« C'est bon, c'est bon, ouistiti, je ne voulais pas te frapper si fort, chimpanzouille, va ! mima Busner en grognant gentiment. Tu es quand même mon petit assistant préféré. » Il tendit la main, encore endolorie par le coup qu'il avait asséné, et caressa tendrement la fourrure ébouriffée de l'epsilon. Puis il se mit à le bouchonner, en retirant quelques particules semblables à des sécrétions solidifiées de son épais pelage entre ses omoplates.

Le jeune intellectuel typique, songea Busner en farfouillant dans ses poils. Il ne se gratte pas assez, ne baise pas assez. Le pauvre, s'il n'était pas mon factotum, je crois qu'il n'aurait jamais pu s'imposer dans la hiérarchie, surtout pas comme epsilon. Il acheva son épouillage de pure forme en lui tordant la peau du cou pour le rassurer.

Gambol s'éloigna de la table, toujours la croupe basse, les bras ballants. « Merci, ô Zack, merci, je reconnais votre souveraineté. J'admire votre éminence, je vénère votre règne sur le groupe, votre trognon anal nous domine tous "grnnn".

– Sors la voiture du garage, Gambol, hucha Busner. Nous partons pour l'hôpital dans vingt minutes, dès que j'aurai fini mon second breakfast. »

Busner réintégra son siège et se mit à mastiquer quelques prunelles en faisant gicler avec délices le jus amer entre ses fortes molaires. Il reprit la lecture du *Guardian* et, avec une faculté de concentration acquise au fil d'une longue expérience, ferma ses larges oreilles noueuses au brouhaha de la cuisine, aux cris des chimpanzeaux, aux halètements des copulateurs et aux hennissements des poneys de compagnie.

Il lui fallut bien plus de vingt minutes pour finir son second breakfast. L'irruption du mâle laitier, venu présenter sa facture de la quinzaine, entraîna une nouvelle tournée d'accouplements, de même que l'arrivée de Dave 2, un autre rejeton Busner, qui travaillait pour un foyer d'immigrés bonobos à Hackney. Le temps pour tous les mâles présents de couvrir Charlotte et Cressida une dernière fois et il était presque 10 heures.

« J'y vais, maintenant, chérie, mima Busner à Charlotte, qui se traînait à croupetons sur les marches, le vagin légèrement ensanglanté. Évite de te faire trop saillir, rappelle-toi ce qui s'est passé lors de tes dernières chaleurs. "Grnnn" je ne devrais pas rentrer trop tard aujourd'hui. En fait, je crois que je reviendrai directement après ma conférence, j'aimerais lire un peu à la maison cet après-midi. "H'haeu" ? demanda-t-il.

– OK, Zack, mais tu sais comme c'est difficile de les éconduire. Il y a tant de mâles sub-adultes dans la maison que... » Elle n'acheva pas sa singerie. Un des mâles sub-adultes en question, William, faisait tournoyer deux serviettes de toilette dans une pathétique parade amoureuse destinée à attirer l'attention de Charlotte.

Busner considéra William. Le jeune mâle commençait à prendre de jolies formes, une fourrure brun foncé bien luisante, des arcades sourcilières bien dessinées, une arête nasale bien raplatie, un museau pâle – un vrai Busner. « "HouuGrnn" », grommelucha William d'une voix qui oscillait entre le grave et l'aigu. Puis il gesticula : « Je peux te troncher, s'il te plaît, tatie, s'il te plaît "heuou" ? »

Busner clopina vers William et lui administra une série de claques sur le museau de sa main gauche – arthritique, peut-être, mais encore leste. « Ouarf ! » aboya-t-il, puis : « Laisse ta pauvre tante tranquille. Tu ne vois pas dans quel état est son vagin ? Elle a assez de mâles adultes pour s'occuper de ses chaleurs, sans avoir à se coltiner des blancs-becs. »

William se retira dans le jardin en geignant et en mimant : « Excuse-moi, Alpha, excuse-moi, tatie. »

Busner fit une ultime inspection des lieux. « HouuGraaa ! » panthurla-t-il pour impressionner la horde des chimpanzés assemblés par un impérieux et puissant adieu – histoire de leur rappeler qui était le maître. Les mâles seniors cessèrent de manger, de copuler et de se gratter pour le saluer, et il quitta la pièce.

Marigold, une jeune guenon Busner de quatre ans, dévala l'escalier en traînant son attaché-case. « Tiens, tonton, grimaça-t-elle en poussant la mallette devant lui. Passe une bonne journée à l'hôpital. » Busner prit l'attaché-case, gratifia la petite femelle d'une bise baveuse, vérifia une dernière fois son trou du cul dans le miroir du vestibule et sauta la porte d'entrée.

CHAPITRE 4

Simon salua à peine le réceptionniste du Sealink qui, reconnaissant en lui un paroissien adepte de la biture et pratiquant, l'accueillait avec un empressement de chaisière.

C'était un club underground – d'apparence seulement. On accédait au hall d'entrée par deux volées de marches. De larges tapis en peluche, des murs ocre, des projecteurs dissimulés derrière une affreuse vannerie métallique, qui diffusaient une lumière parcimonieuse obligeant les visiteurs à courber la tête avant de comparaître devant un juge – criant : « En bas ! » le doigt pointé vers le bar – et de comprendre qu'ils venaient d'être condamnés à la tchatche à perpétuité.

Après le franchissement des portes battantes, on découvrait la salle principale du club, dominée par un vaste bar ventru, gainé de faux cuir et ceinturé de chromes, engoncé dans un corset de miroirs sous des suspensions en acier scintillant. Les clients du Sealink – ou plutôt ses membres car, après tout, c'était un club aussi privé que n'importe quel endroit public – barbotaient autour de la ligne de flottaison dudit bar ou pataugeaient dans les sièges conchoïdes des salons conchoïdaux. D'un battement de nageoire caudale, ils se propulsaient vers le restaurant, au niveau supérieur, ou plongeaient vers les toilettes et les baby-foot du niveau inférieur. Mais, le plus souvent, ils restaient simplement assis, englués sur place par les sécrétions de leur babil.

Car un filet jeté dans les coursives du Sealink – même une

senne à micromailles, cisailleuse d'ouïes – n'eût rapporté qu'une maigre pêche de quelques loufiats bafouillants et une poignée d'égarés en apnée.

Pour remonter du poisson, ici, il fallait une nasse préalablement appâtée avec de la publicité, des commérages, des insinuations ou du fric – ou les quatre à la fois, ou encore des variantes combinées : commérages sur le fric, insinuations publiques, revenus des publicitaires et ainsi de suite, selon affinités. De la sorte, on était sûr de prendre une bonne moitié des habitués, parce que c'étaient des créatures de bas-fonds, qui venaient au club avec une mentalité d'explorateurs sous-marins pour voir jusqu'où ils pouvaient descendre.

Quant à l'autre moitié, on peut dire qu'elle était encore plus facile à attraper, à défaut d'être plus comestible. Il suffisait d'attendre la marée basse – ce qui se produisait deux fois par vingt-quatre heures, à midi et à 3 heures du matin, quand le bar n'était plus qu'un ramassis de varech bourbeux – et de se promener en dinghy entre les luminaires – ceux qui étaient dissimulés derrière l'affreuse vannerie métallique – avec une épuisette pour racler la moquette.

Car c'étaient des bivalves – jusqu'à l'hermaphrodisme. Aveugles dans les ténèbres, détentaculés par la dégénérescence, dotés d'un unique membre préhensile pour tenir un verre ou une cigarette, ils s'échouaient là où les portaient les courants de la conversation et trouvaient une nourriture suffisante à leur sustentation dans le simple fait d'être. Simon soutenait – et Simon était une chance pour eux, il leur fallait de temps en temps la menace d'un prédateur pour ne pas s'encroûter – que si l'on insérait un grain de réflexion ou d'originalité dans les coquilles scellées, à bords dentelés, de leurs esprits alignés sur l'étagère où étaient déposées les invitations, ce grain prospérerait dans un lit de carbonate quelconque et finirait par former, sinon une perle de culture, du moins un calcul de quelque chose semblable à de la culture. Mais Simon ne disait cela que lorsqu'il était soûl et repu d'humanité – tellement repu que les hommes lui semblaient bons, ou en tout cas digestes, puisqu'ils avaient dû lui sembler tels pour qu'il s'en fût repu.

Sarah aperçut Simon du haut de son tabouret. Elle le vit s'arrêter sur le seuil, encadré par deux sumotoris, le vit gruter sa tête à droite et à gauche pour balayer la pièce du regard – mais d'un regard rasant, qui rendait plus discrète sa fonction de balayage. Son apparition transperça Sarah comme une javeline lancée à travers la salle, car chacune de ses entrées était pour elle une pénétration – et chaque départ un doux et chaud retrait.

Elle décolla ses cuisses par anticipation, fit signe à Julius qu'on le demandait, pivota sur le tabouret pour battre le rappel de la fine équipe, puis se tourna vers Simon, jambes écartées pour le happer dans son giron.

Simon et Julius arrivèrent simultanément, l'un par-devant, l'autre par-derrière. Simon se pencha pour l'embrasser de chaque côté des lèvres. Elle lui saisit la nuque, juste en dessous du cuir chevelu, et plaqua son visage contre le sien pour le forcer à baiser sa bouche. Alors leurs langues échangèrent un dialogue rose, fait de questions tâtonnantes et de réponses glissantes. Elle resserra ses petits genoux autour de ses cuisses épaisses pour l'emprisonner ; elle ne voulait plus le lâcher, elle l'avait attrapé en plein vol et voulait le retenir dans son lasso de tissus érectiles, l'arraisonner pour se pénétrer de sa présence rassurante avant de le laisser commander à boire. Et Simon ne se plaignit pas de sa captivité, l'attirance de Sarah le rassurait aussi – comme un autre genre d'actualité viscérale.

Son slip se décolla de son périnée, ses vêtements séchèrent sur sa chair adhésive comme sous l'effet d'un courant d'air salutaire dans ses manches et les jambes de son pantalon. Sa barbe du soir s'adoucit comme un duvet, les cernes de ses yeux devinrent des plis rieurs et l'amertume de sa bouche une friandise. Elle sentit à la crispation de sa nuque que le baiser le gênait, mais elle insista, le mit au défi de s'écarter, de la repousser. Ce qu'il fit, naturellement.

« Salut, chérie », dit-il, puis à Julius : « Mon brave. » Ils se serrèrent la main.

Derrière son bar, le barman faisait très barman. Tablier blanc, chemise blanche, cravate noire artistement mal nouée. Et le reflet de son dos dans la glace, derrière lui, était tout aussi conforme à sa barmanité. Les rangées de bouteilles proposaient une solution parapharmaceutique aux maux dont souffrait Simon ; et Julius, en guérisseur, se préparait à l'imposition des mains. « Puis-je assister Monsieur, dit-il, dans le choix d'une boisson rafraîchissante ? »

Simon le regarda comme s'il n'eût jamais vu si noble tavernier ni jamais mis les pieds au Sealink. Il se redressa, conscient de l'importance et de la solennité de la commande. Il releva l'ourlet de sa veste noire standard et enfonça les mains dans les poches de son pantalon noir standard. Eût-il été équipé d'une cravate noire standard autour du col de sa chemise blanche standard, gageons qu'il l'eût resserrée avant de répondre : « Un double Glenmorangie pour moi-même, sec. Un Samuel Adams pour faire passer... et pour toi, mon ouistiti ? Comme d'habitude ? » La toque s'inclina.

Tony Figes apparut à côté de Sarah, en se mouchant ostensiblement dans un morceau de papier hygiénique molletonné. « Simon... » dit-il d'une voix traînante, et les deux hommes se donnèrent gauchement l'accolade. La balafre de Tony papillota. Les verres furent délicatement déposés devant Sarah. Simon demanda à Tony s'il désirait quelque chose, puis étendit l'offre à la cantonade pour englober dans la même tournée les Braithwaite et Tabitha, qui avait rappliqué en tapinois. Elle avait la narine enchifrenée, elle aussi, et les enfants enrhumés attendirent sagement – en bons adultes qu'ils étaient – leur sirop.

« Simon, redit Tony de la même voix traînante, comment était le vernissage ?

– Vernissé, répondit Simon. Sur les bords, tout au moins. »

L'un des Braithwaite vint se frotter contre lui et lui glissa un petit paquet dans la main. Désormais nanti et décidé à faire valoir ses droits d'usufruitier, Simon alerta Sarah d'un haussement d'arcades sourcilières et, sans autre forme de procès, tous deux s'écartèrent du groupe, traversèrent la salle, franchirent les portes et descendirent au niveau inférieur, ci-après nommé pont auto.

Dans le pont auto, Simon alla directement se poster devant la fausse fenêtre et, sous un projecteur illuminant une caricature politique, déballa le paquet. La cocaïne était jaune et grumeleuse. De la dope de classe. Il haussa de nouveau les sourcils, elle inclina de nouveau sa toque et il entreprit de détrancher des lignes sur une espèce de coffre de bateau qui servait de camouflage à un gros téléviseur.

« La journée s'est bien passée ? demanda-t-il en interrompant ses opérations pour désigner le monde extérieur d'un mouvement vague de sa carte de crédit.

– Mmm.

– C'est-à-dire ?

– Merdique. Chiante.

– Tu veux en parler ?

– Nan. »

Il se remit à la tâche, scientifiquement, appréciant en connaisseur le craquement chimique de la granule sous le plastique.

Il lui tendit un billet roulé et, au moment où elle pencha la tête pour sniffer la ligne, la perspective fut à nouveau bannie : son visage ne fut plus qu'un linge ocre taché de rose à l'endroit de la narine. Le linge reprit forme, se tourna vers lui, redevint un visage.

« Simon ?

– Umpf. » Il prit le billet. La cocaïne lui brûla le nez et l'anesthésia en même temps. Médecine alternative. De même que la peau de chamois mouillée d'un ragamuffin à un feu rouge opacifie le pare-brise pour le laver, de même la drogue lui embruma d'abord le lobe frontal avant de lui torcher le cerveau. Puis il se redressa, érigé et en érection, les courants de Kundalini circulant dans les deux sens. Peut-être que j'ai deux moelles épinières, se dit-il dans un curieux enchaînement d'idées, en acculant sa petite amoureuse dans un coin de la pièce. Enclavée entre deux meubles massifs, elle rendit les armes et il captura sa bouche.

Dans le bar, Tony Figes tenait le crachoir à un journaliste.

« C'est comme une pulsion monomaniaque, disait-il à l'homme, un pisseur de copie au kilomètre. Une pulsion qui vous pousse à dire, à écrire, à faire les trucs les plus vaseux qu'on puisse imaginer. Un genre de vasolalie...

— Donnez-moi un exemple, répondit l'homme, un gros avec une tête conique éclaboussée de crachats de cheveux vanille mais qui malgré sa disgrâce — ou peut-être à cause d'elle — n'avait pas l'intention de se laisser intimider par une pédale.

— Eh ben... fit Tony, la balafre expressive, ce que vous avez écrit sur l'élevage des veaux de boucherie dans votre chronique d'hier.

— Qu'est-ce qui n'allait pas ? » Le dodu — qui s'appelait Gareth — modéra son ton. Même s'il allait être critiqué, du moins avait-il été lu.

« Vous n'avez rien apporté de nouveau au débat. Vous vous êtes contenté de dire que le degré de conscience de l'animal était une donnée inconnue.

— Et ce n'est pas vrai ?

— Peut-être, mais la seule source que vous citez est un autre article de journal.

— Tu bois quelque chose, Tone ? » Ça, c'était Tabitha. Elle venait d'interposer une moitié de son long corps et une moitié de ses longs cheveux, forçant Gareth à rentrer le ventre pour éviter le contact, tant ces longueurs étaient affriolantes — et d'un érotisme difficile à ignorer pour un gros homme aplati contre le bar, serré dans un paquet de bras et de jambes plus brûlants que des cigarettes.

« Merci, Tabitha, un Martini Stolli s'il te plaît...

— Sec ? dit Julius en servant déjà Tony sur le zinc.

— Sec, mais agite-le un peu, s'il te plaît. Tu le remets dans le shaker, tu le secoues, tu le reverses et tu le remues de nouveau. » Tony présenta son double sourire à Gareth, qui frémit de dégoût.

« Ce n'était pas un autre article de journal. J'ai cité Wittgenstein... la théorie de Wittgenstein sur le langage courant, reprit Gareth après une gorgée de vin blanc, en posant un regard hautain sur la calvitie de son interlocuteur.

— Vous croyez avoir cité Wittgenstein, mais la citation est fausse, parce que vous l'avez piquée dans un autre article de journal sur le même sujet, qui a paru dimanche dernier, je crois que vous voyez à quoi je fais allusion. » Tony éternua, sans s'apercevoir qu'une boulette de coke et de mucus était posée sur le bord de sa narine. Elle fusa à la verticale et atterrit sur le bout de la chaussure de Gareth — lequel ne remarqua rien, à la différence de Tabitha, qui pouffa en douce.

« Et alors, qu'est-ce que ça change ? Je ne vois pas ce que ça prouve. Pourquoi ne posez-vous pas les vraies questions, au lieu d'essayer de marquer des points ?

— Ho-houuu ! Les vraies questions. Mais nous y sommes. » Le critique commençait à s'emporter. Les animaux étaient le premier — sinon le seul — amour de Tony. Il vivait dans un appartement de Camberwell avec sa mère, qui ressemblait à un vieux labrador, et un vieux labrador. « Parce que c'est ça, la vraie question : dans quelles conditions est-il acceptable d'élever des veaux de boucherie dans des cages à poules, où ils passent leur temps à se cogner la tête contre des planches jusqu'au sang ? Peut-être que ce serait acceptable si nous pouvions avoir la certitude que les bêtes ne souffrent pas, hum ? »

Gareth n'était pas homme à se laisser humilier. Ou, plutôt, il avait été tellement humilié par le passé que toute nouvelle pique n'était que piqûre de moustique sur un cuir de pachyderme. Il haïssait Figes et sa clique, haïssait ces allumeuses, ces deux Noirs apparemment muets, ce Dykes avec ses airs pincés. Il baissa les yeux, repéra la petite morve blanchâtre sur la pointe de sa chaussure, l'essuya subrepticement sur la moquette – où le mucus serait aspiré dix heures plus tard par un technicien de surface guatémaltèque en salopette bleue – et revint à la charge : « Ça n'a aucun rapport. Que la citation soit juste ou fausse, ce que j'ai dit tient toujours : nous ne pouvons pas connaître l'état d'esprit de l'animal.

— Eh bien, voyez-vous, les psys d'aujourd'hui semblent au moins avoir l'humilité de reconnaître qu'ils ne savent rien sur la dépression. Ils se contentent de filer des drogues au patient et, si elles provoquent une réaction, ils disent qu'il souffre d'une dépression réactive à telle ou telle drogue. On devrait peut-être faire pareil avec les veaux, leur donner du Prozac et, s'ils ont l'air plus heureux, considérer que le traitement est efficace. Je suis sûr qu'il y a un énorme marché pour le veau élevé au Prozac, pas vous ?

— C'est idiot. Vous devenez ridicule. » Gareth fit mine d'apercevoir, à l'autre bout du bar, quelqu'un à qui il devait parler d'urgence. « Excusez-moi. » Il imprima une rotation à sa silhouette et la délogea.

Tony lança dans son dos : « Et pourquoi pas du gibier au Valium ?

— Ou du jambon au halopéridol ? » ajouta Tabitha.

L'éclat de rire qui parcourut la petite bande sonna un peu faux et leur laissa l'impression désagréable d'avoir été injustes avec le lascar.

« Non, mais sérieusement, reprit Ken, l'aîné des Braithwaite de trois minutes, quitte à manger de la viande d'animaux torturés, on devrait être plus imaginatif.

— Qu'est-ce que tu veux dire ? demanda Tony, dont l'une des

deux bouches trempait dans le martini et l'autre bâillait à côté du verre.

– Eh bien, pourquoi ne pas manger des animaux torturés mentalement ou affectivement ?

– Hmmm, y a de l'idée. Tu veux dire humilier sexuellement des faisans avant de les tuer, par exemple ?

– Par exemple.

– Ou alors, dit Tabitha en reprenant la cabale au bond, des poulets marginalisés socialement, qui deviendraient fous parce qu'on ne les inviterait jamais aux réceptions.

– Un genre de quarantaine, tu veux dire ?

– En parlant de folie, il serait peut-être temps de faire le plein de carburant. » À ces mots, elle fit apparaître dans le creux de sa main quelques cachets où adhéraient encore des filaments de coton, qu'elle distribua discrètement à Tony et aux Braithwaite.

« Qu'ès aco ? demanda Steve, le plus jeune des Braithwaite en déglutissant le sien.

– De l'ecsta, dit Tabitha – qui mastiquait son cachet pour en accélérer les effets. Et de la bonne. Colombe blanche.

– Dorénavant, je ne veux plus manger que ça, dit Ken Braithwaite en faisant passer la pilule avec une lampée de bière. Du blanc de colombe élevée à l'ecstasy. »

Sous l'entresol où ils se tenaient, il y avait les cuisines ; et, sous les cuisines, le conduit d'égout principal de Bazalgette pour Soho, une création victorienne dont le carrelage vert d'origine avait depuis longtemps perdu sa couleur, aujourd'hui envahi par des rats criailleurs – des hordes de rats, des troupeaux de rats, qui se marchaient dessus, se grouillaient dessous, pullulaient en long, en large, en travers, se répandaient dans les trois dimensions. Ils copulaient en passant, emberlificotés dans un immense tricot de queues, tandis que sur leur dos, dans le pelage crasseux qui emballait leurs organes, les poux prospéraient et chiaient consciencieusement des lentes.

À Soho Square – où la chasse était fermée depuis des siècles – deux cabots batifolaient. Le corniaud couvrait la corniaude – la recouvrait même, vu qu'il avait au moins trois fois sa taille. Il s'accroupit pour enfoncer son tire-bouchon et vissa, vissa. Les deux corps s'ébrouèrent, à moitié sur l'herbe, à moitié à côté – les pieds de droite griffant le pavé, ceux de gauche patinant dans la verdure. Les pattes avant du chien flageolèrent, puis se tordirent et ondoyèrent spasmodiquement. Trop gros pour la besogne, piquant du nez comme un voilier trop toilé par vent arrière, il sentit trop tard que sa turlutte butait contre l'os. Les voilà cul à cul, mal emmanchés, baisés dans les grandes largeurs et gueulant, gueulant, gueulant.

Dans les profondeurs vertes, au-delà du plateau continental, où les léviathans ne connaissent que la compagnie des léviathans, un pénis de la taille d'un canot de sauvetage jaillit de son bossoir de muscles et plongea tendrement dans son boîtier océanique correspondant. Les deux énormités se câlinèrent, se bisouillèrent, gouzi-gouzi gouzi-gouza, avec de grotesques trémoussements de leurs queues – longues comme des rocades de banlieue – en se râpant, qui le ventre, qui le dos, sur les bernacles de l'autre. Leurs gueules en béant dévoilèrent des rideaux de fanons assez nombreux pour corseter tout un pensionnat et poussèrent de longs cris sinusoïdaux comme des ondes Martenot. Éternel va-et-vient de créatures allant et venant entre l'océan et la terre pour finalement revenir chercher le septième ciel dans les sept mers.

Dans le pont auto, Simon cherchait des poux à Sarah. Son doigt suivait la douce ligne de sa fesse sous la douce ligne de sa culotte sous la douce étoffe de sa jupe. Elle grommelait, se lovait contre lui, se blottissait tout entière sous le barbelé de son menton ; ses doigts trottaient sur sa poitrine floconneuse. Sa position dans le coin de la pièce créait un alignement de raies : la sienne, une fissure de la corniche, une rayure du tapis, une fêlure du plâtre. Presque plié en deux pour la contenir, il lui mordait la lèvre en continuant son exploration digitale, crochetait l'ourlet de sa jupe, s'imprégnait de l'encre noire de ses bas et tamponnait sa marque sur la chair blanche au-dessus. Tamponnait, tamponnait, tamponnait. Imprimait son sceau. Puis il explora son entrecuisse à travers le tissu, sa toison qui rebiquait dans la moiteur d'une faille sans faille. Son sexe bâillait. Il visualisa son enflement. Il gémit. Elle gémit. « Caresse-moi », murmura-t-elle, étouffée par sa bouche. Il le fit. Insinua son doigt sous l'élastique, émissaire de l'intérieur, enfonça la gaffe, chercha un endroit où abandonner la pièce à conviction génétique. Les petites pattes de Sarah descendirent dans sa chemise, virevoltèrent jusqu'à sa ceinture. Simon pensa à une crotte en forme de pioche qu'il avait un jour extraite de la raie des fesses de son fils. « Ouistiti, ouistiti », lui chuchota-t-il dans la bouche.

La porte du sous-sol s'ouvrit à la volée et Tabitha, debout sur le seuil, se mit à pouffer, à se tordre, à se gondoler comme le cocktail dans le verre qu'elle tenait à la main. « Eh bien, eh bien, qu'est-ce que je vois là ? fit-elle en tournant le variateur de lumière au maximum. L'amour aux chandelles ? » Sarah et Simon se séparèrent. Il porta sa main à son nez, ajoutant du musc au mucus, de la craque à la coke. Tabitha se laissa tomber sur une chaise. Elle était vêtue d'une jupe très courte et ses jambes étaient gainées dans une matière à la fois mate et brillante qui mettait en valeur leur longueur insolente et leur galbe parfait. « On se fait chier comme des rats morts là-haut, poursuivit-elle en saisissant à pleine main ses cheveux fauves pour les rejeter vers le haut en un geste caractéristique. Les branchés magnifiques carburent à l'ecsta, mais on dirait que vous n'en avez pas besoin tous les deux. »

Sarah, toujours debout dans le coin, avait relevé sa jupe pour rajuster son corsage et ses dessous. « Houu, j'sais pas. Simon ?

– Ben... mfff, je ne devrais pas...

– Tu ne devrais pas ou tu ne veux pas ? » dit Tabitha d'un ton moqueur. Elle flashait toujours sur les hommes de sa sœur, les désirait – bien qu'il fût impossible de dire si c'était par réelle attraction ou par rivalité.

« Je ne devrais pas, je ne veux pas, je ne dois pas. Vraiment. Faut que je bosse toute la journée demain et je suis déjà à la bourre, j'expose la semaine prochaine.

– Mais Simon... » Elle se leva, rappliqua d'un pas décidé et se planta tout près de lui, assez près pour qu'il pût capter son odeur, voir la salive derrière ses lèvres. Un cachet apparut entre son pouce et son index. Elle le mit en orbite. « La semaine prochaine est sur la face cachée de cette lune. Ce n'est pas ce que tu dirais ? » Le petit spoutnik blanc prit de l'altitude et fut engouffré dans la bouche ouverte de Simon. Il tourna la tête et, levant son verre, l'avala avec une gorgée de whisky.

Ils restèrent assez longtemps au club, nonobstant le fait avéré qu'on s'y fît chier comme des rats morts. Mais c'était justement le côté rat mort qui les séduisait. Ils s'immergeaient à plaisir dans un bain de pieds tiède d'antisociabilité, avec sa mousse de poncifs pathétiques. En attendant les effets de l'ecstasy, Simon buvait pour résister à l'aspiration de la profonde oubliette de vacuité et d'autodérision que la cocaïne ouvrait entre ses pieds ; et il prenait de la cocaïne pour éviter de trop boire. Son humour las n'était pas encore l'humeur lascive qu'il allait devenir, mais déjà un mauvais rire fermentait dans le pressoir et giclait sous l'écrasement. Ainsi se répandait-il en paroles, arrosait le bar de quolibets, tirait des traits d'esprit, offrait des amusettes à des gens qu'il connaissait à peine et qu'il n'aimait même pas.

La fine équipe formait un noyau dur dans l'une des conquess-salons, attirant toutes sortes de fâcheux qui se perchaient sur les bras des fauteuils pour picorer leurs miettes, s'insinuer dans leurs conversations. Il était presque 11 heures quand George Levinson fit son apparition, élégamment vêtu et proprement bourré. Il avait égaré le mignon qu'il avait déniché au vernissage, mais avait réussi à s'en procurer un autre d'occasion pendant le dîner chez Grindley. Or cet autre présentait un intérêt supplémentaire, du point de vue de la petite bande : il avait une amie. Une amie encore plus bourrée que George. Plus bourrée que tout le monde, en fait, et, à première vue, parfaitement nunuche. Elle s'affala sur la table en renversant des verres, fit des plaisanteries qui s'affalèrent aussi, sans dérider personne, alluma les gays, snoba les hétéros, parla drogue d'une voix haute et forte. Bref, c'était une *aubaine* pour la fine équipe, parce qu'une fine équipe a toujours besoin d'un papier tournesol pour tester son acidité, sa détermination à dissoudre et exclure les corps étrangers.

Simon se mit de la partie, assista George dans ses tentatives roublardes de détourner le coquin de sa coquine. Chaque fois qu'ils s'enlaçaient, qu'ils témoignaient d'un attachement physique l'un envers l'autre, George s'interposait en criant : « Non aux licences abusives ! Les peloteurs au poteau ! » Et Simon reprenait le mot d'ordre, bientôt imité par les autres, qui tous scandaient : « Les peloteurs au poteau ! » C'était, songeait Simon en regardant tristement à travers la loupe déformante du fond de son verre de whisky, un slogan incidemment approprié à leur clique, dont les membres ne se touchaient que pour se dire bonjour ou au revoir. Car, le reste du temps − surtout dans ces déserts de poudre blanche −, le toucher était un mirage.

Ce fut le sentiment qu'il eut en regardant Sarah. Le sentiment ou le pressentiment que, peut-être, il ne pourrait plus jamais la toucher, plus jamais l'enlacer, se frotter au fragile radiateur de ses petites côtes de moineau. Oui, il y avait dans l'air une ondulation de mirage, une distorsion des images qui la repoussait loin de lui, derrière un hectare de table, un hectomètre de tapis. Le front luisant, blanchie par une sudation chimique, elle écoutait Steve Braithwaite expliquer un détail d'une nouvelle « performance » artistique. C'était normal, elle était leur agent. D'ailleurs, cette clique était la sienne. Ce n'étaient pas les amis de

Simon. George était un ami de Simon, il ne faisait pas partie de la fine équipe des branchés magnifiques, il appartenait à Simon, au passé de Simon, au couple Jean-Simon. Il était le parrain de Magnus. Simon éprouvait un malaise à le voir là, ça sonnait faux. C'était comme surprendre un oncle qu'on aime bien au pied de l'escalier crasseux d'un claque sordide.

Et le contraste de sa présence faisait apparaître les magnifiques sous leur vrai jour, tels qu'ils étaient, des enfants gâtés profitant de l'absence de papa et maman pour se conduire mal.

« Je vais aller à pied, expliquait Steve Braithwaite, de la centrale nucléaire de Dounreay à Manchester en marchant en dessous des lignes à haute tension. Ken pourra tourner un clip vidéo sur le...

– Quelle idée ! dit la nunuche.

– L'idée, jeune et ignorante demoiselle, dit George Levinson en passant agressivement à l'offensive, est d'expérimenter divers types de parallaxe. N'est-ce pas, Steve ?

– Exactement. À la fois la parallaxe visuelle dérivée des pylônes considérés comme des supports de clefs de sol servant à la notation de l'énergie...

– Holà, holà, tu cites déjà le catalogue de présentation que je n'ai pas encore écrit, Steve, dit Tony Figes pour ajouter son brin de plume à la prose collective.

– Et, bien sûr, continua Steve, la parallaxe de l'énergie elle-même. À mesure que j'absorberai ces radiations nocives et que mes cellules commenceront à se fractionner, je réaliserai la fusion nucléaire, ce qui me permettra d'envisager dans une juste perspective la nature de l'énergie, de l'énergie brute de notre société. Tu vois ?

– Non, j'vois pas, dit la fille. Pour moi, c'est rien que des conneries. Des conneries en lingots. C'est pas de l'art, c'est de la crotte. De la crotte de merde. De l'art de chiottes. C'est le genre d'idée qui peut venir à n'importe qui en s'asseyant sur le trône, mais il faut être le dernier des crétins pour se lever, se torcher et le faire vraiment en sortant. C'est de la merde.

– Elle semble penser que notre idée est merdique », dit Steve à son frère. Ken aspira une bouffée de cigarette et lorgna la fille, qui était sexy dans le genre pin-up pour poids lourd. De longs cheveux bruns, des traits vaguement eurasiens, des lèvres qui semblaient avoir traversé un essaim de guêpes.

« Elle n'a peut-être pas complètement tort, répondit-il finalement. Après tout, nous n'en sommes encore qu'à la phase de conception. »

Simon ressentit une petite pointe de culpabilité. Une double culpabilité. Il partageait l'opinion de la fille sur le projet des Braithwaite, c'était de l'art pour chiottes. À siphonner d'urgence. Et après avoir tiré la chasse, encore fallait-il passer la balayette et récurer vigoureusement la cuvette conceptuelle au Harpic naturaliste. C'était aussi nul, aussi creux que les photogravures sur soie qu'il avait vues avec George en début de soirée. Et il se sentait coupable également parce qu'il n'eût pas dédaigné troncher la donzelle. Ou plutôt non, ce n'était pas le mot, il avait envie de l'emmener dans un endroit tranquille et isolé, de tout apprendre sur elle – ses pensées, ses aspirations, ses souvenirs d'enfance –, puis de lui faire l'amour avec une virtuosité de champion du monde, explorer avec elle, hors du temps, le fait même de l'amour. Cet amour si profond qu'il éprouvait pour elle. Pas d'erreur, l'ecstasy commençait à agir.

Mais pourquoi, tout à coup, pensait-il à ses enfants ? Pourquoi, alors que le moment était idéal pour les abandonner une nouvelle fois, pourquoi leur odeur, leurs visages venaient-ils parasiter sa vision de cette fille ? Où étaient-ils ? Au lit, dans leur maison de l'Oxfordshire. Endormis sous des édredons à fleurs, inhalant et exhalant un souffle doux à travers leurs petites lèvres en caoutchouc collant. Dans le bar bourdonnant, gondolé maintenant par une émanation chimique, sapé par les ondes concentriques de son cœur martyr, il voyait les trois cordons ombilicaux serpenter vers lui, festonner les meubles, les épaules des journalistes et des producteurs de télévision au coude à coude dans la mêlée, et converger dans sa direction, l'entortiller dans la conscience de leur absence et le retourner comme un gant.

Que faisait-il ici avec ces autres enfants, au lieu des siens ? Il regarda Sarah, qui gîtait vers la fille pour la faire basculer encore un peu plus loin de son ami et permettre à George, qui lui tendait des leurres cousus de fil blanc, de le recueillir dans son épuisette. Que faisait-il ici – et que faisait George ? Trop grand et trop vieux pour cette compagnie, le marchand d'art était presque en érection ; ses cheveux teints rabattus sur son front bas, ses lunettes ovales de grand couturier, son nœud papillon flasque, tout trahissait son inadaptation à l'endroit. Le voir ici, c'était presque voir Jean – voir Jean, l'œil brillant, guignant Simon par-dessous sa frange coupée au cordeau, avec une ferveur quasi religieuse.

Oui, nous – eux, nous tous – sommes des enfants. Des enfants jouant aux chimpanzés dans la jungle de la nuit. Nous n'avons rien à faire, rien à glaner dans ce présent avec son auto-référentialité, son auto-obsession anhistorique. Nous sommes des frères et des sœurs, dans une société de frères et de sœurs qui se disputent le coffre à jouets. On nous a donné l'autorisation de venir nous amuser dans ce préau, alors nous y venons, mais c'est ailleurs que ça se passe. Ici, il n'y a qu'un portique de pacotille où nous jouons à nous balancer au-dessus du vide – un coup je t'exclus, un coup je t'inclus. Et si nous tombions dans l'abîme ? Si des hommes en armes, une bande de francs-tireurs des Balkans envahissaient le club, alignaient tous ces jolis messieurs pour les tuer, toutes ces jolies dames pour les violer ?

Une bande de francs-tireurs des Balkans envahit le Sealink. Ils se frayèrent un chemin à coups de feu dans le vestibule, mitraillette à la hanche. « C'est un club pri... eurghhhh... » fut tout ce que Samantha – à l'accueil – parvint à dire avant d'être coupée en deux par cinq rafales de AK. Les flingueurs se déployèrent. Deux se postèrent dans l'escalier des toilettes, deux autres surgirent dans la salle principale, un cinquième resta dans le vestibule pour garder la porte.

Dans les premières secondes qui suivirent l'irruption des hommes dans le bar, rien ne se passa. À travers les portes battantes, le brouhaha était si fort que le tumulte du vestibule avait été interprété comme un esclandre mineur – quelque ivrogne à qui l'on refusait, ou accordait, l'entrée.

À eux, on l'avait accordée d'office, sans chipoter, et les voilà dans la place, l'arme au côté, la cartouchière en bandoulière, le treillis taché de sueur. Ils étaient fatigués, vannés, crevés, et le spectacle de tous ces gens attifés à prix d'or, buvant des cocktails et fumant des cigarettes américaines, les époustoufla. Les membres réguliers, quant à eux, remarquèrent à peine les intrus, et ceux qui les remarquèrent les trouvèrent juste un peu miteux pour le standing du club – des musicos d'un label indépendant, peut-être, ou alors des publicitaires en free-lance.

L'invasion fut si discrète qu'une jeune femme rondouillarde, assise près des portes et très contente d'elle-même dans sa robe de velours noir à dos nu, demanda gentiment au plus bourru des deux de bien vouloir changer la position de son PM dont la crosse lui chatouillait les omoplates.

Les hommes se ressaisirent et jouèrent des coudes jusqu'au bar. Julius vint à leur rencontre. Le plus grand, qui était aussi le plus odorant, avisa le barman. Quoique encore jeune, il avait le visage déjà vieilli par le spectacle des horreurs – un collage de couleurs claquantes, de gros traits verts de rage sur un aplat de peur bleue, quelques taches de colère noire et une pointe de mort rouge. Il avait une barbe de dix jours, son haleine puait la gnôle frelatée, ses yeux saillaient d'un sac de veines. Il avait la tête chaude et injectée de sang. « Puis-je assister Monsieur dans le choix d'une boisson rafraîchissante ? » déclama Julius.

Le franc-tireur n'était pas amateur – notamment parce qu'il n'avait pas compris la question. L'eût-il comprise que, peut-être, les choses eussent tourné autrement : deux ou trois apéritifs, un peu de papotage mondain, une série d'articles sur le conflit pour l'édition de dimanche. Mais il attrapa le barman par le gosier et lui claqua la tête sur le zinc. Le « crac ! » sonore qui accompagna la fracture de la mâchoire de Julius attesta que le bougre avait des intentions violentes.

Au moins son geste amena-t-il le silence – en trois étapes. Les clients qui se trouvaient à proximité comprirent immédiatement que le temps se gâtait et restèrent cois ; d'autres, plus à l'écart, furent alertés par ce mutisme incongru et, s'ils ne prirent pas tout de suite la mesure de la situation, devinèrent cependant qu'il fallait se taire ; mais les plus éloignés, ceux qui se goberjeaient au fond de la salle, comme la fine équipe et ses admirateurs, restèrent indifférents aux événements jusqu'au moment où, dans un temps mort entre deux phrases – « Enfin, coco, ce mec ne connaît rien à la mode, il est styliste comme je suis le p... » –, ils béèrent dans la soudaine pesanteur de l'atmosphère et moururent la gueule ouverte.

« Simon ? » La petite patte de Sarah était sur son genou. Il détourna les yeux de la boule de cristal encore à moitié pleine de whisky dans laquelle il venait de lire cet avenir alternatif. « Tu vas bien ?

– Ouais, ouais. Je suis un peu cassé, c'est tout.

– Moi aussi », répondit-elle, puis : « C'est de la bonne.

– Hmm. Mouais... mmm.

– Peut-être... peut-être qu'on pourrait aller quelque part ?

– Aller... ?

– Quelque part. »

CHAPITRE 5

Sarah, Simon et toute la bande se retirèrent du Sealink par phases successives. Chaque fois qu'ils pensaient avoir atteint le quorum, ils découvraient qu'un votant manquait à l'appel. On envoyait quelqu'un en éclaireur dans les toilettes, la salle de télé et le restaurant pour rattraper le suspect en vadrouille. Mais, quand la troupe était enfin rassemblée, un autre désertait. Figes ou George Levinson filaient à l'anglaise pour lever des galants et Tabitha caracolait d'un bout à l'autre du bar en agitant sa crinière, qui aimantait les loustics comme des moustiques.

Julius devait les accompagner. Il connaissait un clandé du côté de Cambridge Circus où l'on trouverait de la coke. Et de l'alcool. Mais il y avait d'autres problèmes : il ne suffisait pas de rassembler les égarés, il fallait aussi exclure les indésirables. Et la drogue ne facilitait pas les choses : échauffés par l'ecstasy, ils suaient la sociabilité par tous les pores. Tout le monde leur semblait digne d'attention – d'inclusion dans leurs coquilles.

Pendant cette interminable manœuvre de repli, Simon s'offrit un entracte de séduction mettant en scène une fille dont il se souvenait bien pour lui avoir parlé de Dada lors d'une soirée dont il se souvenait mal. « Considérez-moi comme votre dada, lui dit-il pendant un des paliers de décompression. Comptez sur moi pour vous entretenir, vous protéger et...

– Me molester ? gloussa-t-elle en dévoilant des dents tachées de vin et en rejetant ses cheveux en arrière (tout ce qu'il détestait, mais détesta en silence).

– Exactement. »

Il s'approcha d'elle comme un module en procédure d'alunissage, tous ressorts dehors pour adoucir l'impact sur le sol, et... fut happé par le col de sa veste. Il pivota. C'était Steve Braithwaite, qui le rappelait à l'ordre :

« Tss tss, on t'attend tous dans le vestibule. Y compris *Sarah*.

– Sans blague ? »

Et il réussit l'étrange prouesse de sortir des enfers sans se retourner pour jeter un dernier regard à la fille.

Enfin ils partirent. Enfin. Samantha essorait la lie des noctambules par la porte à tambour, dont la révolution leur imprimait un mouvement de toupie, qui les faisait tourner encore dans D'Arblay Street. Le groupe qui trimardait dans les rues montagneuses de Londres était constitué de la fine équipe augmentée de George, de la nunuche, de son copain, de Gareth le journaleux et de trois autres personnages secondaires anonymes mais récurrents : une espèce de grande vamp, harnachée d'un corset noir par-dessus une robe grise – qui avait flashé sur George, ignorant probablement ses orientations sexuelles quoique, vu sa façon de marcher, on ne pût présager de rien ; un avocat du show-biz cocaïnomane qui ne parlait que fric, magouilles, dessous-de-table et astuces fiscales ; et une fille que Simon avait souvent remarquée au club, une très très jolie fille, à la taille fine, vêtue comme une collégienne d'une jupe plissée virevoltante. Elle était trop jeune pour être ici, se dit-il, sa vraie place était dans un petit lit, bordée jusqu'aux oreilles, à côté d'une lampe de chevet Disney.

L'équipée tira des bords dans Wardour Street à travers une mer de paroles. Simon, importuné par un arrière-goût métallique dans la bouche, commençait à regretter sérieusement d'être venu, à le regretter profondément, farouchement. Ils auraient pu être dans leur lit. Il aurait pu être à jeun. Il aurait pu faire l'amour tranquillement au lieu d'en être réduit à se plaindre une fois de plus de son outil comme un mauvais ouvrier – au lieu d'être obligé de résister à l'excès d'alcool, à l'excès de coke, à l'excès de tout. Il se rendait compte – atterré comme toujours – qu'il était capable de faire n'importe quoi, de se faire n'importe *qui*.

Tabitha et Sarah marchaient, bras dessus, bras dessous, en vociférant. Les engins de nettoyage longeaient les caniveaux de l'aube, touillant et malaxant le détritus sous leurs balais-brosses rotatifs et leurs jets d'eau. De grosses putains noires attendaient dans les coins. « Bezness ? » demandaient-elles avec une lassitude tiers-mondaine aux noceurs en vadrouille, comme Wabenzi harcelant le FMI. Nous sommes une horde caparaçonnée de conquérants du plaisir ! se dit Simon. Nous sommes un pitoyable suintement de viveurs déjantés, se dit-il l'instant suivant. Le seul panache de leur cohorte était la barbiche en berne de Julius.

Le clandé était au quatrième palier et comptait quatre pièces de conformation bizarre en haut d'un escalier abrupt. Un mot de passe de Julius et une poignée de billets furent leur sésame. La cohue était encore plus compacte qu'au Sealink et bien plus polyglotte. De grands gaillards noirs à reflets gris, taillés à la serpe, tenaient des colloques passionnés en pelotons compacts. Ailleurs, ils dansaient avec de jeunes filles blanches, en boléros blancs, jupes courtes et jambes nues. Le coloriste qui sommeillait en Simon se félicita d'être capable, malgré les flashes tourbillon-nants violets, roses et bleus, de distinguer le pointillé brun de la chair de poule sur leurs mollets. Il médita. Comment dépeindre cette ambiance ? La musique était un ragga tonitruant qui trans-formait la salle en chambre d'écho. « *Ya-ya-ya-aï-ya-ya-ya-inna side you like / Inna way you like / Thass the way you like / Me to show you / Ya-ya-ya-aï !* » Encore et encore et encore. Pour Simon, la répétitivité de la musique devenait le sujet même de la chanson : « *Ya-ya-ya-aï-ya-ya-ya-annagain an'again / Thass the way you like it / Again annagain*[1]... »

Des visages s'avancèrent vers lui, et passèrent sans s'arrêter. Chacun semblait contenir le contour d'une intimité possible. Un jeu de coordonnées et de congruences à partir desquelles cinq, dix ou vingt ans de conversations et d'attouchements eussent pu être extrapolés par quelque modélisation informatique, un morphing des relations humaines. Sarah lui tenait la main, mais elle semblait s'être évaporée maintenant, absorbée par les ocres lugubres du bouge. Simon joua des coudes jusqu'au bar et parvint à bloquer quatre verres de vodka chaude et rance. Tony Figes, surgissant derrière son épaule, lui en prit un. Sa touffe de cheveux, qui formait un épi sur le côté, dévoilait le crâne d'un homme plus âgé ; sa balafre s'était creusée.

« Tu sais comment ils se procurent ça ?

– Hein ?

– Tu sais comment ils se procurent ça... *ça*, là... dit-il en levant son verre.

– N... non.

– Ils emmènent ces minettes dans l'arrière-salle, ils les foutent à poil, ils les épongent et ils tordent les éponges au-dessus d'un baquet. Et ils remettent ça en bouteille.

– Ha... ha », fit Simon. Il n'arrivait pas à rire, il avait la gorge engourdie comme une bétonneuse enrayée par un trop-plein de mortier.

« Simon ! Tony ! » C'était Tabitha, qui les hélait depuis l'escalier. Ils montèrent à l'étage supérieur, où ils trouvèrent les autres occupés à faire des lignes sur une espèce d'étagère bancale.

« Une ligne ? » demanda Ken Braithwaite en relevant sa carte de crédit.

---

1. *Again annagain* : encore et encore. *(NdT)*

Arrêtez le manège, je veux descendre, pensa Simon, mais il répondit : « Ouais, merci, Ken.

– Ta dernière, alors, dit Sarah, qui ressemblait soudain à sa mère, ou à une vieille maîtresse depuis longtemps oubliée.

– Ah bon ? » Il prit le billet, se l'enfila dans le nez jusqu'à ce que le bord du papier racle contre un écueil de morve comme la quille d'un bateau sur un fond de galets, et ajouta un peu de fumier à son purin cérébral. Puis il se badigeonna le gosier à la vodka et tira une bouffée de sa énième Camel. Il ne sentit même pas passer la fumée. Rien ne pouvait l'atteindre. Il pouvait tenir comme ça jusqu'à... *à jamais*.

« Bon... On se casse.

– Maintenant ?

– Maintenant. »

Il n'y eut même pas de vrais adieux, seulement des bruits de glotte et des halètements de singe. Elle le prit par le coude et, tel un cornac capable de gouverner un mastodonte rétif par de subtiles pressions et des ordres chuchotés, l'aiguillonna dans l'escalier, à travers les queues leu leu de la jeunesse, au long des couloirs bondés, entre les deux videurs en blousons et jeans noirs, téléphone portable à la ceinture, puis dans l'aube d'étain du centre de Londres.

« Et Tabitha ? » demanda-t-il. C'était une question simple, formulée de manière à être prononçable sans bafouillage – ce qui était peut-être sa seule raison de la poser.

« Quoi, Tabitha ? » Sarah n'était pas fâchée – elle était amoureuse. Elle voulait son corps, qu'il fût ou non capable d'en faire quelque chose. Elle voulait se blottir à l'angle de ses jambes et de son abdomen, et dormir là – dormir comme des adorateurs du soleil attendant une éclipse, pieusement, dans un mélange de crainte et de fanatisme.

Des chauffeurs clandestins de mini-taxis, des Africains immigrés de fraîche date, racolaient le client sur le trottoir au tournant de Charing Cross Road. Simon s'imagina qu'il était le maquereau de Sarah en la voyant se pencher à la vitre pour négocier la course. Puis ils prirent par l'ouest. L'autoradio diffusait un match de boxe. Sous le flot de paroles du commentateur, Simon esquivait et feintait pour éviter le KO. Ils foncèrent dans Park Lane. C'est drôle, se dit-il, que Londres puisse être à la fois si vernale et si vénale : d'un côté la verte fraîcheur du parc, de l'autre l'incessant trafic des taxis et des véhicules commerciaux qui passaient sans rien voir.

Puis ce fut Harrods, fortin crénelé de négoce babylonien, souk vertical. Simon se tourna vers Sarah. Mystérieuse et réservée, elle ne semblait pas marquée par cette nuit de beuverie et de drogue, hormis un petit affaissement, un petit dessèchement de la peau sous les yeux. Elle était assise, les genoux de côté, les mains posées sur les cuisses. La toque était toujours posée sur son toupet de cheveux. Voulait-il les caresser ? C'était si mignon. Il ne savait pas. L'exercice de la sensualité le fatiguait trop. C'était comme si son corps lui avait été dérobé pendant son sommeil puis restitué au réveil après une séance d'entraînement forcé. Ses entrailles étaient liquéfiées, sa peau craquelée comme des écailles. Il remua dans son jus et sentit l'empiècement de son caleçon adhérer à son périnée en sueur. La boucle était bouclée : à ce moment même, le taxi traversait Sloane Street. Les dépêches des actualités viscérales continuaient à tomber.

Je ploie sous la pression de toutes ses autres maîtresses, songeait Sarah en regardant le rayon jaune du matin barrer le front de son amant.

Quand je la touche je ne pense qu'à mes enfants, songeait Simon, frappé une fois de plus par sa petite taille, sa fragilité.

Si au moins il existait une médication, songeait Sarah, un onguent qu'il pourrait frotter sur ma peau pour éliminer ces souvenirs. Un genre de Ret-Gel^{RM}, qui me brûlerait en surface et pénétrerait en profondeur pour effacer les vestiges de leurs empreintes.

« Essuie-moi les fesses, papa... essuie-moi les fesses ! » Voix aiguë du coupable, une petite tête blonde penchée en avant, entre ses cuisses. La courbure des fesses et, sous ces arcs parfaits, la lunette en plastique des WC. Il soutire quelques feuilles de papier hygiénique, sèches et un peu rêches sous ses doigts. Il se penche à son tour, passe le papier dans la raie. « Aïe ! Ça fait mal, papa, ça fait maaal... » Où sont mes enfants ? Où sont-ils ? Pas ici. Ils sont dans l'Oxfordshire, à Brown House, avec leur mère. Ils vont bien, ils vont très bien et je les verrai bientôt, tous les trois, je me prosternerai devant eux, ils grimperont sur mon dos. Je les verrai bientôt, dans deux jours au plus tard.

Le mini-taxi filait dans Cromwell Road. La Camel de Simon se consumait pour rien dans le courant d'air de la fenêtre que le chauffeur voulait absolument laisser ouverte. À l'ouest de Londres, le Middle East était déjà éveillé, des hommes blêmes en coton kaki montraient, insoucieux, des faces soucieuses à leur passage devant leurs hôtels. Sarah regarda distraitement le gigantesque panneau publicitaire électronique au croisement de Warwick Road, où défilaient les chiffres des logiciels Windows d'IBM vendus dans le monde entier. Au moment où elle tourna les yeux, les chiffres changèrent. C'étaient maintenant les ventes à Séoul ou Syracuse. Si c'étaient les chiffres de toutes les femmes qu'il a rêvé de pénétrer ? pensa-t-elle. Les déferlantes de toisons dans lesquelles il aurait voulu plonger ? Les monts de Vénus qu'il aurait voulu escalader ? « 2 346 734 », afficha le panneau. Non, se dit-elle, non, pas assez, on est loin du compte.

Le mini-taxi approchait de Barons Court. Simon aperçut la coque vitrée de l'Ark, le vaste immeuble de bureaux qui dominait le pont routier de Hammersmith. L'appartement de Sarah se trouvait dans le nœud de ruelles en contrebas. Ils seraient bientôt à la maison. À la maison près de l'Ark, avec ses quinze étages de verre et de béton qui se dressaient au-dessus des toits de jadis. L'Ark, avec sa crête d'antennes paraboliques connectées à l'éther, prêtes à recevoir la grande nouvelle : une colombe tenant une branche d'olivier avait été aperçue à l'autre bout du monde. L'Ark, l'« arche », un vaisseau idéal pour emporter une ménagerie loin de la ville inondée. Accoster sur un rivage champêtre et recommencer l'évolution depuis le début.

« Viens là, mon petit singe », dit Simon.

Trop tard : elle payait déjà le chauffeur. Il était jeune. Ses longs bras, minces comme des bâtons, dépassaient des larges manches d'une chemise à ramages.

« C'est pas un singe, mec, dit-il en observant les yeux rougis de Simon dans le rétroviseur.

— Hein ? fit Simon en s'extirpant de la voiture.

— C'est pas un singe.

— C'est juste un petit nom affectueux, expliqua Simon, un pied sur le trottoir.

— Dans mon pays, c'est pas affectueux, les singes, c'est de la viande. On les tue.

— Ah. » Pourquoi répondre ? se demanda-t-il en répondant. « Et c'est où, votre pays ?

— Tanzanie, mec. C'est là, mon pays. Et, là-bas, près du grand lac, on chasse les singes... pour leur viande. On aime bien leur viande. Surtout les chimpanzés, ouais, surtout. Ils mangent nos bébés, on mange leurs bébés.

— Ah bon.

— Y a bon, ouais. C'est la viande de la forêt, tiens. On en a besoin ! » affirma le chauffeur avec force, comme pour parer d'avance à toute protestation. « Besoin pour vivre, vous comprenez ?

— Bien sûr, bien sûr, je comprends. » Simon était complètement sorti de la voiture, maintenant. Sarah était déjà devant son immeuble. Il se pencha vers le chauffeur avant de refermer la portière arrière, pour lui dire sur le ton de la complicité masculine : « Pareil pour moi. J'ai besoin de la viande de ce petit singe-là » – il montra Sarah, qui déverrouillait la porte d'entrée – « pour vivre. »

Le chauffeur fronça les sourcils, passa la première et démarra. Simon suivit le petit sentier carrelé de losanges, entre les alignements de plantes en pot, herbes à gauche, fleurs à droite. Il entra dans la maison et referma soigneusement la porte ; l'épais vitrage déformant couina. Il attendit un instant dans le vestibule, sur le sol trapézoïdal inefficacement couvert d'un tapis beige rectangulaire, puis ouvrit la porte de l'appartement de Sarah, au rez-de-chaussée, une porte en contre-plaqué de couleur magnolia, et la referma, moins soigneusement cette fois, d'un geste plus hésitant.

Debout dans la pièce principale, près de la chaîne hifi, Sarah caressait sa chienne, Gracie, un vieux cocker golden pataud, qui bavait tout le temps. Elle pouvait à peine atteindre les cuisses de Sarah ; sa panse affaissée traînait sur le plancher, son moignon de queue balayait un tapis marocain. « Là… là, disait Sarah, là… là… » en flattant son museau, en ébouriffant sa toison fauve et en faisant ballotter ses chairs flasques. « Là… là. » Gracie poussait de petits ronronnements de plaisir entrecoupés de jappements étranglés qui, pour l'oreille humaine, oscillaient entre l'audible et l'inaudible. Chaque tableau sur le mur était doublement encadré : les ombres portées du petit matin clair ajoutaient un soulignement à l'insignifiant.

L'appartement de Sarah, agréable, avec des notes chaudes de bois et de porcelaine, des bleus et des rouges pastel, des bibelots posés et des bibelots suspendus, des souvenirs d'une vie adaptative désormais adaptés à une vie de souvenirs, était cependant dénudé, javellisé par le matin et l'irradiation des drogues. Simon déambula, baissa les stores, ferma les rideaux, tamisa la lumière, sutura la clarté, tria et stocka le diurne dans le futile espoir de

le conserver en l'état pour une heure plus tardive. « Là… là, là…
là, là… là. » Grognements sourds de jouissance canine.

Ici et « là ». « Là… là, là… là » ou plutôt : « Là… là ! là ! »
C'était maintenant Simon qui caressait Sarah. Elle était couchée
en travers du lit, les omoplates sur le bord du matelas. Il était
couché en travers d'elle, une cuisse velue sur ses cuisses épilées.
Appuyé sur un coude, tel un enfant lisant, il la lisait comme un
livre. D'une main, il lissait ses cheveux blonds au-dessus de son
front, suivait le contour de sa nuque, la ligne de son dos étroit ;
de l'autre il lui pelotait la cuisse, la raie des fesses. La seconde
articulation de son pouce heurta une résistance, puis patina
jusqu'à la saillie du mont de Vénus. Ses doigts tâtonnèrent pour
ouvrir la corolle de son vagin. « Là… là…, disait-il, là… là »,
comme un topographe commentant ses relevés. Sarah tenait son
pénis à deux mains ; de l'une elle tiraillait sur le dôme, de l'autre
elle tiraillait sur la hampe. Peine perdue : il restait flexible,
comme un jouet en caoutchouc qu'on peut plier dans tous les
sens et qui revient toujours à la verticale – ici, hélas pour Sarah,
une verticale éphémère et instable. « Là… là… Là ! Là, là, là. »
Que faire maintenant ? Lui enfoncer le doigt dans le cul ou
prendre un mouchoir en papier pour la torcher ? *Papa, papa,
essuie-moi les fesses !* Tout cela était trop stylisé, cela ressemblait
davantage à une méditation sur le passage à l'acte qu'à un acte
réel. Une école d'amour dans laquelle l'amant s'évertue à représenter la manière dont il ferait l'amour si d'aventure il devait le
faire… Le jour arrivait trop tôt, comme une intrusion, et Sarah
était trop légère sur son bras. Il essaya d'évaluer son poids et
tout se mélangea dans sa tête, les informations se brouillèrent.
Est-ce qu'il la violentait ? « Là… et *là*… » Ses enfants étaient-ils
là… ou *là* ? Sarah haletait et poussait de petits cris d'exaspération.
Ce qu'il lui faisait était hors sujet… hors contexte… Il ne savait
plus quel était le contexte du sexe, ne croyait plus au corps
comme sujet. Sa main sur elle lui semblait aussi incongrue qu'un

micro apparaissant dans le cadre d'un film sur la vie campagnarde en Lombardie au XIXᵉ siècle. Elle n'avait rien à faire « là... ». Nouveau grognement d'exaspération. Ils étaient deux étrangers l'un pour l'autre, hors champ, décadrés dans un écran dédoublé. Les petites pattes qui tenaient son pénis ralentissaient et s'interrompaient, ralentirent et cessèrent. « Là... là, là... là... » dit Sarah en caressant Simon pour le rassurer. Il dormait.

Le sommeil diurne est un sommeil en négatif. Il envoie des images négatives, des visages noirs éblouis par le flash, des crânes simiesques sous des cheveux albinos, des cavités oculaires blanches. Et le sommeil diurne du drogué est doublement négatif ; surtout le sommeil sous cocaïne, sous ecstasy, quand la tige du cerveau s'enracine dans la terre, le sol aride de Soporie – comme si le dormeur avait la tête enfoncée dans un oreiller creusé en négatif dans un matelas orthopédique –, et que les lobes jumeaux des feuilles synaptiques s'agitent dans la brise glaciale d'une imagerie crue.

Ils avaient joui et maintenant ils se détournaient l'un de l'autre, saisissaient des brassées de couverture, de drap, d'oreiller, rampaient sur une surface gravillonnée, le visage crispé dans l'effort, creusaient dans la gelée de la conscience pour y enfoncer leurs esprits et tâcher de les y maintenir jusqu'à ce que leurs souffles étouffés se changent en ronflements. Dans son sommeil, Simon baisa Sarah en force, à grands coups réguliers et térébrants. Sa bite, impérieuse, inflexible, entrait et sortait à la cadence d'une machine bien huilée. La vulve se contractait autour de la base, puis autour de la hampe, puis autour du dôme ; *annagain, annagain.* Serrée. Serrée. Serrée. Il sentit le frémissement subsonique qui annonçait son exultation, une coulée de lave brûlante bouillonnait au tréfonds de sa matrice percée à jour. Il l'escalada, se dressa comme un récif sur la mer, la recouvrit, la surplomba comme une éminence au-dessus d'une gorge.

Leur chambre contenait le monde, des océans de couverture, des continents d'oreiller, une biosphère de draps en suspension comme des amoncellements de cumulus portant vers les hauteurs les élans de leurs corps aérodynamiques. « *Come, baby / Come, baby / Baby, come-come...* » Il était lucide, il se voyait lui-même *à l'intérieur du rêve* et le rythme du ragga accompagnait ses efforts cadencés. Il y avait une élasticité anormale dans leur gymnastique, une distorsion dans la contorsion. Comme un enfant acrobate s'exerçant sur une barre fixe tendue en travers de l'empyrée, il sentit son dos se cambrer, se cambrer, se cambrer, fit un soleil, un salto, tandis que ses jambes réalisaient d'étonnants tours de passe-passe : Voici une église / Voici le clocher / Ouvrons les portes, abracadabra, et voici... voici qu'ils étaient à nouveau face à face, mais séparés par la longueur de leurs demi-corps. Simon baisait toujours Sarah en force, toujours à grands coups réguliers et térébrants, mais sa nouvelle position – renversé en arrière sur les coudes, en opposition symétrique avec le haut du corps de Sarah, *doppelgänger* contrefait du sien –, grâce à la fonction de poulie de ses rotules calées sous les genoux repliés de Sarah, lui permettait d'imprimer à ses cuisses un mouvement de bielle pour faire aller et venir le piston dans la vulve et facilitait délicieusement le graissage des rouages. Flouf-flof-flouf, ils flouffaient. Sa vulve était si ferme – et cependant si huileuse ; sa bite si solide et si liquide.

Simon eut un autre accès de lucidité, de dérisoire logique onirique : l'opération était physiquement impossible. Pour réussir cette position, il fallait que sa queue fût... longue, très longue. Il regarda : elle était longue, très longue, au moins quarante-cinq centimètres ; et plus il la regardait, ébahi, plus elle s'allongeait. Elle émergeait de la magnificence rose de Sarah en s'étirant, s'étirant, s'étirant et s'amenuisant comme un chewing-gum qu'un enfant extirpe de ses dents de lait entre le pouce et l'index. Sarah était retombée sur le dos, mais elle se débattait encore, comme écrasée sous le souvenir de son poids, poussait de longs ahans rauques comme une femme de peine attelée à un dur labeur. Un dernier coup de collier ? Un dernier rentre-dedans tragique ? Il s'écartait de plus en plus. Elle était loin, si loin. Elle était de l'autre côté de l'océan et il s'éloignait toujours, à reculons, sur les coudes et les talons. Comment pouvait-elle rester accroupie avec une telle nonchalance pendant qu'un pareil métrage de pénis sortait de sa vulve pour serpenter comme une corde rouge sur le drap maculé de sang ?

Soudain, il la vit derrière la fenêtre. Sarah, le petit singe. Elle escaladait le tronc du chêne dans le jardin et le regardait en ricanant par-dessus le poil duveteux de son épaule. Poil duveteux ou pelage ? Elle avait atteint la première branche. La voilà perchée, avec le pénis ombilical qui pendouillait entre ses jambes. Ça ne la gênait pas du tout. Seul Simon semblait conscient de l'étrangeté de sa posture. Bizarre horreur. Qu'avait-elle fait ? Elle avait fait quelque chose – quelqu'un, quelque part, avait fait quelque chose, parce qu'il se sentit tout à coup tracté vers elle. Malgré la distance, c'était bien son pénis qu'elle avait entre les jambes, son pénis qui franchissait la fenêtre, se traînait sur le gravier, grimpait le tronc d'arbre, son pénis qui allait et venait à nouveau en elle, aspiré dans sa trappe. Elle avait dû actionner un ressort quelconque et le rembobinait comme un mètre-ruban humain dans son boîtier simiesque. L'homme est vraiment la mesure de toute chose, se dit-il.

Ses talons laissèrent des ornières sur le drap, il tomba lourdement sur le tapis entre le lit et la fenêtre, fut tiré au-dehors et houps ! bascula sur le petit patio que son parrain lui avait installé. Du haut de la fourche, elle lui souriait toujours. Hop là, une pirouette et il fut hissé le long du tronc, cul par-dessus tête. Encore une pirouette et Sarah engloutit Simon dans son ventre.

Copieusement engrossée, elle essuya distraitement les lèvres humides de son vagin et renifla la fourrure sur le dos de sa main. Puis elle marcha en équilibre sur la branche maîtresse, passa un bras protecteur sous son abdomen distendu, se laissa tomber en souplesse dans le jardin voisin et s'en alla.

Ils s'éveillèrent à nouveau vers midi. Le rai de lumière entre l'ourlet du rideau et l'appui de fenêtre était passé du jaune à l'orange. Le souvenir du rêve, le petit singe Sarah aspirant son pénis ombilical puis disparaissant dans le jardin voisin, était encore vivace, aussi palpable que la granulosité du matelas et de ses paupières ensablées, aussi râpeux que sa gorge.

Ce n'était pas un cauchemar, de cela Simon était certain. Il avait assisté sans épouvante à la métamorphose de sa bite, sans palpitation cardiaque, sans paralysie. Au contraire, il avait souhaité cette métamorphose. Sa lucidité à l'intérieur du rêve prouvait qu'il avait voulu voir la chose se réaliser.

Il se redressa sur le matelas, attentif à la crampe particulière de son épaule, au ferraillement discordant de son bassin. Et maintenant ? Se lever, affronter la gueule de bois, pisser un bock ? Il roula de côté et sa bite gorgée de sang, obturée à la racine par une vessie pleine, glouglouta. Il désenlisa ses yeux. Sarah gisait à l'oblique sur un oreiller, le haut du corps dévissé d'un quart de tour, les bras en tous sens, les cheveux humides et hirsutes.

Simon se hissa sur un avant-bras pour l'observer. Le bord du drap était ramassé sous ses seins et se répandait en cascades chiffonnées. La posture ne la flattait pas : de petits bourrelets de muscles lui faisaient des coussins sous son dos étiré. Aux yeux de Simon, c'était l'une de ses imperfections. Il y en avait d'autres, ses lèvres trop fines, par exemple, dont la minceur l'intriguait parfois quand il l'embrassait, à présent entrouvertes sur des canines curieusement pointues qui, à l'état de veille, lui donnaient un air de vampire diurne œuvrant en heures supplémentaires après le lever du jour pour Van Helsing. Elle avait de beaux seins, mais ses mamelons n'étaient jamais assez durs, jamais assez tétables.

Il les regarda se soulever, s'abaisser, se soulever, s'abaisser. Ses paupières bleuissantes papillotèrent. Était-elle encore dans le rêve qu'il venait de quitter... ou dans un autre ? Il leva sa grosse main brune et la posa sur un bras blanc, qu'il serra un peu, un petit bras frêle et cassant comme un os de côtelette. Arrête ça, Simon, arrête. Tu essaies de la déprécier – de te déprécier. Qu'est-ce que la perfection ? Ça ne veut rien dire – ça n'a pas plus de sens qu'un graal Tupperware. Continue comme ça et tu vas finir par te trouver des raisons de la quitter.

Sa main avait heurté sa bite dressée, ce qui lui rappela qu'il en avait une et qu'elle avait un emploi. Son autre main parcourut les plis et les fronces du drap qui, sous ses doigts, devinrent les plis et les fronces de son sexe. Il déglutit. Pouah. À la place du gosier, il avait un gobelet rempli de cendres froides de Camel. Pouvait-il commettre le crime gastronomique de la forcer à goûter ça ? Dans le creux du lit, sa bite se tendit. Il pouvait.

Elle s'éveilla pendant l'assaut final de ses auriculaires sur ses mamelons, tandis que ses paumes bivouaquaient dans la vallée de ses seins. Elle sembla n'éprouver aucune gêne, pas même une répulsion momentanée devant ce corps imbibé de vodka allongé sur le sien. Elle se retourna. Sa petite tête se redressa. Son toupet de cheveux blonds lui donnait une bouille de clown. Ses lèvres effilées s'ouvrirent, dévoilèrent une luisance blanche, puis elle l'accueillit dans sa bouche, darda une dragée linguale, qui se dilata et fondit dans sa salinité. Leurs corps s'épousèrent. Ils échangèrent les goûts de merde de leurs haleines et de leurs œsophages respectifs, qui s'annulaient réciproquement au fur et à mesure de l'érosion salivaire de leurs muqueuses rainurées de cocaïne.

Ce fut brusque et brutal. Une poussée d'amour. L'une de ses

grosses mains rejeta le drap froissé pour aller à sa motte ; l'autre alla à leurs bouches en succion, racla dans la bauge et déposa le produit prélevé dans sa jointure. Ses doigts plongèrent en elle. Sarah haleta, lui mordit la lèvre. Il l'enlaça ; elle avait un dos d'enfant, si petit qu'il pouvait pratiquement le contenir dans son empan. Il la plaqua contre lui. Elle essaya de s'agriffer à son dos, mais ses ongles glissaient sur la transpiration. « Écarte les jambes ! » aboya-t-il dans sa bouche. « Écarte les jambes ! » Il enfonça ses doigts plus profondément, élargit l'orifice, encercla son clitoris d'un mouvement tournant du pouce. Elle se débattit comme un animal pris au piège. Se débattit, se débattit. Il libéra sa main droite pour lui mettre deux doigts dans la bouche, puis trois, éprouver le tranchant de ses dents, la peau tendue de son gosier. Puis il lui barbouilla le front de ces trois doigts mouillés, attrapa une poignée de cheveux et les tira vers sa nuque pour la forcer à se cabrer, à s'exhiber tout entière, comme pour la dénuder deux fois.

Les mains de Sarah avaient trouvé son pénis. Il pantela, faillit éjaculer au premier contact. Elle le palpa alternativement sur le sommet et le pourtour, le sommet, le pourtour, puis plus bas, saisit ses couilles, les berça, et plus bas encore, dans sa rigole, dans sa sueur, tâta et sonda son trou du cul. Tâta. Sonda.

Les doigts crochetés en elle, il prenait la mesure de son os pubien, étudiait la texture de sa membrane interne et croyait reconnaître au toucher la saveur salée qui sourdait maintenant d'elle. Elle avait les yeux révulsés, il n'en voyait que le blanc. Elle criait et, leurs bouches étant vissées l'une à l'autre, ses cris résonnaient comme dans une grotte. L'écho se réverbérait dans sa tête, mais il ne voulait pas la lâcher, il continuait à l'embrasser, à la mâcher. Puis il se laissa descendre le long de son corps, goûta ses seins, ses hanches, le tortillon de son nombril, posa sa langue tout entière contre son ouverture mouillée, sentit le grain de son clitoris vibrer à la racine de sa langue, et se hissa de nouveau sur elle. Sarah tirait sur sa queue, ses mains étaient des remorqueurs dirigeant la masse énorme de son vaisseau phallique, qu'elle guidait vers le port. Il y avait tant d'urgence de part et d'autre, tant de volonté à s'accoupler que ce n'était même plus du désir, c'était un tropisme.

Dehors, dans l'étroit couloir, Gracie, la vieille chienne cocker, jappait et grattait. Quel était ce tumulte dans la chambre ? Quelle était cette chasse à laquelle on ne l'avait pas conviée ? Les crispations sur le drap froissé étaient pour elle des pattes de lapins débusqués détalant d'un terrier. Elle attrapa l'ourlet d'un foulard de soie qui pendait à une patère et s'acharna dessus avec ses babines flasques et ses crocs déchaussés.

La force de leurs ébats repoussa Sarah au-delà de l'oreiller, qui se bloqua sous ses fesses. Elle avait maintenant les talons dans le creux du dos de Simon, et il la baisait comme dans le rêve, à grands coups de piston bien huilé, avec une régularité mécanique. Elle jouissait sans fin, son vagin envoyait des ondes sur toute la longueur du corps de Simon et, la bouche grande ouverte, elle poussait un cri à chaque implosion de lui en elle. Elle cria, cria jusqu'à ce qu'enfin, avec une torsion interne de son conduit urinaire, il jouît aussi en comprenant qu'elle ne criait plus mais sanglotait. Des pleurs secouaient ses fragiles épaules, clouaient ses omoplates sur la main ouverte de Simon.

Il se retira ou, plutôt, suinta hors d'elle et la prit dans ses bras, l'un entre ses jambes, l'autre sous sa nuque, longitudinalement. Ce n'était pas l'émotion qui lui arrachait ces pleurs, c'était chez elle un comportement habituel, une réaction purement physique, pensait Simon, de même que certaines femmes se mettent à transpirer à profusion après la jouissance. Car pour lui ses larmes n'étaient que cela : une sorte de transpiration oculaire. Elle pleurait, pleurait, pleurait et il disait : « Là… là, là… là, là… là. »

Ils se rendormirent. Le réveil digital sur la table de nuit indiquait : 12.22 a.m. Quand il indiqua 12.34 a.m., Simon rêvait de nouveau.

Le même rêve, juste un peu décalé chronologiquement, juste avant l'instant où il l'avait quitté. La chambre de Sarah était une tonnelle, les murs des claires-voies irrégulières faites de déchirures forestières. De grands troncs et des broussailles descendaient en pente douce vers le jardin. Simon était toujours dans la même position, cambré sur les talons des mains et les talons des pieds. Et le petit singe était toujours perché sur la branche d'un arbre, une vingtaine de mètres plus loin, les pattes écartées de sorte que Simon voyait distinctement l'ouverture rose de son entre-cuisse et son propre tuyau rouge qui en dégoulinait.

Je peux regarder cette bite et regarder ma bite en même temps, pensa-t-il. Je suis donc lucide. Je contrôle le rêve. Et cette bite, sa bite, ondulait sur le drap froissé, tire-bouchonnait comme un chapelet de queues de cochon sur l'humus de la forêt, formait des boucles caoutchouteuses qui s'enchevêtraient dans les mousses, dans les brindilles et disparaissaient entre les racines des arbres. Simon appela Sarah, qui s'épouillait distraitement l'avant-bras.

« Sarah ! Sarah !

— Simon ? dit-elle en levant les yeux.

— Sarah, tire-moi, tire-moi, enfonce-moi en toi ! Je veux entrer. Maintenant. »

Il montra du doigt les entrelacs qui les reliaient.

« Simon ? » Elle le cherchait des yeux, essayait de l'apercevoir entre les arbres. Elle regardait partout, sauf dans la petite clairière de draps où il gisait. « Simon ? Sim... »

Sa voix s'estompa. Elle se pencha sur la branche pour cueillir quelque chose. Simon ressentit un pincement. C'était lui ! C'était lui qu'elle cueillait ! Elle porta la tresse de vésicules à sa bouche, la serra dans sa main comme une sonneuse de cloches arboricole empoignant une corde et, sans avertissement, se mit à la ronger.

« Sarah ! Non... Sarah, c'est moi ! » cria-t-il sous la morsure de ses petites dents acérées. Mais elle ne semblait pas l'entendre, elle continuait à grignoter, en s'interrompant de temps à autre pour déloger un éclat de cartilage pris entre ses dents. C'était quoi, cette chose qui les reliait... un cordon ombilical ou un pénis ? Il ne savait plus, elle l'avait pratiquement tranché maintenant, elle continuait à mordiller, et lui à hurler. « Sarah ! Arrête ! Sarah... tu vas me perdre, on est dans une forêt ! » Mais elle ne l'écoutait pas, elle rongeait toujours. Bientôt il ne resta plus entre ses dents qu'un filament rose luisant. Elle mordit d'un coup sec... et coupa le cordon.

Je veux me réveiller. Réveille-toi ! ordonna-t-il à son corps, qui n'obéissait plus, souche froide, poids mort. Réveille-toi ! Il s'efforça de le bouger, juste un peu. Un seul petit mouvement eût suffi à l'extraire du rêve, mais il n'arrivait à rien. À rien. Il s'efforça encore. Pas de panique, je sais où je suis... Je suis couché dans un nid avec... Sarah. Sarah ? Oui, c'était bien elle, il sentait sa chaleur au-dessus, ou en dessous, de lui. Il rampa. Il voulait la sentir sous sa joue – la chaleur de son petit sein, avec son fin pelage blond et rêche.

Simon Dykes, l'artiste, se réveilla, la joue sur la poitrine de sa compagne. Il soupira et enfouit son museau dans sa douce animalité.

CHAPITRE 6

C'était une belle matinée de fin d'été. Redington Road était plantée d'arbres en fruits. Des parfums de mûrissement et de verdure flottaient dans l'air. Busner contempla les villas massives en brique rouge qui bordaient la route. Malgré la touffeur du matin, la copulation lui avait donné du tonus et, avant de sortir du jardin, il arrondit les lèvres pour aspirer une flûte d'air frais, puis poussa un grand panthurlement plein de joie de vivre. Un chorus de cris semblables s'ensuivit, en guise de salut de bon voisinage de la part des habitants du quartier perchés dans les branches environnantes.

« "H'houu" ! hoquethuchèrent-ils en faisant de grands signes. 'jour, Busner !

– "H'houu" ! » répéta-t-il en levant joyeusement son attaché-case.

Cet échange de bonnes manières fut repris en écho par les chimpanzés des rues adjacentes, qui panthurlèrent leurs bonjours dans le faubourg, puis par d'autres dans les quartiers limitrophes et d'autres plus loin encore, du côté de Belsize Park.

Gambol avait sorti la voiture du garage, un break Volvo série 7 qui attendait au point mort devant la grille. Busner aperçut trois de ses mâles sub-adultes sur la banquette arrière. Ils étaient tellement enchevêtrés dans leurs opérations de grattage mutuel qu'il ne les reconnut pas tout de suite, puis se réjouit de voir que Charles et Erskine étaient du nombre. Ils ne vadrouillaient pas assez au gré de leur alpha, ces temps-ci.

Busner jeta sa mallette dans le coffre et grimpa sur le siège du passager.

« Eh bien, Gambol, signala-t-il pendant que son subordonné passait les huit premières vitesses d'une main leste pour engager la voiture dans la rue. Quelle est cette "euch-euch" nouvelle si importante qui ne pouvait pas attendre la fin de mon second breakfast, "heuu" ?

— J'ai reçu un appel de Jane Bowen, du service d'urgence psychiatrique de Charing Cross, ce matin, gesticula Gambol. Elle travaille actuellement pour un chimpe de Whatley... Vous vous souvenez de Whatley, n'est-ce pas, docteur Busner "heuu" ?

— Bien sûr "ouaaarf", c'est cette andouille qui a protesté contre nos travaux au nom de la soi-disant éthique à la réunion de l'Association des psychologues britanniques, l'an dernier, à Bournemouth.

— Lui-même. Eh bien, il semble avoir mis de l'eau dans son jus de prunelle, parce que Jane Bowen signale qu'il désire notre aide.

— "Houu" vraiment... » Busner baissa les bras et reporta son attention sur l'épaisse couche de paille de coco qui couvrait le tableau de bord. « Ma grimace, Gambol, tu as encore fait retapisser la voiture ?

— La semaine dernière, quand elle était au garage... Vous n'aimez pas ? »

Busner rechignait à l'admettre, mais le nouveau paillasson que Gambol avait choisi pour le tableau de bord était une nette amélioration. Son quinconce décoratif de losanges violets et d'hexagones rouges était une délicieuse invitation pour les doigts et les orteils avides de grattage. Busner se surprit d'ailleurs à trifouiller distraitement dans les poils du revêtement, ce qui lui rappela un détail :

« Ah, tant que j'y pense, Gambol, regarde si tu peux retirer cette satanée confiture des poils de mon cou, tu veux "heuu" ?

– Je m'en occupe, alph ! » gesticula l'un des sub-adultes sur la banquette arrière – juste à portée de la région confiturée. Busner pivota sur son siège, attrapa le coupable par l'oreille – c'était Erskine – et le mordit fortement sous l'œil.

« "Ouaaf" ! aboya-t-il. Quand tu auras l'âge de me gratter le matin, Erskine, je te le ferai savoir. En attendant, blanc-bec, garde tes chers petits doigts pour toi.

– Excuse, alph », singea Erskine, en faisant de son mieux pour paraître contrit. Mais, en dépit de la plaie ouverte sous son œil, il se remit aussitôt à faire le ouistiti avec ses frères, qui hoquetaient et gémissaient de rire dans leur barbe juvénile. Les deux adultes les ignorèrent.

Gambol humecta les doigts de sa main gauche et lissa délicatement quelques mèches de fourrure poisseuse sous la mâchoire de Busner, qui grognouna de satisfaction – « heuh-heuh-heuou » – avant de reprendre :

« Alors, qu'est-ce que Whatley attend de nous "heuu" ?

– Eh bien, il y a environ une semaine, un chimpe assez sérieusement atteint a été admis dans son service...

– Envoyé par un généraliste ou de sa propre initiative ?

– Non, en urgence. Le patient avait subi une sorte de crise psychotique. Il est arrivé en ambulance. Camisole, tranquillisants, la totale.

– Je vois. »

Gambol lâcha le pelage de Busner pour négocier le difficile virage de Hampstead Hill. L'heure de pointe touchait à sa fin, mais des pelotons serrés de voitures sillonnaient encore la grand-route dans les deux sens à vive allure. Gambol baissa la vitre, agita les mains en sémaphore et vitupéra d'importance jusqu'à ce qu'une BMW conduite par un bonobo lui fît signe de passer avec un appel de phares.

« Les deux premiers jours, continua-t-il, ils n'ont pas réussi à lui arracher la moindre grimace. Il s'appelle Simon Dykes, au fait, il paraît que c'est un artiste assez connu.

– En effet, fit Busner. Il y a un de ses photomontages dans les collections modernes de la Tate. Un grand triptyque, avec des ours qui travaillent dans un laboratoire... tu as dû le voir.

– Je ne vais pas beaucoup dans les musées, docteur Busner, ce n'est pas mon truc.

– Eh bien, "euch-euch", tu devrais. Comme tu le sais, notre travail s'apparente beaucoup à l'intuition et au raisonnement parallèle des artistes. Nous ne cherchons pas d'explications sèches, linéaires ou causales. Tu devrais l'avoir compris, depuis le temps, Gambol...

– Patron "heuu" ? gesticula Gambol, à la limite de l'impertinence, en se recroquevillant déjà sur son siège dans l'éventualité d'une représaille de son alpha.

– Quoi "heuu" ?

– Vous voulez bien me laisser terminer ?

– "Houu"... vas-y, je t'écoute.

– Quand ils ont amené Dykes, grimaçais-je, il était dans un état catatonique. Bowen et Whatley n'ont pas pu déterminer tout de suite s'il s'agissait d'un symptôme ou si c'étaient les ambulanciers qui avaient forcé sur les tranquillisants...

– "Ouarf" ! » Busner avait une dent contre les tranquillisants, et contre la psychopharmacologie en général, d'ailleurs, surtout depuis le scandale qui avait entouré les essais clandestins de l'Inclusion par les laboratoires Cryborg – un projet auquel Busner s'était naïvement associé, croyant de bonne foi que la drogue était une panacée pour les dépressifs.

« Bref, poursuivit Gambol, quand Dykes est arrivé, personne ne pouvait l'approcher. Il n'arrêtait pas de grimacer des histoires de ouistitis et de bêtes, en vocalisant comme un humain, et d'agresser le personnel – sans effet, heureusement. Whatley et Bowen ont fini par comprendre que c'était le contact simien qui le traumatisait. Alors, ils l'ont isolé et ont commencé à correspondre...

– À correspondre, qu'est-ce que tu veux singer "heuu" ?

– Ils lui ont fait passer des messages dans ses plateaux-repas, pour lui demander ce qu'il avait, etc.

– Et qu'est-ce que Dykes a bien pu leur écrire, Gambol ? Il leur a donné la raison de sa crise "heuu" ?

– Il a montré à Bowen qu'il était humain.

– Hein "heuu", quoi ?

– Il a écrit qu'il était humain, que le monde entier était régi par des hommes, que les hommes étaient l'espèce dominante, qu'il s'était endormi avec son amante humaine et que, à son réveil, le lendemain, elle était métamorphosée en chimpanzée, comme toutes les autres personnes au monde.

– Y compris lui-même "heuu" ?

– Eh bien, pour nous, il a tout du chimpanzé mais, visiblement, il se considère personnellement comme humain. Il se sent humain. Il prétend qu'il a un corps humain. Il croit qu'il est devenu complètement fou et que le monde qu'il perçoit est une hallucination psychotique. »

Il avait fallu tout ce temps à la Volvo pour descendre Hampstead Hill. Mais ils arrivaient enfin aux feux tricolores de Pond Street, et Gambol s'apprêtait à tourner à gauche en direction de l'hôpital quand Busner lui demanda : « Qu'est-ce que tu fais, chimpe, "heuu" ?

– Pardon, patron "heuu" ?

– Panthuche immédiatement Whatley sur le téléphone mobile. Cette histoire m'a l'air fascinante. Allons tout de suite à Charing Cross et voyons si on peut en apprendre un peu plus sur ce mystérieux délire. »

Gambol se fendit d'un large sourire. Il avait prévu le coup et composait déjà le numéro de la ligne directe de Whatley avec son gros orteil.

Le museau dartreux de Whatley apparut sur l'écran du tableau de bord. La déplaisante coloration blanche de sa pupille lui donnait un air à la fois féroce et mollasson. « HouuuGraa », panthurla-t-il. Busner et Gambol panthurlèrent en retour. Busner mit aussi un point d'honneur à tambouriner sur la console pour signifier à Whatley qu'il n'avait pas l'intention de se montrer déférent.

« Je suppose que votre epsilon vous a touché une grimace de ce Dykes, Busner "heuu" ? mima Whatley en agitant furtivement des doigts sujets aux pustules dans un coin du télécran.

— Il m'en a donné un bref aperçu. Où en êtes-vous "heuu" ?

— Je suis un peu dépassé, Busner. Ce chimpe est ici depuis une semaine. Quand ils l'ont amené, il semblait être sous le coup d'un sérieux traumatisme quoique, à la réflexion, je croie aujourd'hui que c'était peut-être une sorte d'intermède monomaniaque.

— Comment se comportait-il "heuu" ? fit Busner en se penchant en avant pour mieux se concentrer sur les signes de Whatley.

— Dès qu'un membre du personnel apparaissait sur le seuil, il allait se blottir dans un coin de la pièce, dans une attitude bipède. Si quelqu'un entrait, il essayait de se glisser sous le nid ou se montrait "houuu" agressif.

— Agressif "heuu" ?

— Parfaitement. Toutefois, ses attaques étaient étonnamment inefficaces. Il semble avoir peu ou pas de force physique. Une sorte d'inhibition psychomotrice, voire une atrophie partielle. Quoi qu'il en soit, malgré une évidente crise de panique, il s'est révélé incapable d'asséner de véritables coups aux infirmiers, si bien que nous ne lui avons même pas passé la camisole. À peine un petit sédatif léger. Il est tout à fait inoffensif. »

Une infirmière apparut dans le coin de l'écran avec un formulaire. « Excusez-moi », singea Whatley. Il griffonna quelque

102

chose sur la feuille et congédia l'infirmière d'un simple revers de manche – sans même une petite gifle de principe.

Busner se tourna vers Gambol en haussant les arcades sourcilières. Dès qu'il eut regagné l'attention de Whatley, il signala : « Et cette illusion d'être un humain, ça a commencé quand ?

– Eh bien, dès son admission, il a fait des signes bizarres, d'après le psychiatre de garde. Il vocalisait aussi... Toutes sortes de sons étranges, très gutturaux et incohérents. Il a fallu attendre deux jours pour que sa gesticulation devienne un peu plus compréhensible.

– Et "heuu" ?

– Il n'arrêtait pas de se tordre les mains. <N'approche pas, sale singe ! Casse-toi, Belzébuth, créature des enfers !> Des choses de ce genre. C'est à ce moment que Bowen est intervenue et a commencé à correspondre avec lui pour essayer de formuler un début de diagnostic. À l'origine, nous avons supposé que c'était soit un effet secondaire d'une drogue quelconque, soit une crise hypomaniaque...

– Il a des antécédents "heuu" ?

– Hum...

– Eh bien quoi, il en a ?

– D'après son médecin, un nommé Bohm, dans l'Oxfordshire, il a des antécédents dépressifs et un problème de toxicomanie. Il a fait une crise assez sérieuse, il y a deux ans, au moment de la fission de son groupe "euch-euch", mais rien de semblable, jamais une psychose de ce niveau. Quand nous avons pris connaissance de ces notes et appris son passé, nous avons tenté une approche différente, plus douce, plus tolérante.

« Il trouvait le grattage extrêmement perturbant et nous avons interdit à tous les autres patients, ainsi qu'à tout le personnel, de le toucher. Cette nouvelle disposition a été payante. Depuis quelques jours, il gesticule de façon plus intelligible et a entrepris de faire le récit de son incroyable délire à Bowen. Il raconte qu'il s'est endormi humain dans un monde humain, niché avec une femelle humaine, et s'est réveillé le lendemain dans le monde actuel...

— Et la femelle "heuu" ?

— "Heuu" la femelle qui était avec lui quand il a fait sa crise ?

— Bien sûr, bien sûr.

— Elle va bien. Bouleversée, naturellement, mais elle ne se prend pas pour un animal ! » Whatley marqua un temps d'arrêt, puis : « Regardez, Busner, vous savez que je ne suis pas un chaud partisan de vos méthodes et de l'orientation générale de vos travaux...

— Oui, oui, ça ne m'a pas échappé.

— Mais je dois reconnaître que ce cas me laisse pantois et qu'il est plus de votre compétence que de la mienne. Son aspect le plus déroutant est la constance de l'illusion. Bowen a analysé les ramifications de la psychose de Dykes, mais nous n'avions jamais encore été confrontés à un état délirant d'une telle extension – il a une réponse à tout – et d'une telle complexité. J'aimerais que vous l'examiniez si vous aviez le...

— J'arrive tout de suite », fit Busner sans autre digitation – le signe « tout de suite » coïncidant avec le mouvement de son doigt vers le bouton pour éteindre l'écran.

Après sa communication avec Whatley, il resta sans gestes. Gambol remarqua que son patron avait replié ses genoux sur son siège et pédipulait une pièce, qu'il faisait passer d'un orteil à l'autre en s'aidant des doigts des deux mains dans une espèce de circumnavigation métacarpo-tarsienne. C'était le signe que Busner était plongé dans ses pensées et, comprenant que ce n'était pas le moment de le déranger, sous peine de baffe monumentale, Gambol garda les pieds sur le volant et les yeux sur la route. Même les sub-adultes, sur la banquette arrière, perçurent la préoccupation de leur alpha et demeurèrent non vocaux.

La méditation de Busner avait cette limpidité dont lui seul

était capable lorsqu'il était aux prises avec une pathologie nouvelle ou, tout au moins, un cas manifestant une symptomatologie qui ne lui était pas coutumière. Il avait une image personnelle pour qualifier ce type de concentration : c'était un peu pour lui comme attraper des termites. Il enfonçait le dos d'une main fictive dans la zone confuse des nouvelles informations, suppositions et conjectures, puis la retirait et trouvait collées à cette sonde conceptuelle des dizaines de petites hypothèses grouillant dans le pelage de la cogitation – hypothèses goûteuses qu'il détachait une à une pour les examiner comme suit :

Un chimpanzé en proie à une bouffée délirante dans laquelle il se prend pour un humain. Et, non seulement il se prend pour un humain, mais il se croit originaire d'un monde où l'humanité est l'espèce primate la plus évoluée. Mieux encore ! Le chimpanzé en question est un artiste à succès. Peut-on concevoir un tel trouble comme un dysfonctionnement organique ? Cette inhibition psychomotrice qu'a singée Whatley est prometteuse, mais peu concluante – ça peut être une conversion hystérique. S'il s'agissait d'une invalidation organique, les implications phénoménologiques seraient étonnantes... mais ne tirons pas de plans sur la comète. Attends d'avoir vu le patient, Busner, garde la tête froide, reste objectif.

... et cependant, c'est quand même marrant que l'affaire se présente justement aujourd'hui, alors que ce matin encore je me plaignais de ne pas trouver de cas intéressant à traiter...

Mais il y avait aussi un niveau de conjecture plus profond dans lequel descendit Zack Busner. Un niveau qui, telle une mezzanine, occupait l'espace intermédiaire entre la conscience consciente et l'inconscient coupable, entre la rêverie et le cauchemar. Un médecin appelé Bohm. Thame. Un patient traité pour une dépression – probablement aux anxiolytiques. Est-ce que ça pourrait être, se demanda-t-il avec un frisson d'angoisse, un contrecoup de ces putains d'essais pharmaceutiques ?

105

Le fil de ses pensées fut interrompu par Charles, qui se mit à vocaliser à l'arrière de la voiture.

« Aaaaa ! cria le sub-adulte. Alph, on peut "heuu" s'arrêter une minute pour gambader ? S'il te plaaaît !

— "Ouaaarf" ! aboya Busner en se retournant pour toiser trois museaux impatients et suppliants, la lippe pendante, la dent jaune, et six mains qui s'agitaient à l'unissigne.

— S'te plaît, alph, s'te plaît, juste pour gambader, juste quelques minutes ! »

La Volvo était arrêtée au feu rouge d'Albert Road. Devant lui, Busner voyait la mousse verdoyante de Regent's Park. À sa droite, dans le zoo, il distinguait les mâts et les câbles de la volière de Snowdon. « "H'h'hii-hii", gloussa-t-il. On pourrait peut-être en profiter pour aller observer quelques vrais humains vivants avant de rendre visite à notre halluciné, qu'est-ce que tu en penses, Gambol "heuu" ? »

Gambol était interloqué. Sa grosse lèvre inférieure s'incurva en moue interrogative.

« Je plaisantais, va, reprit Busner, il ne faut pas prendre toutes mes grimaces au sérieux. » Puis, s'adressant aux sub-adultes : « D'accord, on va patrouiller dans Primrose Hill, mais pas plus de vingt minutes, c'est bien compris ? »

Gambol chercha un endroit où se garer, sans succès. « On singerait qu'ils ont mis tout le secteur en zone bleue maintenant », fit-il comme ils remontaient pour la quatrième fois le tronçon de Regent's Park Road qui bordait Primrose Hill. C'était l'heure où les guenons menaient leurs chimpanzeaux au terrain de jeu et il y avait un incessant manège de voitures qui entraient ou sortaient d'un créneau. Busner commençait à s'impatienter, le tempo de ses signaux s'accélérait – prélude, supputa Gambol, à un *réel* énervement.

« "Euch-euch" ça devient impossible de vivre dans cette ville. Regarde-moi cette "ouaaf" circulation ! Il n'y a même plus d'heure de pointe. C'est l'heure de pointe toute la journée. À l'époque où l'on a construit ces ravissantes terrasses, tout ce quartier était un parc public. Les architectes Régence ont conçu cet espace comme un refuge bucolique, une promenade de branche en branche entre les crêtes urbaines, et regarde ce que c'est "ouaah" devenu ! On ne peut même pas se parquer pour aller au parc, c'est le comble. » Busner montra du doigt les files de voitures qui descendaient Primrose Hill Road en faisant crisser leurs freins. « "Houu" Seigneur Jésus, Gambol "euch-euch", je vais craquer. Dépose-nous ici et fais le tour du pâté de maisons pendant une quinzaine de minutes en attendant notre retour. »

Gambol s'arrêta. Busner et les sub-adultes dégringolèrent de la voiture. Busner se faufila entre deux véhicules en stationnement, sauta la rambarde et trottina sur la pente gazonnée sans se donner la peine de regarder si les autres suivaient ses brisées. Le soleil était hissé et la journée menaçait d'être caniculaire. Busner fixa son cap sur un banc à mi-colline, à une distance de quatre cent cinquante-trois mètres environ – à vue d'œil – et se dirigea vers son but en tricotant allègrement des phalanges sur le turf.

Ce n'était pas vraiment la cohue à Primrose Hill, mais il y avait tout de même une foule conséquente de chimpanzés de tous âges, toutes classes et toutes ethnies. D'élégantes guenons de Sloane Square, portant des protecteurs de grossesse floraux, flânaient dans les sentiers en vocalisant entre elles avec les grognements châtiés de leur classe, chargées de Mabel, Maude ou Georgia, des chimpanzeaux accrochés à leur fourrure entre quelques rangs de perles ou perchés comme des jockeys sur les épaules maternelles.

Un groupe de mâles à la démarche chaloupée, probablement des travailleurs – sauf qu'ils ne travaillaient pas –, s'adonnaient à des jeux populaires en escaladant et en faisant des galipettes le long d'un petit tertre ou s'amusaient à s'attaquer en roulant des mécaniques, le poil hérissé sous le col de leur polo Fred Perry. Il y avait quelques copulations en chaîne – mais rien de très organisé, avec seulement deux ou trois maillons hispides et voûtés.

Busner croisa un groupe de sub-adultes qui, de toute évidence, séchaient les cours, car il n'y avait aucun adulte en vue dans leur patrouille. Je dois me faire vieux, pensa-t-il, parce que je ne peux pas supporter de voir un chimpe avec un anneau dans la narine. Pour moi, ce n'est ni un accessoire de mode ni une décoration. Je me demande toujours en les voyant comment ils font pour se moucher droit quand ils ont un rhume.

Les sub-adultes étaient rassemblés autour d'un énorme poste stéréo portable qui jouait le tube du moment, une version ragga de *Human Spanner*, et se grattaient mutuellement avec cette insolente nonchalance des sub-adultes du monde entier. Busner s'arrêta, gueula et gesticula : « Baissez le son de ce machin. Vous savez que les magnétophones sont interdits ici "euch-euch" ! » Ils levèrent les yeux, enfoncèrent leurs mains dans leurs fourrures et pouffèrent dans un soubresaut d'épaules collectif. Busner envisagea de leur flanquer une dérouillée. Il regarda derrière lui et vit Erskine, Charles et Carlo qui arrivaient d'un pas décidé, déployés en éventail. Les sub-adultes importuns ne comptaient que trois mâles parmi eux et c'étaient des spécimens galeux, maigrichons et mal étrillés. Ils ne font pas le poids, songea Busner en se grattant la région ischiatique, ce ne serait pas drôle.

La patrouille continua son ascension de la butte. Trois clochards étaient assis sur le banc guigné par Busner et se repassaient une bouteille de main en main. À 10 heures et demie du matin, ils étaient déjà fin soûls et titubaient malgré la stabilité de leur siège. Ils semblaient en être au stade terminal de l'alcoolisme. Ils ne s'étaient même pas donné la peine de s'habiller et leurs pelages étaient hirsutes, élimés et poisseux. Des brûlures de cigarettes grêlaient leurs poitrails, des résilles de veines éclatées marbraient leurs arêtes nasales et un voile vitreux couvrait leurs yeux éteints.

Busner s'approcha du banc et toussa discrètement en faisant signe à sa patrouille de le rejoindre. « Vous avez devant vous, les enfants, fit-il quand ils furent attroupés, l'un des aspects les plus lamentables de la chimpanité contemporaine...

– "Hou" alph, intervint Erskine, tu vas pas encore nous faire un de tes sermons, hein...

– Bas les pattes, Erskine "ouaaarf" ! Quand je voudrai ton avis, je te le demanderai. Bon, comme je le singeais, ces clochards, sans domicile, sales, l'esprit embué par l'alcool éthylique, sont les souffre-douleur d'une société qui les a elle-même produits, que nous avons tous, collectivement, produits. Contrairement à nombre de mes collègues du soi-disant corps "euch-euch" <médical>, je ne vois aucune raison valable de définir leur état comme pathologique. J'y verrais plutôt un syndrome, une symptomatologie qui... »

Busner sentit que l'un des clodos s'apprêtait à élever une protestation, mais non sémiotique, contre sa gesticulation. En se retournant, il vit le plus buriné, le plus merdeux des trois singes regimber et armer son bras pour lui lancer une bouteille de sherry de cuisine derrière l'oreille. Les sub-adultes Busner poussèrent un cri. « "Houu" pas de ça avec moi, mon gaillard ! » signala-t-il d'une main en désarmant le clampin de l'autre. Puis il vida la bouteille dans l'allée. Le poivrot béa comme si on venait de lui trancher une artère du cou et que ce fût son propre sang qui se déversait par terre.

Busner retourna une gifle à l'impertinent, qui tomba à la renverse sur le banc entre ses potes. Puis il bondit en avant pour distribuer une série de swings au trio, en aboyant : « Ouaaarf ! Ouarf ! Ouarf ! » Les clochards étaient proprement sonnés, et même les sub-adultes s'accroupirent, profil bas. « Je fais ça pour votre bien, grimaça sentencieusement Busner. Si j'en juge par la dégaine de votre allié, poursuivit-il en désignant le troisième larron qui respirait poussivement au bout du banc, le poitrail rayé de bile et de vomissures, il a besoin d'un traitement médical et non d'automédication. »

Busner ajusta ses doubles foyers sur son arête nasale, sortit un calepin et un sylo à bille de la poche intérieure de sa veste, griffonna quelque chose, déchira la feuille et la tendit au poivrot qui avait tenté de l'agresser. « Voici l'adresse de la clinique de Tony Valuam à Chalk Farm, c'est à peine à une reptation d'ici. J'espère que vous arriverez "euch-euch" à vous traîner jusque-là. Et je vous le conseille. Il a mis au point un excellent programme de désintoxication, accès libre, pas de relevé d'identité. Comme j'ai l'impression que vous n'êtes guère en état de vous bouger, ma patrouille va vous mettre sur le chemin. Patrouille ! "Houuu-Graa". »

Les sub-adultes ne se firent pas prier. Charles et Carlo se montrèrent particulièrement ardents, expulsèrent les lascars du banc et les dirigèrent vers les grilles du parc à coups de pied, de poing et de baffes. De temps à autre, un des clodos essayait de filer, avec des hurlements pathétiques, mais ils finirent par s'écouler ensemble dans Primrose Hill Road, clopin-clopant, en trébuchant dans la rigole du caniveau.

Les sub-adultes revinrent docilement au petit trot vers le banc où s'était accroupi Busner, en se préparant déjà à écouter la fin du sermon sur la responsabilité sociale. Mais, à leur arrivée, tandis qu'ils se tapissaient sagement devant leur alpha, celui-ci fut distrait par une série de hurlements sonores en provenance du nord. « Hooouu-Ouuu-Ooouuuu ! » puis : « Houu-ouuuuu-ou-Ouaaaah ! » L'ancienne personnalité télévisuelle répondit : « Hooouuu ! Hooouuuu ! » puis se tourna vers sa patrouille en gesticulant : « C'est le vieux Wiltshire, je reconnaîtrais son hurlement dans un ouragan. Faut que j'aille lui faire une petite grattouille. Allez jouer cinq minutes...

– On peut aller à la chasse, alph "heuu" ? signala Erskine, qui n'avait décidément pas froid aux yeux, ce matin.

– À la chasse ? Qu'est-ce que tu veux chasser "heuu" ?

– J'ai vu un écureuil dans les arbres par là-bas quand Gambol cherchait une place pour se garer. Je suis sûr qu'on pourrait "ouarf" l'attraper en s'y mettant tous les trois. »

Busner montra ses canines inférieures et ébouriffa la fourrure capillaire soyeuse d'Erskine. « D'accord, si tu l'as vraiment repéré, mais soyez de retour dans cinq minutes à l'endroit où Gambol nous a déposés, sans quoi je vous laisse vagabonder tout seuls jusqu'à ce soir.

– Merci, alph », fit Erskine, et tous trois descendirent la colline en gambadant joyeusement.

Busner les regarda s'éloigner, en panthurlant de plaisir de les voir si gaillards. Puis, s'étant assuré qu'ils ne pouvaient plus l'apercevoir ni l'entendre, il se leva avec de considérables pré-cautions. Les coups qu'il avait assénés aux clochards n'avaient pas amélioré l'état de ses mains arthritiques – mais il ne devait pas le montrer aux sub-adultes, de peur de les avoir constamment sur le dos.

Busner continua à panthurler en gravissant la côte sur les phalanges. Wiltshire était l'un de ses plus vieux alliés et, à cause de leurs emplois du temps surchargés, il n'avait pas l'occasion de le gratter plus d'une ou deux fois par an. C'était un coup de chance que leurs chemins se fussent croisés ce matin, car Wilt-shire – outre sa qualité de docteur en médecine – était un impresario de théâtre de renommée mondiale. Il aurait sûrement un point de vue intéressant sur le chimpanzé qui se prenait pour un humain.

Les deux amis se rencontrèrent au milieu du tablier d'asphalte qui couronnait la butte et se sautèrent au cou avec force gro-gnements, en échangeant des baisers baveux sur les yeux, l'arête nasale et la bouche. Puis ils s'installèrent pour se bouchonner.

Wiltshire semblait avoir de la sciure dans les poils des aisselles. Busner s'évertua à la retirer – en manifestant toutes sortes de tendresses – mais trouva vite la tâche superfétatoire, quand Wiltshire s'écarta en gesticulant : « Laisse-moi te "heuu-heuu-heuu" regarder, vieux singe. Je n'ai pas mis les doigts dans ta fourrure depuis... oh, ça doit faire plus de six mois maintenant.

– Presque un an, contre-singea Busner. Rappelle-toi, la dernière fois qu'on s'est vus, c'était pour la promotion de mon livre, mais je crois qu'on avait un petit verre dans les narines tous les deux et je parie que tu ne te souviens pas mieux que moi de notre gesticulation.

– Bon Dieu, Zack, tu m'as l'air en pleine forme, grimaça Wiltshire en saisissant l'éminent psychiatre au collet et en lui passant une de ses longues mains sur la figure. Comment tu fais "heuu" ? » Il lui tâta la face. « Pas la moindre trace de "greu-nnn" dartre ou de goitre, le poil lisse, à peine une petite ride sur le museau. J'aimerais pouvoir en signaler autant de moi. »

Busner examina son vieil allié. Peter Wiltshire était un grand chimpanzé dégingandé – ce qui surprenait, considérant qu'il était juif, comme le proclamait de façon stéréotypée la forte proéminence de son arête nasale et son pelage frisé. Mais Busner remarqua que ce pelage manquait de lustre et que les mains de Peter Wiltshire tremblaient imperceptiblement quand il signalait.

« "Houuu", fit-il, attristé. C'est vrai que tu ne sembles pas au mieux, Peter, mais je t'assure que, de mon côté, je ne suis pas aussi affûté que j'en ai l'air. J'ai de l'arthrite dans cette main et j'ai bien peur que ça commence aussi dans l'autre. Je m'en sors encore bien pour le moment, mes bêta, gamma et delta se tiennent tranquilles, mais l'epsilon pourrait me causer des difficultés s'il s'en apercevait.

– "H'heuu" ? fit Peter Wiltshire. Sans chatouiller, le plus drôle, c'est que je suis un peu dans la "houu" même situation.

– Dans ton groupe familial ou professionnel "heuu" ?

– Les deux, justement. Tu sais que j'ai lancé cette maison de production. Eh bien, comme un imbécile, j'ai laissé mon delta professionnel – l'assistant producteur, un chimpe nommé Franklin – entrer dans mon groupe familial et il a fait son trou, le diable. Très "hhrouââ" futé. Beaucoup de succès auprès de mes femelles aussi. C'est surtout grâce à ça, d'ailleurs, qu'il a réussi à se hisser au rang de bêta domestique. Encore une petite alliance providentielle de plus et... je pourrais bien me faire supplanter.

– Ça créerait des problèmes dans ton groupe professionnel "heuu" ?

– Bah, tu sais ce que c'est. Et j'ai passé le cap de la quarantaine, maintenant... Ce que je veux signaler, c'est que, s'il veut vraiment pousser le bouchon, je serai obligé de prendre ma retraite. »

Busner crachota abondamment sur la fourrure de son vieil allié avant de reprendre :

« Vraiment, Peter "heuu" ? Je n'aurais jamais pensé que tu descendrais de l'arbre aussi fa...

– "Hoouuuu-Hoouuuu-Hoouuuu"... »

Une série de longs panthurlements en provenance d'Elsworthy Road interrompit Busner.

« Et voilà "ouaarf" ! gesticula Peter Wiltshire, dont les doigts de soliste frétillaient dans la brise limpide. L'animal a le culot de venir me narguer jusqu'ici. Le voilà qui arrive. »

Un grand chimpanzé baraqué de vingt, vingt-cinq ans, aux longs poils châtains, crapahutait vers le sommet de la butte. Il était encore à une cinquantaine de mètres, il se dandinait en bipède rouleur d'épaules et fredonnait « Le Dandinement des toréadors » d'un air crâne. Busner était disposé à détester le bêta de Peter Wiltshire par principe et, percevant l'anxiété de son vieil allié, il observa soigneusement la démarche du nouvel arrivant. Peut-être pourrait-il déceler quelque faiblesse que Wiltshire n'avait pas remarquée.

Les trois chimpanzés se saluèrent avec des panthurlements de stentor. Peter Wiltshire martela vigoureusement le dossier d'un banc. Busner, déjà prêt à frapper à la moindre effronterie, fut complètement désarmé en voyant Franklin lui présenter sa croupe avec un empressement cauteleux. Le jeune caïd tendit son troufignon vers lui en se prosternant plus bas que terre et en signalant digitalement : « "Hou" docteur Busner, quel plaisir de rencontrer votre magnifique sacrum. Je suis un de vos admirateurs depuis de nombreuses années. »

Peter Wiltshire grommela devant ce déploiement d'hypocrisie, mais Busner flatta le derrière du sycophante de bonne grâce en grimaçant : « Toujours "chup-chupp" ravi de rencontrer un admirateur, surtout quand il a du talent et de l'ambition. Mon vieil allié vient de me signifier que vous aviez avalé les échelons de la hiérarchie.

– "Houuu" j'essaie d'aider le Dr Wiltshire comme je peux. » La confusion de Franklin était manifeste. Pour le redouter à ce point, pensa Busner, il faut que mon Peter ait vraiment pris un coup de vieux. Ce chimpe n'est pas si imposant que ça.

« "Ouaaah" trêve de politesses, Franklin, qu'est-ce que tu me veux "heuu" ? J'ai singé que je te verrais dans le studio de répétition à 11 heures. » Wiltshire contemplait Londres au loin, le front plissé, une main dans les poils capillaires.

« Faludi a encore appelé. Il signale que Mario ne pourra peut-être pas venir à la répétition d'aujourd'hui. Sa gorge ne va pas mieux et il ne veut pas risquer un voyage en avion depuis Milan.

– "Ouarf" ! Ça commence à bien faire ! » Wiltshire était franchement exaspéré. « Ça vaut bien la peine d'engager le plus grand "euch-euch" vocalisateur ténor du monde s'il est trop délicat pour prendre un avion. On aurait dû s'en tenir à la distribution initialement prévue et... » Il s'interrompit pour se tourner vers Busner. « Excuse-moi, vieux, c'est vraiment ennuyeux et j'ai peur de devoir abréger notre séance impromptue.

– C'est de Mario Trafuello que vous gesticulez "heuu" ?

– Lui-même. Tu l'as vu vocaliser, Zack "heuu" ?

– Oui, oui, à Garsington l'an dernier. Absolument remarquable.

– "Ouarf" à condition que Monsieur daigne monter sur une scène. L'animal est plus capricieux que n'importe quelle prima donna. Son agent n'arrête pas de réclamer des traitements de faveur, d'ajouter des clauses à son contrat. Ma patience a des limites. Enfin, ce n'est pas le moment de gesticuler de ça. Regarde, Zack, je n'ai même pas eu le temps de te tripoter proprement. Il faut absolument qu'on se retouche, promets-moi de me panthurler un de ces quatre, d'accord "h'heuuu" ? fit Wiltshire en quelques rapides zigzags des doigts.

– Bien sûr, Peter, bien sûr. D'autant plus que j'aimerais avoir ton opinion sur un chimpe que je vais voir tout à l'heure. Un cas de délire très curieux. Il se prend pour un humain. S'il est aussi étonnant que je le suppose, ça pourrait t'intéresser.

– "H'heuu" ? Tiens, tiens. De prime abord, je singerais que c'est un délire environnemental. Tu vas sûrement découvrir qu'il a participé à des sauvetages de baleines ou à des saccages de laboratoires. Tu sais que les paranoïaques puisent souvent la matière de leur délire dans les fadaises éthiques à la mode. Je suis prêt à parier que c'est le cas avec ton chimpe...

– Dykes. Il s'appelle Dykes. Un artiste assez connu, je crois.

– Dykes "h'heuu" ? Simon Dykes ? Oui, en effet. Très connu. Je l'ai même rencontré. Il était question qu'il dessine des décors pour une de mes productions, mais ça n'a jamais rien donné. Raison supplémentaire pour garder le contact, Zack. Si tu as l'intention de le promener en société comme tes tourettiques et tes amnésiques, commence donc chez moi.

– J'y penserai, Peter.

– Bon, il faut que je me sauve maintenant. »

Les alliés s'enlacèrent avec effusion et se regardèrent, les larmes aux yeux. « C'était vraiment "chup-chupp" une joie de te revoir, mon cher Zachary. Ce grattage écourté me fera regretter encore plus ton moignon anal.

– Et réciproquement, Peter "chup-chupp". Tu es toujours un des plus beaux chimpanzés que je connaisse. »

Ils se tinrent tendrement les parties génitales pendant quelques secondes, puis se séparèrent. Busner prit congé de Franklin avec une bourrade anodine – mais bien ajustée – sur son large dos et se félicita de constater que Peter Wiltshire retrouvait un peu de sa fierté en le voyant asséner quelques tapes sèches sur les épaules de son bêta dans leur descente.

Busner trouva les sub-adultes attroupés au pied d'un arbre devant la sortie Regent's Park Road. Ils avaient acculé un écureuil dans les hautes branches et lui jetaient des pierres, mais aucun d'eux n'avait essayé d'escalader le tronc.

« "Ouaarf" ! Qu'est-ce que c'est que ce cirque ? signala leur alpha en les rejoignant. Je m'attendais à vous voir sucer de la cervelle à mon retour, et non pas bêtement accroupis par terre comme une bande de babouins !

– On peut pas grimper à l'arbre, alph, répondirent six mains synchronisées. Y a une espèce de peinture anti-escalade sur le tronc. »

Busner tâta le tronc. C'était vrai. Il était recouvert d'une couche plastifiée glissante, et il y avait une affichette attachée à une boucle de fil : « Par décision du Camden Council, l'escalade est interdite à Primrose Hill pendant toute la durée du programme de replantation de cette année. »

« "Ouaaah" sacré bon Dieu de 87 ! » gesticula le vieux chimpanzé à sa patrouille.

Ils répétèrent fidèlement ses gestes : « Sacré bon Dieu de 87 !

– Jamais une catastrophe n'aura eu un effet aussi pernicieux sur la jeunesse de notre ville que les dégâts de la grande "euch" tempête de 87. » Il s'interrompit pour lever un index en signe d'admonestation. Emporté par son sermon, il ne remarqua pas les trois petits index qui s'étaient levés aussi, subrepticement, ni les autres petits doigts qui mimèrent en douce la suite de son laïus. « Aucune catastrophe, sauf bien sûr la catastrophique "euch-euch" et aberrante réponse du gouvernement central. Que peuvent bien faire les sub-adultes de Londres, je pose la question, s'ils n'ont même pas la possibilité de grimper à un arbre quand ils en ont envie "heuu" ? Pas étonnant que vous finissiez tous délinquants. Pas étonnant ! »

Un « tût-tût » d'une discrétion poltronne résonna dans la rue. Gambol avait arrêté la Volvo. « Bon, reprit Busner, allons voir ce drôle de chimpe à Charing Cross. Vous avez intérêt à vous tenir correctement, compris ? Que je n'aie pas à le répéter "h'heuu" !

– Oui, m'sieur. » Charles jeta un dernier galet à l'écureuil, qui était descendu à mi-hauteur du tronc, et suivit le troufignon de Busner avec les autres. Le spécialiste international de la nature chimpanique sauta la rambarde, sauta la première voiture garée le long du trottoir et se faufila par la fenêtre ouverte de la Volvo.

Gambol passa les vitesses et la patrouille Busner continua son chemin en direction du sud-ouest.

CHAPITRE 7

Les hôpitaux du centre de Londres ont pour mission de traiter les problèmes de santé publique avec une sévérité implacable. Qu'il s'agisse de maladies occasionnées par la pauvreté – obésité, rachitisme, tuberculose, artériosclérose, cancer, asthme lié à la pollution, hépatite et CIV – ou de maladies occasionnées par la richesse – asthme lié à la pollution, hépatite, artériosclérose, cancer, CIV et obésité – la fonction de l'hôpital reste la même, à savoir opposer une force d'inertie – la détermination de l'électorat à obtenir de la représentation parlementaire des votes sur des allégements fiscaux – à une force irrésistible, la détermination du même électorat à obtenir des soins gratuits pour tous les maux dont ils peuvent souffrir et quand ils en souffrent.

Les hôpitaux du centre de Londres – à l'image des prisons – sont des bâtiments sublimement inadaptés à leur environnement. Qu'ils soient de construction récente ou datent de l'époque victorienne, ils portent tous l'empreinte d'une immémoriale douleur institutionnelle. Que les chimpanzés viennent, que les chimpanzés aillent, semblent grimacer ces édifices, que les quartiers s'embourgeoisent ou se désembourgeoisent, toujours les mycoses rongeront les arêtes nasales, toujours de petites annonces solitaires se punaiseront sur des tableaux d'affichage négligés et toujours de tièdes remugles empuantiront les escaliers de service.

L'hôpital Charing Cross ne fait pas exception à cette triste règle. Depuis sa délocalisation, pour cause de manque d'espace dans son ancien site plus central, il se répand lamentablement sur toute la longueur d'un pâté de maisons dans Fulham Palace Road, juste au sud de Hammersmith. Si, en partant de la pile médiane, vous vous laissez descendre le long du toboggan routier qui enjambe le magma des centres commerciaux, des dépôts de bus, des immeubles de bureaux et des complexes de cinémas, vous arrivez dans une artère que vous ne pouvez pas rater tant son raté la distingue.

La Fulham Palace Road est décrépite, sinon décrépie, minable et d'ailleurs minée, épouvantable sans avoir le cachet des épouvantails. Après l'immeuble Guinness Trust à l'entrée de la rue, vous trouvez une enfilade de mangeoires fétides et autres bouis-bouis fast-food. Le poisson succède au poulet, le poulet succède au poisson – l'un nourrissant l'autre dans la chaîne alimentaire industrielle. La géographie du globe s'en trouve toute tourne-boulée : l'Extrême-Orient précède le Proche-Orient, l'Indochine cède la place à l'Inde et réciproquement et alternativement et ainsi de suite.

Tout cela mijote et forme une telle mixture que, si par une chaude journée d'été la canicule provoquait une inondation de graisse liquide, il vous suffirait de jeter les tambouilles en vrac sur le macadam huilé de flaques crépitantes pour assister à la friture d'une immense paella communale.

L'hôpital dresse au-dessus de cette bauge de bouges de bas étage quatorze hauts étages de pur style Bauhaus – verre sur béton, béton sur verre – comme pour mettre de l'aplomb dans la mélasse. Mais quelque chose s'est détraqué dans le processus – comme toujours à Londres. Il y a trop d'étroitesse – ou trop d'ampleur, l'ambiguïté étant le caractère dominant de la métropole – dans le coin de verdure et d'eaux brunes devant la façade. Il y a trop de lourdeur et trop de saillie dans la corniche qui surplombe les portes vitrées. Il y a trop de métal dans le parking, tant de barreaux qu'on se croit en état de siège, assailli par les maux qu'on essaie de repousser, les maux du dehors autant que ceux du dedans, du fisc autant que du physique.

À l'intérieur de l'hôpital, un air d'effervescence industrieuse vous prend à la gorge. Il y a des escalators, certes, et qui moulinent sans relâche sur leurs rouages carénés, c'est vrai. Il y a aussi des panneaux fléchés en pagaille pour vous indiquer vers où traîner votre carcasse déconfite en mal de traitement. Mais allez jusqu'à la mezzanine, contournez le foyer avec sa clientèle huante et geignante – un quart guenon au museau cireux, trois quarts chimpanzeau au museau pâteux –, franchissez quelques portes à double battant, vers le fond, et vous vous retrouverez bientôt dans un véritable terrain vague. Des salles hantées par les fantômes de patients disparus depuis longtemps, allongés sur des squelettes de nids à barreaux, et les fantômes d'internes depuis longtemps repartis, tapotant tristement du pied sur le linoléum. Des salles dans lesquelles les tubulures et les câbles de l'Arbre de Vie se sont fanés pour devenir des lianes pourries, flétries et poussiéreuses.

C'est étonnant, cette impression d'être à la fois dans un hôpital et dans la coquille vide de ce qui fut jadis un hôpital. Étonnant et un peu décourageant pour tous ceux qui ont porté leurs petits gémissants dans l'escalator et dans ces couloirs interminables à la recherche d'un pédiatre, et n'ont trouvé au bout du chemin que des cloisons effritées. Mais c'est beaucoup moins étonnant pour le personnel, qui, après tout, habite l'immeuble et connaît le détail de son immensité aussi précisément qu'un chimpanzeau connaît l'exacte nuance de vert de la mousse poussant entre les dalles du trottoir devant la maison de son groupe. Le personnel se déplace dans l'hôpital d'une main sûre et d'un tarse ferme, d'un endroit à l'autre où le travail les appelle ; et si leur randonnée les mène à travers l'une de ces zones d'ombre, ils s'en aperçoivent à peine. Ils l'effacent simplement de leur vue et se réinsèrent aussitôt dans les lieux appropriés.

La seule chose qui ait perturbé le personnel de l'hôpital Charing Cross – et encore, seulement le personnel en liaison avec les admissions en psychiatrie –, c'est le sort du service d'urgence psychiatrique. Ce service – essentiel pour un hôpital dont la clientèle est principalement constituée de chauffards et de piétons distraits – n'est pas vraiment en déclin, n'a pas vraiment subi de castration budgétaire – à l'image de la clinique orthopédique de jour, de la clinique de fertilité et de la clinique d'obstétrique –, mais a été progressivement repoussé, resserré, claquemuré, tant et si bien qu'il occupe aujourd'hui un coin de l'un des parkings annexes, où il croupit sur des piles de parpaings de hauteurs irrégulières. Ici, pas d'audace architecturale, pas de bloc futuriste, à peine du préfabriqué Portakabin.

Cet arrière-poste du département psychiatrique n'est cependant ni abandonné, ni solitaire. Il y a trop de commerce d'âmes pour que ce soit le cas. Au cinquième étage de l'hôpital se trouvent les services principaux, Lowell pour les admissions temporaires, Gough pour les maladies de longue durée – les internements. Entre ces deux services et le département de psychiatrie, c'est un va-et-vient continuel. Le chassé-croisé entre les différents degrés de pathologie contraint les administrateurs à un interminable jeu de dames. Ils passent leur temps à intervertir des fiches sur le tableau pour faire passer un maniaco-dépressif du département psy à Lowell, un suicidaire de Lowell à Gough, ou faire repasser de Gough en psy un sociopathe en transit vers un hôpital spécialisé.

Les infirmiers, sous la redoutable autorité du Dr Kevin Whatley, médecin-psychiatre, professeur et directeur du service, se sont tellement habitués à ces mouvements perpétuels qui transforment leur travail en une activité de transport – tel cinglé par ici, tel maboul par là –, que toute une série de plaisanteries internes circulent en même temps que les chariots. « Je reviens du Goulag », gesticulent-ils joyeusement à leurs collègues en griffonnant leurs initiales sur le fichier réglementaire pour les camisoles de force, le halopéridol ou le Largactil. « Tu as besoin de quelque chose à la maison mère ? » demandent-ils en sortant du Porta-kabin, sortie qui provoque immanquablement un balancement de la structure bancale sur ses supports irréguliers.

Ils sont également immunisés contre les différents dysfonc-tionnements auxquels ils sont confrontés chaque jour, et les mauvais ajustements des réajustements que le manque de fonds a imposés au département. Il n'est pas rare de voir des chim-panzés claustrophobes confinés dans des chambres exiguës avec des chimpanzés qui se prennent pour des samouraïs extraterres-tres, ou des chimpanzés internés à la suite d'actes innommables sur des volailles de basse-cour se promener du côté de Lowell en liberté, sans autre barrage à franchir qu'une paire de vieilles dindes neurasthéniques tapant le carton.

À certains égards toutefois, le département de psychiatrie de l'hôpital Charing Cross bénéficie d'une réputation clinique tout à fait flatteuse. Particulièrement en ce qui concerne le GI, le « groupe d'intervention ». Ce groupe – qui opère à l'extérieur du Portakabin mais reçoit ses ordres du département – est l'équipe d'urgence psychiatrique la plus rapide de Londres. On assure qu'elle a réalisé la prouesse de sortir de l'hôpital, de sauter dans l'ambulance, d'atteindre le quartier le plus lointain de son secteur d'intervention, d'emballer, d'embarquer, de mettre sous sédatif et de ramener à Gough un dément qui, moins d'une demi-heure après le panthurlement d'urgence, arrosait déjà de merde les filles de salle.

Un tel record ne pouvait pas rester sans retentissement et, depuis, l'équipe attire aussi bien les jeunes internes désireux de se spécialiser en psychiatrie que les infirmières psychiatriques débutantes, souhaitant, les uns et les autres, acquérir une pratique de la psychiatrie à grande vitesse, sinon en profondeur. La vitesse, pourraient-ils gesticuler, est le nerf de la neurologie.

Donc, par cette belle matinée de fin d'été, quand le téléphone rouge du bureau-placard-à-balai du GI clignota et que, après dissipation des parasites, le museau familier du standardiste de New Scotland Yard apparut sur l'écran, les cinq membres présents se mirent en branle avant même de savoir où ils devaient aller.

« "Aaaa !" J'ai un chimpe qui vient de faire une crise psychotique. C'est en plein dans votre secteur, signala l'auxiliaire de police.

— Adresse "heuu" ? contre-signala le psychiatre de garde.

— 63 Margravine Road, rez-de-chaussée.

— D'autres détails "heuu" ?

— Pas grand-chose. Une crise aiguë apparemment. Mâle. Pas tout à fait la trentaine. On a été panthuchés par la compagne, qui est encore sous le choc.

— Drogue "heuu" ?

— On ne sait pas...

— Il est violent "heuu" ?

— Il a essayé d'attaquer la femelle, mais il n'a pas réussi à la blesser. Elle grimace qu'il est faiblard.

— Faiblard "heuu" ?

— Faible "hiou".

— OK, on est partis. »

Le médecin de garde, qui s'appelait Paul, raccrocha et gesticula à ses deux infirmières : « C'est à Margravine Road "euch-euch", c'est même pas la peine de prendre le véhicule...

— Qu'est-ce que tu suggères alors "heuu" ? ironisa Belinda, la nouvelle femelle de l'équipe. On y va à manupied et on lui demande de nous ramener sur son dos ?

— C'est pas un fou furieux. Il est faiblard, d'après la compagne qui a fait le panthurlement d'urgence.

— Faiblard "heuu" ?

— Faible "hiou". »

124

Paul regarda Belinda. Sa courte blouse blanche s'était soulevée, exposant sa région inférieure. Ça commence à venir, pensa-t-il en incurvant la lèvre supérieure pour aspirer quelques effluves d'elle. Encore un ou deux jours et ce renflement va suinter... ça me démange déjà de saillir la petite créature. Mais il fit taire son désir : les trois autres membres de l'équipe étaient déjà dehors et il entendait ronfler le démarreur asthmatique de l'ambulance.

Simon Dykes, l'artiste, se réveilla, la tête sur la tétine de sa compagne. Il soupira et se blottit dans sa douce broussaille. Les trémulations infernales du rêve lucide avaient fait place à la tendre fatigue de l'amour, qui lavait les vestiges de la gueule de bois et de la débauche nocturne comme un jet d'eau sur un verre souillé d'écume de bière éventée.

De l'eau chaude, pensa Simon, voilà ce qu'il me faut. De l'eau chaude salée dans les narines. Après ça, un bon caoua, un jus de fruit et au boulot. Ça commencerait par le rhinencéphale, le plus ancien carrefour neurologique de la phylogenèse, situé en avant du cervelet, bric-à-brac de la sélection, siège de l'individuation, du culturel, du primitif, du primatif.

Simon, simien, renifla. Une touffe de longs poils de la mamelle de Sarah lui chatouillait la narine, enchevêtrée dans les dépôts morveux. Une touffe de longs poils qui sentaient vaguement – pour Simon – le chimpanzé. La caressante chaleur d'une fourrure de chimpanzé. Une fourrure imprégnée d'une douce odeur post-coïtale de chimpanzé. Une odeur délicieusement érotique, mêlée de Cacharel, le parfum préféré de Sarah. Les longs poils de la... *mamelle* de Sarah ? Simon redressa la tête et contempla, effaré, la bête alanguie, cuisses écartées et pieds joints en forme de cœur, dans le lit à côté de lui.

Il se leva d'un bond, en hurlant probablement – mais il ne s'entendait plus, le monde entier rugissait autour de lui. Il s'écarta à reculons du lit où gisait la bête, qui le fixait d'un œil veule et captivé, au blanc très visible autour d'un iris vert vif fendu d'une pupille noir de jais.

Il trébucha sur un pli du tapis et tomba lourdement sur l'appui de fenêtre. Le choc douloureux de l'os contre le bois le convainquit qu'il ne rêvait pas : Sarah était partie et il s'était réveillé avec cette bête, cette espèce de singe aux attitudes humaines, les genoux en tailleur, les talons joints, les bras sous le torse, qui se hissait maintenant sur les coudes pour dresser vers lui ce masque animal, cette bouche ouverte sur des dents si grosses, des canines si longues...

« "Ouaaah" ! » cria Sarah. Puis elle gesticula à la silhouette tremblante plaquée contre la fenêtre : « Simon, qu'est-ce qui te prend ? Arrête de gueuler comme un malade ! "H'houuuu" ! » Gesticulation qui n'était pour Simon qu'un agressif mouvement de bras et de mains essayant de le saisir, accompagné de criaillements aigus et de halètements de carnassier. Quel tintamarre ! Les cris se réverbéraient contre la vitre et faisaient vibrer sa colonne vertébrale. Quel tintamarre !

« Oua-ah ! Oua-ah ! Oua-ah ! » cria-t-il lui aussi, puis, avec un assourdissant manque d'originalité : « Oooh ! Ooooh... Au secours ! » Fuir cette bête, cette bouche immense, ces longues dents dégoulinantes de bave. Soulever la fenêtre à guillotine et sauter dans le jardin. Il réfléchissait au lieu d'agir, une réflexion pragmatique mais inconséquente : au lieu de sauter, il évaluait mentalement la hauteur du patio. La bête fut plus prompte et le prit par surprise – pour autant qu'il pût encore être surpris.

Elle se dressa comme un ressort, se propulsa sur les bras, bondit et retomba en position bipède. « Aaaaaa ! » vocalisa Sarah, affolée. Simon ne hérissait pas le poil, mais il avait le museau blême et suait à grosses gouttes. Ses longs bras étaient trempés, ses bras d'amant qui, un instant plus tôt, l'enlaçaient tendrement et qui maintenant tapaient contre la vitre, insensibilisés par la peur.

« Simon ! "Houuuu" ! Fais-moi un signe, mon amour, qu'est-ce qui t'arrive "heuuu" ? »

Où était la fenêtre ? La porte n'était pas dans son cadre. Le choc que lui avait causé la découverte de cette bête dans son lit était irréversible. Il était traumatisé. Comme un rongeur tapi dans les broussailles, paralysé par un battement d'ailes et le « rap-rap-rap » d'un bec sur le sol, il avait un oiseau fou dans la tête. C'était la *corporéité* même de la chose qu'il ne pouvait pas supporter. Sa *corporéité* d'alien. L'animal était sur lui.

Le seul souci de Sarah, son seul instinct, était de le rassurer et, pour ce faire, d'empoigner, de tirer, de tordre sa triste fourrure pendante, de caresser les bras désarticulés et agités de son conjoint, de stabiliser ses mains spasmées, bégayantes, radoteuses. Elle s'approcha du bord du nid, pensant lui faire un câlin préparatoire à un grattage d'urgence. « Fous le camp ! Fous le camp ! Dégage ! Dégaaage ! » Ses genoux fléchirent, il s'effondra dans le coin. La bête se cabrait au-dessus de lui. Il n'arrivait toujours pas à distinguer vraiment ses formes, ne percevait que sa puanteur qui oblitérait l'odeur de sueur de sa propre terreur.

Pourquoi vocalisait-il comme ça ? Sarah était désemparée. Seigneur Jésus ! Il faisait une crise terrible. Elle pensa immédiatement – même dans les affres de l'affolement – que c'était peut-être le contrecoup de ces saletés de drogues. L'ecstasy ? La cocaïne ? Le Glenmorangie du Sealink ? Elle hésita et, sentant l'enflement de son entrecuisse, comme une baudruche qu'un chimpanzeau serre entre ses jambes dans un jeu de plein air, porta la main à son sexe dans un réflexe de protection.

Bien lui en prit. Son conjoint perturbé choisit ce moment pour attaquer. « Dégaaage ! » cria-t-il en bondissant sur elle, toutes griffes dehors. Sarah recula et se recroquevilla pour encaisser le choc... qui ne se produisit pas. Car il y avait une curieuse gaucherie dans les mouvements de Simon – qui semblait étranger à ses propres membres. Il avait même méjugé la distance entre le coin où il était affalé et le bord du nid où elle se tenait, si bien qu'il manqua sa cible et que ses mains ratissèrent le vide. Elle lui attrapa un bras et remarqua immédiatement son atonie. Elle attrapa l'autre sans plus d'effort. Les conjoints se reniflèrent réciproquement à travers un espace naguère occupé par une descente de lit à motifs colorés.

Simon continuait à émettre ces vocalisations gutturales que Sarah n'arrivait pas à comprendre. Elle lui abaissa les bras, prit ses mains tremblantes et descendit précautionneusement du lit. « Simon, mon amour, Simon, signala-t-elle sur le pelage de ces chères mains. Qu'y a-t-il "gr-nn" mon amour "heu" ? Qu'est-ce qui t'effraie "grnn" tant ? Ce n'est que moi, Sarah. »

Il gémissait et geignait avec d'étranges sonorités animales, graves – une voix de gorge. Ses prunelles révulsées montraient le blanc de ses yeux. Il était fiévreux et son poil ne se hérissait pas. Ses jambes ployaient sous lui. Un bref instant, pourtant, elle sentit ses doigts bouger et reconnut quelques signes déformés par l'épouvante. « Bête, signala-t-il. Saleté de bête. » Puis il l'aspergea.

Même les plus terribles chocs peuvent être gérés par l'intellect, qui est au fond un appareil homéostatique en recherche constante d'équation – de repos. Ce fut ainsi que Simon Dykes, l'artiste, dans une posture appropriée – couché, couvert de sa propre merde –, reprit peu à peu ses esprits, accepta peu à peu la réalité de l'endroit où il se trouvait et de ce qui s'était produit... de sorte que ça ne tarda pas à se reproduire.

L'ambulance du groupe d'intervention s'arrêta dans le coude de Margravine Road et déchargea cinq chimpanzés en blouses bleu ciel d'infirmiers. Paul, le médecin, sauta le portillon en fer et carpo-tarsa nonchalamment sur l'allée carrelée. Il remarqua la disposition symétrique des plantes en pot – herbes à droite, fleurs à gauche – et l'autocollant râpé de Greenpeace sur la fenêtre.

Sauvez les baleines et fumez le chiendent, songea-t-il... Ça pourrait bien être une histoire de drogués.

Il n'avait pas encore appuyé sur la sonnette que déjà une jeune femelle, dont les traits gondolaient derrière le panneau en verre martelé, ouvrait la porte. Paul consulta la feuille d'appel.

« "Heuu" Sarah Peasenhulme ? grimaça-t-il.

– "U-h'u-h'u-h'h-h", c'est ça », bredouilla-t-elle d'un doigt vacillant.

Paul écarquilla les yeux. Elle était en plein œstrus. Son enflement avait une jolie teinte rose nacré, sa vulve moite était délicatement dessinée et froncée vers le périnée, juste comme il l'aimait.

« Où est le conjoint "heu" ?

– "U-h'u-h'u-h" il est dans la chambre.

– Et il s'appelle "heuu" ?

– Simon "u-h'u-h'u-h" Simon Dykes. »

Paul entra en la repoussant, et elle se tapit dans l'étroit vestibule en lui présentant furtivement son enflement, mais d'une manière qui laissait clairement voir que c'était une invite réflexe de pure forme. Paul hésita. Le département n'était pas absolument opposé au règlement qui recommandait la copulation dans les interventions d'urgence, mais on considérait dans le service – notamment le Dr Whatley – que c'était en contradigitation avec l'image que le groupe d'intervention essayait de promouvoir.

Il se contenta finalement de gratifier la femelle, qui s'offrait avec soumission, d'une tape rassurante et d'une bise sur sa tête blonde. Un vieux poney trottait dans le couloir derrière la porte intérieure de l'appartement. La pauvre bête bavait et poussait des hennissements pathétiques. Derrière son sacrum, Paul entendit la femelle le cajoler en faisant gentiment claquer ses lèvres et en émettant des halètements apaisants.

Il s'arrêta devant le seuil de la chambre et tendit l'oreille. L'entrebâillement de la porte ne lui permettait de voir qu'un des piliers du miroir à bascule de la coiffeuse, surchargé de rangs de perles et de foulards de soie. Sur le dessus de table, il y avait une collection poussiéreuse de figurines en porcelaine, de boîtes décoratives et autres colifichets de femelle. Dans la chaleur de midi, le calme de l'appartement était aussi oppressant que les odeurs de poney, d'excrément, de parfum et de coït. Il entendit un gémissement derrière la porte. Le standardiste avait assuré que le chimpanzé était faiblard, mais cela ne signifiait pas nécessairement inoffensif. Mieux valait ne pas prendre de risques.

Belinda avait rejoint Paul, accompagnée du costaud de l'équipe, Al, qui tenait une camisole de force.

« Tu as préparé les tranquillisants "heuu" ? pianota Paul sur l'avant-bras de Belinda.

– Oui. »

Paul ouvrit doucement la porte.

« "Heuuu" ? Simon, je m'appelle P...

– Ouaaaaah ! » Le cri du chimpanzé contrasta affreusement avec la douce vocalisation et les gentils signes de Paul. Simon se tenait en bipède sur les couvertures chiffonnées qui jonchaient le nid. Il ne hérissait pas le poil, mais voûtait les épaules dans une attitude agressive et montrait les dents sans cesser de hurler : « Ouaaah ! Ouaaah ! Ouaaah ! » Il saisit un toron de drap dans une main, un oreiller dans l'autre, et les fit tournoyer. Le psychiatre recula pour s'abriter derrière la porte. Il avait assez souvent eu affaire à des psychosés pour savoir que ce genre de comportement pouvait se transformer en violence caractérisée s'il franchissait l'invisible périmètre de sécurité de Simon Dykes.

« "Houuu" n'de Dieu ! fit Al sur le dos de Paul. Le zigoto était censé être inoffensif... tu veux les tranq' ?

– "HouGrnnn" », vocalisa Paul, puis, se tournant vers Simon, il gesticula : « Calmez-vous, Simon, nous ne voulons pas vous faire de mal...

– "Ouaah" ! Ne m'approche pas, sale singe ! N'approche pas, n'approche pas, n'approche pas ! »

Simon lança sur Paul ses projectiles mous, qu'une trajectoire trop courte rendit doublement inoffensifs, puis se campa sur le bord du nid. Paul quitta l'abri de la porte, espérant que son entrée repousserait le forcené, mais ce fut le contraire : Simon attaqua. Profitant des ressorts du sommier, il sauta à pieds joints sur la poitrine du psychiatre, qui réagit trop tard pour amortir le télescopage et tomba en arrière, entraînant Al dans sa chute. Simon lui prit la gorge, en enfonçant profondément ses ongles dans sa fourrure avec des idées de meurtre. Mais Paul s'aperçut avec stupeur que ses mains étaient des mains de chimpanzeau – ou, du moins, sans plus de force que des mains de chimpanzeau.

Il récupéra instantanément et ajusta un crochet du droit dans le ventre de son assaillant. Simon claqua des dents, toussa et roula de côté en éructant.

« "Ouaah" ! Qu'est-ce que c'est que ce cinéma ? » Paul attrapa le singe par la peau du cou et lui décocha une série de manchettes sur le museau. Simon se mit à gémir de peur et de douleur. « Qu'est-ce qui t'arrive, chimpe, "h'heuuu" ? On a pris de la cocaïne, hein "heuu" ? » Paul lui tira les poils de la nuque, qu'il avait plutôt longs, et comprit que le chimpanzé avait abandonné toute résistance. Il dodelinait de la tête contre le ventre du psychiatre. On ne voyait que le blanc de ses yeux et il se débattait mollement, avec des coups de poing doux comme des caresses dans la fourrure de Paul, sous sa tunique retroussée.

« Tranq' "heu" ? » signala Al, debout juste derrière Paul. Belinda secoua la camisole de force qu'elle avait préparée, en faisant tinter les boucles d'attache pour attirer l'attention de son collègue.

« Je crois qu'on n'aura besoin ni de "euch-euch" l'un ni de l'autre, hein Simon ? grimaça-t-il au chimpe dont la tête vacillait.

131

Rien de cassé "heuu" ? Pauvre chéri "chup-chupp", je vous ai fait mal ? Ça va aller ? Ne vous inquiétez pas, tout ira très bien... "Heu" Simon ? Simon ? "Euch-euch" on l'a perdu. » Ce dernier signe s'adressait à son équipe, car la tête de l'artiste venait de retomber sur sa poitrine et son corps efflanqué, tout shampouiné de transpiration, s'affalait maintenant aux pieds de Paul comme un balluchon brun.

« Il nous fait une catatonie, gesticula Paul au reste de l'équipe alignée derrière lui. Son esprit a retranché son corps dans une bulle. Et pourtant il n'y avait aucune force dans son attaque. Absolument aucune force. »

« Grimpe sur mon dos.
– Hein ?
– Grimpe sur mon dos... comme des cuillers dans un tiroir. » Doux bruissements de petits membres sur un drap. Des mains fraîches entre les omoplates. Puis des lèvres. Un bras chaud serpente sous le ventre de Simon, un autre lisse les poils de sa nuque.
« Mmmf.
– Mmmf », grommesoufflent-ils à l'unisson, puis s'endorment.
Herbes à droite, fleurs à gauche. Herbes à droite, fleurs à gauche. La tête inclinée de Simon cognait contre le bord métallique du dossier de la chaise, pendant que les brancardiers du groupe d'intervention l'emmenaient dans l'allée carrelée, sous les yeux ébaubis de la vieille guenon d'à côté. Il bougea... et replongea.
« Je peux monter sur ta tê-ête ? » Un cri de petit, flûté mais déjà empreint de ses propres intonations ironiques. Il ne répond pas. « Je peux monter sur ta tê-ête ? » C'est Magnus, ou Henry, ou Simon... ils veulent qu'il les porte. Ils ont besoin d'être enlacés. « Je peux m...

– D'accord. » Des hanches étroites entre de grosses mains. C'est comme tenir une amante par la taille. Mais jamais amante ne fut si légère. En soulevant le petit, Simon le trouve sans résistance. Son corps est encore si mal ancré sur la terre qu'il a l'impression de pouvoir le soulever – Henry, Magnus, Simon, il ne sait pas lequel – jusqu'au ciel. Puis de courtes jambes nues s'accrochent à son cou. De courtes mains s'enchevêtrent dans ses poils, s'agrippent, insensibles – ou sans gêne, sans retenue. Des mains qui semblent parler à ses poils : « Mon corps... ton corps. Où est la différence ? Où est la jointure ? »

« "Houu" mon Dieu, "houu" mon Dieu, "houu" mon Dieu, "houuu", grimaçait la vieille guenon en regardant les infirmiers installer Simon inconscient et Sarah désemparée dans l'ambulance. Qu'est-ce qui leur est arrivé "heuu" ?

– Vous la connaissez bien "heuu" ? demanda Belinda, qui marchait en tournant du moignon anal et en menant le poney par la bride.

– "Houu" oui, fit la vieille en rajustant un bigoudi dans sa fourrure capillaire. Une jeune femelle adorable, toujours un signe gentil. On se gratte souvent en passant... Mais lui, par contre, il m'a jamais plu, je dois singer.

– Allons bon, fit sèchement Belinda, qui avait tout de suite compris à quel genre de bonne femelle elle avait affaire. Et pourquoi ça "heu" ?

– Eh bien, ils sont en couple depuis plus d'un an et, à mon avis, ce n'est pas correct pour une jeune femelle. Lui, il a fissionné de son groupe depuis quelque temps déjà. Je le sais parce qu'il me l'a singé.

– Vraiment "heu" ? Vous savez autre chose sur lui "heu" ?

– Seulement que c'est un genre d'*artiste*... allez savoir, ma bonne chimpe. Comme je vous singe, il m'a jamais plu. Mais

133

elle... "hou" c'est une adorable petite guenon. Je serais pas étonnée qu'il l'ait entraînée dans une histoire de drogue... »

Belinda coupa court :

« Observez. Vous n'auriez pas un double des clés de son appartement, par hasard "heu" ?

– "Hou" si, j'en ai un.

– Eh bien, dans ce cas "euch-euch"... » – Belinda souleva le vieux poney par la bride et le reposa de l'autre côté de la clôture – « vous m'obligeriez en prenant soin de ce vieux canasson de salon jusqu'à son retour "heuu" ? »

La vieille guenon – qui n'avait pas été saillie depuis vingt ans – regarda Belinda s'éloigner et sauter dans l'ambulance avec un mépris mal dissimulé. Quelle jeune pimbêche, songea-t-elle en passant ses orteils gourds dans la crinière de Gracie, non mais regardez un peu comme elle exhibe son enflement alors qu'elle n'est même pas en chaleur. Vraiment, je me demande où va le monde. Puis elle mena Gracie chez elle, dans son appartement qui sentait les meubles cirés, et se mit à la recherche de son imper : il fallait qu'elle aille à l'épicerie acheter un peu de foin pour le dîner de la pauvre bête.

Il fut impossible de séparer les deux chimpanzés désespérés pendant le court trajet jusqu'à l'hôpital Charing Cross et, à leur arrivée, Sarah refusa de s'éloigner de Simon. Paul les installa dans l'antichambre réservée aux entretiens préliminaires et s'affaira sur les paperasses administratives de l'admission de Simon.

« Laisse-les se calmer un peu, signala-t-il à Belinda, va voir si elle veut une tasse de thé, mais n'essaie pas de le réveiller, il sera peut-être moins inoffensif la prochaine fois. Et regarde si tu peux lui trouver une chemise de nuit... Ce n'est pas la nudité qui va l'aider à se sentir simien "heuu". »

Belinda trouva une chemise de nuit et Sarah l'aida à l'enfiler sur le corps rigide de Simon. Il gisait sur la couche d'auscultation en position fœtale, avec une raideur qui ne leur facilita pas la tâche. Mais, hormis sa respiration saccadée, il ne présentait pas de traumatisme physique.

« Vous voulez une tasse de thé "heuu" ? gesticula Belinda quand elles eurent fini de lui passer la chemise.

– Oui, s'il vous plaît, contre-gesticula Sarah. Je veux bien.

– Vous voulez grimacer un peu sur ce qui s'est passé "heuu" ? hasarda Belinda en grattouillant obligeamment quelques traces de sperme séché sur les poils blonds du renflement sexuel de Sarah.

– Je... je... "hou" je ne sais pas...

– Je ne veux pas vous forcer... mais je pense que ce sera peut-être plus facile pour vous d'en digiter avec moi.

– C'est juste que "houu", enfin, vous devez déjà le savoir sans doute, nous sommes en couple...

– Oui.

– Je ne l'ai pas détourné de son groupe, si c'est ce que vous pensez. Il avait déjà fissionné depuis quelque temps. C'est... enfin, c'est un chimpanzé très brillant, vous savez, certains pensent que c'est un grand singe et je ne veux pas que notre liaison fasse du tort à sa carrière. C'est un artiste, vous savez, il a une exposition la semaine prochaine.

– Sans blague "heu" ? » grimaça Belinda sans aménité. Cette jolie poseuse commençait à l'énerver avec ses singeries enflammées sur son conjoint.

« Oui. Et je... "u-h'u-h" enfin... je ne voudrais pas gâcher ça pour des bêtises.

– Quel genre de bêtises "heu" ?

– Vous savez bien.

– Sarah... » Belinda enfonça ses doigts plus profondément dans le pelage de la jeune femelle pour insister sur l'importance de ce qu'elle allait digiter. « Est-ce que vous avez pris de la drogue hier soir "heu" ? C'est ça qui vous tracasse "heu" ? »

La question de Belinda resta sans contre-signe, car la porte s'ouvrit et Paul entra dans l'antichambre avec un formulaire à la main et un stylo à bille entre les doigts de pied. « J'ai pu obtenir une cellule de sécurité pour Simon à Gough, signala-t-il. Nous devons panthucher son médecin traitant et sa proche famille, vous pouvez nous aider ?

– Je... "hou"... je ne suis que sa compagne, signala Sarah, balbutiante et gênée.

– Ce n'est pas le moment de faire des manières, jeune femelle, mieux vaut mimer ce que vous savez. » L'atmosphère hospitalière et la proximité de ses supérieurs donnaient un phrasé plus doctoral à la gestique de Paul. Sarah le sentit, se redressa et se mit à gesticuler avec plus de fermeté, elle aussi, en choisissant bien ses digitations.

« Son ex-compagne alpha se nomme Jean Dykes. » (Paul prit note.) « Elle habite dans l'Oxfordshire, un endroit appelé Brown House, dans le domaine d'Otmoor, près de Thame. Je... je n'ai pas le numéro.

– Nous le trouverons. Et son médecin "heu" ?

– Bohm, Anthony Bohm. Il travaille au dispensaire de Thame. Il... Il...

– Oui "heu" ?

– Il a soigné Simon pour "houu"... pour une dépression nerveuse autrefois.

– Simon prend des médicaments en ce moment "heu" ?

– Pas que je sache, mais il a pris des antidépresseurs dernièrement.

– Je vois. Et que s'est-il passé hier soir "heu" ?

– Rien de particulier... » Elle n'acheva pas, ses doigts retombèrent sur ses genoux. Paul lorgna son enflure d'un œil mi-clos. C'était un chimpanzé bien bâti et beau singe, avec un séduisant museau piqueté de taches de rousseur, qui avait toutes les femelles qu'il voulait, et il devinait que, en dépit de sa détresse évidente, cette jeune guenon le trouvait attirant – peut-être à cause du

136

traumatisme qu'elle avait subi en voyant son digne conjoint se transformer en bête furieuse.

« Sarah "greu-nnn", signala Paul en positionnant soigneusement ses doigts, dans un angle à la fois rassurant et résolu. Si vous voulez que nous aidions Simon, nous devons savoir ce qui lui est arrivé, particulièrement s'il s'agit d'une psychose causée par la drogue. Nous ne sommes pas là pour empoisonner la vie des chimpes, nous sommes là pour aider. Vous savez que tout ce que vous me singerez restera strictement confidentiel.

– "Hou" d'accord, on s'est un peu défoncés hier soir...

– À quoi "heu", cocaïne ?

– Oui.

– Et alcool "heu" ?

– Bien sûr... et quelques colombes.

– Ecstasy "heu" ?

– C'est ça... »

Elle s'interrompit. Un brancardier venait d'entrer.

« C'est le type pour Gough, chef "heu" ? signala-t-il à Paul.

– Oui, c'est lui, vous l'emmenez maintenant "heu" ?

– Ben, normalement, oui, mais... » Il montra du doigt son collègue, qui attendait dehors. « Au bureau, ils nous ont indiqué qu'on pouvait le déplacer en chaise... et c'est tout ce qu'on a apporté... mais j'ai l'impression que "euch-euch" il faudrait plutôt une civière, auquel cas il devra attendre un peu.

– Bon sang de bonsoir, chimpe "euch-euch" ! » Ce genre d'attitude apathique et feignante horripilait Paul. C'était justement pour ne pas y être confronté qu'il avait choisi de travailler dans le groupe d'intervention. « Vous arriverez bien à le caler sur la chaise d'une manière ou d'une autre, "ouaar" ? Au besoin, vous n'aurez qu'à le porter sur votre dos et...

– Holà, minute, c'est pas pour faire des histoires, mais on n'est pas censés porter les patients... » Il n'eut pas le temps d'achever son signal. Paul lui sauta dessus et lui allongea une

137

série de claques cinglantes sur le museau. Le sang gicla de ses arcades sourcilières.

« "Iiiiik !" cria le brancardier en portant les mains à sa gueule meurtrie. Excusez, chef "u-h'u-h'", désolé "u-h'u-h'", j'voulais pas être impoli. Je sais que vous êtes un bon psy, un puissant psy, je vénère votre croupion... je suis désolé... » Il tourna le dos et se prosterna très bas.

« Ça va, ça va, signala Paul en lissant le poil hirsute du postérieur offert. J'accepte ton respect, je prends acte de ton obséquiosité, maintenant emmenez-le, ouste.

– Je m'en charge », gesticula l'autre brancardier à son collègue blessé. Il bondit dans la pièce, attrapa le col de la chemise de nuit de Simon avec l'un de ses larges pieds cornés et redressa la forme avachie de l'artiste. Puis il le hissa sur ses épaules, et les deux chimpanzés transbahutèrent Simon, qui ballottait sur le dos de son porteur comme une poupée cassée.

« On y va, mon gars "chup-chupp", on y va. » Comment peut-on percevoir un sens au toucher ? Pourtant Simon perçoit un sens dans ce toucher-là : « Allez, t'en fais pas. On va te border dans ton nid. "H'houu" fais gaffe... J'ai pas envie de recevoir une autre raclée de ce psy. Fais gaffe ! »

Ses yeux s'ouvrent brièvement sur un cliché inversé d'une fontaine pissant dans le ciel. Il pense : je connais cet endroit. Il tourne la tête et voit des automobiles garées, des Volvo, des Vauxhall, des Ford. Des automobiles... avec des noms de marque qui le rassurent. Il est dans le cirage. Il distingue vaguement ses porteurs. Des singes. Ils voudront un pourboire ? Des singes en tuniques blanches. Des parodies d'humanité. Des caricatures. Il ne peut pas crier. Il est paralysé, somnambule. Il perd connaissance à nouveau.

« "H'heuu" ? Qu'est-ce que tu en penses ? demanda Paul à sa collègue.

– "Euch-euch" ça m'a l'air d'être ça, contre-signala Belinda.

– "Houu" je crois aussi...

– Qu'est-ce que vous mimez ? fit Sarah en levant les yeux, qu'elle gardait fixés sur son renflement comme si elle se fût attendue à y trouver la réponse à son dilemme, et qui n'avait pas vu leurs signes.

– Eh bien... » Paul se dressa sur deux jambes et se dirigea vers la porte. « Je voulais une confirmation de mon diagnostic provisoire...

– Qui est "heu" ?

– Je pense que votre conjoint a subi une crise psychotique provoquée par la drogue. Tous les symptômes sont réunis : irrationalité, paranoïa, agressivité. Le seul aspect troublant est son manque de force. D'habitude, c'est le contraire, dans ce genre de crise. Mais ce n'est qu'un diagnostic provisoire. Il faut que je consulte mes collègues et le médecin traitant de Dykes – le nommé Bohm – avant de me prononcer. »

Paul s'apprêtait à sortir, mais Sarah s'avança vers lui avec soumission et se mit à le gratter un peu. C'était sa première velléité de bouchonnage depuis l'arrivée de l'équipe dans son appartement et Paul prit la chose en bonne part.

« Docteur, fit-elle, il va "chup-chupp" s'en sortir, singez, "heu" ? Je... je me sens responsable. Vous voyez, je ne crois pas qu'il aurait pris ces drogues sans moi.

– C'est vous qui les lui avez données, Sarah "heu" ? grimaça Paul avec sérieux.

– N... non.

– "H'houu" dans ces conditions, je ne vois pas bien en quoi vous êtes responsable. Mais ne vous inquiétez pas, le pronostic est généralement encourageant dans les cas de ce genre. Il a juste besoin de quelques jours de régime sec. On va s'occuper de lui. Rentrez chez vous, essayez de vous faire bouchonner et passez-nous un coup de panthuche en fin d'après-midi. »

Et, sur ces bonnes grimaces, le psychiatre de garde du groupe d'intervention tambourina un au revoir sur le chambranle et quitta l'antichambre.

Mais les signes optimistes de Paul se révélèrent tout à fait hors de mise. Si Jane Bowen, médecin-chef du service Gough, et lui-même ne rencontrèrent aucune résistance de la part de Simon Dykes lors de son isolement en cellule de sécurité, c'est tout simplement parce qu'il resta plongé dans son état catatonique. Ils n'eurent aucune difficulté non plus avec le groupe de Dykes. Son ex-compagne alpha semblait avoir prévu ce qui s'était passé. Quand Jane Bowen la panthucha, Jean Dykes était en train d'égrener un chapelet, fait de perles alternées d'or et d'ambre, devant le télécran. Et, pendant toute leur gesticulation, elle éplucha la pieuse guirlande, de sorte que ses signes interféraient avec ses prières. Elle était vêtue d'une grosse robe de velours noir à col montant en ruché, et son regard fixe, combiné avec ce vêtement suranné, perturba la psychiatre.

En outre — et sans jamais se départir de ses bondieuseries ni de ses manières vieille école — Mme Dykes continua à recevoir les attentions de deux mâles, si bien que ses inflexions châtiées étaient régulièrement entrecoupées de couinements et de hoquets copulatoires.

« "H'heuu" madame Dykes ?

— "HouH'Grnn" oui, c'est à "heu" quel sujet ?

— Au sujet de votre ex-alpha Simon...

— Oh, Simon, je vous salue Marie pleine de grâce, le Seigneur soit avec vous "h'h'h'houuu"...

— Madame Dykes, j'ai peur d'avoir de mauvaises nouvelles pour...

— Soyez bénie entre toutes les femelles "h'h'h'houuu", et béni soit le fruit de vos enflures... Il a encore fait des "h'heu" siennes ?

— Une crise. Je suis le Dr Bowen et...

140

– Sainte Marie, mère de Dieu, priez pour nous pauvres pécheurs "h'h'h"houuiiiik"... » Le coït arriva à sa conclusion sonore. « Eh bien, ça ne m'étonne pas, il a quitté le droit chemin... Maintenant et jusqu'à l'heure de notre mort...

– Madame Dykes, je suis le médecin-chef du service de soins intensifs de l'hôpital Charing Cross de Londres. Nous voudrions garder Simon en observation soixante-douze heures et nous avons besoin de votre accord en tant que plus proche parente.

– Bien sûr, bien sûr... Notre Alpha qui êtes aux cieux, que votre nom soit sanctifié... » Ses signes parurent hésitants et, pour la première fois depuis le début de leur gesticulation, elle laissa retomber ses mains sur ses genoux.

Jane Bowen en profita : « J'ai l'impression, si je peux me permettre, que vous vous y attendiez "heu" ? reprit-elle. Est-ce que Simon a déjà eu d'autres crises "heu" ?

– Que votre règne arrive, que votre... Il a toujours été un mauvais singe, aussi bien envers moi qu'envers ses petits, vous pouvez me croire. Un misérable pécheur bouffi de turpitudes. Quant à son état mental, ma foi, le mieux serait de consulter Anthony...

– Le Dr Bohm, du Centre médicosocial de Thame "heu" ?

– Lui-même. Anthony a été un grand réconfort pour nous, un grand réconfort allié... » Elle s'interrompit. Un jeune mâle de neuf ans environ venait d'apparaître dans le cadre, à califourchon sur le dos du mâle qui avait sailli sa mère. Sa ressemblance avec Simon Dykes était frappante. Les mêmes yeux protubérants, le même pelage brun bouffant.

« Tu ne vois pas que je gesticule, Magnus, vraiment... » Elle lui flanqua une claque derrière l'oreille et il disparut en huant. « Excusez-moi. Vous voyez ce que c'est quand il n'y a pas d'alpha à la maison...

– Bien sûr, bien sûr. Je vais panthucher le Dr Bohm dès que j'en aurai fini avec vous. Je désire seulement savoir si vous serez en mesure de faire un saut au centre médical en fin de journée pour signer les documents que je vais faxer.

– Pas de problème, docteur Bowen. Maintenant, si vous voulez bien m'excuser... » Le grand mâle à rouflaquettes rousses s'intéressait de nouveau à son derrière. « Gloire au Père, au Fils et au Saint-Es... "h-h-houuu"... »

Jane Bowen coupa la communication et recarpo-tarsa vers Gough, songeuse, en hochant doucement la tête. Peut-être que la fission des Dykes jouait un rôle plus important que ne le mimait la conjointe de l'artiste.

Bowen regarda dans le judas. Simon Dykes était tel qu'ils l'avaient laissé, dans une posture bizarre, assis, les jambes ballantes et non recroquevillées, avec le haut du corps étrangement droit. Elle décida de courir le risque d'une agression, bien qu'elle fût une petite guenon de moins de quarante kilos.

« "Heuu" Simon ? »

Il ne se tourna pas vers elle, mais ses doigts bougèrent, ébauchant des signes mal formés. « Fous le camp, sale bête, démon, fous le camp... Je suis fou, et alors ? Dégage... »

Elle prit cela pour un bon présage. C'était peut-être la fin de la phase aiguë de la crise. Elle entra plus avant dans la chambre. « Simon, pianota-t-elle doucement sur son épaule, vous croyez que vous pou... » Il regimba violemment à son contact, cria et lui griffa le museau. Mais, malgré la grande taille du chimpanzé, elle se défendit sans peine et parvint même à lui saisir les mains. « "Ouarf" ! Simon, je suis médecin, j'essaie de vous aider !

– "Aaaïïïï ! Aaaïïïï ! Aaaïïïï" ! Fous le camp ! Fous le camp ! Ne me touche pas, sale singe ! Dégage ! »

Jane Bowen recula jusqu'à la porte de la cellule. Simon Dykes s'effondra sur le sol dès qu'elle l'eut relâché. Il arrosa, mais inefficacement – surtout sur ses propres jambes –, et se vautrait maintenant dans la purée de ses excréments en couinant et en geignant. Jane Bowen referma doucement la porte, la verrouilla et alla trouver une infirmière. « Gardez un œil sur lui, signala-t-elle. Il n'est pas dangereux, mais il peut essayer de se mutiler. Donnez-moi vingt milligrammes de Valium, je vais lui faire une intraveineuse. Ça devrait le calmer. Ensuite, essayez de le nettoyer un peu, mais ne le bouchonnez pas. J'ai l'impression que sa psychose est liée au toucher. » Elle rajusta sa blouse, qui s'était retroussée au-dessus de son bassin. « Je vais panthucher son médecin pour voir si je peux en apprendre un peu plus sur notre génie torturé. »

« "H'heu" docteur Bohm ?
— "H'houuuu" que puis-je pour vous ? » La figure était ronde, les signes arrondis, les doigts rondelets, le tout en plein centre de l'écran. Une collerette de barbe blanche parachevait la rondeur générale autour de la mâchoire en galoche du mâle.
« Je suis le Dr Jane Bowen, médecin-chef du service de psychiatrie de Charing Cross.
— En quoi puis-je vous aider "heu" ?
— C'est au sujet d'un de vos patients, Simon Dykes...
— Simon "heu" ? Qu'est-ce qui lui est arrivé "heu" ? Rien de grave, j'espère...
— Je crains que si, hélas. Il semble souffrir d'une dépression psychotique, peut-être consécutive à une consommation de drogue. Nous aurons besoin de son carnet de santé, bien sûr, et je vais vous faxer un formulaire pour un internement de soixante-douze heures...
— C'est vraiment nécessaire "heu" ? Il est violent "heu" ?
— "Houu'Grnnn" pas exactement violent, bien qu'il ait déclenché quelques attaques non provoquées...
— Bon sang, femelle "euch-euch" ! Si le chimpe n'est pas dangereux, pourquoi le retenez-vous "heu" ? Ce n'est pas n'importe qui, Dykes est un artiste de premier plan...
— J'en suis très consciente, docteur Bohm. Croyez-moi, si nous

ne pensions pas qu'il est potentiellement dangereux pour lui-même, nous n'aurions jamais envisagé de l'interner. Mais il est en proie à une bouffée délirante très préoccupante. Grimacez-moi, a-t-il des antécédents psychiatriques ?

– "Euch-euch" eh bien... "Euch-euch" bah, vous verrez ça dans son carnet de santé de toute façon. Oui, il en a. Il a été hospitalisé deux fois pour dépression. La dernière fois, c'était il y a un an environ. Et un peu plus de deux ans auparavant. Son groupe a fissionné, comme vous le savez probablement si vous avez panthuché son ex-alpha...

– En effet.

– "Houu" pauvre femelle. J'ai pu lui apporter un réconfort "greu-nn" direct... en tant que mâle éloigné bien sûr. Mais passons. Depuis sa seconde hospitalisation, il est sous SSRI...

– Il est sous Prozac ?

– C'est bien ce que j'ai singé, oui, il a une ordonnance à renouveler. Je ne l'ai pas revu depuis plus de six mois, mais j'avais constaté une nette amélioration. Il avait repris son travail. Je crois qu'il s'est embringué dans une histoire de monogamie douteuse, mais ce n'est pas à son médecin d'en juger, encore moins au mâle éloigné de son ex-alpha.

– A-t-il un passé de toxicomane, docteur Bohm "heu" ?

– Qu'est-ce que vous tâtez par toxicomane "heu" ? Si vous me demandez s'il prend des drogues, la réponse est sûrement oui – c'est un artiste – mais nous n'en avons jamais gesticulé ensemble. Vous êtes sûre que la drogue y est pour quelque chose ?

– À première vue, oui, mais nous n'avons encore rien pu obtenir de concret de Dykes lui-même. Il est dans un état hallucinatoire, avec troubles psychomoteurs et atonie. Il n'arrête pas de mimer des signes comme <enculé de ta race>, refuse de se faire gratter. Il arrose tous les infirmiers qui l'approchent, puis tombe en catatonie. »

Bohm resta non signalétique un instant, se contentant de

palper les poils de sa barbiche et la galoche de son menton. Puis il signifia : « Moui, ça m'a l'air sérieux, très sérieux. Vous pensez que je dois venir le voir "heu" ? Il a été mon patient pendant longtemps, et presque un allié. Aujourd'hui, évidemment, nous sommes un peu en co-groupe, si je puis m'exsinger ainsi.

– Ce serait peut-être une idée, docteur Bohm. Je vous ferai signe. Peut-être qu'un museau ou un grattage familiers l'aideraient à se réveiller.

– "Houu" je le pense. Excusez-moi d'avoir été un peu sec tout à l'heure, mais vous savez ce que c'est..., fit-il en ponctuant la fin de sa digitation d'un geste vague plein de sous-signifiés sur les doutes que lui inspiraient la psychiatrie et son statut dans la profession médicale.

– Rassurez-vous, je me prosterne devant la souveraineté de votre compétence en médecine généraliste, je reconnais votre rang comme égal au mien et révère la splendeur de votre moignon anal.

– Parfait, parfait. Eh bien, panthuchez-moi dès qu'il y aura une évolution – ou une régression, auquel cas je me déplacerai. Entre-temps, si vous avez besoin de grimacer à un intime, je vous conseille d'essayer George Levinson, son agent. Il a une galerie à Cork Street. Il est le plus fidèle allié de Simon depuis de nombreuses années et, tout à fait entre nous, ses relations avec son ex ne sont pas au mieux...

– Je crois que je m'en suis aperçue.

– Parfait, parfait. Eh bien, j'attends de vos grimaces alors, "HouuGraa". »

Et, sans autre postambule, Bohm coupa la communication.

Il resta assis à son bureau quelque temps, en regardant distraitement les posters d'oursons et de poneys nains que l'hôtesse du dispensaire avait agrafés sur les murs de son cabinet. Finalement, il se ressaisit et, d'une main papillotante, se signala à lui-même : « Ah, la hiérarchie, voilà où ça mène. C'est toujours à cause de cette putain de hiérarchie. » Il appuya sur le bouton de l'interscope et demanda qu'on lui envoyât le patient suivant.

Mais plus tard, dans un temps mort entre deux mijaurées hypocondriaques, Anthony Bohm cogita. Il se demanda si la crise de Simon pouvait avoir un rapport avec l'expérimentation de ce fameux médicament et ce chimpe exhibitionniste, ce crâneur de Busner.

CHAPITRE 8

Le personnel du service Gough ne tarda pas à faire appel à l'assistance du Dr Bohm. George Levinson avait déjà été pan-thuché deux fois – et avec succès, ce qui était une manière de miracle pour qui connaissait George et son emploi du temps surchargé. Sarah était revenue deux ou trois fois par jour depuis ce terrible matin. Le troisième jour, elle avait amené Tony Figes, dans l'espoir que, peut-être, un chimpanzé moins intime trou-verait les grimaces qu'elle n'avait pas su faire. Mais tous leurs efforts furent vains. Que son visiteur fût sa conjointe, son agent ou son allié, la réaction de Simon Dykes était toujours la même : un humanisme atterrant.

Simon reprend conscience. Dans son nid. Cellule numéro 6, ser-vice Gough. La peinture crème réglementaire des murs le rassure, de même que le nid, avec son aspect fonctionnel, en bois, aux bords arrondis. Tout est fait ici pour empêcher les chimpanzés hystériques de se blesser. La petite fenêtre est trop haute et elle a des barreaux. Mais tout de même... c'est rassurant. Ça ne ressemble pas à un rêve. Simon regarde la texture du drap, le duvet de la couverture grise réglementaire, et voit qu'ils sont réels. Il regarde le dos de sa main. Là, c'est plus étrange. C'est sa main, incontestablement, mais elle semble lointaine, extérieure – et velue. Il y a un bruit derrière la porte. Il se tourne. C'est rassurant aussi, cette porte. C'est une porte d'hôpital, avec un judas. Il pense : Je vais aller regarder dans le trou,

147

ça va me réconforter. Converser avec une vision. Comme ça, je me sentirai réel.

Il se lève, marche sur le linoléum, d'un pas chancelant. « Flotch, flotch, flotch », fait le linoléum sous la plante de ses pieds moites. Rassurant. Quelqu'un l'observe, quelqu'un... qu'il aperçoit en s'approchant du judas... quelqu'un avec un museau de bête. Il s'évanouit. L'infirmière entre, le traîne sur son nid, lui injecte dix milligrammes de Valium. Elle a la main sûre et trouve tout de suite la veine sous le pelage.

Ils viennent la nuit et ils viennent le jour. Parfois quelques secondes après son réveil, parfois plusieurs minutes, rarement plusieurs heures. Et chaque fois c'est la même chose : leur apparition ébranle complètement la sérénité précaire que lui apportait l'examen attentif et minutieux de son environnement. Quand ils le laissent seul un long moment pour l'observer subrepticement avant d'entrer, ils le surprennent à observer intensément une étiquette de blanchisserie ou une marque de fabrique pour établir un lien entre les artefacts et leur provenance. Car l'artiste est entreprenant dans son délire. Mais même s'ils le laissent ainsi des heures entières et que, avec le temps, l'effet des sédatifs s'estompant à mesure que le jour pénètre, il commence à accepter le témoignage de ses sens, leur irruption produit toujours le même choc dévastateur. Ils sont si vifs. Si trapus. Ils fondent sur lui comme une mêlée noire de poils et de muscles.

Ils semblent vouloir communiquer avec lui, il s'en rend compte à la détermination de leur pantomime, aux signaux appliqués de leurs membres velus, à la modulation choisie de leurs grognements et de leurs couinements. Il y a une sorte de sollicitude dans leur façon de le saisir quand il commence — comme il le fait invariablement — à trembler de tout son corps ; quand il commence — comme il le fait invariablement — à hurler. À hurler jusqu'à la morsure de la seringue. Hurler jusqu'à la perte de conscience dans un déferlement de rêves.

Dans ses rêves, il voit toujours des corps. Des corps humains. Et ces corps sont beaux. Comment est-ce possible ? médite-t-il en songe. Comment ces corps peuvent-ils lui sembler si beaux, si éthérés ? Car, objectivement, elles sont plutôt laides, ces images qui se bousculent dans sa mémoire désordonnée : les mollets musculeux de son père, avec ces grappes de varices ; les seins pendants de sa mère, les fronces brunes de ses aréoles ovales ; les cuisses fragiles de sa sœur, si blanches, si minces, ses petits pieds de bébé aux plantes toutes roses et fripées qui accourent vers lui en soulevant des plumets de sable pour patauger dans l'eau. Ils ne sont pas beaux si la beauté est extraordinaire, mais peut-être a-t-elle toujours été très ordinaire, peut-être n'ai-je simplement jamais su la voir.

Le troisième jour, après six ou sept épisodes semblables, Sarah alla affronter le Dr Bowen dans son cabinet. Elle tambourina légèrement sur la porte et panthurla avec un peu plus d'autorité que d'habitude pour montrer à la psychiatre que – contrairement aux apparences – elle n'était pas une faible femelle qu'on pouvait balader si facilement.

« "HouH'Graa" puis-je gesticuler un moment avec vous, s'il vous plaît, docteur Bowen "heu" ?

– "HouH'Graa" bien sûr, bien sûr. » La psychiatre reposa son stylo. « Vous vous appelez Sarah "heu", n'est-ce pas ? » Elle recula sur sa chaise pour mieux observer la femelle sur le seuil. Une guenon séduisante, pensa-t-elle, très jolie, un fabuleux renflement auquel je ferais volontiers un petit frottis. Je parie qu'elle s'est payé du bon temps ces dernières années.

« C'est cela. Regardez, je sais, ou du moins j'espère, que vous faites tout votre possible pour aider Simon... M. Dykes...

– Vous pouvez en être certaine "euch-euch".

– Seulement "hou" voilà... son état ne s'améliore pas... et j'ai réfléchi... "houu". » Sarah prit de l'assurance. Impose-toi, se grimaça-t-elle en regardant la femelle derrière le bureau. Je ne suis peut-être pas grosse, mais elle est carrément gracile. Si on en vient à se crêper la calotte, je suis sûre d'avoir le dessus. « Il y a certains détails que j'ai remarqués dans son comportement... Des détails qui peuvent être significatifs.

— Oui "heu" ? » Le Dr Bowen repoussa ses papiers sur le côté et accorda enfin toute son attention à la jolie jeune femelle. « Quel genre de détails "heu" ?

— C'est sa posture qui m'a alertée. » Sarah s'approcha et sauta sur un coin du bureau. D'un geste instinctif, elle rajusta son protège-enflure en pilou. « Il est toujours accroupi d'une façon bizarre, tout droit sur le bord du nid, sans jamais remonter les pieds. Et quand il m'attaque – enfin, si on peut appeler ça une attaque –, il est toujours bipède, toujours.

— "Grnnn" oui...

— Et il y a autre chose. Son pelage. Il n'est jamais hérissé, toujours à plat. Vous ne trouvez pas ça étrange, ce... cette absence de réflexe normal ?

— Maguenonzelle... » Bowen grimpa sur le bureau, rampa vers Sarah, et toutes deux se mirent à se bouchonner mutuellement. « Vous êtes très observatrice, vraiment très observatrice...

— Je suis agent artistique, c'est un peu une déformation professionnelle.

— Sans doute. Ce que vous signalez est vrai et nous l'avons remarqué nous-mêmes. Dès le début, comme vous le savez, nous avons eu la conviction que Simon souffrait d'une psychose liée à la drogue. Je peux vous indiquer maintenant, même s'il ne semble pas avoir eu la volonté ou le courage de le faire lui-même, qu'il prenait des médicaments contre la dépression...

— Vous voulez "heu" singer qu'il prenait du Prozac ?

— Oui, oui, du Prozac.

— Pourquoi il ne me l'a pas montré "heu" ? » Sarah était atterrée. Le désarroi plissait son joli museau.

« Peut-être qu'il en avait honte, Sarah, fit Jane Bowen avec de

150

tendres et subtiles torsions de poils. Vous savez, il y a beaucoup de chimpanzés qui considèrent encore la dépression comme une maladie honteuse.

– Mais j'étais au courant de ses dépressions. Il a grimacé que c'était fini, que c'était une conséquence de la fission de son groupe.

– Eh bien, il est possible que le Prozac ait joué un rôle dans tout ça. En tout cas, nous pensons que c'est une des causes de sa crise actuelle. Plus précisément l'association du Prozac avec l'ecstasy.

– "H'houu" ? Comment ça ?

– Nous ne savons pas exactement. Grimaçons simplement que l'ecstasy – ou MDMA – agit sur les mêmes récepteurs – vous savez, les régions du cerveau attaquées par une molécule chimique – que le Prozac. Nous pensons que l'association de ces deux drogues exerce une synergie...

– Je ne comprends pas. Nous avons souvent pris de l'ecstasy. On aime... on trouve que...

– Je sais. » La psychiatre sourit avec un reniflement compréhensif. « C'est un stimulant sexuel "heu" ?

– Ouais, si on veut.

– Quoi qu'il en soit, même si vous en avez pris cent fois, l'effet de synergie peut tout de même se produire. Ça dépend de l'individu. Nous manquons d'éléments d'analyse, mais l'hypothèse d'une lésion du système neurologique de Simon est plausible.

– Et à propos de ce que je signalais, sa posture, son pelage plat "heu" ? »

Jane Bowen descendit du bureau et marcha à quatre pattes vers la fenêtre, où elle se redressa en s'aidant du cordon du rideau. Elle était fatiguée et, quand bien même elle trouvait le coussin rose de la jeune femelle très excitant et le mystère de son patient artiste tout à fait intéressant, ce genre de cas était bien plus

151

éprouvant pour un psychiatre que les troubles conventionnels. Elle regarda distraitement Fulham Palace Road – du moins le petit tronçon de rue que lui laissait voir la fenêtre. Un groupe de bonobos zonait devant la boutique d'un bookmaker, en fumant de l'herbe et en biberonnant de la Special Brew. Elle grommela et se tourna finalement vers Sarah en gesticulant :

« J'ignore la signification de ces symptômes. Nous n'avions encore jamais rien vu de semblable. J'en ai gesticulé avec le Dr Whatley, le superviseur, et nous avons tous deux le sentiment que ce qui perturbe le plus Simon est le contact simien.

– "Heuu" ? Le contact simien ? Qu'est-ce que vous voulez singer "heu" ?

– Eh bien, nous ne pouvons pas l'expliquer, mais il semble que Simon ait perdu la faculté, ou le désir, de recourir aux formes fondamentales des rapports simiens. Non pas la communication visuelle – il fait des signes, même si ce sont des signes hystériques –, mais la vocalisation, l'expression corporelle, le grattage, l'exposition anale, toutes ces singeries élémentaires ont disparu de son répertoire comportemental.

– Ça fait partie de sa psychose "heu" ?

– C'est possible. C'est peut-être ce qu'on appelle une conversion hystérique, ici liée à son environnement. Nous avons constaté que, quand il est seul, il est beaucoup plus actif. Il inspecte le mobilier, les accessoires de la cellule et son propre corps avec un grand souci du détail...

– Pourquoi "heu" ?

– Nous ne savons pas, mais j'ai l'intuition que, si nous cessons tout contact simien pendant quelques jours et si nous lui fournissons de quoi écrire, il pourrait s'en servir pour communiquer. »

Sarah secoua la tête en huant avec perplexité. Ces ratiocinations psychiatriques n'avaient aucun sens pour elle. Tout ce qu'elle savait, c'était que son conjoint était en détresse et retenu contre sa volonté, empêché de patrouiller librement. Enfermé comme un humain en captivité à d'horribles fins expérimentales. Elle trouva le toucher de Jane Bowen peu rassurant quand elles se remirent à se gratter.

Donc, le lendemain matin, le psychiatre de garde interrompit la médication de Simon, évitant du même coup ses attaques avortées et ses arrosages impuissants. Le chimpanzé fut laissé à lui-même. On lui passa un bloc-notes et quelques crayons par le judas, avec le plateau de son premier breakfast.

Le Dr Bowen fit même couvrir le judas d'un miroir sans tain, afin d'abstraire Simon de tout contact visuel avec le personnel. « C'est parce qu'il n'arrête pas de signaler <sale singe, sale race>, etc., expliqua Bowen au Dr Whatley pendant leur tournée. Et aussi à cause de la perte de ses facultés élémentaires d'interaction simienne. Ce n'est qu'une intuition mais, dans la mesure où c'est la vue des autres chimpanzés qui le trouble à ce point, il me semble que, si nous nous rendons invisibles, il finira peut-être par manifester plus clairement ce qu'il ressent.

– "Heuu" vous ne pensez pas plutôt qu'il a une vision déformée des autres chimpanzés ?

– C'est possible "greu-nnn". Il a peut-être des hallucinations babouines. C'est rare, mais il existe une littérature clinique sur des syndromes semblables. En tout cas, je pense personnellement que ça vaut le coup d'essayer. »

Ils ne se montrent plus. C'est un soulagement. Quand Simon s'approche du judas, il ne voit que le reflet ondoyant de son propre museau pâle, et non une face velue qui reluque en montrant des canines baveuses. C'est un répit, mais aussi une confirmation de l'affreuse réalité de sa folie. Et si c'était un effet de leurs piqûres ? se demande-t-il. Ça pourrait expliquer cette insidieuse langueur, cette faiblesse. Puis, pendant l'une de ses périodes de prostration, assis sur le bord du nid, voilà qu'on lui fait passer un plateau. On

*ne peut pas manger quand on délire, on peut avoir un orgasme,
mais on ne peut pas manger. Le sexe n'est presque jamais une histoire
de cul, mais la nourriture est presque toujours une histoire de bouffe.
Avec le plateau viennent du papier et un crayon. Simon pense : Il
faut que je dessine quelque chose ? L'exposition doit être déjà finie.
Alors il se redresse, parce que c'est la première fois qu'il pense à son
passé dans son délire. Jusque-là, ses rêves faisaient office de passé.
Maintenant, c'est un souvenir conscient. Il regarde le crayon, regarde
le papier. Un crayon standard, un papier standard. Staedtler HB,
section hexagonale noir et rouge, pas très bien taillé. Ils ne veulent
pas que je me blesse. Ça ferait un joli titre : Un artiste meurt d'une
blessure de crayon. Je n'ai jamais été assez bon dessinateur pour ça.
    Il observe le matériel avec perplexité et se met à écrire.*

Quand la fille de salle vint rechercher le plateau une heure
plus tard, elle y trouva une feuille détachée du bloc couverte
d'une écriture irrégulière et pointue. Elle fit pivoter le tourniquet, récupéra le plateau et apporta la feuille directement au
Dr Bowen.

Sans même parcourir le griffonnage de l'artiste, le Dr Bowen
courut à la porte de son cabinet, bondit dans le couloir et ouvrit
l'une des fenêtres qui donnaient sur le parking. « "H'houuu" »,
panthurla-t-elle et, quand les lunettes de Whatley étincelèrent
dans la fenêtre ouverte de son bureau – qui était à l'étage inférieur, dans une excroissance de l'architecture – elle fit de grands
signes : « "HouuGraaa" excusez-moi de vous interrompre, Kevin,
mais Dykes a écrit quelque chose ! »

La silhouette biseautée de Whatley se matérialisa dans le cabinet de Bowen et, ensemble, ils déchiffrèrent le message de
l'artiste. « PAR PITIÉ, PAR PITIÉ, AIDEZ-MOI », avait écrit
Simon en capitales maladroites en haut de la feuille. Puis : « Je
suis fou, je le sais. Je suis fou. Par pitié, par pitié, aidez-moi. Ils
viennent tout le temps. Des animaux, des orangs-outans. Est-ce

154

que ce sont des orangs-outans ? Je ne sais pas. Ils viennent m'attaquer. Je n'ai pas vu d'humains. Où sont les humains ? Suis-je
dans un hôpital ? Suis-je fou ? Pourquoi tous ces cris ? J'entends
des cris, des cris de singes. Où sont les humains ? Je ne vois que
des bêtes, des singes. Où est Sarah ? Qui m'a donné ce papier ?
Où sont mes enfants ? Aidez-moi, s'il vous plaît, aidez-moi. Je
suis à bout. Elles m'attaquent, les bêtes m'attaquent. Elles me
mordent et me frappent. Est-ce que ce sont des orangs-outans ?
Qui m'a envoyé ce papier et ce crayon ? Pouvez-vous m'aider ?
S'il vous plaît. Suis-je fou ? Si je vois encore ces bêtes, je vais me
tuer. S'il vous plaît... »

« Que de questions ! gesticula Whatley en reposant la feuille
sur le bureau sans même demander à Jane Bowen si elle avait
fini de lire. Que signifient-elles "heu" ? Ces visions de bêtes...
c'est peut-être bien une hallucination babouine, après tout. Je
vais panthucher Ellchimp à la clinique Gruton, ils ont des archives très complètes, avec de nombreux cas cliniques. Je vais voir
s'ils peuvent nous envoyer quelque chose...

– Mais ces histoires d'humains "heu" ? Il a écrit deux fois <où
sont les humains ?>... qu'est-ce que ça peut bien signifier "heu" ?

– Dieu seul le sait. Il est visiblement très perturbé. Ça peut
être l'indice d'une aphasie de Wernicke. Ses signaux sont cohé-
rents mais ridicules et hors de propos, quoique je me garderai
bien de tirer des conclusions hâtives. Un délire de ce type se
nourrit probablement de toutes sortes de détritus psychiques. Il
pense peut-être que les humains sont une variété d'orangs-outans
"heu" ? De nombreux chimpanzés font la confusion.

– Je sais, je sais, bien sûr », signala Bowen avec impatience
– une audace qu'elle ne se fût jamais permise avec le prédécesseur
de Whatley, qui dirigeait le service avec beaucoup plus de poigne.
Whatley était un chimpanzé sans caractère, et même une guenon
comme Bowen, en dépit – ou peut-être en raison – de son sexe,
pouvait défier sa domination sans crainte de représailles.

155

« En attendant, comment envisagez-vous de poursuivre cette gesticulation avec Dykes "heu" ?

— Je continue sur ma lancée. Avec son second breakfast, je vais lui donner quelques figues ou quelques prunelles en guise de récompense et lui demander de me décrire les bêtes. Essayons d'établir s'il voit plus particulièrement des orangs-outans, des babouins, des humains ou d'autres animaux. On sait que le récit d'un délire peut aider à le dissoudre. »

« *En attendant, comment envisagez-vous de poursuivre cette gesticulation avec Dykes...* » Bowen mima Whatley dès qu'il eut quitté son cabinet, en caricaturant son accent d'Oxford, au doigté mielleux et pète-sec. Elle ne pouvait pas critiquer l'approche clinique de Whatley jusqu'ici, mais il avait, comme elle grimaçait, « un rayon d'application limité » et il risquait de se désintéresser de Dykes avant peu. Bowen ne rejetait pas l'idée que Dykes pût être atteint d'une lésion neurologique organique. Les étranges postures qu'il adoptait étaient presque parkinsonniennes, comme si les membres qu'il essayait de contrôler fussent démarqués de la sensation proprioceptive qu'il en avait.

Elle eût aimé le soumettre à une série de tests, sensoriels, relationnels et autres, mais c'était une entreprise impossible sans la coopération du sujet. Il ne servait à rien de lui injecter des tranquillisants à distance, comme à une bête sauvage. Bowen soupira. C'était une guenon assez frêle, presque bonoboïde, qui trouvait le régime de Charing Cross peu à son goût. La routine était pesante, les heures trop longues, les patients souvent incurables – juste bons pour végéter dans les hôpitaux de longue durée ou les caniveaux. Elle avait toujours rêvé d'être une praticienne de plus grande envergure, plus aventureuse, dans la lignée de Charcot et des autres pionniers du XIXe siècle. Elle méprisait le simplisme de ses collègues qui réduisaient tout à un continuum d'esprit ou à un continuum de matière, sans jamais concevoir qu'il pût y avoir un autre niveau, dans lequel ces continua apparemment inconciliables se confondraient.

Zack Busner, son vieil alpha à l'hôpital Heath, gesticulait en ces termes. Il avait hérité sa sémiologie des antipsychiatres des années 60 et grimaçait toujours de l'« existentiel » et du « phénoménologique ». Aujourd'hui, il s'était fait une seconde jeunesse en redorant son blason pâlissant avec ses anthologies sur des siphonnés prodiges et des savants timbrés. Que ferait Busner de Dykes ? C'était exactement le genre de cas qu'il affectionnait et dont il aimerait se mêler – si le délire de Dykes restait aussi prometteur.

Avec le second breakfast de Simon vint une liste de questions dactylographiées sur le papier à en-tête de l'hôpital :

Hôpital Charing Cross
Service de psychiatrie

Jeudi, le 15 août,

Simon,

Nous croyons – mes collègues et moi – que vous souffrez d'une forme de délire hallucinatoire qui affecte cruellement le fondement même de vos interactions simiennes. Nous évitons tout contact direct avec vous jusqu'à ce que nous puissions établir si notre hypothèse est justifiée ou non. Pouvez-vous, s'il vous plaît, répondre aux questions suivantes aussi clairement que possible ?
Sincèrement vôtre,
Dr Jane Bowen,
médecin-chef.

1. Comment vous sentez-vous ? Éprouvez-vous un malaise physique ?
2. Pensez-vous que quelqu'un vous veut du mal ?

3. Vous rappelez-vous les événements qui ont conduit à votre admission à l'hôpital ?

4. Vous faites allusion à des « bêtes ». À quoi ressemblent-elles ?

5. Pourquoi essayez-vous d'attaquer les membres du personnel médical qui vous approchent – y compris moi – et votre conjointe, ainsi que tout autre allié qui vient vous voir ?

6. Dans votre message, vous faites allusion à des « humains ». Quels humains ? Avez-vous « vu des humains » ?

Bowen observa Simon Dykes à travers le miroir sans tain quand il prit le plateau sur le tourniquet et marcha vers la plate-forme de son nid en position résolument bipède. Il s'y accroupit et, lorsqu'il posa le plateau sur la table en carton, la feuille de Jane Bowen voleta à terre. L'artiste se gratta la tête d'une main languide et se baissa lentement pour ramasser le papier de la même main. « Encore un truc que j'ai remarqué, signala Dobbs, l'infirmière de service, qui observait aussi. Il ne se sert jamais de ses pieds. Sauf pour marcher en rond dans la cellule. Et quand il ramasse quelque chose avec la main, c'est un vrai empoté, comme s'il n'était pas capable de tenir les objets avec l'articulation du pouce et de l'index, voyez... »

C'était vrai, Simon avait du mal à saisir la feuille sur le lino, et son agacement lui tirait de bizarres vocalisations de gorge. Enfin, il eut le message sous les yeux et se mit à lire, en jetant de temps à autre des regards vers la porte. Le Dr Bowen eut la désagréable impression qu'il se savait observé.

Sarah panthucha l'agence le quatrième jour et mima en quelques signes à son patron, Martin Green, ce qui s'était passé.

« "HouuH'Graa" Simon a fait une espèce de dépression nerveuse, Martin. Il est à l'hôpital Charing Cross.

– Surmenage ou survoltage "heu" ? » Green semblait de mauvaise humeur quand il se tourna vers l'écran. Ses signaux étaient secs, son poil à demi hérissé, son museau expressif retroussé sur ses canines.

« Je... j'sais pas.

– Bref, ça signifie qu'on ne te verra pas au travail aujourd'hui, c'est ça "heu" ?

– Je... suis catastrophée, Martin, c'est très grave.

– Grave comment "heu" ? »

Elle le lui montra, sans rien omettre.

« Seigneur Jésus, signala-t-il après un instant de stupeur. Sarah, sans vouloir passer pour un vieux réac, je dois grimacer que cette union monogame, ces "euch-euch" drogues et je ne sais quoi encore, enfin...

– Je sais, je sais.

– Excuse-moi si j'ai été un peu rude "grnnn". J'ai eu une matinée infernale, j'ai encore eu du fil à retordre avec ce Young. Je venais juste de gesticuler avec lui quand tu as panthurlé. Il signale qu'il ne déboursera pas un penny...

– "Ouaaa !"

– Exactement. Et qu'est-ce que je vais faire sans toi au bureau "heu" ? Ça m'ennuie de le grimacer, mais ton statut dans la hiérarchie risque d'en souffrir...

– Je sais, je sais...

– Décidément, tu n'as que ce signe à la main. Bon, quand est-ce que je peux espérer te revoir ?

– Je vais aller quelques jours à Cobham, dans mon groupe natal, histoire de me faire épouiller un peu. Je te panthucherai lundi. Regarde, Martin, je reconnais ta souveraineté d'employeur, je vénère ton pénis inflexible, tu es le moignon levant de mon firmament ischiatique. Je savoure ton odeur...

– C'est bon, Sarah, tu es une bonne subordonnée. Va te reposer. »

Sarah prit le tortillard à Victoria et descendit à West Byfleet. C'était un après-midi très chaud et Gracie pantelait ; importunée par les mouches qui vibrionnaient autour de sa tête, elle ne cessait d'agiter la crinière en hennissant. Sarah lui avait acheté un sac d'avoine au terminus, mais il était fini depuis longtemps et le cheval miniature commençait à piaffer. « Là.... là... "chup-chupp-chupp" là... là... » faisait Sarah en bouchonnant négligemment la crinière caramel.

Elle s'accroupit sur son siège et feuilleta un numéro de *Cosmopolitan*, qu'elle tenait entre les doigts d'un pied en tournant les pages avec ceux de l'autre. Des publicités pour des enflures artificielles, des vêtements exhausseurs d'enflures, des cliniques pour enflures, des cours et des manuels sur la meilleure façon de tirer partie de son enflure. Et tous les récits confidentiels : « Je suis restée en couple avec un mâle pendant un an ! » « J'ai intégré trois nouveaux groupes en un seul œstrus » et ainsi de suite. La saillie, la saillie, la saillie, pensa Sarah, ils ne parlent vraiment que de ça dans les magazines femelles, à croire que c'est la seule chose qui compte.

Mais même cette pensée antisexuelle réveilla en elle le souvenir des coïts de Simon. Sa rapidité la deuxième fois – la dernière fois – avait été phénoménale. Elle avait cru que son orgasme allait la déchirer en deux, de l'enflement jusqu'à la bouche, répandre ses boyaux sur les draps chiffonnés du nid. « *Je veux un amant qui se démène / Je veux un amant qui fasse ça vite / J'veux pas d'un mâle qui traî-aîne / J'veux qu'il me prenne en vitesse...* » Les signes de la chanson soul lui revenaient justement en mémoire – c'était un peu leur chanson, en un sens. Elle avait l'habitude de faire les gestes pendant qu'il l'accompagnait en vocalisant – et elle se surprenait maintenant à les refaire, distraitement, dans la région de son enflement. Quand le train entra en gare, elle avait le museau échauffé et Gracie hennissait de plus en plus fort.

Le révérend Davis, le mâle bêta éloigné des Peasenhulme, l'attendait dans la Range Rover du groupe. « "HouuH'Graa" », panthurla-t-il quand elle sauta du train. La gare résonnait d'autres panthurlements de bienvenue et, en voyant alentour les jardins verts des faubourgs, Sarah fut presque heureuse de rentrer dans le Surrey. « Je suis à l'heure, gesticula le révérend, mais toi... » Il consulta une montre à gousset qu'il tira de la poche de son gilet, une affectation que Sarah avait toujours trouvée assommante. « Toi, tu as presque sept minutes de retard. Un petit coup de bite "heu" ? »

Il la prit sans cérémonie. La tête de Sarah cognait contre la portière du 4 × 4, tandis qu'il la besognait à la va-vite en s'aidant de la poignée extérieure pour pousser.

« Ta mère a prévu un premier souper de bonne heure, signala le révérend comme ils filaient vers Cobham sur l'A 245. Le groupe n'est pas très nombreux en ce moment. Plusieurs mâles sont allés à Oxshott pour saillir Lynn. Elle est en chaleur, tu savais ?

– "Ouaah" oui, je sais », pianota Sarah, irritée, les doigts crispés. Lynn l'avait panthuchée ce matin. Cette idiote n'avait cessé de radoter sur ses projets, lui expliquant qu'elle ne prendrait pas la pilule pendant cet œstrus, que Giles voulait vraiment un bébé maintenant qu'ils s'étaient mis en sous-groupe et comment elle allait meubler la chambre du petit et qu'elle avait trouvé de nouveaux arbres de jeu absolument adorables en promotion chez Conran et patati et patata... Un pareil manque de tact avait tellement exaspéré Sarah qu'elle avait failli lui raccrocher au doigt.

« Tu te sens un peu "greu-nnn" abandonnée, hein, ma chérie "heu" ? tapota le révérend sur le ventre de Sarah, en retroussant son chemisier pour cueillir des particules de son propre sperme déjà presque sec – une attention tendre qui réconforta Sarah.

161

– Excuse-moi, Pete "huh-huh-huh", maman a dû te raconter ce qui s'était passé...

– Oui, Sarah, mais sois sans inquiétude, je n'ai pas l'intention de te faire la morale "chup-chupp". De nos jours, une jeune guenon de plus de vingt ans a parfaitement le droit de vivre en couple si elle en a envie, c'est elle que ça "greu-nnn" regarde. Tout le monde ne peut pas se mettre en ménagerie ou fonder un sous-groupe dès les premières chaleurs, les temps ont changé. Comment va-t-il, au fait, "heu" ?

– Pas d'amélioration, hélas, j'en ai peur. Il continue à voir des orangs-outans et des humains. Sa psy pense que sa psychose est centrée sur sa chimpanité même. J'sais pas... » Elle hocha la tête. « "Heuuu" ça ne me paraît pas très vraisemblable. »

C'était l'un des traits de caractère que Sarah préférait chez le révérend. Outre sa tolérance typiquement anglicane pour les comportements non orthodoxes – elle savait qu'il avait été un homosexuel actif dans sa jeunesse –, il n'essayait pas de tirer les vers des narines et n'insistait pas quand il n'avait rien de particulier à gesticuler. Ils restèrent peu sémantiques pendant le reste du trajet, se grattant gentiment les poils en digitant de la pluie et du beau temps, du nouveau revêtement de la Range Rover, de la prochaine opération de la prostate de son alpha, d'une tombola que le révérend organisait.

CHAPITRE 9

Triste matinée à l'hôpital. Le panthurlement sain des chimpanzés de la rue composait une affreuse cacophonie avec les cris et les aboiements terrifiés des aliénés de Gough et les gémissements et huées des névrosés de Lowell. Le Dr Jane Bowen, accroupie dans son cabinet, les pages « société » du *Guardian* à côté d'elle, tenait entre les pieds des feuilles de papier qu'elle parcourait des yeux. C'était le dernier message de Dykes apporté par Dobbs. L'écriture était aussi tordue et saccadée que précédemment, mais le style heureusement plus lucide, presque appliqué.

Au lieu de répondre aux questions dans l'ordre, il avait rédigé un compte rendu des derniers jours tels qu'il les avait vécus – si on peut employer ce mot. Mais le récit divaguait quand Dykes essayait d'extérioriser ce qu'il croyait être son problème.

Je me sens bien physiquement. Tout à fait bien, je ne ressens aucune douleur – même moins qu'avant. Avant, c'est-à-dire avant de me retrouver dans cette maison de fous. Quand je me suis réveillé, à la place de ma conjointe, Sarah, il y avait un putain de singe, un orang-outan ou je ne sais quoi. Et un cheval miniature. Je sais que c'est difficile à croire, mais je vous jure que c'est la vérité. Il faut me croire, je vous en conjure. J'ai essayé de repousser cette saloperie de singe, j'ai appelé Sarah, j'ai crié. Mais cet animal avait une force terrible. Il m'a frappé. Mon Dieu, vous n'imaginez pas comme c'était effrayant. Et absolument réel, pas comme un

163

rêve, pas comme la drogue, mais réel, réellement réel ! Ensuite, je ne sais pas, j'ai dû perdre connaissance. Je ne me suis rendu compte de rien. Quand je suis revenu à moi, il y avait d'autres orangs-outans dans la pièce. Ils me frappaient ! Je sens encore leurs coups. Ils m'attaquaient ! Ils avaient d'horribles yeux verts, et ils étaient si rapides ! Si forts. J'aurais juré que c'était la réalité. Puis, heureusement, je me suis évanoui de nouveau.

Je ne sais pas depuis combien de temps je suis ici. Je sais que je suis dans un hôpital psychiatrique. Tout l'indique. Je pense que c'est Charing Cross. Suis-je à Charing Cross ? Mais ce délire – comme vous l'écrivez – persiste. Chaque fois que quelqu'un entre dans la pièce pour me faire une piqûre, c'est un de ces putains de singes, un de ces orangs-outans ou je ne sais quelle race de démons. Je n'ai pas vu un humain depuis que je me suis endormi avec Sarah, dans notre nid, il y a quatre jours. Je sais que je suis fou. Si vous êtes psychiatre, pourquoi ne pouvez-vous pas m'aider ? Je sais que je suis fou. Même ces questions que vous m'avez envoyées (et, au fait, merci d'empêcher les orangs-outans d'entrer dans la pièce, c'est un soulagement) font partie du délire. Je ne comprends pas votre question sur les humains. Et les babouins. JE SUIS HUMAIN. Croyez-moi, JE SUIS HUMAIN. Par pitié, aidez-moi, envoyez-moi mon ex-alpha ou mes petits, ou Sarah ou quelqu'un. Je ne crois pas que je vais pouvoir tenir très longtemps. Je me tuerais si j'en avais les moyens. Pouvez-vous m'aider ? S'il vous plaît.

La psychiatre réitéra son manège : fenêtre et panthurlement. Whatley n'était pas là, à ce que contre-hurla sa secrétaire. Il était au foyer ou peut-être à son club, le Garrick, pour un déjeuner avec John Osborne. Osborne – allié quelque peu surprenant pour Whatley – devait mourir cette année-là, en pissant sur un luminaire électrique. Whatley l'avait prévu.

Le Dr Bowen dut attendre vingt minutes avant que le mandarin ne daigne ramper chez elle. « HouuGraaa » ! Il tambourina avec méfiance sur le chambranle. Mon Dieu, comme elle le méprisait ! Ils ne s'étaient pas touchés depuis vingt-quatre heures, mais Bowen expédia les formalités de grattage aussi vite que possible, en huant d'impatience. « Alors, fit-il en lui titillant la nuque, juste au-dessus d'une croûte particulièrement irritante, qu'a encore inventé notre génie créateur "heu" ? Ma secrétaire signale qu'il a envoyé une autre missive.

– "Euch-euch" lisez ça. » Elle lui passa le message de Simon, que Whatley lut sans vocaliser, à part un petit grognement de satisfaction de temps en temps. Pour s'occuper, Bowen s'amusa avec les jouets de son bureau – le genre de jouets qu'ont tous les médecins, généralement offerts par des parents ou amis après leur soutenance de thèse. Bowen avait quelques crânes phrénologiques, qu'on pouvait déboîter et reconstituer à sa guise pour former des chimères neurologiques. Elle avait aussi un kit miniature de neurochirurgie, avec tous les instruments et le cervelet. Quand on faisait une erreur dans une mini-lobotomie, on entendait un bip.

« "Hhouuu" ! panthurla Whatley facétieusement. <Réellement réel>, ça me plaît bien, ça. Très imagé "heuu" ?

– Normal, c'est un artiste visuel.

– "Hou" oui, "hou" oui. Bon, reprit-il en jetant la feuille sur le bureau et se tournant vers Bowen, ça ne ressemble pas tellement à une hallucination babouine "heu" ?

– Non.

– Vous avez lu les récits cliniques qui sont arrivés de Gruton "heu" ?

– Bien sûr.

– L'hallucination babouine classique est toujours focalisée sur les canines, des coïts simulés, etc.

– Je les ai lus, Whatley.

– Parfait, parfait. Rien de semblable ici, n'est-ce pas "heu" ?

– Non.

– C'est un peu confus, pas vrai ? Il écrit qu'il pense être à Charing Cross alors que les questions sont rédigées sur du papier à en-tête. Et ces humains. Est-ce que les <bêtes> qui l'attaquent sont des humains "heu" ? Est-ce qu'il voit les chimpanzés comme des hommes ?

– Il écrit qu'il est, lui, humain...

– Il se prend pour un humain "heu" ?

– Ça me paraît clair. » Bowen commençait à s'énerver. Elle trancha délibérément dans le cortex miniature de son jeu de lobotomie, ce qui déclencha le bip de mort.

« Eh bien, je ne sais pas trop quoi faire maintenant. Vous avez une idée ?

– Continuer comme ça encore quelques jours, essayer de le tirer de sa prostration et lui faire comprendre que nous aurions besoin de procéder à des tests neurologiques. Mais cette situation ne peut pas durer, Whatley. Ses proches voudront le faire sortir. Nous ne sommes pas vraiment qualifiés pour un isolement de vingt-huit jours, vous savez, et ce chimpe a des alliés influents. Son marchand d'art et son médecin de l'Oxfordshire ont pan-thurlé deux fois aujourd'hui pour demander de ses nouvelles.

– Et l'ex-alpha "heu" ?

– Elle s'en désintéresse.

– Sa conjointe "heu" ?

– Sur la touche pour le moment. Elle est allée voir son groupe natal dans le Surrey...

– Oui, elle a bien l'air d'une femelle du Surrey. Je l'imagine tout à fait à dos de chien, avec une bombe sur la tête et un "greu-nn" protège-enflure surpiqué..., ricana-t-il en claquant des dents.

– Épargnez-nous vos fantasmes, Whatley, je vous en prie. »

Ce fut donc Bowen seule qui poursuivit le programme de communication avec Simon Dykes, elle seule qui se chargea de calmer Bohm et Levinson quand ils panthurlèrent de nouveau.

« Je pense que nous faisons quelques progrès, grimaça-t-elle à ce dernier dans l'après-midi.

– Quel genre de progrès "heu" ? Est-ce qu'on a une chance de le voir sortir la semaine prochaine "heu" ? J'ai repoussé le vernissage jusque-là, mais il n'est pas question de le retarder encore. Les toiles sont montées, les invitations envoyées, le vin acheté... Franchement, il vaudrait mieux qu'il soit là...

– Ça vaudrait mieux pour qui "heu" ?

– Mais pour lui, bien sûr. C'est une exposition très importante pour Simon. Très importante. Elle va peut-être le placer parmi les meilleurs peintres contemporains d'Angleterre. Vous savez que la Tate a acheté son *Monde d'ours* l'an dernier "heu" ?

– Je suis au courant, oui. Grimacez-moi, à quoi ressemblent les tableaux de cette nouvelle exposition "heu" ?

– C'est en rapport avec son état "h'heuu" ? Je ne tiens pas à dévoiler ça maintenant, vous le saurez après le vernissage... » Levinson rajusta ostensiblement son nœud papillon, avec quelques fugaces digitations agacées – du genre : « Elle m'emmerde, celle-là » – qui n'échappèrent pas à Jane Bowen.

« Je vous ai vu "ouaaar" ! cria-t-elle, rageuse, le poil dressé, en faisant quelques démonstrations de force devant l'écran, jetant des blocs-notes, des stylos, tout ce qui lui passait sous la main. "Ouââârrr" ! Permettez-moi de vous rappeler, monsieur Levinson, que vous avez affaire à un médecin et non à une petite femelle de galerie. Me suis-je bien fait comprendre "h'heueuu" ?

– Bien sûr, bien sûr. Je vous en prie, ne vous énervez pas... votre oignon basal est un émerveillement rose pour moi... » Jane Bowen faillit éclater de rire. Voilà que cette vieille tante timorée lui présentait sa croupe anguleuse par-dessus le bord de son bureau. « Il faut que je sois très prudent, je suis sûr que vous me comprenez... les médias... cette crise... ils vont en faire leurs papayes grasses... et "hou" les tableaux en eux-mêmes sont déjà très descriptifs. Vraiment très descriptifs.

– En quel sens "heu" ?

– Ce sont surtout des tableaux sur la désintégration, la destruction du corps... comme... » Il cherchait ses signes en manipulant une paire de lunettes à monture d'or sur son arête nasale. « Comme une *dis*corporation. Très impressionnant. Il s'est inspiré des tableaux apocalyptiques de Martin pour réaliser une série de toiles représentant des scènes de destructions corporelles à la fois imaginaires et historiques, avec un graphisme extrêmement torturé... »

Les mains du marchand d'art retombèrent à plat. Ses lunettes glissèrent sur son arête nasale. Il les redressa.

« Je vois. » Jane Bowen s'était calmée. La description du galeriste l'avait même charmée. « Vous savez "grnn", ces tableaux ont peut-être eu une influence sur cette crise. Il manifeste des symptômes de confusion corporelle, une sorte de cafouillage dans la proprioception...

— Dans la quoi "heu" ?

— La faculté inconsciente de sentir la position de son propre corps dans l'espace. Normalement, c'est le résultat d'une lésion organique, mais j'y vois un rapport assez net avec ce qui semble le préoccuper. Ce pourrait être ce que nous appelons une conversion hystérique. Regardez, monsieur Levinson, je vous remercie de votre "grnn" confiance. J'espère sincèrement avoir bientôt de bonnes nouvelles pour vous, mais ne comptez pas le voir rétabli pour le vernissage...

— Et pour les interviews "heu" ?

— Ça m'étonnerait beaucoup, il est encore très perturbé. »

Après le panthurlement, George Levinson pivota à cent quatre-vingts degrés et s'accroupit, immobile, devant l'une des toiles qu'il avait décrites à la psychiatre. Supposer qu'elle pût contenir un élément pathologique était à la fois un euphémisme et – du point de vue de Levinson – une incongruité. Le débat entre folie et créativité était parfaitement oiseux en ce qui concernait le travail de Dykes, ainsi que de presque tous les artistes de vrai talent qu'il exposait. Ils faisaient ce qu'ils avaient à faire, c'était tout.

Mais ces tableaux, en particulier celui-ci, qui montrait avec d'épaisses couches de matière l'instant précis où avait éclaté l'incendie de King's Cross en 1987, étaient des visions de cauchemar. On voyait les voyageurs, bouche ouverte, renversés dans l'escalator par l'éruption de la boule de feu dans la salle des pas perdus ; deux ou trois chimpanzés qui se consumaient déjà, dans une efflorescence blanc et orange de vêtements et de poils ; et un chimpanzeau, catapulté dans les airs, qui tombait sur le spectateur. George Levinson hocha la tête avec émerveillement : quel que soit l'angle de vue du spectateur, le chimpanzeau tombait toujours dans sa direction, comme pour le sortir de sa passivité en le suppliant de le rattraper. C'était l'équivalent « dykesien » des yeux du *Cavalier riant*. Dans le contexte de ce tableau, il ajoutait plus que l'insulte à l'inconcevable blessure. Levinson repensa à la soirée qui avait précédé la crise de Simon, repensa à cette étrange gesticulation lors du vernissage à Chelsea. Était-ce là le manque de perspective qu'il avait voulu mimer ? Ou s'était-il déjà, dès ce soir-là, senti glisser dans l'abîme ? Quelle que fût la réponse, pensa George, il y aurait une émeute quand les critiques verraient ces œuvres.

Les étés du Surrey, songeait Sarah, appuyée sur la clôture du minuscule pré de ses parents... Est-ce que je les regrette ? Peut-être, ou peut-être que je regrette simplement la jeune femelle que j'étais, tout entière accaparée par les gymkhanas, les professeurs, les copulations ludiques.

Derrière le pré s'élevaient des ifs vert sombre. Entre leurs feuillages drus, elle apercevait le mur en silex de Saint-Peter, l'église du révérend. « Pas mal, "heu" ? » Elle revoyait encore cette grimace qu'aimait tant Peter quand elle était petite : « Le révérend Peter de Saint-Peter, faut le faire ! » Un des chiens bondit vers elle. Le vieux chien de chasse de son père, Shambala, un berger d'Alsace rayé de gris, de quelque quinze bonnes mains de haut. Il jappa et tendit une langue rose, longue comme un avant-bras, toute gluante de bave. Elle lui flatta l'encolure, tandis que Gracie hennissait en lui reniflant les jarrets. « Plus de lièvres à courser, "heu" Shammy, "grnn" mon bon vieux Shammy ? » imprima-t-elle sur son garrot.

Elle fut interrompue par le panthurlement de sa mère à la porte de la serre. Un panthurlement qui signifiait « Sarah ! À table ! » et dans lequel on devinait une nuance de reproche : « "H'h'ouuGraa" ! »

Sarah répondit qu'elle arrivait tout de suite : « "H'houuuu" ! » Mais, en vérité, elle n'avait aucune hâte à retraverser le jardin sculpté, avec ses parterres en forme de haricots, plantés de pavots, de pieds-d'alouette et de chrysanthèmes.

Il en allait toujours ainsi après les deux premiers jours, les visites à la famille – et la cavalcade ininterrompue des saillies quand elle était en chaleur, comme maintenant –, Sarah se sentait prise au piège dans le petit confort de la maison de ses parents, le petit confort de leur petit univers. Leurs tournures de gestes qui ne changeaient pas, le : « J'arrive, chérie » de son alpha, presque invariablement suivi d'un : « Il n'a jamais d'heure » de sa mère. Et leurs petites manies. Les vieilles lunettes à monture d'écaille de son alpha attachées avec de la ficelle derrière son crâne dégarni ; le protège-enflure molletonné, ridiculement démodé, de sa mère, qui devait la faire affreusement transpirer par cette chaleur – pensait-elle – et offrir un paillis douillet aux tiques et aux lentes.

« C'est à cause des chiens, tu comprends, signalait Hester Peasenhulme, à geste bas comme si ses signaux ne s'adressaient pas vraiment à Sarah. Quand je n'ai pas mon vieux protège-enflure habituel, ils sont perdus. » Depuis que Sarah avait quitté le territoire natal pour aller à l'université à Londres, jeune femelle à peine nubile, toute gênée par ses premiers enflements, l'explication était toujours la même, alors qu'il ne restait plus aujourd'hui que deux chiens dans le paddock au fond du jardin, Shambala et Sugarlump, son dernier animal de compétition, avec lequel Sarah avait gagné tous les gymkhanas du club canin.

Et si le protège-enflure était un sujet de bisbille entre elles, c'était parce qu'il cachait autre chose que les enflements à présent irréguliers et fripés de sa mère : il cachait un profond traumatisme lié à la copulation, à Sarah et aux Peasenhulme en général. Un traumatisme que Sarah avait ressenti confusément tout au long de sa sub-adultescence.

« Est-ce que ton alpha t'a saillie ce matin "heu" ? grimaça Mme Peasenhulme, tremblante, quand Sarah entra en rampant par la porte du jardin.

– "Houu" tu le sais bien, maman, tu étais là, fit Sarah d'une gestuelle sèche qui dissimulait mal son agacement.

– Je te prierai de me "euch-euch" grimacer sur un autre ton, jeune femelle. Tant que je serai en vie, tu ne seras jamais assez vieille pour cesser de témoigner du respect à ta mère.

– Maman "houu"... » Sarah eût voulu la voir bondir sur elle pour la frapper, eût voulu sentir sur sa joue la griffure de ses vieux ongles usés par le désherbage, mais les coups ne fusaient plus – n'avaient jamais vraiment fusé d'ailleurs, même dans son bas âge.

Hester Peasenhulme se contenta de faire la moue et lança un torchon à Sarah en gesticulant : « Aide-moi à essuyer la vaisselle. » Comme toujours, Sarah eut l'impression que sa mère se désintéressait d'elle, tant étaient rares ses attaques – ou toutes autres manifestations de domination hiérarchique.

Sarah s'était longtemps interrogée à ce sujet. Était-ce lié à la faible fréquence des saillies de son alpha ? Alors qu'elle avait eu un bas âge heureux et choyé, ce malaise qui couvait depuis longtemps – sans jamais être identifié – s'était tout à coup affirmé lorsqu'elle avait quitté le territoire natal.

À Londres, où elle avait étudié le dessin et les arts déco, elle s'était laissée distraire de son travail comme ses congénères pour vivre des expériences de couple, sans doute instructives, mais décousues. Et elle avait passé des nuits blanches à réviser, avec l'aide d'excitants, avant de succomber aux contre-effets de la drogue – comme ses alliés. Et, comme eux, elle avait eu la sensation que sa psyché sombrait dans le grand bain de la vie.

Mais, pour Sarah, tout avait été un peu plus grave que pour les autres, ses unions plus destructrices, les fissions plus théâtrales, les tristesses plus globales, les déprimes plus écrasantes.

Elle avait fini par craquer et, n'y tenant plus, pleurant du matin au soir, incapable d'assister aux cours, elle était allée trouver le conseiller d'études. Il était là pour ça, pour aider les étudiants dans leurs problèmes affectifs et psychologiques. Il fut direct, ce qui la rassura. Elle avait craint des digitations interminables, un diagnostic implacable, des thérapies tordues, un relevé cartographique de son univers onirique.

« Grimacez-moi franchement, fit Tom Hansen, blond, droit, impérieux de la lippe et dominateur de l'arête nasale, est-ce que votre alpha vous a saillie quand vous étiez petite "heu" ?

– Ou... oui, bien sûr.

– Souvent "heu" ?

– Tout dépend de ce que vous tâtez par là...

– Aussi fréquemment que les mâles des autres groupes natals "heu" ?

– Non. Une fois par œstrus à peu près "euch-euch". Ça m'a toujours intriguée. Il semblait préférer ma sœur Tabitha et je crois que j'étais jalouse. Il a commencé à la saillir quand elle avait huit ans et enflait à peine. »

Avant cet entretien, Sarah eût opposé une incrédulité scandalisée à quiconque eût tenté de lui expliquer qu'elle avait été sexuellement traumatisée dans son bas âge. Mais, une fois que Tom Hansen lui eut fait comprendre à quel point la négligence de son alpha avait été dévastatrice, d'autres pièces du casse-tête se mirent en place. L'indifférence chronique de sa mère, qui ne l'emmenait presque jamais en patrouille solo, était sûrement un effet de sa propre culpabilité par rapport à cette négligence de Harold Peasenhulme à l'égard de sa fille aînée, à qui il refusait les bons coups de bite sans lesquelles aucune femelle ne peut s'épanouir, ne peut prendre conscience de sa féminité, se sentir à l'aise dans son corps de guenon.

La première réaction de Sarah, en découvrant cette dure et douloureuse réalité sur elle-même, fut de couper tous les ponts avec son groupe natal, de se transformer en femelle solitaire et de se consacrer à la recherche du plaisir. Mais Tom Hansen la ramena à plus de sagesse. « Ils ne vous ont peut-être pas baisée, fit-il, paraphrasant Larkin[1], mais demandez-vous si eux-mêmes ont été baisés par leurs parents.

– Qu'est-ce que vous voulez signifier "heu" ?

– Ce genre de "euch-euch" mauvais traitements sexuels tend à se perpétuer de groupe en groupe, Sarah. Si vous avez le courage d'en débattre avec moi, si vous vous attachez à tisser de nouveaux liens avec vos parents, peut-être que vous arriverez à attaquer le mal à la racine, à empêcher la gangrène de se répandre au fil des générations. »

Jusqu'à la fin de ses années d'études, Sarah alla voir Tom Hansen toutes les semaines et gesticula sans relâche avec lui sur les détails de sa croissance. Elle recréa si souvent les circonstances exactes de ses petites colères d'après sevrage devant cet avenant thérapeute que celui-ci finit par être incorporé à ses souvenirs mêmes, comme un facteur secondaire mais influent.

---

1. Cf. les vers célèbres du poète Philip Larkin : « *They fuck you up / Your Mom and Dad* » (Ils vous bousillent / Papa et maman). *(NdE)*

Hansen l'initia à Freud, l'alpha fondateur de la psychanalyse, le premier chimpanzé à montrer le pouvoir destructeur que pouvait avoir sur sa fille un alpha biologique qui négligeait de la saillir. Et, à mesure que Sarah se comprenait mieux elle-même, elle comprenait mieux ses parents, à défaut de leur pardonner tout à fait.

Mais les choses changèrent aussi à l'intérieur du périmètre familial. Sans rien grimacer, Harold Peasenhulme commença à la saillir plus régulièrement, bien que toujours avec la même nonchalance, le même désintérêt – des copulations qui traînaient en longueur, duraient parfois jusqu'à une minute.

Et maintenant, avec ses problèmes de prostate, je crois que je peux renoncer définitivement à mes espoirs de me faire sauter une bonne fois bien comme il faut, songea-t-elle avec dépit. Elle prit une assiette à fleurs sur l'égouttoir et lui donna un rapide coup de torchon. La saillie à laquelle sa mère venait de faire allusion avait duré une éternité, son alpha avait ahané sur son dos en la pénétrant à peine, avec un pénis mou – si mou qu'il avait fini par renoncer : incapable de conclure, il avait ramassé son *Telegraph* et s'était retiré dans son bureau sans même un petit bouchonnage de consolation.

Si c'est une saillie, ça, alors je suis Mae West, avait-elle pensé et, ravalant sa fierté, elle avait forcé Jane, la femelle delta des Peasenhulme, à lui chercher des poux pendant une bonne heure – une lamentable séance de pincements et chatouilles, la pauvre guenon n'ayant pas plus de doigté qu'une mule.

La maison des Peasenhulme, à l'image de leur voiture, était confortablement meublée dans un style d'avant-guerre. Chaque pièce était joliment tapissée de papier William Morris. Dans le salon, des divans moelleux et des fauteuils crapauds faisaient face à une table basse cirée ornée d'un vase en verre taillé, toujours garni de fleurs. Dans les chambres à nicher, il y avait toujours des sachets de lavande au fond des tiroirs des commodes. Et, dans la grande cuisine, la vieille Aga trônait encore, bien qu'elle ne fût plus qu'un élément décoratif depuis de longues années, Hester Peasenhulme préférant se servir de la cuisinière à gaz plus moderne que son fils Giles lui avait installée.

Giles, son cher petit Giles, toujours si prévenant. Comme si cela ne suffisait pas à Sarah d'avoir une sœur comme Tabitha, qui allumait les mâles même quand elle n'était plus en chaleur et dont les exquis enflements duraient parfois des semaines, il lui fallait encore supporter Giles, le fils parfait. Giles, qui n'était pas allé plus loin qu'Oxshott pour fonder son propre sous-groupe et trouvait encore le temps de venir presque tous les jours dans le territoire natal pour donner un coup de main à ses vieux géniteurs.

La veille au soir, après leur dernier souper, en présence de Giles et de son sous-groupe minaudier, Harold Peasenhulme avait touché Sarah du doigt. « Je ne sais pas ce que je ferais sans l'aide de Giles, tu sais, lui avait-il signifié avec complaisance. C'est une bouée de sauvetage pour nous, maintenant que j'ai tant de mal à traîner ma carcasse. » Harold Peasenhulme avait fait toute sa carrière à la mairie, une carrière remarquable seulement par sa longueur et sa langueur – deux caractéristiques qu'on retrouvait dans sa façon de s'exprimer : il employait toujours quatre ou cinq signes là où un seul eût fait l'affaire, sans jamais varier sa cadence gestuelle. Il avait un jour voulu se présenter aux élections parlementaires – comme conservateur, bien sûr – et le comité du parti avait rejeté sa candidature avec cette justification succincte : « Barbant. »

Giles ricana jusqu'aux oreilles devant le compliment de son alpha, qu'il était en train de gratter diligemment, en dévoilant les canines pointues typiques des Peasenhulme. « Houu », ne te fais d'illusions, vieux chimpe, grimaça intérieurement Sarah, ton petit flatteur va t'expédier à l'hospice et récupérer la maison avant que t'aies le temps de hurler ouf. Puis, une fois de plus, elle se sentit coupable, comme toujours ou quasiment lorsqu'elle pensait à son alpha. Elle eut presque de la peine pour ce vieux maniaque. Presque – mais pas tout à fait.

Le troisième jour, après le second déjeuner, son alpha l'appela dans son bureau : « "H'houou". »
Elle traversa d'un bond la cuisine où elle faisait des confitures avec sa mère.
« "H'heuu" oui, alpha ?
– Sarah, il faut que nous ayons une petite gesticulation tous les deux, signala-t-il maladroitement, avec des cure-pipes et des pipes plein les pieds et les mains. Tu as vu le journal de ce matin "heu" ?
– Non, alph.
– Eh bien, tu devrais y jeter un coup d'œil. »
Il lâcha une pipe, attrapa le *Telegraph* et le lança vers elle à travers sa table de travail. Le journal était ouvert sur la rubrique « Peterborough ».
La première chose qui attira l'œil de Sarah fut la photo de Simon. Elle blêmit. C'était une vieille photo et Sarah reconnut l'étole de son ex-alpha négligemment jetée sur son épaule. Elle ressentit une poussée de jalousie, comme chaque fois qu'elle voyait une preuve matérielle, même lointaine, de l'existence de Jean Dykes, puis se ressaisit et lut l'article.

Malgré le beau temps, on peut s'attendre à un vernissage nuageux à la galerie Levinson de Cork Street jeudi prochain. Simon Dykes, ce peintre ténébreux et caractériel, dont le penchant pour la recherche de stimuli créateurs dans les petits coins est bien connu des habitués du Sealink, est apparemment devenu encore plus ténébreux et caractériel.
A-t-il entrepris quelques retouches de dernière minute dans sa vie, dans le style torturé des personnages brutalisés qui s'étalent

dans ses dernières toiles ? Cela expliquerait peut-être sa résidence actuelle, le service psychiatrique de l'hôpital Charing Cross, le plus mauvais côté de Fulham.

À moins que cela n'ait quelque chose à voir avec la jeune et jolie Sarah Peasenhulme, dont l'absence de son repaire nocturne habituel a coïncidé avec l'indisposition de l'artiste ? Indubitablement, le seul moyen de le savoir est d'aller au vernissage et d'en toucher un signe à George Levinson, un chimpe connu pour ne pas mâcher ses doigts.

« "Ouaarf" ! Salauds de journalistes, quel est l'enf...

– "Ouaaarf" ! Sarah, surveille ta vocalisation, s'il te plaît.

– Mais, alph, c'est répugnant. Frapper Simon quand il est à terre. Tu ne vas quand même pas...

– Ma foi, ce genre de ragots m'inciterait plutôt à compatir avec ton "euch-euch" conjoint, c'est vrai, bien que ce journaliste semble sous-signifier que c'est un drogué et que, comme tu le sais, je n'aie jamais approuvé votre association. » Harold Peasenhulme ramassa le journal que Sarah avait laissé tomber, le plia et le rangea sur un coin du bureau pour un usage ultérieur.

« "Heu" alph, tu ne vas pas recommencer avec ça, je t'en prie. Je suis la conjointe de Simon depuis plus d'un an maintenant.

– Oh, je sais bien. Et je sais aussi qu'il y a peu de chance de le voir fonder un nouveau groupe avec toi, pour toutes sortes de raisons. Des raisons dont tu es aussi consciente que moi, j'en suis sûr. Tout ce que je peux grimacer, c'est que j'espère que tu profiteras de l'occasion pour aller te faire saillir ailleurs. Je t'ai couverte ce matin...

– Si on veut.

– Giles viendra te saillir avec quelques mâles extérieurs chaque fois que tu panthurleras. Peter et Crispin seront toujours ravis de t'enfourcher. Sarah "gr-unn", nous n'avons jamais été sur la même longueur d'onde, je sais, mais ne crois-tu pas qu'il serait temps pour toi de trouver un groupe polygame stable "heu" ? Tu dois te rendre compte que cette union ne te mènera à rien. Ça frise la... monogamie, et sans aucune justification. » Ses doigts butèrent sur le signe « monogamie », comme par peur d'une contagion.

« Je ne peux pas, alph. Je l'aime. Je veux l'aider. C'est un chimpanzé brillant, un grand singe. Je serais prête à être sa conjointe... pour la vie. »

Et, sur ces gestes enflammés, elle sortit en coup de vent sans accorder le moindre grattage à son alpha. Le poids de l'indifférence de Harold Peasenhulme pesait encore sur ses épaules quand elle fit sa valise et se prépara à partir. Pourquoi, « houu » pourquoi, « houu » pourquoi ne peut-il pas me battre comme un vrai alpha ? Je l'insulte, je défie son autorité et il ne réagit pas. Il ne m'aime pas, c'est clair, il ne m'a jamais aimée.

Le révérend Peter la reconduisit à la gare de West Byfleet une heure plus tard. Elle s'en alla fâchée, sans un panthurlement d'adieu à ses parents. Peter la saillit trois ou quatre fois sur le bas-côté de la route pendant le trajet, écartant son protège-enflure en coton et la pénétrant avec une ardeur surprenante pour son âge. « Tu es sûre que tu ne veux pas rester encore "heuu" un jour ou deux, ma chérie ? J'aimerais te sauter encore un peu, ça me redonne le moral.

– Oh, révérend, si seulement tu étais mon alpha. Ta sainte trouée est si belle, ta spiritualité jaillit comme une étincelle de ton gland.

– Tu es trop bonne, ma chérie. »

Ils s'embrassèrent avec effusion sur le quai, et le révérend fit aussi une papouille à Gracie. Pendant les dix minutes d'attente du train, de nombreux mâles paradèrent devant Sarah. Il y en eut jusqu'à trois en même temps, qui se pavanaient en agitant des magazines ou des journaux pour manifester leur disponibilité copulatoire. « Tu devrais en accepter un, ma chérie, signala le révérend. Ça te plairait peut-être, on ne sait jamais.

– Non, Peter, si je ne peux avoir ni toi ni Simon, je ne pense pas me faire enfiler encore avant la fin de cet œstrus. Et certainement pas par un chimpe qui essaie d'attirer mon attention en se tapant sur la tête avec un exemplaire de *Logiciel Info.* »

Ils s'embrassèrent encore. Le train arriva. Sarah sauta en voiture et s'accroupit sur un siège près de la fenêtre, avec le petit poney confortablement arc-bouté sur ses épaules. La dernière chose qu'elle vit au départ du train fut le bon pasteur assis sur un banc, occupé à racler quelques traces de son mucus vaginal gélifié sur son bas-ventre, avec une expression triste, quasi mystique, sur son museau grisonnant.

Mais, autant elle avait été téméraire avec ses parents et franche avec le révérend – qui était après tout le bêta des Peasenhulme depuis de nombreuses années –, autant elle redevint maussade quand elle fut seule, se morfondant sur le sort amer de son conjoint et se demandant si le moment n'était pas venu pour eux de fissionner.

Pendant les quelques jours d'absence de Sarah, une correspondance insolite et volumineuse s'était établie entre le pensionnaire de la cellule de sécurité de Gough et le médecin-chef. Le Dr Bowen continua à demander à l'illustre forcené des précisions sur la nature de ses maux et continua à recevoir des réponses tellement déroutantes par leur tableau clinique qu'elle en vint à se demander parfois si ce n'était pas elle-même qui souffrait d'hallucinations.

– Quand vous affirmez que vous êtes « humain », qu'essayez-vous de me faire comprendre ?

– Je suis un membre de la race humaine. Le mot latin est *homo erectus* ou *homo sapiens*, quelque chose comme ça. Pourquoi me posez-vous ces questions, vous n'êtes pas humaine ?

– Non, je suis un chimpanzé, comme vous. Vous n'êtes pas un

179

humain. Les humains sont des bêtes brutes, qu'on ne trouve à l'état sauvage que dans les régions équatoriales d'Afrique. Il y a quelques humains en captivité en Europe, mais ils sont surtout employés à des fins expérimentales. Les humains ne savent ni s'exprimer par signes, ni vocaliser de façon cohérente, encore moins écrire. C'est pourquoi je sais que vous n'êtes pas un humain. En outre, les humains sont presque dépourvus de poils. Or vous avez un beau pelage – si je peux me permettre de le signaler, en qualité de médecin. Pourquoi pensez-vous être humain ?

– Je suis humain parce que je suis né humain. Nom de Dieu ! Je n'arrive pas à croire que je suis en train d'écrire ça. Vous savez, je pense que ça fait partie de ma folie, ces notes que je griffonne pour répondre à vos questions délirantes. Où est Sarah ? Pourquoi ne l'envoyez-vous pas me voir ? Essayez de joindre George Levinson, mon marchand. Ils sont tous deux aussi humains que moi.

– Sarah et George sont venus vous voir. L'un et l'autre, comme tous les êtres doués de raison dans ce monde, sont des chimpanzés. Je comprends votre angoisse, Simon, je comprends votre trouble, mais reconnaissez qu'il y a quelque chose de profondément déréglé chez vous. Il est possible que vous soyez atteint d'une lésion organique du cerveau. Si vous acceptez de vous soumettre à quelques tests et examens neurologiques, je serai peut-être en mesure, avec l'aide de mes collègues, de vérifier cette hypothèse et de réfléchir à un moyen de vous venir en aide.

Et ainsi de suite. Mais, chaque fois que ce singulier échange épistolaire semblait en passe d'aboutir et que Simon signalait qu'il était prêt à laisser le Dr Bowen entrer dans sa cellule pour gesticuler avec lui museau à museau, il retombait dans l'état de panique bestiale et de catatonie qui le paralysait lors de son admission à l'hôpital.

« Hououugraa... » vocalisait gentiment Jane en se glissant dans l'entrebâillement de la porte. Vue de dos, la silhouette prostrée du chimpanzé était pathétique : épaules voûtées, affaissement

180

parkinsonnien de la posture. Une odeur de désespoir titillait les narines enflées et la lèvre frémissante de la psychiatre.

« H'houou » ? faisait-il, pour montrer qu'il se souvenait d'elle. Alors Jane entrait doucement et, avec une infinie délicatesse, le reniflait, le grattait, lui imprimait des signaux réconfortants sur le dos. « Ne vous inquiétez pas, Simon, je suis là pour vous aider, pour repeigner votre psychisme. »

L'artiste la laissait aller chaque fois un peu plus loin, se laissait toucher chaque fois un peu plus longtemps avant de tourner la tête... et dès qu'il l'apercevait : « "Ouuâââârrr" ! Bas les pattes ! Fous le camp, fous le camp, fous le camp ! » Il se repliait dans un coin, miaulant, beuglant, les mains tremblantes, à peine capable de former ses signes.

Au début, Bowen s'en tint au règlement qu'elle avait imposé au personnel. Elle s'interdit de lui administrer les coups rassurants et les grattages plus rassurants encore dont elle eût gratifié tout autre malade en pareille circonstance. Mais, au fil des jours, voyant que son comportement restait toujours aussi aberrant et peu coopératif, elle eut recours aux claques sur le museau quand il s'écartait d'elle. Hélas, ce changement de tactique n'apporta rien de nouveau, sinon d'absurdes accusations de mauvais traitements lorsqu'ils reprirent leur communication écrite.

« HouuGraaa » ! Jane tambourina sur la porte de Whatley et entra, bondissante, en lançant la prose de Dykes par poignées à la face de son patron. Elle continua son hourvari pendant deux ou trois minutes, arrachant aux étagères des livres qu'elle jetait dans la direction approximative du bureau.

« "Houu-Houu-Houu" qu'est-ce qui motive ce chambard, Jane ? C'est un putsch ou quoi "h'heu" ? gesticula Whatley en esquivant les projectiles imprimés.

– "HouuGraaa" ! Ce chambard, Whatley, est motivé par le fait que nous n'avançons pas. Je vous ai envoyé des rapports quotidiens sur Dykes et je vois que vous n'avez toujours rien fait.

– Mais qu'est-ce que je peux faire "heu" ? Vous ne semblez pas en mesure de l'aider. Vous ne semblez pas en mesure d'établir un diagnostic. Tout ce que nous avons de nouveau depuis une semaine, c'est un salmigondis de foutaises, tant de sa part que de la vôtre, lui pour nous expliquer qu'il est humain, que les humains sont partout sur la terre, et vous pour lui rabâcher qu'il se trompe. Ce n'est pas exactement ce que j'appelle de la "euch-euch" médecine psychiatrique.

– Justement, c'est peut-être ça, le truc.

– Je ne vous suis pas.

– Nous devrions peut-être aborder le problème sous un autre angle. Il faut faire *quelque chose*, Whatley. »

Whatley émergea de sous son bureau, qui lui avait servi de refuge pendant l'avalanche livresque, et rampa jusqu'à Bowen. « "HouuGraaa" Jane, franchement, je ne vois pas comment nous pouvons l'empêcher de s'obstiner dans son délire. Vous n'avez pas plus d'idées que moi "heuu" ? Vous avez réussi à délimiter l'étendue de "hii-hii-hii" son <humanité>, et après ? »

Whatley fut déconcerté de sentir les mains de Bowen lui taquiner la région pelvienne, et carrément soufflé de la voir mimer, avec une ironie rieuse, un coït. « Il nous reste encore une possibilité "chup-chupp", Whatley, signifia-t-elle en un certain endroit de son bas-ventre.

– "Hii-hii-hii-h'hiouu" et laquelle, Jane... Jane ! Allons, voyons !

– Busner.

– "H'heueuuu" quoi ?

– Busner. Demandons à Zack Busner de venir examiner Dykes. Il aura peut-être des images. »

CHAPITRE 10

La longue Volvo Série 7 bleue quitta Talgarth Road et chemina sous le pont routier de Hammersmith. Dans la voiture, le comportement de la patrouille Busner était toujours le même, moitié tohu-bohu, moitié pédagogie. Les sub-adultes, à l'arrière, se grattaient en ricanant, trifouillaient dans la décoration intérieure de la voiture et esquivaient en geignant les coups que leur alpha leur portait avec autant de férocité que d'imprécision.

« "Ouarf" ! À présent, jeunes gens, signala l'éminent philosophe naturel (ainsi qu'il aimait se présenter lui-même), nous approchons de l'hôpital où est incarcéré ce pauvre chimpanzé. » Gambol négocia une chicane. Des sachets gras de chips volèrent dans le sillage de la Volvo. « Observez ces croisillons de piliers blancs qui entourent les bâtiments. »

Les sub-adultes braquèrent trois paires d'yeux à travers le toit ouvrant vitré, la tête renversée en arrière, de sorte que trois touffes de poils moussèrent par-dessus les cols de leurs trois T-shirts.

« Vous les voyez "heuu" ?

– Ou… oui, alph, répondirent en chœur les jeunes mâles.

– L'architecte qui a dessiné cet "euch-euch" édifice pensait probablement se conformer au fonctionnalisme du Bauhaus et au brutalisme de Le Corbusier, mais qu'a-t-il fait en réalité "heu" ? » Immobilité sur la banquette arrière. « "Heu" eh bien ? »

Erskine leva le doigt.

« "H'heu" oui, Erskine ?

– "HouGraa" il a mis des barreaux, alph "heu" ?

– Très bien, très bien, tu es un brave petit, viens là. » Busner lui coinça la tête entre les sièges et lui donna un baiser baveux sur le museau. « C'est "chup-chupp" exact. Ce ne sont pas des piliers, ce sont des *barreaux*. Peut-être seulement décoratifs, mais néanmoins puissamment symboliques de la fonction carcérale de ces treize étages, où les chimpanzés sont coupés du groupe, privés de territoire et de liberté de patrouille.

« Maintenant, poursuivit Busner, doctoral, vous devez savoir, jeunes gens, qu'il a fallu des millénaires à la chimpanité pour acquérir ce dégoût du mal et de toute atteinte à l'intégrité physique – encore que je me demande parfois si nous l'avons bien assimilé. Ces pans verticaux, gesticula-t-il dans un papillotement de doigts semblable à une pluie de confettis, sont moins des tours du signence que des murs de lamentation, entre lesquels les corps superflus de nos congénères sont systématiquement dépouillés de leur dignité – telles des charognes subventionnées – par des vautours en blouse blanche... » Il attendit la réaction de Gambol.

« "HouGraa", belle image, patron, belle image.

– "Grnn" merci, Gambol, tu peux me baiser le cul. »

Gambol obtempéra.

Ayant déposé la patrouille sous le portique de l'hôpital, Gambol alla garer la Volvo. Il était – tout naturellement – plein de colère, plein d'agressivité, plein de Volonté de Puissance. Une alliance, pensait-il, tout ce qu'il me faut, c'est une alliance. Alors, je pourrai commencer à mettre mon plan à exécution. J'en ai ma claque de baiser le cul de Busner, je me fous pas mal de sa grandeur passée. Ce cas ridicule est juste ce que j'attendais. Si je croyais à la providence, ou à quelque déité opportuniste qui nous eût faits à son image agressive, je grimacerais que ce Dykes m'a été envoyé par le destin. En vérité, c'est simplement la coïncidence la plus stupéfiante, la plus désopilante de ma carrière. Une alliance, une alliance... Whatley pourrait être intéressé. Le vieux mâle s'imagine que je n'ai pas remarqué son arthrite, mais j'ai l'œil, oh que oui, et je sais des tas d'autres choses encore.

Malgré eux, les sub-adultes Busner furent fort impressionnés par le nombre de chimpes qui présentèrent leur croupe à leur alpha comme il se dandinait dans le rez-de-chaussée de l'hôpital. Ils avaient souvent patrouillé à ses côtés à l'hôpital Heath, mais avaient toujours interprété la déférence qu'on lui témoignait comme un vague réflexe, une résurgence du passé. Or, voyant tous ces médecins et ces infirmières interrompre leurs activités pour venir se prosterner devant lui, le troufignon et les trous de nez frémissants d'humilité, les sub-adultes éprouvèrent un regain de respect.

La patrouille prit l'ascenseur pour le service de psychiatrie. « "HouGraa" restez près de moi maintenant, signala Busner pendant la montée. Le chimpe qui dirige ce département n'est pas très bien disposé à mon égard. Je serai peut-être amené à réagir de façon franche et directe, ce qui sera pour *vous* une excellente occasion d'apprendre quelque chose. »

Whatley les attendait devant l'ascenseur quand les portes s'ouvrirent – probablement panthuché d'avance par quelqu'un. Le Dr Bowen était avec lui. Busner fit un rapide signe du doigt à la guenon, si furtif qu'il fut à peine perceptible par l'œil, puis martela bruyamment la quincaillerie de l'ascenseur en vocalisant avec une férocité formidable. « Ouuâââârrff ! » Bowen donna de la voix à son tour et tous deux chargèrent comme un seul singe. Whatley lâcha son bloc-notes et bascula en arrière, renversé par l'assaut de ses collègues, qui sautèrent par-dessus son corps affalé et détalèrent en zigzag dans le couloir.

« "Houou" je vois que votre alpha n'a pas beaucoup changé, signala Whatley aux sub-adultes Busner pelotonnés contre le mur. Il aime toujours s'affirmer avec force et vigueur "houu" !

Attention, ils reviennent... » Whatley roula de l'autre côté du couloir, avec une agilité remarquable pour un chimpanzé de son âge, juste à temps pour éviter les moulinets et ruades du médecin-chef et de son allié, qui bottaient dans tous les objets à portée de leurs pieds, boîtes en carton, seaux hygiéniques, poches de sang, en avançant impérieux et hérissés avec des rugissements terribles. Le pénis de Busner se dressait comme un clocher rose sur son bassin, tandis qu'avec Bowen il arrosait le périmètre d'urine et de salive.

Des chimpanzés – infirmiers et patients – s'étaient rassemblés en petits groupes aux deux bouts du couloir et commentaient les meilleurs moments de la prestation. Busner et Bowen allaient et venaient, tapaient du pied, fulminaient et arrosaient. Un chariot de médicaments croisa leur trajectoire. Une grêle de pilules poivra les murs et le sol. Des seringues, neuves et usagées, fusèrent dans l'air, suivies d'une envolée d'ampoules. Ce fut alors que, sagement, Whatley proposa l'armistice. À l'assaut suivant, les deux agresseurs trouvèrent sa croupe anguleuse, toupet en majesté et sacrum au clair, bâillant comme un policier endormi en travers de leur chemin.

Busner tomba en arrêt, tout secoué. « "Rrrouaaa" ! Qu'est-ce que c'est que ça, Whatley "heu" ?

– "H'Grnnn" c'est mon cul, "hou" Tout-Puissant.

– Tiens donc "h'heuu" ? Qu'est-ce que vous en pensez, Jane "heu" ?

– Il a l'air de vouloir capituler, fit la fine femelle en lissant sa fourrure ébouriffée.

– C'est vrai, Whatley "heu" ?

– Oui, digne héritier du manteau de l'éminence, dépositaire du moignon anal le plus fripé et le plus pendant de Londres.

– "Greu-nnn" bien, bien, vous n'êtes pas un mauvais chimpe, allez. Au fond, je vous aime bien. Venez, retirons-nous dans votre cabinet pour un grattage et un farfouillage. Vos subordonnés et ma patrouille se chargeront de nettoyer les dégâts. »

Les trois psychiatres se frayèrent un chemin dans les décombres de l'esclandre vers le bureau de Whatley. Extérieurement, Zack Busner pétait le feu, le pelage de ses gambettes rutilait et froufroutait comme un pantalon de testostérone, mais intérieurement il souffrait le martyre. Ses mains – surtout la gauche – brûlaient et grésillaient comme si on eût allumé des pétards sous sa peau.

Whatley signifia à sa secrétaire qu'il ne voulait pas être dérangé. Ils sautèrent la porte du bureau et s'installèrent à leur aise en comité restreint, Whatley couché sur sa table, les jambes pendantes par-dessus le bord, la tête blottie dans un bac de rangement. Bowen s'assit par terre et commença à tripoter les orteils du mandarin avec les doigts et la langue, à la recherche d'éclats de verre, de fragments de pilules ou autres corps étrangers. « "H'h'hii-hii", gloussa Whatley. Faites attention, Jane, recrachez bien les restes de pilules, je ne voudrais pas vous voir "chup-chupp" groggy toute la journée.

– "Grnnn" ne vous en faites pas, mon joli, "tchou" ! »

Busner s'accroupit dans le fauteuil inclinable Parker-Knoll de Whatley et s'amusa un instant avec les innombrables boutons et manettes, disposés un peu partout, qui permettaient d'en varier la position et l'élasticité. Puis, requinqué, il se mit à caresser complaisamment le front chenu de Whatley, en digitant : « Gentil Whatley, brave Whatley, éthique Whatley... » Bowen exprimait à peu près la même chose par en dessous.

La séance de touchi-toucha se prolongea quelque temps, jusqu'à ce que Busner conclût les opérations par une torsion terminale de l'oreille de Whatley. Celui-ci se redressa, croisa les jambes, et Bowen alla panthucher sa secrétaire à la porte. « "H'houu" apportez-nous le dossier Simon Dykes, s'il vous plaît, Marcia », gesticula-t-elle à la femelle.

187

Un ange passa pendant qu'ils attendaient le dossier, et repassa pendant que Busner le parcourut. Ses traits burinés restèrent inexpressifs tout au long de sa lecture de la correspondance entre Dykes et Bowen. Finalement, il remit le dossier à Whatley – qui le laissa tomber sur le bureau –, s'enfonça dans le fauteuil et, avec les doigts d'un seul pied, commença à enrouler et dérouler sa cravate en mohair.

« "H'heueu", eh bien, Whatley, si vous êtes prêt à me confier ce patient, je pense avoir une image sur la façon de procéder pour l'amener à accepter les tests. Il est évident que, tant que nous n'aurons pas les électro-encéphalogrammes, les scanners et le reste, nous n'aurons aucun moyen de savoir s'il y a une lésion organique. De même, tant que nous n'aurons pas pu avoir une conversation museau à museau avec lui, nous ne pourrons pas déterminer... comment m'expliquer... » Les doigts du grand singe restèrent en suspens. « Vous savez, parfois je trouve que la signalisation anglaise manque de précision pour décrire les images complexes que nous agitons...

– "Grnn" je pense la même chose, approuva Bowen.

– C'est peut-être absurde, mais il me semble que, si nous disposions d'une autre forme de signalisation, dans laquelle le geste ne serait qu'un accompagnement du sens, nous pourrions peut-être pénétrer plus profondément l'âme des chimpanzés... mais je m'égare...

– "H'houu" non, non », fit Bowen. Elle en redemandait. La présence de son vieux mentor était aussi excitante qu'elle l'avait espéré.

« Je m'égare, Jane, répéta-t-il en lui collant une gifle, considérant que l'heure n'était pas à la flatterie. Nous avons besoin de gesticuler avec Dykes, mais la présence des autres chimpanzés le perturbe. Dans ce cas, la solution est de signaler avec lui sans être présents "heu" ?

188

– Vous pourriez être plus clair, Busner "heu" ? fit Whatley, embrouillé.

– Eh bien, pourquoi ne pas établir une liaison téléphonique ? Il trouvera peut-être ça moins dérangeant. Ça vaut le coup d'essayer "heu" ? »

Simon était assis dans la cellule de sécurité numéro 6. Sept jours de folie, sept jours de terreur. Comme tout prisonnier, il avait essayé de compter les jours de son enfermement, mais les drogues et les combats avec ses gardiens bestiaux lui avaient souvent fait perdre le fil et graver trois encoches au lieu d'une dans la peinture de l'encadrement de la fenêtre. Il s'accroupit et remua les orteils. Depuis son réveil, il avait envoyé un autre message affolé à Jane Bowen et attendait maintenant la réponse. Mais, à la place du cliquetis désormais familier du judas, il perçut un bruit de clef dans la serrure. Il descendit du nid et, en gardant toujours le museau tourné vers le mur, se carapata sur les pieds et les mains vers le coin le plus éloigné de la cellule. Il les entendit traîner leurs sales pattes nues et pouvait presque sentir leur haleine faisandée.

Ils émettaient des sons incompréhensibles, toujours les mêmes, ces éructations et ces grognements qui, bien qu'apparemment dépourvus de sens, semblaient contenir des éléments de langage intelligible. À présent aguerri par des jours d'écoute attentive – avec des oreilles qui se débouchaient peu à peu, Bowen ayant réduit ses doses de Valium – il crut identifier des bribes de signification : « Houuudddoucement "grnn" » ou : « Houuuunnnayezpaspeur "grnn". » Était-ce possible ? Il s'évertua à déchiffrer les sons, le museau enfoncé dans le coin, craignant d'être happé par des doigts rêches et tabassé par des mains hispides armées de seringues.

Ils étaient repartis. Simon se retourna. Il y avait un téléphone sur sa table en carton. Du moins, un genre de téléphone. En s'approchant pour l'examiner, il vit, à côté de l'objet, lamenta-blement ordinaire par ailleurs – clavier blanc et combiné en plastique –, un petit écran. C'était de toute évidence un élément de l'appareil et, pourtant, ça n'avait rien à faire là. Ça ne collait pas du tout. Mais avant qu'il n'eût le temps d'élucider cette bizarrerie... le truc sonna.

Il sonna comme sonnent tous les téléphones, à la fois prosaï-quement et impérativement. Le « driiing-driiing-driiing-driiing » signalait à Simon : « Voici le monde qui panthurle, le monde quotidien des plombiers et des systèmes qui se détraquent, le monde de toujours. » Il s'accroupit, contempla le mécanisme d'un œil morne, puis caressa l'idée que, peut-être, s'il décrochait assez vite, il verrait un commis de librairie lui grimacer que le livre qu'il avait commandé était arrivé, ou une assistante dentaire lui confirmer son rendez-vous pour un détartrage.

La réverbération de la sonnerie dans l'espace confiné créait un écho d'une fraction de seconde, une distorsion de l'émission sonore que Simon associait à la distorsion de ses propres récep-teurs corporels, au décalage entre le psychique et le physique. Il s'aperçut pour la première fois qu'il était vêtu en tout et pour tout d'une courte chemise de nuit hospitalière en gros coton, verte, indécente. Il observa ses pieds, en se concentrant sur le dessin familier des stries et entailles de ses ongles, le durillon de son gros orteil. Ils semblaient loin, comme s'il les visait par le mauvais bout de la lorgnette.

« Driiing... driiing... driiing... driiing... » Le téléphone à écran continuait à sonner. Le cordon formait un tortillon qui traversait le lino et disparaissait sous la porte – un déroulement qui lui rappelait l'affreux cordon ombilical de son rêve. Celui-là aussi, on avait dû l'extirper des entrailles d'un autre, d'un télé-phone plus grand, quelques instants auparavant. « Driiing... driiing... driiing... driiing... » Sans vraiment se rappeler com-ment il s'était retrouvé accroupi devant l'appareil, il se surprit maintenant, sollicité par la vibration volatile, à décrocher le combiné pour le plaquer contre son oreille en chou-fleur.

Le déclic de la connexion s'accompagna de friture et de crachotements, tandis que, sur l'écran, la neige se condensait pour former une image noir et blanc. Le museau rondouillard d'un chimpanzé vieillissant apparut dans le cadre. La bête tenait d'une main une tasse de thé et, de l'autre, appuyait un combiné similaire contre son oreille à large pavillon. Simon fut saisi d'une crise de rire irrépressible. Il tomba sur les coussinets de son cul. L'image était si ridicule ! Du Walt Disney. Une photo de carte postale, une grossière blague anthropomorphique rendue plus grossière encore par l'expression étonnée du museau de l'animal. À travers des lentilles déformantes d'eau salée, Simon le vit reposer sa tasse de thé, caler le téléphone entre son épaule et son oreille et faire un geste à quelqu'un hors champ.

« Ça y est, il a décroché, signala Busner à Bowen.

– C'est déjà un début...

– Oui, un début. Il a l'air de se moquer de moi.

– Très encourageant. Je n'ai pas réussi à obtenir le moindre claquement de dents de sa part jusqu'ici.

– Athétose, vous pensez ? Il a lâché le téléphone "heu" ?

– Ça pourrait être une forme d'athétose en effet. Nous avons observé des mouvements de mains incohérents. »

Bowen était accroupie à côté de Busner dans le bureau des infirmières. Dobbs, debout derrière eux, se curait les ongles avec un couteau de poche multilames. Busner avait envoyé les subadultes patrouiller dans l'hôpital, et Gambol photocopiait les notes de Dykes avec Whatley.

« "H'houu", le revoilà, il est de nouveau dans le champ de la caméra. Simon, pouvez-vous me voir et m'entendre "heu" ? »

Simon pouvait le voir et l'entendre et, eût-il su ce que ça signifiait, il eût *lui-même* diagnostiqué une athétose chez le vieux chimpanzé. Car, du point de vue de Simon, l'animal – qui tenait toujours l'appareil entre son oreille cartilagineuse et son épaule non tondue – agitait les doigts de ses deux mains libres comme une volaille battant des ailes.

Mais cette agitation de doigts était doublement étrange pour Simon, parce qu'il avait l'impression d'y reconnaître, ainsi que dans les bruits du chimpanzé – sans cependant comprendre ni pourquoi ni comment –, des éléments de signes intelligibles. Et, sans bien savoir pourquoi là non plus, il s'installa devant le vidéophone – car c'était évidemment un vidéophone –, coinça le combiné entre son oreille et son épaule à l'instar de son interlocuteur, et singea une réponse : « Bouh la bébête », fit-il. « Biscoco haricot, la bébête », continua-t-il. « Beurk, caca la bébête... » insista-t-il, entrecoupant ce babil digital de vocalisations étouffées et informes, telles que « casse-toi-de-làààà » et « dégaaaage ».

Busner accorda une grande attention à ces éructations et gigotements. Hors du champ de la caméra, il gesticula à Bowen : « A-t-il manifesté une tendance à la coprolalie précédemment "heu" ?

– "Heuu" non, pas que je me souvienne.

– Eh bien, il est assurément coprolalique maintenant ! » Busner gardait les yeux rivés sur l'écran, où Simon signalait : « Pipi la bébête. Pipi la bébête...

– S'il est "grnnn" coprolalique, ça nous simplifiera grandement les choses...

– Je veux faire "hi hi" caca-boudin sur ta tétête, "hi hi" caca-boudin sur ta tétête...

– Après tout, la catatonie – comme l'a remarqué Ferencenzi – est le contraire des tics. Et il a bien été catatonique "heuu", n'est-ce pas ?

– Dégaaaage ! Caca cucul, caca tétête...

– Ça ressemble un peu à une crise aiguë de Tourette, Zack,

non ? Or ses autres symptômes n'évoquent pas vraiment ce diagnostic.

– Hum moui, *stricto signu*... Allons, Simon "HouuGraaa" ! Soyez un peu attentif, voulez-vous, c'est important. »

Simon dressa les oreilles. Il comprenait ce son. Ça signifiait : « Soyez attentif. » Aussi sûrement que la forme des lettres du mot « attentif ». Il cessa de gigoter. Il scruta la silhouette animale qui venait de lui grimacer sur l'écran. De me grimacer ? Qu'est-ce que ça signifiait, me grimacer ? Me *grimacer* ? Ce n'est pas la grimace que j'aurais employée, pas « grimace », non, mais quelque chose signifiant...

« Simon, pouvez-vous visualiser mes grimaces "heu" ?

– Je... oui "hou". » Le pouvait-il ? Comment savait-il qu'il le pouvait ? Qui « il » ? « Hi hi !

– Qu'est-ce qu'il y a de drôle, Simon ?

– C'est toi qui es drôle, eh ! T'es un chimpanzé "hi hi" !

– Vous aussi.

– Non, je suis humain. Oh "Hou-ouaaa" ! C'est ridicule ! Vous n'allez pas recommencer avec ça comme les autres putains de singes, les "houu" bêtes qui entrent ici. "Hou" merde ! Vous n'allez pas, vous n'allez...

– Vous savez quoi "h'heuu" ? Vous avez "chup-chupp" raison, Simon. » Quelle classe dans les signaux de Busner à ce moment de la gesticulation. Bowen était en admiration, le vieux chimpe n'avait rien perdu de son talent, de cette faculté de communiquer avec les patients les plus gravement atteints. « Et je n'ai pas l'intention de gesticuler de ça maintenant. Considérons pour le moment que mon apparence de chimpanzé fait partie du problème, d'accord "heu" ? Et voyons "hue-hue" si ça nous mène "chup-chupp" quelque part "heu" ? Si ça vous perturbe trop, plissez les yeux, "heu" pour déformer mon image sur l'écran et peut-être que je vous paraîtrai un peu plus humain "heuu" ? »

Gambol et Whatley formaient leur alliance au Café Rouge, en face de l'hôpital. Whatley avait suggesticulé de s'accroupir à une table en terrasse – afin de ne pas avoir l'air de se cacher, si on les apercevait.

« Ne soyez pas "euch-euch" ridicule, avait contre-signalé Gambol en traversant la rue animée, si on s'accroupit dehors, on recevra plus de plomb dans le ventre qu'un Bosniaque en zone de sécurité !

– "Ouaaarf" ! avait aboyé Whatley en frappant son subordonné sur la tête. Suffit, Gambol ! Ce n'est pas parce que nous allons faire alliance que vous pouvez me grimacer sur ce ton !

– P… pardon, avait répondu Gambol d'un doigt piteux, je vénère votre sacrum, docteur Whatley. » Il s'était prosterné bien bas, mais seulement pour donner le change. Mon heure viendra, avait-il grimacé intérieurement pour la quatrième fois ce matin-là.

Ils finirent au fond du café, derrière une balustrade basse de fausse vernalité. La salle était bondée de chimpes. C'était le coup de feu du premier déjeuner. On voyait partout des secrétaires et autres employés de l'hôpital papoter et se chatouiller. Personne ne leur prêta attention – surtout pas le serveur bonobo aux dreadlocks.

« Alors, gesticula Whatley quand ils furent installés, une alliance, c'est ça ? Une manœuvre pour détrôner le vieux chimpe. Vous avez dans l'idée de prendre aussi son groupe familial, pas vrai, Gambol "heu" ? Les femelles Busner sont en chaleur, n'est-ce pas "heu" ? Vous n'avez pas les saillies que vous méritez "heu" ?

– Vous me vexez, docteur Whatley, vraiment...

– "H'heu" ainsi vous auriez des raisons supérieures de vous retourner contre votre alpha ? Pourtant, vous ne m'avez pas beaucoup soutenu l'an dernier à Bournemouth quand Busner faisait sa dernière démonstration de mesmérisme.

– Ben, je pouvais pas, vous savez ce que c'est... mais les choses ont changé. J'ai... je possède certaines informations sur Busner qui pourraient lui être très préjudiciables. Et j'en ai marre de le voir mener ses patients à la parade, exhiber leur souffrance pour se forger une réputation sur leur dos. Je n'ai aucune envie de me taper encore une tournée de cocktails avec un pauvre chimpe halluciné qui se prend pour un hum...

– Revenons sur ces informations, Gambol. Que savez-vous ? Videz votre sac. » Whatley semblait avoir tiré un trait sur son acte d'allégeance humiliée aux pieds de Zack Busner. Il faisait les gros yeux maintenant, il était aussi impérieux que le permettait la mesquinerie de ses manières.

« Eh bien "chup-chup-chupp", il a de l'arthrite, pour commencer...

– "Heuuu" grave ?

– Très. Je crois qu'il souffre beaucoup, surtout quand il doit exercer sa domination par la force. Il est clair que le maintien de l'ordre dans la hiérarchie domestique le fatigue énormément. Il a beaucoup de mâles sub-adultes... »

Devant chez le bookmaker, les membres juniors de la patrouille Busner essayaient de s'insinuer dans les bonnes grâces de quelques bonobos plus âgés, la petite bande qui rôdait toujours dans ces parages, à vider des canettes et à fumer des joints.

« Qu'ess-t'as, chimpe ? digita une guenon en voyant Erskine lui présenter le plumet de sa croupe comme un bouquet de fleurs. Tu t'es cassé de ta trouillepa "heu" ?

– Ouaip, fit Erskine, tous des vieux cons.

– Tu m'étonnes. Mais j'en ai rien à fout'. Ici, c'est notre territoire, alors "ouaarf" tu dégages.

– "H'heuu" ? On voulait juste... votre anale funkytesse...

– Ouais "heu" ?

195

— Juste vous demander si vous connaîtriez pas quelqu'un qui aurait un peu d'herbe à nous refiler... "h'heu" ? »

« Je... j'veux pas qu'ils me touchent... » Simon était toujours penché sur l'appareil ridicule. Ses yeux plissés allaient de l'écran – qu'il regardait aussi longtemps qu'il pouvait le supporter – aux embouts de couenne jaunâtre qui gigotaient entre ses pieds velus et le lino. « S'il vous plaît, ne les laissez pas me toucher.

— C'est promis "chup-chupp", fit Busner d'un doigté langoureux comme une caresse, avec une vocalisation douce comme le premier enflement d'une femelle, fruitée comme un raisin mûr. Voici ce que je vous propose. Quand nous aurons fini de gesticuler, vous allez vous reposer "heu" ! Et puis, demain, le Dr Bowen et moi allons chercher un endroit où nous pourrons procéder à quelques examens. Nous ferons en sorte que vous ne puissiez presque pas nous voir. Il n'y aura aucun chimpanzé dans le service quand vous sortirez de votre cellule...

— Alors, qui va les faire, ces examens "heu" ?

— Nous, mais, si vous préférez, nous pourrons nous déguiser. » Simon observa l'image floue de Busner sur le petit écran. C'était curieux : quand il plissait trop les yeux, il avait du mal à comprendre ses signes ; les vocalisations ne suffisaient pas à transmettre le sens, elles n'étaient qu'une accentuation, un effet de style. Mais, bien sûr, s'il regardait trop fixement, il voyait les canines, le museau tanné, les lèvres préhensiles, les yeux verts, la fourrure noire...

« Vous déguiser ? C... comment "heu" ? "Houou" ?

— Des masques, par exemple "heu" ? fit Busner, en agitant les doigts en éventail au-dessus de sa tête.

— Ou... oui, c'est peut-être une idée. Et aussi... aussi des pantalons, peut-être. Des pantalons ou des jupes, quelque chose qui couvre vos jambes. Je ne supporte pas de voir vos jambes, avec tous ces poils... »

Busner se tourna vers Jane Bowen : « Qu'est-ce qu'il tâte par pantalon "heu" ? Un genre de protège-enflure, vous pensez "heu" ?

– Aucune idée. Continuez à jouer le jeu, il peut devenir catatonique d'un instant à l'autre, il me l'a déjà fait.

– OK, Simon, reprit Busner, nous nous habillerons en dessous de la taille. Maintenant, "chup-chupp" merci d'avoir gesticulé avec moi. Arrêtez de penser à tout ça pour le moment, ne vous mettez pas martel en tête. Reposez-vous et, demain, nous pourrons peut-être commencer à déterminer ce qui ne va pas chez vous. "HouuuuGraaa". »

Busner coupa la communication et regarda Bowen. « Des pantalons ! C'est pas mignon, ça ?

– Vous croyez que c'est une forme de fétichisme ? fit-elle avec une moue mi-dégoûtée, mi-amusée. Il va falloir que j'aille à Soho, ou dans une boutique Ann Summers, pour en trouver un... À moins que...

– "Clac-clac-clac h'hi-hi-hi" ! Je suppose qu'un de mes subadultes doit en avoir un caché quelque part à la maison. » L'image semblait mettre Busner en joie. « Je vais voir ce que je peux faire. Si je n'en trouve pas, j'enverrai Gambol. J'ai besoin de vous pour préparer les tests. »

Les deux chimpanzés avaient glissé de leurs sièges. Ils étaient maintenant blottis l'un contre l'autre sur le sol du bureau des infirmières et digitaient en s'épouillant mutuellement.

« Je sais qu'il est encore trop tôt, Votre Éminence...

– Allons, Jane "chup-chupp", nous nous connaissons depuis trop longtemps pour de telles marques de déférence. Je vous en prie, appelez-moi Zack.

– Zack, avez-vous une idée "h'heu" ?

– Je ne sais pas "greu-nnn", je ne sais pas du tout. Ces questions sont si difficiles à résoudre "heu" qu'il peut s'agir d'une pathologie d'un type nouveau. Cela étant, et malgré le caractère extrême de son délire, le trouble de Simon pourrait fort bien être potentiellement productif. De toute évidence, nous sommes en présence d'une forme de dédoublement de la personnalité, de diplopie mentale, mais nous ne saurons rien de plus tant que nous n'aurons pas les scanners. Autre chose "h'heu" ? »

Bowen s'employa à détacher quelques particules d'une matière qui ressemblait à de la « confiture de vieux chimpe » sur le ventre de Busner, puis demanda : « Avez-vous pensé au syndrome de Ganser, Zack ?

– "Chup-chupp", c'est une idée intéressante. Mais ses réponses ne sont pas *aberrantes* au signe strict comme dans un syndrome de Ganser, elles sont plutôt oniriques. Ce qu'il y a de curieux ici, c'est que, justement, elles sont merveilleusement cohérentes, quelle que soit l'interprétation symptomatologique. Évidemment, si son illusion d'être un humain est effectivement de type Ganser ou Tourette, nous pourrons avancer sur des bases plus solides, dans la mesure où nous aurons identifié le syndrome. Mais "grou-aaa" c'est pas tout ça, on a déjà dépassé l'heure du second déjeuner et j'ai cette sacrée conférence à l'UCL cet après-midi. Je vais ameuter mes sub-adultes et je file. Vous savez où est allé mon epsilon ?

– Il est parti avec Whatley, je vais vous aider à les chercher. »

« "HououuGraaa" ! » Busner tambourina sur les portes électroniques de l'hôpital, qui vibrèrent sous la vigueur de son adieu, mais sans risque de casse, vu qu'elles étaient déjà cassées et maintenues ouvertes par des cageots. Puis il carpo-tarsa lentement vers la Volvo, où Gambol attendait derrière le volant.

« "H'houu" Zack ! Encore une chose... » Bowen le rattrapa au petit trot. « Le vernissage de Simon Dykes a lieu ce soir, à la galerie George Levinson, dans Cork Street.

– Sans chatouiller "heu" ?

– J'ai pensé que je pourrais y faire un saut. Sa conjointe vient me voir cet après-midi, elle pourra peut-être faire ajouter mon nom, et le vôtre, sur la liste.

– Pas une mauvaise idée. J'ai des billets pour *Turandot*. J'emmène Charlotte, mon alpha, elle a un œstrus assez stressant, vous savez. Mais je suis sûr qu'elle ne m'en voudra pas si je manque le premier acte... »

« "Ouaaar" ! Où étais-tu fourré, Gambol ? gesticula Busner comme la grosse voiture louvoyait dans les abords encombrés de l'hôpital. Et où est le reste de la patrouille "h'heu" ? »

Gambol choisit d'ignorer la première partie de la question de son alpha et canalisa vers Erskine, Charles et Carlo l'opprobre qui se préparait. « Ils sont par là-bas, patron », fit-il en montrant du doigt les sub-adultes avachis devant la boutique du book. Au moment où l'alpha regarda, un bonobo tendait à Erskine un joint qu'il tenait entre les orteils. Erskine en tira une longue bouffée. La Volvo s'arrêta dans un crissement de freins et Busner se pencha à la fenêtre.

« "Ouaaar" ! Venez ici, apprentis délinquants, rendez à ces chimpes leur marijuana et sautez en voiture, on est en retard ! »

Ils s'exécutèrent avec célérité. Erskine, obligé de garder la fumée trop longtemps pour l'exhaler subrepticement, avait quelques larmes dans les yeux. En grimpant sur la banquette arrière, le trio s'attendit à un sermon sur les effets psychologiques de la marijuana, ou les préjugés bonobistes, ou le vandalisme dans le réseau de transports en commun de Londres, ou les trois à la suite. Mais la Volvo remonta Fulham Palace Road dans le signence et la non-vocalité. Du moins jusqu'au rond-point de Hammersmith, quand Busner remit le doigt sur Gambol. « Tu ne m'as pas répondu "grnnn", qu'est-ce que tu singeais avec cette crapule de Whatley ? »

199

Plus tard dans l'après-midi, Jane Bowen était en compagnie de Sarah Peasenhulme dans le bureau des infirmières. Sarah portait son plus beau protège-enflure, une ravissante petite chose en chenille de soie de chez Selena Blow, dont le volumineux empiècement redonnait un peu de fraîcheur à son périnée endolori. Elle était venue directement de chez elle – où il lui arrivait de travailler – panthuchée par le Dr Bowen, qui avait eu la bonté de l'informer de la liaison téléphonique qu'ils avaient établie avec Simon.

Peut-être, avait pensé Sarah en s'habillant, que Simon accepterra de me regarder et peut-être que la vue du protège-enflure le... – elle avait du mal à former ses signes, ses doigts étant occupés à fixer les boutons-pression sur ses hanches et entre ses cuisses – enfin, peut-être que je lui plairai. Peut-être que son désir renaîtra, que ça le réveillera.

« Quel joli protège-enflure, signala Jane Bowen. Selena Blow, "h'heu" ?

– Oui, je l'ai trouvé en solde l'an dernier. Autrement, je n'aurais jamais pu me l'offrir.

– Dois-je comprendre que Simon ne vous achète jamais de vêtements ? Je ne sais pas, moi, pour la chambre à nicher, par exemple ?

– Pourquoi me posez-vous cette question ?

– Oh, rassurez-vous, je ne veux pas être indiscrète. » Jane Bowen s'approcha et se mit à bouchonner Sarah, lissant ses poils dans un sens puis dans l'autre. Un peu de talc se dispersa. « Mais, dans son délire "chup-chupp" humain, votre conjoint a... Eh bien, voilà, la vue des poils de jambes le perturbe. Je suppose "greu-nn" que, dans le <monde humain> – pour reprendre les signes de Simon –, les animaux couvrent leurs jambes nues...

– Avec des pantalons "heu" ?

– Et des jupes.

– Des jupes "heu" ?

– C'est ça. »

Sarah rougissait. Elle sentait à peine les doigts de l'autre femelle dans sa fourrure. « "Hou-chup-chupp" je ne sais pas si... enfin, oui, il m'a acheté quelques jupes. Rien d'*olé olé*, n'allez pas croire, pas de tweed, pas de laine, mais, bon, j'ai effectivement quelques jupes en coton. Seulement... ça me ferait drôle de les porter ici, vous comprenez.

– Ne vous inquiétez pas pour ça maintenant "grnnn". Le Dr Busner a suggesticulé à Simon de se reposer, mais voyons tout de même comment il réagira à votre adorable protège-enflure. »

Simon essayait de dormir, roulé en boule sur le nid, quand le téléphone sonna de nouveau. Merde ! Il se redressa. Merde ! La sonnerie le ramenait dans le monde de la folie, le monde de son martyre. Ils peuvent pas me foutre la paix, à la fin ?

Il sauta du nid dans un méli-mélo de bras et de jambes et se ramassa à quatre pattes sur le sol. Comme par miracle, il avait atterri juste devant l'appareil. Il décrocha le combiné et le colla contre son oreille. Un museau de chimpanzé apparut sur l'écran. « "Clac-clac-clac" qu'est-ce que tu me veux encore "ouarf", face de singe ? grimaça Simon en grognant et en claquant des dents.

– C'est Jane Bowen, Simon, votre médecin. Il y a ici quelqu'un qui aimerait gesticuler avec vous.

– Qui ça "hou" ? "Ouaarr" ! Je croyais que le vieux babouin avait signalé qu'on me foutrait la paix "hnnn" ?

– Le Dr Busner "heu" ? »

Simon tomba sur le cul, époustouflé. « Busner ? Le Busner de la Théorie quantitative "heu" ?

– Entre autres, oui, il y a participé, avec d'autres chimpanzés. » Jane Bowen était intriguée. Pouvait-on interpréter cette reconnaissance du nom de Busner, un chimpanzé qu'il ne connaissait pas personnellement, comme une altération de son agnosie, une passerelle entre son monde hallucinatoire et le monde réel ?

« Je l'ai déjà vu. Et entendu. Il passait souvent dans des émissions de jeux idiotes dans les années 70, "heu" ? Je l'ai toujours pris pour un charlatan...

– "Ouaaarf" ! Attention à ce que vous singez, "h'heu", non mais ! Zack Busner est un chimpanzé éminent... un grand singe ! »

Le coup de gueule refroidit Simon, bien qu'il eût aimé continuer à provoquer la guenon. Car l'effronterie le revivifiait. Il ne s'était jamais senti aussi lucide, aussi incarné, depuis son admission à l'hôpital. Mais il avait peur de la bête. Peur qu'elle ne vienne, qu'elle ne le touche. « "Houuu", faites excuse, Votre Éminence Médicale, reprit-il, couard. Je ne voulais pas manquer de respect à votre collègue. » Et, sans savoir pourquoi, Simon présenta son cul devant l'écran.

« Ça va, ça va, Simon, je comprends », contre-signala Jane Bowen. Puis, à Sarah : « Il est relativement lucide, je le vais le faire gesticuler avec vous...

« ... Simon, Sarah est ici, elle voudrait échanger quelques signaux avec vous. Je vous la passe. »

Sarah ? Simon osa regarder l'écran en face, osa imaginer qu'il allait voir les traits adorés de Sarah sur ce pitoyable objet plastifié, son visage en diamant, son front de marbre. Mais un museau de singe fit place à un autre. « Simon chéri, signala Sarah. "Grnnn" c'est moi, c'est Sarah, comment vas-tu mon amour "heuu" ? Comment te sens-tu ? » Il avait le museau émacié, le poil terne et plat, mais c'était tout de même son mâle. Elle recula, autant que le permettait l'étroitesse du bureau des infirmières, pour apparaître tout entière dans le champ de la caméra, pour qu'il pût voir son protège-enflure et imaginer les délices qu'il contenait.

Mais Simon ne vit qu'un chimpanzé attifé d'un T-shirt bleu

et d'une espèce de couche-culotte bouffante ficelée par des laniè-res autour des pattes avec, devant les parties génitales, un énorme empiècement à ruché, tout en plis et fanfreluches imitant des pétales de rose. Le spectacle était à la fois comique et... troublant. « "Houu" qu'est-ce que c'est que ça "heuu" ?

– Simon, c'est moi, Sarah.

– "Houuu", j'sais pas ce que t'es, mais je peux p... » Il porta sa main libre sur ses arcades sourcilières pour se voiler les yeux, mais sans cesser de digiter : « J'peux pas te regarder.

– "Hou" Simon, "hou" Simon, mon pauvre amour, je suis venue te montrer...

– Quoi ? "Hououu" me montrer quoi, espèce d... espèce d'*absurdité* !

– Te montrer que George a maintenu le vernissage.

– Le vernissage "heu" ?

– *Ton* vernissage. Il a monté et encadré toutes les toiles lui-même. Ta nouvelle exposition commence ce soir. »

Sarah observa la face de son conjoint. Il semblait digérer la nouvelle. Avait-elle eu raison de l'en informer ? Est-ce que ça le ramènerait vers la rive, vers elle, ou le repousserait plus loin dans le tumultueux lac noir de sa déraison ? « "Houu'Graa" ! » cria-t-il tout à coup, et il raccrocha.

CHAPITRE 11

Tony Figes avait passé cet après-midi caniculaire accroupi au Brown's Hotel. Il allait souvent au Brown's pour tuer le temps, quand il n'avait pas d'article à rédiger ni de jeune mâle à courser. Il aimait le décor de l'hôtel, ce mélange de chichi et de vieux monde, aimait observer les allées et venues des Américains, qui arrivaient en traînant leurs petites valises et repartaient en traînant les mêmes petites valises bourrées d'emplettes.

Les Américains étaient souvent obèses – même les bonobos. Tony, qui se trouvait très laid – à juste titre –, ressentait une poussée de *shadenfreude* corporelle chaque fois qu'il voyait l'un d'eux crapahuter sous un wigwam de Burberry ou dans une chemise hawaïenne criarde. Et les gros bonobos ! Ça, c'était un progrès. Être passé en un siècle de l'esclavage dans les plantations à l'obésité dans un hôtel londonien de luxe, c'était bien la preuve que le rêve américain était une réalité, non ?

Il pétrit et comprima son exemplaire du *Evening Standard* en un rectangle approximatif, puis le lança sur la table basse. Pas grand-chose à lire pour un journal, songea-t-il, mais il est vrai que... *It's Not a Newspaper*[1] ! Ses doigts égrenèrent machinalement le slogan publicitaire. Depuis quelques mois, les camionnettes *Evening Standard*, omniprésentes avec leur motif à chevrons rouge et blanc, symbole de vitesse, avaient commencé à le

---

1. Ce n'est pas un journal. *(NdT)*

205

répandre dans toute la ville, relayées par les panneaux et les affiches. *The Evening Standard – It's Not a Newspaper !* Que cette devise fût devenue l'unique argument de vente du canard, voilà qui était au fond, pensa Tony, un rétablissement de la vérité.

En manumarchant dans le hall, Tony Figes fourragea distraitement dans les poches extérieures de sa veste en soie, de style tunique, à la recherche d'un autre rectangle, l'invitation au vernissage de Simon Dykes. Tony avait panthuché George Levinson à l'heure du second déjeuner pour lui proposer d'arriver en avance à la galerie, afin de mettre au point une tactique. Tony aimait bien Simon, mais sa vraie loyauté allait à Sarah. Il ne voulait pas qu'elle fût importunée par la presse – ou les spéculateurs.

En trottinant dans Dover Street, puis en tournant dans Grafton, Tony essayait d'imaginer ce qui l'attendait. Comme George Levinson s'était opposé à toute reproduction des nouveaux tableaux de Dykes et que Simon était maintenant hospitalisé avec cette terrible dépression, personne n'avait pu se faire une idée par avance des œuvres de l'artiste. Tout ce qu'on en savait était le détail de l'une d'elles reproduit sur l'invitation avec une technique d'impression en 3 D comme on en voit sur certaines cartes postales fantaisies, montrant un chimpanzeau qui tombait en chute libre vers le spectateur, le pelage frangé de flammes. Lorsqu'on inclinait le carton dans un certain sens, la frange rougeoyait.

Tony reçut l'invitation chez lui, dans l'appartement de Knatchbull Road qu'il partageait avec sa mère depuis sa naissance. Il évita la bave de son vieux poney et la question de sa mère – « To-ony "h'heu", qu'est-ce qu'il y avait dans ton courrier "heuuu" ? » – pour s'évader dans sa chambre, via le couloir avec ses déprimantes odeurs de vieille femelle. Une chambre assurément bizarre. Une moitié de la pièce était restée inchangée depuis sa sub-adultescence : des posters de groupes de glam-rock du début des années 70, Slade, T-Rex et les Sweet ; un couvre-nid décoré d'animaux de Beatrix Potter ; des étagères garnies de livres du cycle de Narnia, de vieilles bandes dessinées – surtout des titres pour jeunes femelles, *Jacky*, *Bunty*, etc. – et de quelques figurines de danseuses en verre soufflé.

Mais l'autre moitié était résolument mâle, dominée par un vaste bureau ministre jonché de bouquins, de journaux et équipé d'une visionneuse. Au-dessus du bureau, des livres d'art de grand prix ; sur le bureau, un cendrier rempli de mégots de Bactrian Light, à côté d'une plaquette de verre maculée de traces de cocaïne. Le minuscule plan de travail était éclairé par une lampe Anglepoise.

Tony se lova sur sa chaise pivotante, les bras croisés comme un chimpanzeau boudeur prêt à faire une colère. D'un coup d'ongle, il fendit l'épaisse enveloppe jaune marquée au dos : « Galerie Levinson. Beaux-arts. » Le chimpanzeau enflammé en 3 D tomba sur le bureau.

Comme on avait raison de signaler que le chimpanzeau était souvent l'alpha du mâle, pensa Tony. Ce petit en feu... que symbolisait-il ? Dans les dernières semaines avant sa dépression, Simon avait laissé tâter que ses nouvelles toiles tournaient autour du thème de la corporéité, de la réalité *physique* fondamentale du chimpanzé. Tony avait essayé d'en savoir plus, d'obtenir quelques précisions de Simon. Mais ce ne fut qu'en voyant ce petit bonchimpe brûlé vif tomber sur son bureau qu'il commença à soupçonner à quel point les tableaux de Simon pouvaient être choquants.

À l'angle de Grafton et de Cork Street, Tony s'arrêta près d'un réverbère pour contempler un instant le cul merveilleusement rose et resplendissant d'un coursier à vélo, qui pédalait en danseuse vers Piccadilly. Il hocha la tête. Sa fourrure crânienne se déplumait déjà, alors qu'il avait à peine trente-cinq ans. Pas d'erreur, il lui faudrait bientôt une moumoute pour se montrer dans le monde, pour paraître dans des vernissages comme ce soir. Oh, il n'avait pas que des défauts, il était mince et souple comme un bonobo – mais était-ce vraiment un atout ? Il savait qu'il traînait partout avec lui la marque de la décrépitude de sa mère et qu'une odeur de vieux lui collait au poil.

Tony Figes voyait une singulière coïncidence entre ce qu'il avait appris sur Simon, sur le travail de Simon, et son propre dégoût du corps. C'étaient les mêmes préoccupations qui les turlupinaient tous deux – jusqu'à la folie, dans le cas de Simon. *Peut-être qu'il est comme moi et qu'il ne croit plus à la saillie, même si c'est indubitablement pour des raisons différentes.*

Si Tony manquait de courage physique, il avait parfois des digitations audacieuses. Ce fiasco général, pensait-il, était à coup sûr la conséquence de la façon de vivre actuelle des chimpes, coupés du monde naturel et relogés dans un environnement profondément dénaturé. Comment s'étonner que les journaux et les magazines fussent émaillés de dessins primatomorphiques ?

Le *New Yorker*, que Tony achetait principalement pour les portraits photographiques de Mapplethorpe – et dernièrement de Richard Avedon –, était toujours rempli de ces dessins, souvent à la limite du ridicule : des chiens gesticulant, des rennes blagueurs, des bisons vaticinateurs, des humains philosophes. Mais on n'y trouvait pas beaucoup d'autodérision – en tout cas jamais d'allusion à l'évidente névrose de l'espèce qui sous-tendait ces caricatures, ce besoin compulsif de mettre en valeur le fossé qui nous séparait du reste de la création.

Une semaine auparavant, cependant, le *New Yorker* avait publié un dessin montrant un mâle typique de Madison Avenue en gesticulation avec un écureuil attaché à un arbre dans Central Park. L'écureuil signalait : « Bien sûr qu'il est coupable. On pourrait pas gesticuler d'autre chose ? » Une allusion claire au procès O.J. Simpson, un cirque médiatique qui répandait le venin de l'hystérie bonobiste dans tous les États-Unis. Mais

l'ironie était plus profonde encore, beaucoup plus profonde...
Ainsi méditait Tony quand, se redressant sur ses jambes, il entra
en bipède dans la galerie Levinson.

« "H'houuu" je suis content de te voir, Tony, panthurla
George Levinson en arrivant à quatre pattes du fond de la galerie,
je suis sur les nerfs. Sur... les... nerfs "ik-ik-ik" !

– "H'houuu" allons, George, allons, détends-toi... » contre-
signala Tony en faisant craqueler sa balafre, qui transforma son
museau déjà flétri en une sorte de ballon de foot ratatiné.

Les deux chimpes s'assirent par terre, se pelotèrent les testicules un instant, puis se grattèrent pensivement. Tony réussit à
déloger entre les orteils de George des bulles de colle, de petites
particules qui le gênaient depuis la veille. Le marchand d'art,
quant à lui, restait beaucoup plus superficiel et se contentait de
lisser nonchalamment les poils de son cadet.

Pendant qu'ils se bouchonnaient, Tony entendait les grognements de la secrétaire au téléphone, occupée à éconduire les
fâcheux qui cherchaient à obtenir une invitation de dernière
minute. « Ç'a n'a pas arrêté de la journée, fit George sur le ventre
de Tony. Et hier pareil "houuu". Les vernissages me filent déjà
le trac en temps normal, mais celui-ci va m'achever ! Je crois que
je vais finir dans cet hôpital sinistre... avec le pauvre Simon
"houuu" !

– "Greun-nnn" voyons, George "chup-chupp"... George,
n'exagère pas... » Tony attrapa le bord du bureau et se hissa sur
ses jambes. En le reconnaissant, la secrétaire, une jeune femelle
qui avait des ambitions dans le milieu de l'art, lui présenta
vaguement sa croupe, sans cesser ses grimaces à son panthucheur
importun.

George se mit debout aussi. Il portait un de ces exaspérants
faux protège-enflures en vogue depuis quelque temps chez les
jeunes chimpes homo. Tony trouvait cette mode parfaitement
grotesque, spécialement sur George Levinson qui, là-dedans,

avait l'air d'un vieux bouc déguisé en chevrette, mais, par égard pour ses nerfs, il s'abstint de commentaires.

Tony Figes était souvent venu à la galerie Levinson. Dans l'ensemble, elle était à son goût – même s'il n'approuvait pas toujours son contenu. L'aspect traditionnel de la façade – large vitrine gravée d'une enseigne discrète – laissait présager un intérieur du même style : lambris de chêne et cimaises en cuivre. Or George Levinson s'était employé, au contraire, à gommer le lieu, à créer un espace en négatif. Les murs étaient tendus d'un très léger tissu beige clair, l'éclairage provenait de minuscules ampoules encastrées dans le plafond, lointaines, presque sidérales, et la moquette était tellement neutre, par sa couleur et sa texture, qu'elle en devenait invisible. En suivant le moignon de George dans la longue salle, Tony eut l'impression de s'enfoncer douillettement dans du vide. Mais il n'était pas venu pour admirer le décor, il était venu pour les toiles.

La galerie mesurait quelque quarante mains de haut, environ quatre-vingts de large et facilement deux cents de long. Les tableaux apocalyptiques de Simon Dykes s'alignaient sur chaque mur. La salle des guichets de la station King's Cross pendant la déflagration de 1987 fut la première toile qui attira l'attention de George. Il tomba en arrêt et fixa des yeux la pitoyable face ouââârrante du chimpanzeau projeté vers une mort atroce, dans laquelle il reconnaissait l'original du détail reproduit sur le carton d'invitation. Le tableau devait faire au moins vingt mains carrées. Au centre, où le chimpanzeau était suspendu, le travail du pinceau était minutieux, presque photographique, mais vers les bords c'étaient de grands coups de brosse, qui devenaient d'épaisses couches de matière traitée en crêtes et crevasses près du cadre.

« "H'hououu" bon sang, George, grimaça Tony, "hou" bon sang ! Je vois ce que tu veux s...

– Tu vois ce que je veux signaler "h'heu" ?

– Je vois très bien. »

Tony passa à la toile suivante, que Simon avait simplement intitulée *Cathédrale aérienne*. Elle représentait l'intérieur d'un Boeing 747 à l'instant précis où l'impact contractait le fuselage. Sièges et passagers se télescopaient, se saladifiaient en une macédoine de mort. Comme dans le tableau précédent, le personnage central était un chimpanzeau peint avec une exactitude photographique. Mais celui-ci n'avait pas conscience de son sort, il avait encore les doigts et les orteils accaparés par une Gamechimp Sony. Au fond, on voyait clairement la silhouette humanoïde, paradoxalement miniaturisée, de Donkey Kong[1].

« Bon sang, resignala Tony Figes. "Houuu".

– Effrayant, n'est-ce pas "heu" ? »

L'effarement de Tony redonnait confiance à George Levinson qui, après tout, voyait ces tableaux tous les jours depuis plusieurs semaines maintenant et les connaissait d'autant mieux que l'internement de Simon l'avait obligé à les encadrer lui-même – travail dont le peintre se chargeait personnellement d'habitude. « Entre nous, gesticula-t-il, j'ai un peu peur de la réaction des critiques, qui ont toujours tendance à mélanger l'œuvre et la vie privée de l'artiste. Avec Simon à l'asile, ils ne vont pas se gêner pour faire l'amalgame "heu" ?

– Tu peux en être sûr. Allez, viens, on va boire un coup et se faire une ligne. Je crois qu'on en aura besoin tous les deux. »

Quand les deux chimpes émergèrent du bureau de George, vingt minutes, deux verres et trois lignes plus tard, la galerie commençait déjà à se remplir. C'était la foule habituelle des vernissages – ou en tout cas la foule habituelle des gens attirés par les vernissages de Simon Dykes. Le groupe de jeunes artistes

---

1. Donkey : âne (Monkey : singe). Il s'agit évidemment d'un jeu de Gameboy. *(NdE)*

211

conceptuels qui dominaient la scène artistique londonienne fut parmi les premiers arrivants.

Tony les connaissait tous, bien sûr. Il les avait rencontrés au Sealink, ou dans l'entourage des Braithwaite, plus proches d'eux à la fois par l'âge et par l'esthétique. Tony les trouvait – du moins collectivement – affectés jusqu'à l'absurde. Ils rôdaient maintenant dans la galerie, tirés à quatre épingles ou fagotés comme l'as de pique selon les cas, évitant ostensiblement de se bouchonner. Il y avait deux femelles avec eux – toutes deux séduisantes, dotées d'enflures magnifiquement roses et rebondies – mais aucun des mâles ne s'avisait de parader devant elles – encore moins de les saillir.

Ce snobisme de la non-grattance – « pas de ça entre nous, coco, c'est pas notre genre » – était constamment contre-singé par des présentations de croupes réflexes et répétitives. Ils avaient beau essayer de se retenir, lorsque quelqu'un comme Jay Joplin, le prestigieux marchand d'art propriétaire du White Cube, entrait dans la salle, ils se mettaient tous à grogner et se rapprochaient subrepticement de lui, le trou de balle en cul de poule.

Ils ne pouvaient pas résister, songeait Tony Figes, c'était plus fort qu'eux. Malgré leur appartenance affichée à l'avant-garde – si cela signifiait encore quelque chose –, ils étaient comme tous les autres, voués à la cautèle bisouteuse et au léchage de cul des supérieurs – même si ce n'était que superficiel.

Mais ni Tony ni surtout George ne se souciaient des conceptualistes. Malgré qu'ils en eussent, ceux-ci ne pouvaient s'empêcher d'éprouver un certain respect pour Simon et son travail. Quant à la dépression nerveuse de ce dernier, Tony supposait que, vu leur perversité habituelle, ils devaient trouver la chose plutôt cool. Non, ceux qui les inquiétaient, c'étaient les chimpes comme Vanessa Agridge, la plumitive fouineuse de *Contemporanea*, qui venait d'entrer sur les phalanges dans la galerie. Les manipulateurs de la presse allaient s'en donner à cœur joie quand ils auraient vu ces œuvres. Tony s'arma de courage. L'alcool avait apaisé son corps et la coke affûté son esprit. Il allait essayer de faire tâter raison aux critiques qu'il connaissait et, dès que Sarah ferait son apparition, il veillerait sur elle, la prendrait sous son aile protectrice.

George Levinson gesticulait avec le critique d'art du *Times*, un Néo-Zélandais pète-sec nommé Gareth « Grunt » Feltham. « Ce sont bien sûr des "greu-nn" explorations du corps, de l'essence de la chimpanité. Freud n'a-t-il pas écrit que l'ego était d'abord et avant tout un ego corporel "heuu" ?

– "Ouaarf" ! Je ne suis pas de cet avis, Levinson. Il me semble à moi, voyez-vous "euch-euch", que l'âme est primordiale. Or, nous avons là des peintures qui exploitent le corps du chimpe et se moquent de son âme. "HouuGraaa" ! » Il panthurla avec force, en faisant le geste de cogner du poing sur la tête de George, puis reprit ses signes impérieux :

« "Euch-euch" vous savez, j'ai toujours été très réservé sur le travail de votre chimpe Dykes et je dois grimacer, Levinson, que ce genre de choses me conforte dans mon opinion. » D'une large main poilue, il désigna le tableau devant eux, *Arrêt paquets plats à Ebola*. « "Ouaar" qu'est-ce qu'il veut prouver avec cette... cette vision misérabiliste et dégradante "heu" ? » Feltham s'agitait furieusement. Il renversa la tête en arrière et, dévoilant des canines dégrossies par l'usure et jaunies par le tabac, poussa une série de hurlements et d'aboiements à faire grincer les tympans : « HououuouGra ! Rrrrouaf ! HouuuGra ! Ouaaarf ! »

Ce qu'entendant, d'autres critiques disséminés dans la galerie posèrent leurs verres (loués) sur le sol, bombèrent le torse et y allèrent aussi de leurs vocalisations : « HououuGraa ! Houuu-Gra ! » L'air s'épaississait d'exhalaisons vineuses et George, se sentant mollir, commença à regretter les verres et les lignes qu'il avait pris avec Tony. Quelques critiques se mirent même à tambouriner sur les murs et le sol, jusqu'à ce que les hôtesses les priassent poliment de cesser. Mais George ne parvint pas à déterminer si ces vocalisations aboutissaient à une forme de consensus.

Il y avait maintenant une bonne cinquantaine de chimpes dans la galerie. Des critiques, des collectionneurs, des marchands, des artistes et leur cour. Grâce à Dieu, George remarqua que la proportion des femelles en chaleur était assez élevée, et le charivari était en grande partie motivé par des parades sans rapport avec l'exposition. D'ailleurs, quand les vocalisations s'arrêtèrent, Feltham lâcha George et enfonça sans vergogne son index dans le repli pubien d'une femelle qui passait. Elle lui donna une tape sur la main. « "Greu-nn greu-nn", ronchorenifla Feltham en portant le doigt à ses narines, encore chaude de la semaine dernière, excusez-moi, voulez-vous, Levinson... pas exactement votre *genre* "heuu" ? »

George ne releva pas l'insulte. Il n'allait pas se battre avec un critique plus costaud que lui pour une pareille mesquinerie. Ce fut toutefois avec une grande satisfaction qu'il vit, un peu plus tard, ce même critique trop costaud, le moignon rétracté sous sa veste en velours côtelé, s'échiner sur la femelle au fond de la galerie sans parvenir à jouir ni, encore moins, à faire jouir – d'après l'expression exaspérée du museau de la guenon écrasé contre la moquette.

George regarda de nouveau *Arrêt paquets plats à Ebola*. De même que dans les autres toiles de Simon, il y avait un chimpanzeau au centre. Celui-ci était en proie à une affreuse hémorragie de la bouche et de l'anus. Le sang dégoulinait sur son manteau et sur son « paquet plat » en question, lequel contenait un kit destiné à devenir – d'après les lettres visibles sur l'emballage – un magnifique range-bouteilles. Simon avait parfaitement rendu l'ambiance du supermarché d'ameublement suédois Ikea, la lumière morne des néons, les rayons pleins de tables, de chaises, d'étagères et de meubles hifi en pièces détachées conditionnés dans ces fameux emballages plats. Dans cet environnement conçu pour prédéterminer les choix, l'irruption de la mort violente et contingente avait quelque chose d'obscène.

Particulièrement la mort sous la forme représentée par Simon. En s'inspirant de récits sur l'épidémie d'Ebola en Afrique centrale, il avait imaginé les effets d'une attaque fulgurante du virus rongeur de chair sur la clientèle d'un magasin de meubles. Les silhouettes des adultes étaient déjà suffisamment déprimantes – affalés çà et là contre leurs paquets plats, la tête de l'un soutenant celle de l'autre, les vêtements trempés de sang, d'excréments et de bile –, mais la vue du petit chimpe sur son range-bouteilles était proprement révoltante.

« Houuu », cria tranquillement George en se tournant face à la galerie. Il vit Sarah Peasenhulme entrer en se dandinant, flanquée des Braithwaite. Tous trois furent immédiatement encerclés par des chimpes criailleurs, certains présentant leur croupe à Sarah, d'autres essayant de parader – car elle était toujours en plein œstrus. Son enflement rutilait et débordait comme une baudruche rose coincée entre ses cuisses.

Parmi la cohorte qui l'assaillait, il y avait des porteurs de caméscopes avides d'enregistrer quelques signes d'elle sur cassette. George décida d'intervenir. Il bondit vers la porte, en longeant le mur pour éviter la mêlée, et, quand il fut à quelques mains de Sarah, tambourina sur le bureau de la réception en vocalisant. « Ouaarrrf ! » Ce fut la plus féroce vocalisation qu'on eût jamais entendue de lui. Son expression farouche et ses canines saillantes démentaient – pour une fois – ses ridicules lunettes ovales Oliver Peeples, sa veste en soie martelée Alexander McQueen et le faux protège-enflure dont Tony Figes s'était moqué en signence.

Le groupe fissionna légèrement. George put s'insinuer dans la cohue, attraper Sarah par le bras et l'extirper en force. « "Houuu" viens, Sarah, ne te laisse pas faire par ces chimpes.

– "H'heueu" George, qu'est-ce qui se passe ? Pourquoi ils sont si agressifs ?

– Tu as vu les toiles de Simon, Sarah ? Il te les a montrées "heu" ? fit George en l'entraînant le long de la galerie vers son bureau.

– Quelques-unes, George. Je suis allée une ou deux fois dans son atelier. Je reconnais celle avec King Kong à Oxford Circus... et celle avec l'avion qui s'écrase. C'est pour ça "heu" ? C'est pour ça qu'ils sont si énervés "heu" ?

– Oui, pour ça et bien sûr à cause de la dépression de Simon... Et puis, quand on connaît la vicelardise de la presse et qu'on voit ce carnaval, j'imagine que le fait que tu sois en chaleur n'arrange rien. »

Le fait n'arrangeait rien, en effet. La dérobade de George et Sarah ne passa pas inaperçue. En quelques instants, ils focalisèrent l'attention. Un chimpe nommé Pelham, un chroniqueur mondain du dimanche, se pavanait devant Sarah en agitant un exemplaire du *Evening Standard*. Mais plus impressionnant et d'autant plus fâcheux était Flixou, le sculpteur, un gros baraqué dont la force et les prouesses sexuelles étaient légendaires, qui pantelait, huait et arrachait des pages du journal de Pelham. Une sévère explication semblait se préparer entre les deux mâles.

« "Euh-reuu-heu" George, je ne peux pas, je ne veux pas rester ici... C'est, c'est... » Elle digitait avec les mains au-dessus de la tête, mimant les énervés qui se grattaient, buvaient, gesticulaient et copulaient. « On se croirait dans un *zoo* !

– Ma foi "greu-nn", en un sens, on peut considérer ça comme un succès. Enfin, je pense que Simon serait content de savoir qu'il a provoqué un pareil ramdam. Mais, regarde, Sarah, tu devrais aller au Sealink. Je te rejoindrai dès que je pourrai "heu" ? "HouuGraa" ! » Il panthucha Tony Figes, qui gesticulait non loin de là avec les Braithwaite. Figes baissa les bras et rappliqua.

216

« Tony, si tu en as assez vu, tu veux bien emmener Sarah ? Elle est mal à l'aise.

– Tu as raison, George, sortons d'ici. »

Les chimpes retraversèrent la galerie. Les deux bonobos encadrèrent Sarah et, cette fois, repoussèrent méchamment quiconque essayait de solliciter la guenon. Ils atteignirent la porte sans incident et sautèrent dans la rue. Ken Braithwaite alla se planter au bord du trottoir en panthurlant pour attirer l'attention d'un taxi. Il en vit un s'arrêter au bout de quelques secondes, avec son enseigne allumée, et déposer deux passagers, qui venaient visiblement au vernissage, bien qu'ils n'eussent guère la dégaine des chimpes habitués à ce genre de raout. L'un était un mâle corpulent, un peu défraîchi mais bien conservé, vêtu d'une vieille veste de smoking croisée, l'autre une svelte guenon brune endimanchée dans une vareuse en Lurex qui avait dû être à la mode en son temps et un protège-enflure assorti.

« "HouuGraa" ! panthurla Sarah en faisant signe à son groupe. C'est le Dr Busner, le chimpe de la Théorie quantitative. C'est lui qui va s'occuper de Simon maintenant. Et elle, c'est le Dr Bowen, le médecin-chef de Charing Cross. "HouuGraa" docteur Busner, "HouuGraa". »

Busner paya le chauffeur et s'approcha d'eux à quatre pattes. « "HouGraa", vous êtes Sarah, gesticula-t-il, n'est-ce pas "heuu", la conjointe de Simon Dykes ?

– C'est cela, et voici George Levinson, le marchand d'art de Simon. »

Sarah achevait les présentations au moment où Bowen se joignit au groupe. Il s'ensuivit une tournée embarrassée de levées de croupes et de grattages partiels. Les chimpes du milieu de l'art ne sachant pas vraiment comment se comporter avec les psychiatres, où les situer dans la hiérarchie, une sorte de moratoire interrompit bientôt les frétillements de troufignons. Sarah avait les doigts dans la fourrure du Dr Bowen, tandis que George et Tony rivalisaient de courbettes devant l'éminent psychiatre.

« Eh bien, monsieur Levinson, grimaça Busner, je suis impatient de voir ces tableaux. Pensez-vous qu'ils pourront me donner quelques puces sur l'étrange état de M. Dykes "heuu" ?

– Je n'en sais rien, docteur Busner, je n'en sais rien... C'est un nouveau départ pour Simon, ils sont très différents de ses œuvres antérieures. Ils sont très... très *descriptifs*...

– Je vois. Et quel en est le sujet "heu" ?

– Le corps, docteur Busner, le corps du chimpe archétypal comprimé, écrasé et distordu par les tensions de la vie urbaine moderne. » George était dans son élément, ses doigts formaient les signes avec aisance. « Je pense que Simon a réalisé quelque chose de "chup-chupp" très remarquable avec ces nouvelles toiles, mais il est difficile de grimacer si les critiques le suivront dans cette voie.

– Eh bien, eh bien, nous verrons. Jane, voulez-vous sauter le pas de la porte "heu" ? »

Le Dr Bowen s'écarta de Sarah avec une tape rassurante sur le derrière.

« Mais, docteur Busner, fit Sarah, comment avez-vous trouvé Simon ? Vous pensez qu'il va mieux "heu" ? »

Busner s'approcha d'elle et la gratifia de quelques caresses un peu gauches sur la tête. « Allons, allons, que de questions. Je me doute "greu-nn" que vous devez être bouleversée, mademoiselle Peasenhulme, mais il est bien trop tôt pour hasarder un diagnostic. L'état de votre conjoint est préoccupant, mais rien ne me porte à croire – pour l'instant – qu'il soit incurable. J'ai, comme vous le savez, une approche globale et psychophysique de ce que l'on appelle communément <maladie mentale>. Je m'intéresse au chimpe tout entier, d'où ma présence ici. Nous espérons pouvoir procéder à quelques examens demain. Panthuchez donc le Dr Bowen après le second déjeuner, nous aurons peut-être des nouvelles pour vous. »

Là-dessus, Busner panthurla un bonsoir aux chimpes assemblés, tapa sur une poubelle métallique, tendit son moignon à Bowen et entra dans la galerie.

Il ne se passait rien depuis plusieurs heures dans la cellule de sécurité. Simon Dykes, l'artiste, couché sur son nid, tenait sa tête ébouriffée entre ses mains, et dans cette tête défilait une cavalcade d'images. Les motifs de ses tableaux ; des corps déjetés, des corps brûlés, des corps broyés et macérés, tous mêlés et unis de force à d'autres singes ; et ces visions ricanantes, ces visions claqueuses de dents qui voulaient lui imposer leur propre réalité. Il gémissait, s'agitait, gémissait, s'agitait.

La bête qui se prétendait Sarah avait signalé que le vernissage de son exposition avait lieu ce soir. Toutes sortes de conjectures s'entrecroisaient dans ses gémissements : si j'étais fou, je ne m'en inquiéterais pas, je ne serais pas capable de comprendre ça... hein ? Or je m'en inquiète et je peux comprendre. Je vois d'ici la merde qu'il vont me balancer à la gueule... la merde qu'ils vont me balancer... la même merde que je balance moi-même sur ces bêtes.

Qui sont-ils ? Simon visualisa la galerie Levinson peuplée de chimpanzés. Une vision grotesque, les bêtes avec leurs jambes arquées de vieillards, leurs oreilles en forme de champignons des prés. Ça gesticulait devant les tableaux en agitant les doigts dans tous les *sens*, en se fourrant réciproquement le museau dans le cul et les ongles dans les poils – tapisserie animalière gigotante, parodie pathétique de l'amour de l'art... Parodie ?

Pour la première fois depuis le début de sa crise, l'idée vint à Simon que peut-être le contenu de ces hallucinations, ce masque bestial plaqué sur l'humain, était une construction de l'esprit qui puisait sa matière dans ses propres obsessions. Qu'étaient ces

219

singes, après tout, sinon des versions distordues du corps ? Car le seul fait certain était leur réalité corporelle, leur *incarnation*, tout le reste, tous leurs signes n'étant qu'une intolérable absurdité.

Ces pensées lui semblèrent correctement conçues, lucides et sensées. Cela le calma. Un observateur caché, capable de percer la pénombre de la cellule et bien attentionné, eût remarqué une certaine décrispation des membres de Simon à cet instant. Il grognonna paisiblement, s'allongea plus confortablement et attendit l'arrivée des macaques avec leurs seringues.

En supposant que le vernissage eût vraiment eu lieu ce soir, où serait Sarah en ce moment ? George Levinson n'aurait sûrement pas eu l'inélégance d'offrir un troisième dîner pour fêter le vernissage alors que son poulain était interné dans un asile psychiatrique. Non, Sarah aurait probablement terminé la soirée au Sealink avec Tony Figes et les Braithwaite. La vision de Sarah au Sealink, Sarah posée, Sarah palpable, lui remua le ventre, fit cailler le petit-lait qui glougloutait dans ses boyaux, le tenailla comme un rêve lubrique et jaloux. Il se rappela la lueur particulière de ses yeux quand elle le désirait, les pupilles dilatées, effarées, envoûtées. Il se rappela le mouvement sinueux de ses membres quand elle se hissait sur lui, se couchait sur lui. Il gémit. Il frémit. Où était-elle maintenant ? Pensait-elle à lui ?

Oui. Sarah pensait à Simon mais, comme elle pensait aussi à la bite de Ken Braithwaite qui la limait avec une énergie explosive, son esprit divaguait un peu pour le moment.

Les deux chimpes avaient commencé à copuler dans l'escalier menant aux toilettes du Sealink. Ken n'avait même pas paradé, il lui avait simplement signifié la possibilité d'un enfilage. Et c'était justement cette indolence dans la digitation, son caractère vaguement allusif, qui l'avait décidée à accepter. Copuler avec

Ken, avait-elle pensé, ce serait un peu comme se faire couvrir par le révérend Peter, avec la même neutralité rassurante.

Et ce fut le cas. Sarah s'arc-bouta à la rampe, à mi-palier, et Ken la pénétra avec aisance. Son enflure était si distendue, si humide qu'il se sentit aspiré en elle par succion. Il fut transporté. Son corps élancé fut secoué de spasmes, tandis que ses doigts inscrivaient sur sa fourrure blonde : « "Hhnn" ton enflure, "hhnn" ton enflure, ton enff... fluure... » Puis le rythme de ses ahans se stabilisa.

Plusieurs chimpes qui montaient et descendaient l'escalier furent contraints à un exercice de saute-mouton pour franchir l'obstacle de leurs corps tressaillants, mais aucun ne fit de commentaire. Toute remarque concernant les activités copulatoires dans le club était considérée comme une incorrection, que personne ne commettait en principe.

Ken jouit avec beaucoup d'alacrité – en se retirant si rapidement que le bout crochu de sa bite la racla intérieurement avec juste ce qu'il fallait de friction pour la faire exulter. Elle poussa un cri, claqua des dents et sentit le foutre de Ken asperger la fourrure de son dos. « IiiiOuaarr ! » hurla-t-elle, puis elle se tourna vers lui pour grimacer : « "Houuu" Ken, tu penses que Simon va se rétablir "heu" ?

– Aucune idée, Sarah, aucune idée. En tout cas, s'il se fait du mouron pour toi, il saura que tu es en bonnes mains. »

Zack Busner se sentait gêné aux entournures dans son vieux smoking. La climatisation des loges de Covent Garden était affreusement mal réglée et la chaleur humide de la journée avait fait monter la température à près de trente degrés. Il essayait de se concentrer sur la scène, mais *Turandot* n'avait jamais été un opéra à son goût et, comme il était arrivé au second acte, l'intrigue lui paraissait décousue. Les vocalisateurs n'étaient-ils pas censés être chinois ? Si oui, pourquoi étaient-ils déguisés comme dans un royaume d'opérette ? Vraiment, songeait Zack, ces metteurs en scène modernes confondent musique et amusette. Même les tentatives de Peter Wiltshire pour bouleverser les époques, les genres et les styles n'étaient que des chichis aux yeux de Busner.

Au moins pouvait-il, s'il évitait de regarder les sur-titres qui défilaient au-dessus de la scène, écouter les puissants panthurlements et les râles melliflus des vocalisateurs. Et Charlotte semblait y prendre du plaisir. Elle grognait de contentement en caressant doucement les excroissances boursouflées de son enflure en voie de dégonflement.

Busner était donc libre de méditer sur le cas étrange de Simon Dykes et son illusion humaine. Il avait été plus impressionné qu'il ne s'y était attendu par les tableaux de Dykes. L'idée de dépeindre de façon allégorique l'antinaturalisme de la condition chimpaine moderne et urbanisée le séduisait. Ce que faisait Dykes avec son imaginaire visuel était au fond assez similaire à sa propre recherche d'une approche psychophysique des troubles neurologiques et psychiatriques. Les corps des chimpes dans les toiles de Dykes étaient placés dans des environnements destructeurs – un avion en plein crash, un escalator en feu, un supermarché d'ameublement frappé par une épidémie – que l'on pouvait regarder comme des transpositions symboliques du rapport vicié entre l'esprit et le corps des chimpanzés.

Était-il possible que la crise de Dykes fût contenue en germe dans ses tableaux ? Que, à l'image des fulgurants éclairs de lucidité mystique qui précèdent les crises des épileptiques, ils fussent des anticipations de la fulgurante aliénation de son propre corps et de sa propre chimpanité qu'il subissait actuellement ? Et comment son illusion humaine s'inscrivait-elle dans ce schéma ? Busner caracola en esprit sur les diverses connotations attachées à la notion d'humain. L'homme était tenu pour la plus bestiale des bêtes à cause de sa ressemblance avec le chimpanzé. On retrouvait le même préjugé dans les descriptions de toutes les créatures simiesques, et cela dès avant la découverte des singes proprement chimpanzoïdes – l'orang-outan, le gorille et l'homme – au XVIᵉ siècle.

L'homme était donc une cible toute désignée pour la diabolisation. Si le macaque, l'hamadryas et le babouin étaient déjà considérés comme des engeances de Lucifer – certains pères de l'Église ayant même affirmé que le diable était à l'image du babouin –, combien plus démoniaque pouvait être l'homme ! L'homme avec sa répugnante peau nue, son répugnant postérieur bombé, sa lubricité vorace et déplacée. Pourtant, paradoxalement, la culture contemporaine favorisait une représentation gentillette de l'humain, presque attendrie. Les chimpanzeaux avaient souvent de petits hommes en peluche comme jouets. On trouvait des cartes d'anniversaire avec des hommes déguisés en chimpanzés dans presque tous les kiosques à journaux. Et il y avait cette publicité célèbre pour le thé P.G. Tips qui, au moyen d'effets spéciaux, faisait gesticuler des humains dans des attitudes de chimpanzés, savourant et commentant le breuvage avec des signes intelligibles.

Enfin, on assistait à l'émergence de nouvelles préoccupations éthiques relatives aux droits des animaux. D'aucuns moralistes plaidaient maintenant pour une extension à l'homme de certains droits du chimpanzé, sous prétexte que son profil génétique s'apparentait au nôtre et qu'il était l'animal le plus intelligent.

Parmi toutes ces différentes images et conceptions de l'humain, lesquelles avaient fourni l'aliment du délire de Dykes ? Y avait-il d'autres pistes à explorer ailleurs dans sa vie, en dehors de son art ? Ou l'analyse révélerait-elle que tout ce système hallucinatoire – comme Busner l'avait maintes fois observé – se résumait simplement à une gesticulation incohérente de schizophrène paranoïde ?

Une chose était certaine : ils ne pourraient pas progresser tant qu'ils n'auraient pas déterminé l'étendue des lésions organiques

– s'il y en avait – du cerveau de Dykes. Alors, et alors seulement, Busner pourrait aller de l'avant. Pour l'instant, il y avait peu de choses à faire, bien que Busner fondât de bons espoirs sur son nouveau patient. C'était un cas qui pouvait attirer l'attention du public, et la chose n'avait jamais été pour déplaire à Busner.

Comme s'il eût minuté ses pensées pour qu'elles coïncidassent avec la fin de la représentation, le public choisit ce moment pour faire dérailler le train de Busner en sautant debout et en panthurlant son admiration. « HouuuGraaa ! HouuuGraaa ! » Busner se leva aussi et panthurla poliment avec les autres. « J'espère qu'il y aura un bis, grimaça-t-il discrètement à Charlotte. Les pous de ce chimpe Dykes me démangent tellement que j'ai manqué <Nessun Dorma>. »

CHAPITRE 12

L'orteil râpeux tapait sur le lino. « Tap-tap, tap-tap, tap-tap. »
La peau était notablement plus dure que celle d'un orteil
humain, et c'était précisément pour cette raison que l'orteil produisait sur le lino le son « tap-tap, tap-tap, tap-tap ». « Euch-
euch », fit Simon, irrité.

Le masque idiot – probablement un masque de Halloween
pour les chimpanzeaux – se tourna face à lui et un doux grognement se fit entendre derrière l'arc rigide des lèvres rouge vif :
« "Greu-nnn" tout va bien, Simon ? Vous n'avez pas peur, vous
n'êtes pas trop mal à l'aise "heu" ? »

Simon eût été incapable de grimacer comment il le savait,
mais il *savait*, d'après la gestuelle et la vocalisation désormais
familières, que c'était la psychiatre nommée Bowen qui le touchait du doigt. Il avait insisté pour qu'elle fût la seule à l'accompagner dans son périple à travers les boyaux de l'hôpital vers la
salle d'IRM et de scanner. Mais, plus tard, quand on l'avait
extirpé du grand goulet d'acier sonore de la machine, il n'avait
pas osé ou n'avait pas souhaité gesticuler avec la créature qui
s'occupait de lui.

Busner avait tenu grimace et fait de son mieux pour vider les
couloirs et les salles traversés par Simon. De temps en temps,
une silhouette simiesque, surprise par leur arrivée, détalait pour
leur céder le passage. Chaque fois que cela se produisait, Simon
se recroquevillait et se plaquait contre le mur ; et, chaque fois,

Jane Bowen le cajolait de la voix pour qu'il se remît sur ses quatre pattes et reprît sa marche. Voyant sa détresse, elle était toujours tentée de lui faire un bon gros grattouillis, de lui témoigner un peu de chaleur chimpaine pour le réconforter, tant comme médecin que comme femelle, mais elle avait la sagesse de se retenir.

Il n'y avait pas eu de piqûre de Valium ce matin. Bowen lui avait expliqué par téléphone que les sédatifs fausseraient la valeur des examens. « Si vous sentez venir une crise, alertez-moi et je vous ramènerai tout de suite dans votre cellule. Nous cherchons seulement à vous aider, Simon, ne l'oubliez pas. »

Mais, outre la vue du drôle de chimpanzé, ce qui avait perturbé – et bizarrement rassuré en même temps – Simon fut l'intérieur de l'hôpital en soi. Simon était déjà venu à Charing Cross. Combien de fois, il ne le savait plus, mais assez pour reconnaître les lieux. Les notices punaisées sur les tableaux le long des murs ; les portes en verre armé, avec leur grillage incrusté ; les sols en linoléum criard et crissant ; même leur itinéraire, l'escalator, la cour intérieure, l'ascenseur – tout cela correspondait à des souvenirs de visites faites à des alliés malades hospitalisés ici.

Il y avait cependant quelque chose dans ces lieux – était-ce l'absence de Valium ou le simple fait de sortir de son confinement ? – qui jurait dans le tableau : leur échelle. Tout, la hauteur des plafonds, la largeur des portes, le volume du mobilier, était légèrement rétréci. C'était presque imperceptible, mais suffisamment frappant pour Simon. C'était l'hôpital Charing Cross rebâti pour des êtres juste un peu plus petits que les humains. Redessiné pour des chimpanzés.

Au premier instant, après sa sortie de sa cellule de sécurité – relativement sécurisante –, Simon fut désorienté. Le masque de Bowen dissimulait convenablement son horrible face de singe, mais le pantalon qu'elle avait enfilé pour couvrir ses infâmes pattes velues était fait d'un tissu diaphane qui laissait voir les poils par transparence. Et, avec sa blouse blanche qui descendait jusqu'aux talons, elle avait vraiment une dégaine de clown.

Je dois continuer à les regarder comme des absurdités, des fictions, s'adjura Simon. Me laisser aller à croire ce que je vois reviendrait à reconnaître la réalité de ma folie. Je dois m'accrocher à mon humanité. Il se reploya donc sur lui-même comme un vieux chimpe atteint d'une maladie chronique et chemina en traînant le pas, poil bas, tête basse.

Bowen fut consternée par le comportement de Simon. D'accord, il ne se débattait pas, il ne l'arrosait pas. D'accord, il semblait supporter un peu mieux la vue des autres chimpes qu'il apercevait furtivement au détour d'un couloir, mais il y avait tant de torpeur, tant d'apathie dans son attitude qu'elle fut encline à aggraver son diagnostic. Elle craignait de reconnaître dans l'état de Dykes une forme de dépression précatatonique laissant présager un grave dysfonctionnement neurologique. Ses hallucinations humaines n'étaient peut-être que le début d'une maladie chronique qui, à la longue, pouvait se traduire par une apathie, une prostration et finalement une complète aliénation mentale.

Les deux chimpes étaient maintenant revenus à Gough et attendaient – dans une salle d'attente, comme de juste – l'arrivée de Zack Busner pour procéder aux tests de perception. La salle d'attente était un espace neutre et fonctionnel : une table en mélaminé, des chaises en plastique, une corbeille en acier. Des stores à lamelles verticales barraient la lumière crue de midi, l'éclairage était assuré, dans le style blafard, par des néons grésillants, il y avait un téléphone sur la table et, dans l'air, une odeur de désespoir javellisé.

« "HouGraa" Simon, je vais à la machine à café, vous voulez quelque chose "heu" ? »

Il leva les yeux en l'entendant vocaliser et contre-grimaça : « Ouais, d'accord.

– Café ou thé "heu" ? Lait, sucre "heu" ?

– N'importe. »

Bowen carpo-tarsa vers la porte en hochant la tête. Son masque ridicule lui écorchait les oreilles. Le pauvre vieux, pensa-t-elle, sa gestique confirme mes soupçons : des signaux flous, sans accent ni tempo.

Dans le couloir, elle rencontra Busner, qui arrivait à grands pas, avec un large sourire. Il se dandinait en bipède, un vieux cartable en cuir sous le bras, suivi de son assistant epsilon, Gambol. « "HouuGraa" ! Alors, Jane, vous vous remettez de votre incursion dans le monde de l'art "heu" ? Non, non, pas de manières, je vous en prie... » En l'apercevant, Jane Bowen s'était spontanément jetée à ses pieds en lui présentant son cul et insistait maintenant pour qu'il le baisât. « Il faudra vous habituer à mon style décontracté, Jane, si nous devons travailler ensemble. Pas vrai, Gambol "heu" ?

– "Hou" absolument », contresigna Gambol, alors que ses pensées carpo-tarsaient dans une tout autre direction.

Trouverait-il le moyen de s'éclipser ce matin pour avoir une autre gesticulation avec Whatley ? Ils n'avaient arrêté aucune décision la veille. Gambol avait promis d'éclabousser la réputation de Busner et le moment était venu pour lui de tenir sa promesse s'il voulait conclure l'alliance qui lui permettrait de réaliser ses projets d'avancement, de conquête et, à long terme, de domination.

« J'allais chercher une tasse de thé pour Dykes, Zack, grimaça Jane Bowen. Je pense que vous serez "greu-nn" soulagé d'apprendre que la séance de scanner et d'IRM s'est bien déroulée. Je leur ai demandé de faire aussi une radiographie complète et de nous apporter les résultats le plus tôt possible pour qu'on puisse les comparer avec ceux des tests que vous avez l'intention de faire.

– "Chup-chupp" excellent "greun-nnn" excellent, eh bien, je pense qu'il est temps pour moi d'avoir un petit museau-à-museau avec notre patient. Vous avez prévu un masque pour moi "heu" ? Comme vous voyez, j'ai apporté mon propre pantalon ! » À ces signes, Busner sortit de son cartable un pantalon de harem assez semblable à celui de Jane Bowen. Les trois chimpes eurent du mal à se contenir : l'idée de porter ces vêtements de nuit dans un lieu de travail avait quelque chose de très osé, voire franchement égrillard. « "H'hi-hi-hi", caqueta Busner. "H'hi-hi-hi-hou" mon Dieu "clac-clac" ! Je sais qu'il ne faudrait pas en rire mais, vraiment, c'est la première fois de toute ma carrière qu'un cas clinique me force à de pareilles pitreries. Tiens "h'hi-hi-hi" Gambol, tiens-moi mon cartable pendant que j'enfile ça. »

Quand le téléphone sonna, Simon ne répondit pas tout de suite. Il était accroupi, ou plutôt affalé devant la table, la tête dans les bras. Je suis une âme damnée, songeait-il. Non, même pas : un sans-âme. J'ai perdu mon âme pour toujours. En contemplant le long couloir de ses souvenirs, il discernait faiblement quelques visions du passé, des visions de corps perdus, de corps humains. Son premier bébé sortant de la matrice dans un éclaboussement de liqueur – fusant telle une boule bleue de vie sur le drap en caoutchouc, bras et jambes pêle-mêle et poussant un cri indiscutablement humain, un merveilleux cri. « Ouââârr ! » cria Simon, « ouââârr ! » et l'émotion, la tristesse, le regret lui secouèrent le poil.

Le téléphone sonnait toujours. Simon répondit enfin et attendit que la neige se dissipât sur l'écran. Un autre masque d'humain caricatural apparut, mais ce n'était pas celui de Bowen. Une langue de cheveux blonds en plastique barrait le front luisant, couleur chair, de cette face pseudo-humaine et une grosse moustache surmontait l'arc rigide de la lèvre supérieure. Sans vraiment savoir pourquoi, Simon devina que c'était Busner, avant même que la bête ne grimaçât.

« "HouuGraaa" bonjour, monsieur Dykes. Je tiens à vous féliciter pour votre exposition...

– Quoi "heu" ? » Malgré lui, l'intérêt de Simon s'éveilla – malgré lui, malgré le masque, malgré les gesticulations du singe. Rien n'avait changé de ce point de vue : dès qu'on commentait son travail, une sorte d'anxiété fébrile le saisissait.

« Votre exposition à la galerie Levinson, vos tableaux apocalyptiques... Ce sont bien des tableaux apocalyptiques, je ne me trompe pas "heu" ?

– C'est... c'est bien ça, en effet, "greu-nnn" je les situe dans ce contexte général mais avec une intention subversive. C'est un retournement de la description religieuse de l'Apocalypse.

– Bien sûr, c'est très clair et... "greu-nnn-euch-euch" je pense que c'est justement le caractère subversif de votre œuvre qui a le plus impressionné les critiques "heuu". »

Busner essayait de gesticuler d'une manière qu'il imaginait « humaine », ce qui le contraignait à une posture inconfortable. Sa prestation était hélas gâchée par une sorte de réflexe qui l'incitait à tripoter sans cesse ses lunettes à double foyer pendues à son cou. De toute manière, ses efforts laissaient Simon indifférent. Les masques ne servaient à rien : les oreilles mordillées de Busner pointaient de chaque côté et ses doigts volubiles qui s'agitaient devant l'écran étaient aussi velus et racornis que les orteils de Jane Bowen. Simon toussota – « euch-euch » – puis grimaça : « Regardez, docteur Busner, je crois que ce carnaval ne m'aide pas beaucoup. Vous avez beau mettre un masque et un pantalon, je vous vois toujours comme un chimpanzé. Ou, plus exactement, je sais qu'il y a un chimpanzé derrière ce masque, alors autant l'enlever.

– "Heuu" vraiment ? Ça ne vous rassure pas ? C'était pourtant

230

ce qu'il y avait de mieux au magasin. Qualité professionnelle, paraît-il, on emploie presque les mêmes au théâtre et à la télévision, et mes petits les ont trouvés absolument terrifiants. Ils ne sont pas assez réalistes "heu" ?

– Pas du tout "houu".

– "Hou" bon, dans ce cas... » D'un coup de patte à la « Mission impossible », Busner retira son masque et fit signe à Gambol de lui retirer son pantalon de harem. « Ces sacrés trucs me démangent », signala-t-il sur le pelage de l'epsilon.

Simon s'arma de courage pour regarder le museau de la bête en face. Il se raisonna : peu importait de savoir pour l'instant si c'étaient lui ou le monde qui étaient devenus fous, l'essentiel était d'essayer de communiquer avec Busner. S'habituer à la vue du psychiatre et peut-être, peut-être que les choses iraient mieux.

« Alors "heuu", ça va comme ça ?

– Mmmouais, digita Simon en se voilant partiellement les yeux. Il y a juste que... pourriez-vous essayer d'avoir des gestes moins brusques ? Surtout si vous entrez ici. Vous avez une *vitesse* de mouvement vraiment terrifiante. Vous me comprenez "heu" ?

– Mais bien sûr. Les chimpanzés ont tendance à se mouvoir beaucoup plus vite que les humains "heu" !

– Ah bon "heu" ?

– Oui, oui, beaucoup plus vite. J'ai l'impression que vous avez bien des choses à apprendre sur le monde, monsieur Dykes. Si nous considérions nos entretiens à venir comme des séances *éducatives*, pensez-vous que vous supporteriez mieux mon apparence physique "heuu" ?

– Peut-être. J'en sais rien.

– "H'heuu" on va essayer de faire comme ça, d'accord ? Maintenant, seriez-vous prêt à accepter ma présence dans la pièce ? J'ai besoin de vous faire passer certains tests qui nécessitent que nous soyons à portée de grattage l'un de l'autre...

– Hein, quoi "heueu" ?

– Excusez-moi, je me suis mal exsigné. Le Dr Bowen m'a prévenu que le contact simien vous perturbait. Je voulais simplement signifier que j'ai besoin d'être... comment grimacer... à portée de grattage *putatif*.

– À condition que vous ne me touchiez pas... et que vous ne m'approchiez pas de trop près. »

Simon coupa la communication et se carra sur sa chaise. Toujours la même posture, remarqua Bowen. Droit et raide. On ne le voyait jamais se lover en agrippant ses orteils comme les autres chimpanzés quand il s'installait sur un siège.

Pendant la gesticulation, Bowen avait, elle aussi, fait l'abandon de son masque et de son pantalon. En entrant dans la pièce, elle alla se blottir dans un coin en se cachant derrière une chaise pour ne pas effaroucher Simon.

Busner entra en bipède, avec une lenteur tellement exagérée que Bowen craignit que Simon ne trouvât son attitude condescendante, posa son cartable bourré sur la table, tira une chaise et s'y accroupit dans une posture assez semblable à celle de Simon, le dos droit, les mains sur les genoux – quand elles ne faisaient pas de signes.

« À présent, monsieur Dykes, je voudrais vous proposer quelques exercices très simples, si simples qu'ils pourront vous paraître insultants pour votre intell...

– Docteur Busner "heuu" ?

– Oui, monsieur Dykes.

– Vous avez grimacé quelque chose au sujet des critiques.

– C'est exact.

– Vous pourriez être un peu plus explicite "heu" ? » Il n'y avait plus le moindre signe d'apathie maintenant. Simon était penché en avant, presque à portée de main de Busner, avec une expression de museau attentive et concentrée que Bowen ne lui avait encore jamais vue.

« J'ai pris la liberté de faire photocopier les articles des jour-

232

naux de ce matin par mon assistant, Gambol... Vous aimeriez y jeter un coup d'œil "heuu" ? » Busner sortit une liasse de papiers de son cartable et la montra à Simon, qui lança la main pour essayer de s'en saisir. « Pas tout de suite, monsieur Dykes, fit Busner en éloignant la photocopie. Excusez ma brusquerie, mais je pense sincèrement que nous devrions d'abord faire ces tests. La revue de presse après "heuu" ? »

Simon retomba sur sa chaise. « D'accord, digita-t-il avec lassitude, mais vous vous fourrez le doigt dans l'œil si vous espérez trouver quelque chose. »

La séance dura toute la matinée. Busner et Bowen commencèrent par les tests de perception. Les plus simples étaient à la portée d'un chimpanzeau. Il s'agissait d'associer des formes, d'emboîter des pièces, de ranger des couleurs et d'interpréter divers symboles élémentaires. Simon les réussit tous, mais au prix d'un effort de réflexion qu'on n'eût pas attendu de la part d'un chimpanzé adulte en bonne santé.

Les difficultés qu'il éprouva avec les exercices rudimentaires devinrent plus critiques avec les suivants. Sa coordination œil-main, sa vision, son ouïe étaient légèrement déréglées. On n'observait pas de réel dysfonctionnement cognitif, mais quelque chose ne tournait pas tout à fait rond entre le cerveau et le reste du corps de Simon Dykes. Il se trompait de bâton, de lettre, de forme. Quand Busner ou Bowen lui faisaient remarquer sa méprise, il la reconnaissait immédiatement, mais, placé devant un autre problème en tout point similaire, il répétait la même erreur.

Busner le soumit aussi à un test Stanford-Binet réduit, en trente-deux questions, conçu à l'origine pour les schizophrènes, et à un MMPI, ou Minnesota Multiphasic Personality Inventory, également remanié. Chaque question s'accompagnait d'un choix de réponses, dont une seule était raisonnable. Simon s'en dépêtra tant bien que mal, le poil trempé de sueur, sans jamais demander à Busner à quoi rimaient ces devinettes et sans s'énerver, sauf lorsqu'elles touchaient au cœur même de son délire. Dans le MMPI, par exemple, il y avait toute une section concernant la saillie, qu'il laissa sans réponses. Chaque fois qu'il rencontrait le signe « saillie », il l'entourait d'un cercle et mettait un point d'interrogation.

Busner et Jane Bowen le regardèrent faire sans vocaliser, profitant de l'occasion pour s'adonner à un bouchonnage prolongé. Busner se laissa glisser sur le sol et posa la tête sur les cuisses de Bowen. Elle farfouilla soigneusement dans la fourrure de son crâne et de son cou, puis retroussa sa veste et sa chemise pour lui découvrir le dos en faisant claquer ses lèvres. Elle mettait une partie du produit de ses fouilles – mucus, boulettes de sueur séchée, miettes, fibres alimentaires – dans sa bouche et entassait le reste – particules de papier, filaments de plastique, lentes, agrafes, croûtes et déchets divers – sur le linoléum. Quand elle eut fini, ils inversèrent leurs positions et ce fut au tour de Busner de lui épouiller le dos. Il renifla et grommela en activant ses doigts et ses lèvres. Surpris par la quantité de médicaments qu'il trouva enchevêtrés dans le pelage lisse et brun de Bowen, il dactylographia entre ses épaules : « J'ai intérêt à être très attentif à ce que je fais, Jane, si je ne veux pas être victime d'une overdose ! » Elle pouffa en silence.

Simon répondit à la dernière question et balança son crayon, qui retomba derrière lui avec un bruit mat. Busner se redressa. « "H'heuu" vous avez fini, monsieur Dykes ? signala-t-il d'une main, en se tenant les testicules de l'autre.

– "Houu" oui, j'en ai fini, terminé, soupé, ras le fion. Prouvez-moi que je suis fou maintenant, docteur Face-d'humain "euch-euch", prouvez-moi... » Les doigts de l'artiste bredouillèrent, puis s'immobilisèrent. Un long signence stupéfait s'ensuivit. Bowen s'attendait à une réaction violente de la part de Busner, mais rien ne vint. Il se contenta d'observer Simon avec perplexité, en fronçant les arcades sourcilières.

Le téléphone sonna. Bowen répondit. Elle lissa négligemment d'un orteil quelques poils que Busner avait rebroussés en regardant les grimaces de son intergesticulateur sur l'écran, puis coupa la communication avec le même orteil. « C'est le radiologue, au labo...

— Et "heu" ? fit Busner en défronçant et haussant les arcades sourcilières.

— Ils ont fini.

— Bien, bien. Très "grnn" bien. Ils ont fait vite. Grimacez-moi, Jane, avez-vous vraiment autant d'autorité ou Whatley est-il intervenu pour accélérer les choses "heuu" ?

— Je n'en ai aucune image, Zack, mais j'aime à croire que c'est grâce à moi seule. » Elle se gratta les genoux.

Le patient, qui était resté non vocal pendant cet échange, s'anima tout à coup et papillota des doigts. « Alors "euch-euch", ces coupures de presse, ça vient "heuu" ? Je croyais que je pourrais les voir quand j'en aurais fini avec votre questionnaire à la mords-moi-le-nœud "heuu" ? C'est bien ce que t'avais signalé, face d'humain, hein ? Face d'humain ! Face d'humain ! » Pour fignoler l'insulte, Simon attrapa l'un des masques humains et le brandit devant la face concernée. Busner perdit patience. Il balança à Simon un swing de derrière les fagots qui l'envoya dinguer à plat ventre. Le résultat fut douloureux à observer. Simon se roula en boule, en faisant entendre ses bizarres gémissements de gorge et en abritant son museau épouvanté derrière des mains qui digitaient : « Enculé de ta race ! Tu m'as frappé ! Salaud ! T'es pas un toubib, t'es qu'un monstre, un putain de monstre ! » Et il se mit à hurler. Avec conviction. « Aaaaargh ! Aaaaargh ! Aaaaargh ! »

Busner et Bowen échangèrent un regard soucieux. Jamais ils n'avaient vu un patient psychotique réagir de la sorte à une admonestation physique – quelle que fût la nature de son délire. Busner avait lu les notes de Bowen, mais les déficiences physiques de Simon, son manque de réflexes, continuaient à l'intriguer. Malgré ses années d'expérience clinique, cette réaction atypique contrariait son envie de consoler le pauvre chimpanzé. Il en laissa le soin à Bowen, qui s'accroupit devant Simon en grognant doucement. « "Grnnn-greu-nnn-houou" Simon, je suis désolée, mais vous avez tort de défier l'autorité du Dr Busner de la sorte. Ça ne vous avancera à rien...

– Tout ce que j'veux, tout ce que j'veux...

– Qu'est-ce que vous voulez "heuu" ? Simon "heu" ?

– Tout ce que j'veux, c'est les voir. C'est tout.

– Voir quoi, Simon "heu" ?

– Les coupures de presse, merde, quoi...

– Simon, Simon "gr-unnn" Simon, allons, voyons, je suis "chup-chupp" désolé. Vous êtes toujours mon patient, vous savez, et un patient très intéressant, en plus. Tenez, les voici... » Busner s'accroupit à côté de Simon sur le linoléum élimé. Il avait envie de prendre la tête du chimpe dans ses mains, de la bercer, de la serrer, de lui offrir un peu de chaleur chimpaine, mais le regard de Bowen l'en dissuada. « Ce que je vous ai "grnnn" fait, soyez certain que je l'aurais fait à n'importe quel patient en pareil cas. Maintenant, il faut que j'analyse les résultats de vos tests avec le Dr Bowen. Ce serait très ennuyeux pour vous – c'est très technique –, alors je vous suggesticule de retourner dans votre chambre, de prendre un troisième déjeuner et de lire vos coupures de presse – je pense que vous les trouverez intéressantes, quoique peut-être pas toujours à votre goût – en attendant que nous ayons fini. Nous pourrons nous retrouver dans une heure ou deux... "heuu" ? Qu'est-ce que vous en grimacez ? »

À la cantine, Bowen réussit à obtenir une table de coin. De la sorte, ils pourraient regarder les radiographies sans visionneuse.

Busner apporta les plateaux du self-service, Bowen les enveloppes en papier kraft et les chemises en papier superkraft. Ils étalèrent les radios sur la table et s'y plongèrent. « Inutile de procéder méthodiquement, Jane, gesticula Busner en enfournant une portion de *steak and kidney pie* dans sa bouche. Je préfère aller le plus vite possible pour brosser un premier diagnostic impressionniste. Si vous remarquez quelque chose... criez ! »

Bowen se frotta les cuisses l'une contre l'autre. Sa fourrure se peignait d'elle-même, comme du velcro sans croches. Oh ! lécher une enflure rose et humide, sentir des mamelles délicieusement poilues dans sa bouche, comme des fruits mûrs, comme... Assez ! Elle chassa l'image de son esprit. Sa conicheuse, Rachel, ne serait pas en chaleur avant une longue et insoutenable semaine, alors, à défaut de pouvoir tirer la langue, mieux valait tirer un trait.

« "Ouaarr-hou" bon Dieu ! Regardez ça ! » Busner tenait une des images IRM. « Regardez ! Il y a visiblement une hyperintensité du signal focal, là, là... et là ! En plusieurs endroits, le long de la scissure de Sylvius. "Hou-hou-hou" je n'avais jamais sérieusement pensé qu'on rencontrerait des lésions organiques aussi évidentes. Et son lobe frontal n'a pas l'air normal non plus... "Houu" non, pas du tout...

– Il est dilaté, n'est-ce pas "hou" ?

– Terriblement dilaté. Si je ne savais pas "grnnn'miam" à qui j'ai affaire, "grnnn'miam" je signalerais que c'est un hydrocéphale...

– Ça cadrerait avec les autres taches "heu" ?

– *Si* ce sont des taches, mais il s'agit peut-être d'autre chose. Passez-moi les TEP, je veux voir s'il y a une corrélation. »

Les IRM étaient incolores, comme les ultrasons. Les images définissaient la forme du cerveau en nuances de gris qui le rendaient aussi flou et indifférencié qu'un mouton de poussière retiré d'un aspirateur obturé. Mais la TEP, la tomographie à émission de positons, produisait de fantastiques planches en couleurs, plus proches des images satellites thermosensibles. Sur les TEP, le cerveau de Simon Dykes était un magma lugubre de bleus profonds, de violets foncés et de verts pétants. Et, comme le contour du cervelet avait une forme de palette, on avait l'impression d'observer un tableau abstrait ou le nuancier d'une mire.

C'est ce que Dykes aurait pu penser lui-même en voyant la cartographie nucléaire de son esprit, mais Busner, en dépit de son esthétisme proclamé, regardait ces tomographies avec un œil professionnel, attentif au contraste entre les teintes sombres de l'hémisphère gauche et les flashes rouges, jaunes et orange de l'hémisphère droit. « "Grrn-grgn", grrngrognait-il en les examinant, "grgn-grnnn" regardez ça, Jane. Ça n'explique peut-être pas le comportement de Dykes, mais tout est cohérent. Vous lui avez fait un électro-encéphalogramme, n'est-ce pas "heu" ?

– Oui. Les résultats sont dans l'autre chemise. Tenez, fit-elle en la lui passant avec le pied.

– "HouGraa", c'est bien ce que je pensais. Il y a une forte activité électrique dans l'hémisphère droit, ce qui est normal, mais le gauche est terriblement déprimé… terriblement déprimé. Ça explique pourquoi notre chimpe est si empoté et *peut-être* aussi pourquoi il est sujet à ces délires extraordinaires. C'est révélateur – quoique non caractéristique – d'une démence à infarctus multiples "houu". Quant à ces SFI, ils forment comme un voile sur la région corticale centrale, n'est-ce pas, mais l'IRM montre qu'ils sont répartis un peu partout dans le cerveau "h'heu" ?

– Vous pensez que ça pourrait être un genre de tumeurs, Zack "heu" ?

– Bonne remarque "chup-chupp". La teinte ne correspond pas à des taches mais, d'un autre côté, ils n'ont pas l'air solides non plus. Non, je pense que ce sont plutôt des ombres qui indiquent peut-être des lésions ou des cicatrices. Repassez-moi les IRM. »

Pendant que Busner scrutait les images, Jane Bowen reporta son attention sur les radios, et ce fut à son tour de s'exclamer. « HououGraa ! » Tous les chimpes des alentours se tournèrent pour voir qui panthurlait.

« Restez accroupis ! Restez accroupis ! gesticula Busner, affolé. Nous ne voulons pas de fusion autour de ces ouâârs ! » Il repoussa les chimpanzés les plus curieux, qui avaient pratiquement le museau sur leur table. « Qu'y a-t-il, Jane "heu" ?

– Ici, regardez cette coupe transversale de la tête de Dykes. Là, en dessous de la mâchoire. »

Busner, oubliant ses propres mises en garde, éleva la radio dans la lumière de la fenêtre. À quatre ou cinq mètres derrière eux, un chirurgien blagueur aperçut la forme du crâne et réagit avec la même excitation que Jane Bowen. Il partit d'un gros claquement de dents hilare. « "H'hii-hi-hi-clac-clac" eh bien, Busner ! Vous vous êtes trouvé un humain à promener en laisse, maintenant, hein ? »

Busner ne releva pas la pique. Il laissa tomber la radio sur la table et digita sur la jambe de sa consœur : « Sa mandibule n'a pas de contrefort simien, Jane "heu" ?

– Non, Zack, apparemment non.

– Est-ce que ça pourrait être le résultat d'un accident "heu" ?

– Ça m'étonnerait.

– Un défaut congénital alors "heu" ?

– Peut-être.

– Ou peut-être qu'il est humain après tout ! »

... pourquoi Dykes éprouve le besoin de mettre ainsi à mal les consciences – et même les estomacs – de son public, ce n'est pas de ma compétence. Mais il y a dans ces toiles quelque chose de vulgaire et de narcissique qui leur retire le statut d'œuvre d'art pour les rabaisser au rang de la simple caricature...

... Dykes, qu'on avait propulsé sur le devant de la scène l'an dernier, à l'occasion de l'acquisition par la Tate de son *Monde d'ours*, déçoit énormément avec cette série bâclée de toiles racoleuses. Renonçant au formalisme pervers de ses œuvres précédentes, plus sculpturales, il affiche maintenant une perversité formelle qui...

... un chimpanzeau en flammes, qui est une insulte à la souffrance réelle des victimes de l'une des plus terribles catastrophes qu'ait connues le métro de Londres. De quel droit Dykes se permet-il de ridiculiser ainsi le...

... aucun signe de l'artiste lui-même, mais beaucoup de cris et de copulations parmi les critiques et les personnalités du monde de l'art. La conjointe de Dykes, Sarah Peasenhulme, a fait une brève apparition, avant d'être accaparée par Tony Figes et sa coterie...

... accouché d'une souris et n'aurait peut-être attiré l'attention de personne sans la mystérieuse disparition de l'artiste qui, d'après la rumeur, aurait été victime d'une commotion cérébrale une semaine avant le vernissage...

... ce chimpe a tout du dément – et elle a tout du démon. Un enflement plus gros que ses chevilles et une nette inclination à solliciter l'« avis constructif » de Ken Braithwaite, cet artiste branché, auteur de « performances conceptuelles ». On les a vus tous les deux, après l'exposition, se livrer à des performances beaucoup plus réalistes dans l'escalier du Sealink...

Le chimpe qui avait tout du dément rassembla les photocopies éparses qu'il avait étalées sur la couverture grise réglementaire de son nid. Il en fit une boule, en comprimant la première qu'il enveloppa dans les autres. Bien que rageur et déconcentré par ce qu'il venait de lire, il fut rassuré de constater que ses doigts, pour peu qu'il s'appliquât, avaient retrouvé une partie de leur dextérité perdue depuis le début de sa crise.

Il les regarda s'activer dans leurs opérations de pétrissage. Il n'avait jamais vraiment remarqué à quel point le dos de ses mains était velu. Idem pour ses cuisses. Était-ce l'âge ou quelque effet

240

indésirable des drogues qu'on lui donnait ? Le singe appelé Bowen avait signalé qu'ils avaient arrêté le Prozac, mais Simon refusait de croire que cela jouât un rôle sur son état mental — sinon comme facteur causal de ces hallucinations abracadabrantes. Il dento-claqua joyeusement, lança en l'air les articles roulés en boule, puis, sans s'inquiéter de savoir où ils retombaient, se roula en boule à son tour et se berça d'avant en arrière, d'avant en arrière...

Certaines choses demeuraient inchangées. Le monde était peut-être gouverné par des singes — était peut-être une *planète* de singes — mais on y trouvait encore une bonne proportion de pauvres crétins. De pauvres crétins de sales journaleux aigris. La rancœur lui rongeait les boyaux comme de l'acide de batterie dans une tuyauterie ramollie, comme une soudure corrosive qui l'ancrait plus solidement dans la réalité perverse du moment que n'eût pu le faire aucun psy — humain ou chimpanzé.

Il grogna en s'agrippant les tibias. Avait-il peint des singes ? Des singes en flammes, des singes en sang, des singes en perdition ? Était-ce possible ? Et Sarah ? Sarah qui se faisait besogner par Ken Braithwaite, c'était bien ce qu'ils avaient écrit ? Pourquoi ne suis-je pas plus jaloux ? Quand elle était humaine, je voulais que son corps ne fût qu'à moi. Je voulais être le seul usager de sa douceur, le seul occupant de sa moiteur, le seul bénéficiaire de ses gémissements. Et maintenant cette image d'un braquemart huilé qui la *pénètre...*

... le rêve. Je me retirais d'elle. J'étais arraché à elle. Elle, assise dans un arbre. Recroquevillée. Mordillant le cordon qui nous unissait. Mordant à pleines canines. Dans le rêve... elle était un chimpanzé. Un chimpanzé.

Au Café Rouge, en face de l'hôpital, Gambol et Whatley picoraient dans des salades. Puisque la présence de Gambol dans le service était connue de tout le monde, ils n'avaient plus besoin de se cacher. Il entortilla ses doigts dans des feuilles de radis et digita autour de la touffe de verdure : « J'ai quelque chose qui pourrait bien "grnnn" vous intéresser, docteur Whatley.

— "H'heuu" oui ? contre-digita le mandarin autour d'un morceau d'avocat. Il serait temps, Gambol. Je n'accepterai de faire alliance avec vous que si votre participation est productive. » Il s'interrompit pour héler le serveur. « Aaaaa...

— "H'heuu" ? Ça va comme vous voulez, mesmâles ? » Le serveur avait un tablier blanc noué autour de la taille et une chemise blanche à boutons vermillon. Sa fourrure capillaire était crêpée en toupet et teinte en rouge. Whatley et Gambol le regardèrent avec un mépris non dissimulé. « Jusqu'ici, ça peut aller, gesticula Whatley, mais j'ai commandé du pain aillé "euch-euch-heu" ?

— Ça arrive, monmâle. » Le serveur bondit vers la cuisine, croisa la trajectoire d'un de ses collègues qui en sortait, et tous deux se chevauchèrent en une pirouette superbement coordonnée. Whatley grogna, se retourna pour piocher dans sa salade et la trouva surmontée d'un couvercle en forme de dossier plastifié, comme on en utilise dans les administrations pour présenter des rapports et autres documents. « Qu'est-ce que c'est, Gambol "heuu" ? » Il guigna l'objet, puis le souleva et s'en servit pour se gratter la tête.

« Jetez-y un œil, fit Gambol, je pense que vous trouverez ça très instructif – et tout à fait à propos. »

Jane Bowen reçut un coup de fil de George Levinson dans son bureau. « "HouuH'Graa" docteur Bowen, comment allez-vous "heuu" ? » Même à cette distance, on voyait qu'il se traînait une sévère gueule de bois. Des lunettes de soleil, modèle sport, tressautaient de guingois sur son arête nasale. Des restes de sa débauche nocturne étaient encore incrustés dans ses longues rouflaquettes brunes.

« "HouuH'Graa" pas mal et vous, monsieur Levinson ?

– Le vernissage vous a plu "heu" ?

– Oui, assez, enfin... ce n'est pas vraiment mon truc.

– Je "euch-euch" ne grimacerais pas que c'était vraiment représentatif des vernissages. Je suppose que vous avez vu les bagarres qui ont éclaté "heu" ?

– Le commencement d'une. Il y a eu fusion finalement ?

– "Euch-euch" eh bien, pas exactement. Montrez-moi, est-ce que Simon a vu les journaux de ce matin "heu" ? » Il fatigua l'une de ses rouflaquettes, en la touillant dans un sens et dans l'autre, comme si cette treille d'abajoue fût l'artiste lui-même.

« Je crois qu'il est en train de les lire en ce moment. Nous avons progressé ce matin. Nous l'avons sorti de sa cellule pour lui faire passer des tests...

– Et "heu" ?

– "Hougrnn".

– Docteur Bowen "heu" ?

– "Hougreu-nn" j'ai peur de ne pas être habilitée à vous répondre, monsieur Levinson, je suis sûre que vous me comprenez... »

Jane Bowen espéra que Levinson n'insisterait pas – en sachant qu'il le ferait tout de même. Il la lorgna derrière ses lunettes de soleil. Elle n'avait pas besoin de voir ses yeux pour savoir qu'ils étaient emmitouflés dans des poches de veines violacées.

« Le problème... digita-t-il finalement.

– Oui ? fit-elle d'un claquement de doigts.

– Le problème, c'est que son ex-alpha, comme vous le savez, n'est pas vraiment prête à prendre fait et cause pour Simon...

– "Euch-euch" mais vous, oui "heu" ?

– Je suis son allié... J'ai gesticulé avec son avocat. S'il doit être... comment... interné, nous avons un droit de tutelle – dans la mesure où nous sommes à la fois ses exécuteurs testamentaires et mandataires nommément désignés dans...

– Vous voulez vous opposer à son internement "heu" ?

– "Houuu" je ne sais pas, docteur Bowen. Comprenez-moi,

je ne veux pas mettre en doute votre autorité, je pense que vous êtes la plus sage, la plus amène, la plus adorablement perspicace des psychiatres, votre fêlure ischiatique m'envoûte et... et maintenant que vous bénéficiez du concours de l'éminent Dr Busner, je suis absolument sûr que Simon est entre d'excellentes mains... mais je... enfin, est-ce qu'il représente un risque pour lui-même ou pour les autres "heu" ? Pensez-vous qu'une prolongation de son isolement l'aidera "heueu"... ? » Il s'interrompit pour fourrer un doigt derrière ses lunettes. Le doigt réapparut avec un bout de granule ou de chassie, qu'il déposa délicatement sur sa langue.

Bowen médita. Il était temps, en effet, de prendre une décision au sujet de Simon Dykes. Les analyses tendaient à prouver que son état était plus grave qu'on ne l'avait d'abord pensé et la découverte de cette lésion – voire cette difformité – organique indiquait qu'il ne s'agissait probablement pas d'une maladie mentale au sens habituel.

« "Grnnn" pour ne rien vous cacher, monsieur Levinson, je dois avouer que le cas de M. Dykes nous place dans une situation assez embarrassante. Je crois que nous allons être obligés de réunir un comité sans tarder...

– Ce qui signifie "h'heu" ?

– Que ce serait peut-être effectivement une bonne idée d'exercer votre droit de tutelle avec son avocat. Si Simon refusait le traitement que nous allons décider, quel qu'il soit, nous n'aurions plus qu'à *vous* persuader de *le* forcer.

– Ça m'a l'air sinistre, vous me faites peur "euch-euch".

– Je ne veux pas préjuger de la situation, monsieur Levinson, mais je ne crois pas que les chances de guérison de Simon Dykes soient optimales, quel que soit le mal dont il souffre. »

Après avoir raccroché, Bowen redécrocha aussitôt pour panthucher Whatley, puis Gambol sur le téléphone mobile de Busner, puis le service d'assistance sociale du département de psychiatrie et enfin Sarah – par politesse – pour l'informer qu'ils allaient prochainement statuer sur le cas de Simon. Cela fait, elle se renversa en arrière sur son siège, posa ses pieds sur le bureau, se plia en deux, avança la tête et se lécha avec ardeur.

Les chimpanzés arrivèrent séparément dans le bureau de Whatley, deux heures plus tard. Norris, le délégué du service d'assistance sociale, accéda par l'extérieur du bâtiment, en se hissant de balcon en balcon pour entrer par la fenêtre de la secrétaire. Zack Busner débou la du long couloir qui traversait le service de psychiatrie, en repoussant au passage quelques caudataires obséquieux. Whatley et Gambol, de retour de leurs agapes conspiratrices, espacèrent leurs entrées : Whatley se manifesta comme le chat du Cheshire à l'envers – la première chose qu'on vit de lui fut une rangée de dents claquetant sur le cal d'une gencive – et Gambol se présenta en retard, en nettoyant ostensiblement avec les doigts et les lèvres les traces d'une récente saillie.

Bowen arriva de son propre cabinet en manumarchant, le derrière en majesté, un paquet de dossiers sous le bras.

Elle ouvrit la séance : « HouuGraaa ! »

« HouuGraaa ! » répondirent les autres en écho, certains avec plus de vigueur que d'autres. Si Gambol se contenta de donner acte en grognant et en tapotant sur le lino, Busner poussa un rugissement et défonça un coussin avec une fougue qui provoqua une protestation plaintive de Whatley : « Eh, oh, c'est ma fille qui l'a cousu "houu" ! »

Quand non-vocalité et signence régnèrent, Bowen récapitula les particularités du cas de Simon Dykes, sa réaction face au groupe d'intervention et son comportement envers le personnel hospitalier aussi bien qu'envers les chimpanzés connus de lui. Puis, après avoir passé en revue ses antécédents médicaux, en s'appuyant sur les documents fournis par Anthony Bohm, elle laissa ses notes de côté pour se livrer à quelques digitations spéculatives : pouvait-on considérer l'état actuel de Dykes comme une forme de conversion hystérique de son état fondamentalement dépressif ou fallait-il y voir une réaction mal adaptée au Prozac prescrit par Bohm, éventuellement catalysée par les substances que le sujet avait prises la nuit de sa crise ? Reprenant alors le dossier avec force palpations et pelotages, elle révéla enfin à l'assistance que les résultats des tests montraient des signes de trouble bipolaire et, sans entrer dans les détails, attira leur attention sur les lésions organiques neurologiques.

Quand elle eut fini, elle panthurla et s'accroupit en tendant une jambe à Norris, l'assistant social, qui s'affaira dessus aussitôt. Les doigts de Whatley furent les premiers à voler. « Bref, qu'en concluez-vous, Jane, "heu" ? Personnellement, je pense que le diagnostic final sera probablement centré autour de ces signaux focaux ou sur les aires du cerveau montrant une lésion organique manifeste. Et, vu la gravité de cette "euch-euch" lésion – quelle qu'elle soit –, le pronostic ne peut pas être optimiste. Il est clair que le problème ne se situe pas au niveau de l'illusion humaine de Dykes et que, même si nous arrivions à la comprendre, ça ne nous aiderait pas à l'aider "h'heuu" ? »

Bowen fronça le museau, gratta son épais pelage submaxillaire, détacha un morceau de pâte logé là depuis son troisième déjeuner et gesticula : « Ma foi, je ne peux pas vous donner tort sur ce point, docteur Whatley.

– Il est assuré ? intervint Norris. Est-ce que son groupe natal ou son groupe de saillie peuvent payer "heu" ? Est-ce qu'ils sont prêts à mettre la main à la poche ou est-ce que l'hospitalisation sera prise en charge par la Sécurité sociale ?

– J'ai peur que ce ne soit "euch-euch" non sur tous les points, répondit Bowen. Son groupe natal a fissionné depuis longtemps. Idem pour son groupe de saillie. Et sa conjointe m'a prévenue qu'il n'était pas assuré – en raison de ses antécédents psychiatriques "hoouu". Quant à son allié intime et galeriste, M. Levinson – qui cherche à obtenir un droit de tutelle au cas où nous jugerions nécessaire de prolonger son internement –, il m'a fait savoir que son compte ne serait pas approvisionné tant que l'argent de son exposition actuelle ne serait pas rentré – s'il "houu" vend quelque chose. »

L'information plongea les chimpanzés dans la consternation. Dykes était peut-être un artiste de renom, mais la maladie mentale était un grand égalisateur – cela, ils le savaient tous. On pouvait très bien imaginer Dykes croupissant d'ici quelques mois dans un coin sombre d'un établissement de long séjour ou précairement hébergé au légendaire hôtel des courants d'air sous le couvert des arbres.

« Permettez-moi de signaler qu'il y a dans tout ceci un "grnnn" élément de qualité de vie, fit Whatley en choisissant soigneusement ses signes et en les formant de manière à ce que chacun pût les voir. Il semble particulièrement cruel de laisser ce chimpe – qui est considéré par beaucoup comme un individu agréable, sinon très équilibré – pourrir dans ces services, ou ailleurs. Levinson est sûrement prêt à faire *quelque chose* pour lui "heuu" ? »

Un profond raclement de glaire se fit entendre dans le coin où Busner, couché sur le dos, pédalait doucement contre le mur de sorte que l'Artex abrasait la plante chatouilleuse de ses pieds racornis. « Grnn-grnn-HouGraa ! » vocalisa-t-il pour attirer leur attention, puis il grimaça : « Je pense qu'il nous reste peut-être une autre marge de manœuvre.

– Laquelle, docteur Busner "heu" ? » demanda Whatley avec componction, en enduisant ses signes de glycérine symbolique.

Busner se hissa à croupetons, en grognant, et indiqua à Gambol de lui gratter le dos. « Confiez-moi la garde de M. Dykes. Je l'ai déjà fait dans le passé, tant avec des patients neurologiques que psychiatriques qui montraient des symptomatologies inhabituelles. Je suis persuadé qu'il n'y a rien de *définitivement* mystérieux dans le cas de M. Dykes. Et pour ce qui est du pronostic... j'ai vu des patients atteints de traumatismes bien plus graves arriver à une forme de guérison. Le cerveau, comme vous le savez tous, a une merveilleuse "aaaa" plasticité. Correctement canalisé, il peut recouvrer une "chup-chupp" homéostasie. En outre... "grnn" puisqu'il ne représente aucun danger, sinon pour lui-même, je ne vois pas pourquoi il ne pourrait pas être confié à mes soins...

– Si lui-même ou M. Levinson, ou son avocat ou quiconque exerce une "heuu" tutelle, est d'accord...

– Évidemment. » Busner laissa le signe en suspens un moment, fit quelques ronds de doigts évasifs, puis tapa sur les mains de Gambol qui besognaient sa nuque et se mit debout.

« Eh bien, docteur Busner "euch-euch", où allez-vous promener votre chimpe halluciné cette fois "heuu" ? » Il y avait du sarcasme dans la signalétique et la vocalisation de Norris.

Zack Busner se cabra, fit deux pas en avant et mordit l'assistant social à l'arcade sourcilière. Du sang rouge dégoulina sur la fourrure noire. Norris poussa un cri, puis s'aplatit et présenta sa croupe. Zack tapota avec réticence le représentant pleurnichard de l'Assistance publique, comme un vulgaire élément du mobilier, puis signifia : « Mais... dans mon groupe domestique, bien sûr. Où, mieux que dans un cadre familial, pourrait-il avoir une chance de réapprendre sa chimpanité essentielle "heuu" ? »

Grognements approbateurs de la part des autres. Bowen leva la séance.

Dans le couloir, Gambol se suspendit à l'architrave et pédipula oisivement un rouleau de tuyau à incendie attaché au mur. Busner le dépassa d'un carpo-tarse rapide, avec Bowen dans son sillage. « Je vais gesticuler avec Dykes immédiatement, Gambol, attends-moi ici. »

Gambol continua à jouer des pieds. Génial, grimaçait-il intérieurement, les choses n'auraient pas pu mieux se présenter. À croire que c'était calculé pour. Si Busner ne s'était pas spontanément proposé de prendre Dykes entièrement sous sa responsabilité, Whatley ou Gambol l'eussent eux-mêmes suggesticulé. Car rien ne pouvait davantage satisfaire leurs attentes que de voir Busner recueillir Dykes dans son ample giron velu. Depuis leur second déjeuner au Café Rouge, depuis qu'il avait lu le dossier plastifié, Whatley était sûr de leur coup. En sortant de son bureau, il ne put s'empêcher de faire un clin d'œil au machiavélique epsilon suspendu. Les deux chimpes visualisaient la même chose : Dykes était une grenade jetée à Busner. Et Busner – l'imbécile – l'avait obligeamment ramassée, sans s'apercevoir qu'elle était dégoupillée.

CHAPITRE 13

Simon Dykes, anciennement artiste, à présent simple malade mental, était accroupi sur le nid de la cellule de sécurité numéro 6 et méditait sur les événements de la matinée. Sa folie – lui semblait-il – prenait une texture nouvelle, tel un brouillard qui, d'abord impénétrable, finit par se trouer de claires-voies pour laisser apparaître des lambeaux de paysage. Se pouvait-il que son humanité fût une illusion, et sa chimpanité – signe insensé ! – la réalité ?

Il bâilla, se gratta l'aisselle d'une main, la fêlure ischiatique de l'autre, puis – sans en avoir conscience – se prit à examiner son corps. Ses paumes suivirent le contour de ses cuisses, ses doigts se promenèrent sur ses tibias, sur ses pieds... Il n'avait pas l'impression d'avoir changé... Si ? Certes, il ne s'était pas rasé depuis deux semaines et la pilosité de son menton était devenue une vraie barbe – qu'il pouvait lisser dans un sens et rebrousser dans l'autre – mais sa poitrine, ses bras, ses cuisses n'étaient pas plus villeux qu'avant.

Ses doigts sondeurs partirent à la recherche d'une certaine fossette sur son genou droit, une fossette qu'ils savaient être là, reliquat d'une mauvaise chute de vélo à l'âge de six ou sept ans. Comme ils ne parvenaient pas à la localiser, l'ancien artiste eut recours à ses yeux pour scruter l'articulation et fut forcé de reconnaître qu'il y avait beaucoup de poils. Ils avaient peut-être poussé, après tout, ils semblaient plus drus. En tout cas, il ne se

251

rappelait pas les avoir tressés de cette façon, en tortillons, comme des espèces de mini-dreadlocks. Mais où était la fossette ? La vieille cicatrice ? Ses doigts crapahutèrent – oui, crapahutèrent – dans les entrelacs de son pelage et finirent par la dénicher. Simon soupira de soulagement. Le soulagement de se savoir toujours Simon, toujours humain.

Il roula à bas du nid et carpo-tarsa jusqu'à la fenêtre. Ça faisait du bien de pouvoir marcher à quatre pattes, de s'étirer un peu. Il empoigna les minces barreaux de la fenêtre et se redressa en position bipède. Il n'y avait rien à voir dehors, la fenêtre donnait sur une cour intérieure de l'hôpital, mais une vue même limitée était une ouverture sur le monde extérieur. Il eut envie de sortir. C'était même plus qu'une envie, c'était un besoin, il voulait savoir ce qu'il y avait dehors, il était prêt à toutes les surprises.

Que signifiaient ces viles insinuations sur Sarah dans le journal ? Elle se faisait sauter par Ken Braithwaite ? Est-ce que les chimpes baisaient ? Et qu'en était-il des autres gens qu'il connaissait ? « Gens » ? Le signe sonnait faux, c'était plus une vocalisation discordante qu'un vocable signifiant. Et ses enfants, ses trois petits mâles ? Simon les imagina alignés, comme un étalonnage d'échantillons : petit, moyen, grand. Ils étaient tous trois pareillement vêtus d'un pull-over bleu foncé barré du nom de leur école, avaient tous sur le dos le même cartable neuf, en cuir craquant, couleur crotte, et tous la même expression de museau, le même sourire qui plissait leurs doux yeux verts... Les voilà qui fissionnent, accourent, s'agriffent à lui. L'un saute sur son épaule, un autre lui attrape le bras et le troisième – le plus petit – s'accroche à sa jambe. C'est l'assaut, les quatre mâles Dykes jouent à la bagarre, ce sont des ricanements hystériques, des claquements de dents, des grognements ludiques...

Le judas de la porte s'ouvrit. Morne déclic. Simon s'arracha à sa rêverie, tourna les yeux et aperçut un museau érodé désormais familier. Deux yeux aux paupières lourdes promenèrent leurs prunelles verticales à droite et à gauche. Busner martela la porte. « HouuGra ! »

Simon sentit sa poitrine se contracter involontairement. Une goulée d'air s'engouffra dans ses poumons – « Hoouu » – rejaillit entre le râtelier de ses grosses dents – « Graaa ! » – et il tambourina sur sa cage thoracique, dont la caisse de résonance produisit un son mat.

Busner ne cacha pas sa surprise. « Simon ! fit-il. C'est la première fois que je vous entends panthurler...

– Quoi "hou" ?

– Peu importe. "H'hou" ça vous perturberait beaucoup si j'entrais un instant ? J'ai besoin d'échanger quelques signes avec vous, reprit-il en activant gauchement ses doigts à l'étroit dans l'embrasure du judas.

– N... non, s'il "grnnn" le faut. »

L'éminent philosophe naturel – comme il aimait se qualifier – poussa la porte, se projeta à l'intérieur et atterrit lourdement sur ses pieds hirsutes. Il s'assit. Simon l'observa avec méfiance. Busner était intégralement singe. Sa poitrine était une barrique rebondie, que le godage de sa veste en tweed faisait paraître encore plus volumineuse. Ses petites jambes arquées semblaient assez solides pour soutenir cette futaille de muscles, mais le contraste entre leur aspect bestial, le V de la chemise blanche et la torsade de cravate en mohair brune était tout simplement... écœurant. Simon sentit monter en lui un bouillonnement de répulsion et d'angoisse à la vue de cette gueule de bête, de ce croissant de lippe dure et pendante sous des canines grosses comme des patères, ce nez renfoncé, ces noirs tunnels ovales en guise de narines et ces yeux, ces yeux inhumains, avec leurs luminescences vertes, leurs pupilles mutantes.

« "Euch-euch" Simon, ne me regardez pas comme ça... je vois bien que je vous perturbe. Faites-moi des signes, gesticulez avec moi... c'est le meilleur moyen de pondérer vos réactions. Peu importe que je sois chimpanzé ou humain, l'essentiel est que nous puissions signaler ensemble.

– Signaler ? signala Simon, déconcerté. Qu'est-ce que ça signifie "heu" ? »

Busner haussa les arcades sourcilières.

« Eh bien, mais... signaler, Simon, signaler, gesticuler avec les mains... comme je le fais en ce moment "grnnn". »

Simon grimaça. Une drôle de petite grimace. « Mais les humains ne s'expriment pas par signes, docteur Busner. Nous <parlons>. C'est comme ça que nous communiquons. Je crois savoir qu'on a essayé d'enseigner quelques signes à des chimpanzés, et même à des gorilles – des signes basés sur le modèle du langage des sourds et muets – mais les humains ne font pas de signes. Nous n'en avons pas besoin. Nous <parlons>. »

C'était maintenant Busner qui était déconcerté. Son cerveau turbinait. Le délire de Dykes était merveilleusement symétrique. Il se rappelait – un souvenir glané sur quelque rive lointaine de sa mémoire – que les humains sauvages s'exprimaient au moyen d'un vaste répertoire de vocalisations et il avait brodé autour de cette information brute toute une dentelle de spéculations baroques. Il avait inventé un néo-vocalisme pour désigner cette forme particulière de gesticulation. Busner se pencha en avant. Ses doigts s'agitèrent. « Simon "greu-nnn", pensez-vous que vous pourriez m'apprendre à... "ââârl" "houu" ?

– À <parler>, docteur Busner. <Parler>. Ma foi, oui, pourquoi pas ? Après tout... » – et là, Simon s'interrompit pour observer ses propres doigts, qui formaient les signes aussi couramment que n'importe quel chimpanzé – « il semble que je sois capable de <parler> comme vous "grnnn". »

Busner acquiesça. Il bascula sur ses talons, se leva, manumarcha vers la fenêtre, où il s'accrocha aux barreaux, et Simon, médusé, put voir l'ancienne personnalité télévisuelle se balancer, le derrière à l'air. Les fesses rabougries et le croupion charnu de

Busner étaient un spectacle à la fois intime et étrange. Les replis de peau brune et rose formaient une sorte de bec saillant d'une protubérance fourrée. Sentant le regard de Simon sur lui, Busner lâcha un barreau et, de la main gauche, explora son trou du cul. Puis il porta ses doigts à ses lèvres préhensiles et à son nez inexistant pour les soumettre à une analyse critique multi-sensorielle et, de la même main, envoya un signal à Simon : « Qu'est-ce qu'il a, mon trou du cul "houu" ?

— Oh, il est du tonnerre, docteur Busner, il pète le feu.

— "H'hi hi hi clac-clac", clac-claqua Busner, elle est bien bonne. "Hi hi hi", vous devez me trouver un peu infantile, mais elle est vraiment excellente. Bon, maintenant, Simon, nous devons décider de ce que nous allons faire de vous...

— Faire de moi "heu" ?

— Mais oui. » Busner se laissa retomber sur le sol. « Je serai franc avec vous. Nous avons découvert des anomalies structurelles dans votre cerveau. Nous ne savons pas s'il s'agit d'une lésion organique, d'une affection évolutive, d'une malformation congénitale, mais le fait est qu'elles sont là et très probablement en rapport avec votre "euch-euch" délire humain.

— C'est curable "heuu" ?

— Je ne peux pas encore vous répondre.

— Alors, vous allez me garder ici ! Me garder dans cette poubelle ! C'est ça "h'heu" ? C'est bien ce que vous voulez signaler ? »

Simon se mit à marcher de long en large, en bipède. Il s'agitait bizarrement, comme un bonobo sub-adulte au son d'une musique de la jungle, en émettant de curieux bruits de gorge, de ces vocalisations graves qui le caractérisaient et qui, aux oreilles de Busner, sonnèrent comme : « Nomdedieunomdedieudenomde-dieu... »

« "Ouaah !" Simon, arrêtez ça ! Ça ne vous avancera à rien. Non, je ne pense pas qu'il soit nécessaire de vous garder ici, ni de vous envoyer dans un établissement de long séjour.

255

– Non "heu" ?

– "Ouaarrr !" non ! Si je veux vous guérir de ce délire, je dois vous aider à regarder la réalité en face. Je veux que vous veniez vivre avec moi dans mon groupe domestique. Vous patrouillerez avec moi, vous aurez l'occasion de découvrir un peu mieux cette planète des singes dans laquelle vous vous trouvez et, en même temps...

– "Houu" oui ? En même temps ? En même temps quoi, hein ? Quoi ? Allez-y "ouâârr !" » Simon se planta devant Busner, tremblant de colère, de peur, d'épuisement. Busner faillit perdre son calme. Il était tout près de craquer. Seules ses longues années d'expérience au contact des patients les plus effrontés et les plus intraitables lui permirent de se contenir et de résister à l'envie de châtier l'insolent.

« En même temps, Simon, vous pourrez "greu-nn" me décrire votre monde, votre vision du monde...

– "Ouaar" super ! Oh, je sens que ça va me plaire, ah oui, vraiment...

– "Houu" nous pourrons considérer cela comme un exercice éducatif autant que thérapeutique...

– Mais comment donc ! Bien sûr, bien sûr, tiens. Quelle bonne idée "euch-euch" ! »

Busner put constater que la signalétique de Simon progressait rapidement. Son dernier trait sémantique était nettement infléchi par les obliques du sarcasme. C'était plus que n'en pouvait supporter l'antipsychiatre. La baffe partit. D'un méchant coup d'ongles, il griffa la poitrine de Simon et, pour faire bonne mesure, le mordit – plutôt fort – à l'arcade sourcilière. Tout naturellement, Simon fit volte-face et lâcha un jet de chiasse sur son bestial médecin de l'âme. Il s'ensuivit une brève algarade, les deux chimpes ouâârant et criaillant dans une mêlée de bras et de jambes.

L'affrontement ne dura qu'une poignée de secondes. Simon

se retrouva vite bras en croix sur le linoléum crasseux, avec le psy aspergé de merde à califourchon sur lui. Il poussait des miaulements et des gémissements pathétiques. « Allons, allons, mon petit Simon, fit Busner d'un doigt tendre et apaisant. Cessez d'avoir peur, cessez ces colères, vous vous faites du mal inutilement. Attaquez-moi, allez-y, c'est bien... c'est très chimpe, ça, très chimpe, vraiment. »

Et l'ancien artiste réagit comme jamais encore auparavant aux digitations du médecin sur sa poitrine. Il *sentait* la sollicitude de Busner, la sentait si bien qu'il s'autorisa à y croire. Quelques minutes plus tard, les deux chimpanzés étaient accroupis l'un derrière l'autre, jambes croisées, et Simon grattait consciencieusement la merde qui séchait sur la fourrure de son médecin. Ce fut sa première séance de bouchonnage depuis le début de sa crise.

Le Dr Bowen fit une tournée de panthuchements. Elle panthucha Jean Dykes et Anthony Bohm dans l'Oxfordshire, panthucha George Levinson à Cork Street, Tony Figes au journal et finalement Sarah Peasenhulme.

« "HoouuH'Graaa".

– "HoouuH'Graaa". Vous avez des nouvelles pour moi, docteur Bowen "heu" ? »

Les signaux de Sarah trahissaient toute sorte d'anxiété. Jane Bowen remarqua qu'elle portait un protège-enflure très sophistiqué pour une femelle accroupie dans un bureau.

« Oui, j'ai des nouvelles, Sarah, des bonnes et des moins bonnes. Le Dr Busner va prendre Simon en charge...

– "Heuuu" ce qui signifie ?

– Eh bien, il l'a déjà fait avec d'autres patients... surtout des patients qui souffraient de troubles neurologiques ou dont l'état était jugé "graaa" productif...

– Vous pourriez être plus claire "heu" ?

257

– "H'hou" eh bien voilà, nous craignons que l'état de Simon ne soit fondamentalement incurable... Il a subi des lésions cérébrales considérables.

– "Ouaar" mais comment "h'hou" ? Pourquoi ? C'est la drogue, c'est ce sale Prozac, c'est quoi "heuuu" ?

– Sarah, nous ne savons pas mais, croyez-moi, le Dr Busner a déjà eu de belles réussites avec des cas semblables dans le passé. Il a recours à ce qu'il appelle une approche <psychophysiologique> de ce type de troubles. Il n'arrivera peut-être pas à guérir Simon de son délire humain, mais il pourra au moins lui rendre la vie plus facile, l'aider à vivre avec son problème, à l'intégrer dans son art. »

Tout en gesticulant, Bowen enroulait et déroulait son oreille.

La petite tête blonde de Sarah dodelinait, incrédule et affligée. La jeune femelle était renversée en arrière sur son siège, les pieds sur la table, ce qui permettait à Jane Bowen d'avoir une vue continue sur la rosette en soie de son protège-enflure. Une main alla à un pied, l'agrippa, l'amena à une lèvre interrogative. Sarah répondit avec une immaturité de sub-adulte, mêlant doigts et orteils : « Est-ce que je peux... s'il vous plaît, est-ce que je... est-ce qu'il accepterait de me voir ?

– Je ne pense pas que ce soit une bonne idée, Sarah. Il a toujours beaucoup de mal à supporter le contact simien. Le Dr Busner essaie de gagner sa confiance et je crois que ça commence à venir. Ils ont eu une courte séance de bouchonnage aujourd'hui et, bien sûr, Simon a accepté d'être placé sous sa garde.

– Mais "houu" nous sommes conjoints, nous sommes conicheurs, il me semble que...

– Je vais en toucher un doigt à Simon, Sarah, mais... franchement, ça ne peut dépendre que de lui. Vous devez comprendre que, dans son état, une conicheuse est peut-être la dernière personne qu'il ait envie de voir. »

Tony Figes carpo-tarsa le long de Ladbroke Terrace et s'engagea dans Portobello Road. Il ne suivait pas vraiment les beaux jeunes chimpes italiens qui trottinaient devant lui – il s'était retrouvé derrière par hasard et mettait ce hasard à profit pour admirer leurs petits anus roses sautillants. L'un des sub-adultes portait un sac à dos fantaisie, façonné en forme d'enfant humain. Il avançait en bipède, avec une démarche chaloupée de vacancier, et sa sacoche anthropoïde ballottait au gré de ses pas comme un être vivant content de la balade.

Cela rappela à Tony Figes le but de sa sortie. Il avait accédé de bonne grâce à la requête du Dr Bowen ; oui, il pouvait aller chercher la clef de l'appartement de Simon chez George Levinson ; non, ça ne l'ennuyait pas de se rendre à l'appartement, de faire un paquet pour Simon et de l'apporter à l'hôpital. Ce serait un plaisir – c'était le moins qu'il pût faire. « Baisez mon cul ! » avait-il signalé respectueusement – quoique avec un brin d'ironie – au Dr Bowen avant de rompre la communication. « Baisez le mien ! » avait-elle contre-singé avec la même neutralité courtoise.

Le marché ne battait pas son plein aujourd'hui – on était vendredi – et les vendeurs à la ouâârée vantaient leurs marchandises autant pour leurs confrères que pour les touristes. De temps à autre, on en voyait un pousser un hurlement et parader pour la forme, courir debout sur le macadam entre les étals en donnant des coups de pied dans des pelures, des cosses, de coquilles de noix ou autres détritus végétaux et jongler avec deux régimes de bananes ou une douzaine d'oranges.

Tony Figes ne leur prêtait pas attention ; il gardait le museau bas et l'œil sur la croupe de l'Italien au sac fantaisie. C'était une journée étouffante. Il avait la fourrure imbibée de sueur et il s'arrêta pour ouvrir sa veste à la brise afin de s'aérer la poitrine. Le temps de rajuster ses vêtements et les Italiens avaient disparu. Il grommela dans sa barbe. Il songea un instant à faire escale au Star pour déteindre sa solitude grise dans les tons sépia du bar et la tremper dans l'encre brune d'une pinte de Guinness, puis se ravisa et tourna dans Coville Terrace.

Une bande de loubards bonobos sub-adultes rôdaient dans le coin, des canettes de Special Brew vissées sur leurs bouches roses, en gesticulant à grands signaux dans leur sabir. Leurs fourrures corporelles sortaient en touffes par les ouvertures de leurs débardeurs et leurs fourrures crâniennes étaient soit tondues en zigzag soit taillées en carrés ou triangles. Tony voûta les épaules – par un réflexe d'autoprotection – et fila doux. En principe, il ne craignait pas les bonobos, mais ceux-là étaient si souples, si sveltes. Il enviait leur aisance, leur façon de se tenir droit, mais les bonobos – surtout ceux-là – avaient toujours quelque chose d'humain en eux, quelque chose de bestial. Il hocha la tête en s'admonestant intérieurement – comme tout libéral bon teint, il s'estimait au-dessus du bonobisme – et passa son chemin en manumarchant.

Les bonobos écoutaient un poste stéréo posé sur le trottoir, qui faisait brailler le tube ragga de l'été. Les vocalisations étaient connues de Tony. Elles lui rappelèrent la nuit de la crise de Simon. « *HooGraaWraaHoo / HooGraaH'hoo / EeeWraa-EeeWraa...* [1] » Il secoua la tête. Là où était Simon, personne ne pouvait avoir envie de baiser.

La lourde porte s'ouvrit dans un souffle. La cage d'escalier sentait le chou et l'urine. C'était drôle, songea Tony, de voir comment les vagues successives de l'embourgeoisement se repoussaient mutuellement dans ces terrasses pour créer un détroit entre la pauvreté et la richesse, où les clients des services de santé sociaux et les membres des clubs de santé mondains étaient renvoyés croupion à raie.

Il frotta ses cavités oculaires endolories. La soirée de la veille l'avait épuisé. Il avait fini par draguer un prostitué dans une

---

1. HouGraaRrouaaHou / HouGraaH'hou / IiRrouaa-IiRrouaa. *(NdT)*

boîte de Charing Cross, l'avait emmené chez lui – une manœuvre à haut risque, eu égard aux oreilles-radars de la vieille Mme Figes – et l'avait tellement bourré d'alcool et de coke que la bite du mignon s'était ratatinée comme un bandonéon. Tony l'avait tout de même payé.

L'appartement de Simon Dykes se trouvait au deuxième étage d'une maison reconvertie en logements individuels selon un plan aberrant. Certains appartements étaient immenses, d'autres tout étriqués, engoncés dans les derniers interstices disponibles, des bouts d'entresols, d'anciennes salles de bains, des chambres de bonnes. Celui de Simon appartenait à cette dernière catégorie. Certes, il avait été obligé de se loger à la va-vite après la fission de son groupe mais, tout de même, pour un chimpe qui, prétendait-on, avait plutôt réussi dans sa carrière, dont les tableaux et autres œuvres d'art atteignaient des cotes considérables, il y avait là quelque chose de profondément minable.

Tony sauta le dernier jeu de rampes et ouvrit la porte à la volée, dans le même mouvement, avant de retomber sur la moquette. Il entra à quatre pattes. Le long couloir suffocant sentait le renfermé et le mâle négligé. Son regard s'arrêta sur une corbeille débordant de mégots, de bouteilles de whisky et pis encore. Une piste textile de vêtements épars menait à une chambre cubique aux volets clos. Dans la pièce de devant, où Tony se faufila, des rayons de soleil, filtrant par les stores vénitiens, se posaient sur un stock fétide d'images, d'illusions et de fétiches mortels.

Sous la baie vitrée, une longue table à tréteaux était jonchée de carnets de dessins, de livres illustrés, de pots de stylos et de crayons, de photographies, de cendriers et de verres vides. Des habits crasseux s'empilaient dans un coin sur un méchant divan. Tony s'arrêta, miaulant. L'atmosphère de déréliction – de désespoir, même – était pire qu'il ne l'avait craint. Il n'y avait pas

261

meilleur terreau que ce compost pour faire germer des délires effrayants comme celui de Simon Dykes.

Miaulant toujours, Tony carpo-tarsa vers la table. Il se lova sur une chaise et, du bout des pieds, se mit à trier dans le capharnaüm. Il y avait énormément de documents relatifs aux humains. Tous les ouvrages de Jane Goodall relatant ses travaux sur les hommes sauvages de Gombe, des articles de journaux sur l'actualité des recherches en anthropologie, des tracts édités par des groupes de défense des droits des animaux consacrés au sort des humains. Tony hua doucement. Il y avait là assez de nutriments à hautes calories pour alimenter le délire humain de Simon. Mais il y avait aussi des indices plus concrets sur la direction qu'avaient prise les pensées et fantasmes de l'artiste dans les semaines précédant sa crise, les semaines qu'il avait passées à peaufiner ses tableaux apocalyptiques.

Toute une série d'ébauches, au crayon gras sur carton, montraient les esquisses de ses grandes toiles sur le Londres moderne, mais, à la place des chimpanzés qui peuplaient les tableaux achevés, on voyait des silhouettes d'humains, nues et fantomatiques. Des humains qui couraient debout, les jambes droites ; des humains qui marchaient en foule, tous séparés par une longueur de bras ; des humains assis côte à côte, sans se toucher, sans se gratter, perdus dans la prison d'incommunicabilité que leur imposaient leur déficience sensorielle et leur cerveau primaire.

Tony Figes avait commencé à inspecter ces ébauches par curiosité, en tant qu'allié de l'allié malade, mais, au fil de ses examens, devant ces curieuses représentations satiriques de la ville comme enclave arborescente, son esprit critique entrait en action. Il en vint à conclure qu'elles étaient plutôt meilleures que les toiles définitives qui en étaient résultées. En centrant ses études sur la vanité d'un monde dominé par les humains, Simon avait réussi à exprimer bien plus de choses sur la condition chimpaine moderne en quelques coups de crayon qu'avec de pleins bidons de peinture à l'huile.

En songeant à ce que ces dessins pouvaient devenir entre les mains d'un personnage peu scrupuleux, il eut le frisson et grommesouffla. Ils pouvaient servir d'illustrations à un article dévastateur sur la dépression de Simon, qui compromettrait non seulement la réputation de l'artiste mais son art même. Que faire ? Sans cesser de grommesouffler, il se leva et patrouilla dans l'appartement. Dans un tiroir de la cuisine, il dénicha un sac en plastique dans lequel il fourra les chemises et les T-shirts les plus propres qu'il put trouver. Apercevant un pantalon au fond d'un placard ouvert, il hésita, puis se résigna : la saillie égrillarde n'était plus d'actualité pour Simon, qui n'aurait plus besoin de ce genre d'accessoire avant longtemps.

Il noua son triste balluchon et se prépara à repartir. Mais quelque chose le retenait. Il n'arrivait pas à se détourner de ces esquisses. Chaque fois qu'il essayait d'atteindre la porte, elles semblaient panthurler dans son oreille interne. Il revint à quatre pattes vers la table et les regarda par-dessus son épaule. Son œil s'arrêta sur un tube cartonné appuyé contre le radiateur poussiéreux. Sans vraiment réfléchir à ce qu'il faisait, Tony l'attrapa avec les pieds et, avec les mains, y introduisit les croquis roulés.

Dans l'opération, il découvrit une cache sous les cartons à dessin. Elle contenait des boîtes de pilules. Trois en tout. Il les ramassa une à une et examina les étiquettes. C'étaient ses médicaments pour le cerveau, avec leurs ordonnances : Prozac, 50 mg par jour ; Diazepam, 20 mg en cas de besoin ; et un truc appelé Calmpose, qui se présentait en paillettes roses de 5 mg. Il ouvrit les boîtes, touilla les gélules dans la poussière de leur propre désintégration, revissa les couvercles et mit dans sa poche le Prozac – un excellent prélude aux colombes blanches – et le Valium – un excellent antidote. Dans son état, Simon n'en aurait plus l'usage, de toute façon.

263

La longue et basse Volvo Série 7 vrombit sous le portail d'entrée de l'hôpital Charing Cross. Son arrière-train expulsa un gros pet de fumée d'échappement qui alla souiller un carré de ciel trop proche de la terre. Gambol tenait le volant des quatre membres, dans la position recommandée, 3 heures moins 10, 8 heures 20. Un sourire fixe fendait son museau chafouin, un sourire paradoxal en ce sens qu'il était à la fois complètement sincère – puisque ses plans portaient leurs fruits – et parfaitement fourbe.

Son oreille mobile capta une trépidation derrière son épaule droite. Il n'eut pas besoin de se retourner pour savoir que la trépidation en question était provoquée par Zack Busner, qui sortait de l'hôpital avec son nouveau pensionnaire.

« "HouuGra !" Bon, eh bien, Jane, Whatley, on y va. » Busner était debout dans le vestibule. D'une main il empoignait fermement sa nouvelle responsabilité par l'épaule, de l'autre il éconduisait quelques internes en médecine trop insistants qui essayaient encore de lui faire un petit grattage de dernière minute.

« "HouuGra" Busner. Je vous souhaiterais volontiers bonne chance avec M. Dykes, mais j'ai "grnnn" peur que la chance ne suffise pas...

– "H'heuu" qu'est-ce que vous voulez grimacer exactement par là ? » La digitation de Busner restait polie – mais crochue. Whatley fit immédiatement machine arrière et présenta son cul.

« Rien ! Holà, "houu" rien, je vous assure.

– Bon. Jane, je vous panthucherai demain matin. Comme nous en avons gesticulé, je considère que votre contribution à l'étude du cas de M. Dykes a été déterminante tant sur le plan clinique que du point de vue de la recherche.

– "Chup-chupp" merci, Votre Magnificence, Votre Radieuse Trouduculité...

– Jane, je vous en prie. C'est à moi de vous baiser le cul... »

Busner déposa un baiser d'au revoir sur le croupion de la frêle femelle, tambourina un peu sur le cageot en plastique orange qui maintenait ouverte la porte électrique défectueuse de l'hôpital, puis guida Simon – trop hébété par la lumière du jour, l'activité chimpaine et la perspective d'une liberté conditionnelle pour faire le moindre signe – vers la voiture. Il ouvrit la portière arrière, poussa Simon à l'intérieur, referma, se redressa, sauta par-dessus la Volvo, donna quelques coups de poing sur le toit, panthurla une dernière fois devant la compagnie assemblée, puis se faufila par la fenêtre du passager.

Un chœur de panthurlements sonores salua l'équipage et la Volvo démarra en trombe – pour se retrouver presque aussitôt empêtrée dans l'écheveau métallique des encombrements de Fulham Palace Road. Il était déjà 4 heures et demie, c'était le début de l'heure de pointe – qui en durait quatre et condamnait d'avance toute velléité de vélocité. « "Euch-euch" tu ne peux pas essayer de faire quelque chose, Gambol "heu" ? » demanda le plus grand philosophe naturel du temps en grattant une croûte de merde – dont il était encore tout éclaboussé malgré sa séance avec Simon – engluée dans les poils de son cou.

« "Euch-euch" je ne vois pas quoi, alpha... C'est à Hammersmith que ça bloque. On pourrait tenter de couper par Lillie Road, mais on tomberait dans un autre bouchon, ça ne nous avancerait à rien. »

Busner pivota pour voir comment son cas clinique gérait ses premières minutes de liberté. Il envisagea même de demander à Simon s'il avait un itinéraire à leur conseiller. Après tout, sa compagne habitait dans le coin, il devait être capable de visualiser le secteur. Mais Simon avait le museau écrasé contre la vitre et les mains calées en visière entre le verre et ses yeux. « Non, ça ne servirait à rien, mieux vaut ne pas précipiter les choses et laisser à notre passager le temps de bien regarder le monde qu'il réintègre "houu". »

Or ce monde, Simon le trouvait complètement déconcertant. Il s'était promené, avait roulé, s'était fait rouler et envoyer promener des milliers de fois sur ce tronçon de route. Il connaissait chaque tripot louche, chaque troquet borgne, chaque clandé aveugle dans cet accordéon d'échoppes bancales qui s'étirait de l'hôpital au toboggan de Hammersmith.

Quand il était dans la cellule numéro 6, il n'avait cessé de repasser cette topographie sordide dans son œil mental pour s'assurer que sa mémoire était fidèle. Maintenant qu'il la voyait réellement, tout était conforme à ses souvenirs, jusqu'à la tête de coq jaune grossièrement stylisée qui ornait le fast-food Red Chicken Shack, jusqu'à la lèvre érodée de macadam qui baisait le terre-plein lépreux, jusqu'aux rideaux à grosses mailles qui semblaient tendre des toiles d'araignées géantes sur les fenêtres des appartements au-dessus des boutiques. Partout où il dirigeait son regard, il reconnaissait quelque chose, une enseigne de magasin, un logo de station-service, un menu à la vitrine d'un café. L'aspect familier, si ordinaire, de ce décor où avait germé son délire ne faisait qu'en approfondir le malaise.

De même que lors de son périple vers la salle de scanner dans le sous-sol de l'hôpital, il était gêné par l'échelle des mesures. Il avait dû se replier sur lui-même pour tenir sur le siège arrière de la Volvo, pourtant censée être une grosse voiture. Cette incongruité spatiale affectait tout alentour, les immeubles, les autres véhicules, la route elle-même. Tout était petit, tout était réduit aux deux tiers et peuplé de nabots affairés.

Ils trottaient à quatre pattes en faisant admirer leur troufignon à la ronde, s'attroupaient devant les arrêts de bus, escaladaient les façades en s'aidant d'une branche d'arbre, d'une corniche, d'un défaut du crépi, d'un support d'antenne instable pour assurer leur grimpette. Ils se déplaçaient avec une aisance et une insouciance stupéfiantes. Comme la voiture avançait par saccades, Simon put suivre la progression de l'un d'eux, qui se trouvait à leur hauteur ; il le vit manumarcher sur une vingtaine de mètres, franchir à saute-mouton une succession de bornes et de poubelles, se frayer un passage dans un groupe de congénères arrivant en sens inverse, puis avancer à la force des bras, suspendu à un abribus, et repartir en quadrupède sur le trottoir.

Quand Simon les regardait séparément, observait le déplacement d'un individu isolé le long de la rue ou le long d'un mur, il était assez admiratif en mesurant ce qu'il fallait d'adresse, de poigne, d'anticipation, de réflexe pour négocier une pirouette sur le trottoir bondé, zigzaguer sur la chaussée encombrée et garder l'équilibre sur les escarpements du bâti. Mais lorsqu'il les regardait ensemble, regardait cette masse de chimpanité telle qu'elle était, à savoir une masse de chimpanzés, il n'y voyait qu'une horde de bêtes en marche sans plus de conscience qu'un troupeau de moutons ou un essaim de sauterelles.

Tout cela empira quand la Volvo atteignit enfin le rond-point de Hammersmith. Là, les ruissellements de chimpes sauteurs convergeaient pour former un torrent de dos ondoyants comme des déferlantes. Tous les chimpanzés que Simon avait vus jusqu'alors étaient, comme eux, vêtus seulement au-dessus de la taille, mais l'impression produite n'était pas la même, parce qu'il était – d'une certaine manière – en captivité. Maintenant, devant cette cataracte d'animaux qui se déversait dans la gueule du passage piétonnier souterrain, il était stupéfait par le caractère absurde de ces gambettes poilues et de ces culs décharnés pointant sous l'ourlet de vestes à rayures, de vestes en denim, de corsages à fleurs, de T-shirts imprimés de slogans. Quand l'un d'eux se tournait, fronçait le museau et gonflait les joues pour panthurler, Simon ne pouvait s'empêcher de pouffer. Ce fut ce rire étouffé, ce rire de gorge, qui déclencha la première digitation depuis leur départ de l'hôpital, la première gesticulation véritable depuis que Simon avait recouvré un semblant de liberté.

« "Greu-nn !" Eh bien quoi, Simon, qu'y a-t-il de si drôle "heuu" ? » Busner sauta debout sur son siège, sauta encore, décrivit une demi-volte pour faire face à son pupille, agrippa l'appuie-tête rembourré et y cala son menton en agitant les doigts dans la touffeur de la voiture.

« Tous ces chimpanzés "clac-clac", répondit Simon en désignant les croupions frétillants qui dévalaient l'escalier en béton. Ils sont "clac-clac" ridicules... complètement ridicules !

– "Hou" et en quoi sont-ils ridicules "heuu" ?

– C'est leur façon de s'habiller, regardez, ils s'habillent seulement au-dessus de la taille et exhibent leurs "h'hi-hi" affreux derrières rabougris. »

Busner suivit le regard de Simon. Ses talents de thérapeute – il faut lui rendre cet hommage – lui donnaient un tel pouvoir empathique qu'il était capable de se couler dans la perspective de son patient. Il fronça les arcades sourcilières et plissa les yeux. Il était vrai que, considérée en masse, cette population de chimpanzés se rendant à leur travail avait quelque chose d'absurde. La multitude transformait ces trajectoires, qui avaient toutes une finalité propre individuellement, en une sorte de ruée de lemmings. Et on pouvait avancer la grimace qu'il y avait, dans la réaction de Simon, une forme tordue de lucidité. Busner le reconnut.

« "Chup-chupp" je dois admettre que vous marquez un point, Simon, mais il n'y a rien d'affreux dans le postérieur d'un chimpanzé. Au contraire, la fêlure ischiatique du chimpe est la plus belle partie de son corps. Le "chup-chupp" Poète n'a-t-il pas écrit : <Quand, les deux yeux fermés, en un soir chaud d'automne / Je respire l'odeur de ton cul chaleureux / Je vois se dérouler des rivages heureux / Qu'éblouissent les feux d'un soleil monotone...>

– Vraiment "heu" ?

– Mais oui, c'est en regardant le trou du cul d'un chimpe qu'on apprend à le connaître, à deviner son âme...

– Ah bon "heu" ?

– Assurément.

– Ah, d'accord, je présume que c'est pour ça, alors, que vous ne le couvrez pas, fit Simon, qui prenait beaucoup de plaisir à cet échange, dont la drôlerie lui permettait d'oublier un temps l'horreur de la rue simienne.

– Qu'on ne le couvre pas "heeuu" ?

– Oui, vous savez, comme je vous avais demandé de le faire.

– "Hou !" je vois, vous "chup-chupp" faites allusion à des *pantalons*. C'est ce que font les humains "heu" ? »

Ce fut au tour de Busner d'avoir envie de rire, mais il sut se contenir, sentant que cette joute digitale était peut-être le début d'une vraie gesticulation de son délire. Laisser Simon Dykes marquer son territoire était une manière de lui réapprendre à être un chimpanzé.

« Oui, reprit Simon en choisissant soigneusement ses signes. La nudité, voyez-vous, est un tabou dans la plupart des sociétés humaines. En montrant la partie inférieure de son corps, on dévoile ses parties génitales et ça peut susciter un désir sexuel inapproprié. »

L'argument prenait Busner de court. Il se livra à un petit autograttage. La merde de Simon ne le gênait plus depuis longtemps, mais il venait de découvrir une autre sécrétion desséchée qui l'importunait, dans les poils de sa nuque. Il humecta ses mains de salive, frotta la région souillée et contre-signala d'un doigt luisant : « Je vois, je vois, ça se tient, au fond. Les humains, je crois, ont assez peu de fourrure "heuu" ?

– Quelques poils, tout au plus.

– Et je crois aussi qu'ils saillent même lorsque la femelle n'est pas en chaleur "heuu" ?

— Saillent "heu" ?

— Copulent, ont des rapports sexuels, font l'amour... *baisent*, même quand la femelle n'est pas en période d'ovulation.

— "Clac-clac-clac !" absolument ! En fait, la plupart des mâles humains que je connais s'arrangent pour *éviter* de baiser une femelle humaine quand elle ovule. Franchement, vous n'avez pas envie de faire un bébé chaque fois que vous baisez, quand même, "heu" ?

— Je vois, je vois. Non, bien sûr que non. »

Busner baissa les bras. Il était déboussolé par les ramifications du délire de Simon, qui étaient d'une parfaite cohérence dans leur aberration. En effet, un animal intelligent avec de telles pratiques copulatoires, complètement dissociées du paradigme de la nécessité biologique, un animal dépourvu de fourrure protectrice sur les parties génitales, serait obligé de porter des vêtements en dessous de la taille « pour couvrir ses enflements sexuels, j'imagine... ».

Cette fois, c'était Simon qui était déboussolé. « HouGraa ! » Il empoigna l'appuie-tête, se dressa sur ses pattes arrière et présenta un museau hébété à son thérapeute, car, sans s'en apercevoir, Busner venait de digiter ouvertement.

« "H'houu "oui, je... j'étais en train de penser qu'une femelle humaine intelligente serait obligée de porter des vêtements sur le bas du corps pour ne pas exposer son enflement sexuel... » Les doigts de Busner interrompirent leurs signaux pour frotter à nouveau la croûte qui tachait sa fourrure lubrifiée. C'était vraiment une manie exaspérante chez ces animaux. Ils vous tenaient tout un discours, dans un langage par signes, certes, mais néanmoins intelligent, et, soudain, au moment où vous pensiez arriver à quelque chose, voilà qu'ils se mettaient à se gratter comme de vieux chiens pouilleux. Comme le cocker de Sarah, Gracie, qui se raclait spasmodiquement le bas-ventre avec la patte.

Des enflements sexuels... ma foi, oui, la description était assez juste. C'était un peu comme des tumescences des parties intimes, en effet. Non, *c'étaient* des tumescences des parties intimes. Simon retourna l'idée dans son esprit. Retourna le corps de Sarah. Son corps svelte, sans poils. Le retourna de sorte que ses jambes minces de jeune fille s'ouvrirent pour laisser voir un pinceau de poils et une roseur stratifiée béante. La chimpanzée qui lui avait rendu visite – celle qui se prétendait Sarah et avait gesticulé avec lui au vidéophone – s'était effectivement appliquée à mettre en évidence son pubis tumescent. Or qu'était-ce en vérité sinon la matérialisation charnelle ultime du rentre-dedans ? Était-ce là l'explication ? Ce monde de singes était-il une lugubre fantasmagorie faite des scories de son obsession ? Ses tableaux apocalyptiques, sa relation complexe avec le corps de Sarah, la terrible castration sentimentale qui avait suivi la perte de ses enfants – tout cela semblait s'imbriquer, s'incorporer à l'horreur du présent. Un présent à fois ineffable et tellement terre à terre, avec son décor ordinaire – le rond-point de Hammersmith – et ses accessoires ordinaires : une berline Volvo, un panneau publicitaire pour une marque de soda, une cuisse de poulet à demi mangée jetée dans un caniveau à côté de son ironique contrepoint eschatologique – une crotte.

Simon frissonna, se pelotonna sur la banquette et signifia à Busner qu'il n'avait plus envie de converser pour le moment. Il plaqua ses mains sur ses larges oreilles, enfouit sa tête dans son giron et attendit que les choses changent.

Gambol continuait à manœuvrer la Volvo dans les embouteillages. Son alpha, oubliant Dykes un instant, se carra sur son siège, sortit son porte-documents et ouvrit le dernier numéro du *British Journal of Ephemera*. Ni les panthurlements des chimpanzés, ni le grondement de la circulation ne le perturbèrent. Car, bien sûr, il lisait l'un de ses propres articles.

Simon redescendit sur terre au moment où la Volvo sortait du toboggan de Marylebone pour s'engager dans Gloucester

Place en direction de Regent's Park. Ils arrivaient dans un quartier de Londres qu'il connaissait beaucoup mieux, et il était curieux de voir comment la chimpanisation l'avait transformé. La réponse était : pas beaucoup. Londres était toujours le même salmigondis de bâtiments, une hybridation du vieux et du neuf – des emprunts architecturaux de toutes origines et, partout, du verre bleu réfléchissant, miroitante répétition du même.

Devant la mosquée de Regent's Park, la vue des chimpanzés musulmans l'amusa. Les mâles portaient des calottes et manipulaient des rangs de perles plus ou moins longs pour occuper leurs doigts, à côté de femelles dont la pudeur austère était compromise par la coupe à mi-corps de leurs tchadors.

Des clochards chimpanzés flânaient dans les branches des arbres entre le canal et la route. Comme ils étaient cachés par le feuillage, Simon ne les remarqua pas tout de suite mais, quand la ramure trembla, il étouffa un rire en voyant le bras velu d'un poivrot pongidé balancer une canette de Special Brew.

À présent la Volvo sillonnait Hampstead High Street, longeait des magasins, des bars à vin et des cafés que Simon avait connus, où il avait bu, avait flirté, s'était soûlé. Les chimpes de ce quartier étaient mieux habillés que ceux du centre de la ville. La plupart des femelles avaient sous le bras des sacs en papier rigide portant des noms de maisons de couture. Elles arboraient aussi ces espèces de vêtements que Simon savait maintenant être des protège-enflures, des rosettes de satin ou de soie, de plusieurs mains de diamètre, artistement plissés et froncés à l'image des plis et des fronces de peau périnéale et ischiatique tumescentes – ou potentiellement tumescentes – qu'elles étaient censées cacher. Une euphorie silencieuse et amère le secoua. La correspondance était si nette, si exacte et si *asinienne*.

Gambol braqua après le feu tricolore. Ils bifurquèrent dans Heath Street, puis dans l'esplanade géorgienne de Church Row.

Simon bougea enfin et reprit sa gesticulation avec son herméneute hirsute.

« "H'heu" où allons-nous exactement, docteur Busner ? »

Busner eut un geste vague de la main. « Chez moi, comme je l'ai signalé.

— Et c'est où "heuu" ?

— Dans Redington Road, vous "heu" connaissez ?

— "Hou" oui, j'y allais avec mes parents quand j'étais petit... pour voir des amis à eux.

— "Greu-nn" tant mieux, comme ça vous ne serez pas trop dépaysé "heuu" ! » Et Busner se replongea dans la lecture du *Journal,* sans même un regard derrière lui.

Gambol arrêta la Volvo au bord du trottoir. Ses passagers descendirent. « Je n'aurai plus besoin de toi aujourd'hui, lui signala Busner, mais tâche d'être là à la première heure demain matin. Je veux emmener M. Dykes en promenade. » Busner lui donna congé en tambourinant sur le toit de la voiture et Gambol s'éclipsa. Dès qu'il eut tourné le coin, l'epsilon poussa un grand cri agacé. Puis il passa cinq vitesses en autant de secondes et la grosse voiture s'éloigna en direction du centre de Londres.

L'après-midi était étouffant et la maison de Busner était vide. C'était en partie à dessein — Busner avait panthuché pour les prévenir qu'il fallait se tenir à carreau — et en partie par accident : les soldes d'été, les obligations professionnelles, les patrouilles, l'école, les activités copulatoires et vingt autres raisons retenaient le gros de la troupe à l'extérieur.

Busner déverrouilla la porte et Simon entra à la suite du popotin décharné de son thérapeute. Il trouva son environnement si rassurant, si familier et familial après le cauchemar aseptisé de l'hôpital qu'il faillit pleurer de soulagement.

Il alla de pièce en pièce, examinant tout, reniflant tout, frottant les paumes de ses mains et les plantes de ses pieds sur les surfaces moquettées, peintes et tapissées. Dans le living-room, il y avait des étagères de bois sombre bourrées de livres alignés sans classification, ni par matière ni par auteur. Il reconnut certains titres. Il y avait surtout des classiques – anciens et modernes – mais aussi des ouvrages d'histoire, de philosophie et, bien sûr, de médecine et de psychologie. Il prit quelques livres de poche au hasard, des Everychimp et des Penguin, pour sentir le grain de la couverture sous sa lèvre interrogative. Naturellement, il ricana et claqueta en voyant un exemplaire de *Servitude chimpaine* de Somerset Maugham.

Il y avait des tableaux aux murs. De vrais tableaux. À l'hôpital, une de ses plus grandes angoisses mentales avait été provoquée par les sordides reproductions délavées que l'administration avait cru bon d'accrocher. Si certaines des toiles de Busner étaient des croûtes – visiblement des œuvres de peintres du dimanche issus de son groupe –, d'autres étaient plus intéressantes. Il y avait notamment un petit dessin d'Eric Gill, une silhouette de chimpanzé au tracé pur. Simon soupira. Le trait était si élégant, si essentiel que c'était, pour la psyché dérangée de l'ancien artiste, comme un sédatif graphique.

Dans le grand vestibule en parquet, il y avait une horloge qui faisait tic-tac, un porte-chapeaux, quelques vieilles eaux-fortes encadrées. Partout où se promena Simon, les couleurs étaient tamisées, sombres, réconfortantes – des teintes de prune ou de mûre alternant avec des rouges sang et des ocres. Les tapis étaient épais, tapis persans ornés d'arabesques ou vieux Axminster géométriques.

À l'étage, chaque chambre à nicher avait une décoration propre. L'une était oppressivement femelle, avec un grand lit blanc à colonnes et une moquette bleu marine ; une autre était tout aussi oppressivement masculine, avec des ballons de football, des bâtons de ski et autres accessoires de sport.

Exactement le genre de maison, digita intérieurement Simon,

dans laquelle j'aurais pu vivre avec mes petits – si les choses avaient tourné autrement. Une vaste maison de groupe près d'une rue bordée d'arbres dans un faubourg cossu du nord de Londres. Il n'y avait que deux choses qui ne cadraient pas dans le tableau, qui aliénaient définitivement le domicile de Busner et en faisaient un antre meublé de délire autant que de meubles : c'étaient toutes ces poignées fixées aux murs, à des hauteurs calculées pour permettre à des singes de s'y accrocher, des poignées aussi vieilles que la maison elle-même – en bois, en laiton ou plastifiées –, et surtout, surtout, cette puanteur, l'odeur des bêtes qui, fatalement – tels les trois ours –, allaient bientôt rentrer.

CHAPITRE 14

« Il est dans la chambre des mâles sub-adultes, signala Busner à Charlotte, sa femelle alpha. Ils sont en patrouille pour la nuit et il me semble qu'il sera mieux là pour le moment que dans la chambre d'allié.

— "Hou" Zack, fit Charlotte en remuant dans le nid. "Grnn-gr" tu crois vraiment que c'est une bonne idée d'héberger chez nous un chimpe aussi gravement atteint "heu" ?

— Une bonne idée pour qui "heuu" ? pianota-t-il distraitement, d'un toucher léger comme des pattes d'insectes, entre les omoplates de la femelle.

— Pour lui, pour toi "hou", je ne sais pas. Je repense à ce chimpe tourettique que tu avais amené ici... j'ai l'impression que c'était hier. Tu as oublié comment ses tics et vocalisations intempestives ont failli te rendre fou "heu" ? » Elle tourna son museau vers lui et appuya sa douce joue pommelée de taches de rousseur contre la fourrure de son ventre.

« Je n'ai pas oublié, chérie, mais rappelle-toi que ce qui m'énervait le plus chez ce pauvre Nairn, c'était le caractère stéréotypé de sa condition. C'était un cas critique, c'est sûr, mais je ne pouvais pas mettre le doigt sur quoi que ce soit de palpable en ce qui le concernait. Avec Dykes, c'est différent, j'en suis convaincu. Il est unique "greu-nn". Tu as peut-être raison, Charlotte, mais j'ai l'impression que Dykes pourrait bien être mon dernier patient vraiment intéressant...

– Zack, Zack, tu ne devrais pas grimacer comme ça.

– Charlotte, "heuh-heuh" tu es ma plus vieille conicheuse, mon alpha adorée, et je crois qu'il faut que je te montre quelque chose.

– Quoi, Zack "heuu" ? »

Charlotte se redressa dans le nid, entraînant les couvertures avec elle dans le mouvement, et alluma la lampe de chevet. Le Dr Kensaburo Yamuta, le cousin zêta éloigné, et Mary, la femelle thêta, qui partageaient le nid malencontreusement découvert, s'étirèrent, grognèrent, changèrent de position et se remirent à ronfler.

En voyant Charlotte soudain dénudée, Busner la trouva bien vieillie. Cet œstrus l'avait vraiment fatiguée. Sa chemise de nuit en coton s'était retroussée sur son ventre. Son enflement se tassait, mais il était encore à vif et elle avait des escarres et des griffures sur le cou. « Charlotte "clac-clac", ma vieille Charlotte, notre jeunesse est derrière nous "heuh-heuh". Nous nous sommes bien débrouillés, ces dernières années, le groupe est bien établi maintenant, tous nos rejetons sont casés… et, mon Dieu, à la fin de cette année, je crois que je vais pouvoir prendre ma retraite pour de bon.

– Zack, tu es sérieux "heuu" ?

– Non seulement je suis sérieux, mais il y a un autre facteur, qui ne dépend pas de moi, celui-là. Je crois que Gambol est en train de conclure une alliance contre moi.

– "Euch-euch" Zack ! Ce n'est pas possible ! Le petit salaud ! "Rrouaa !" après tout ce que tu as fait pour lui ! »

Sa fourrure se dressa sous le coton, ses doigts s'accrochèrent aux doigts de Busner, ses yeux bruns plongèrent dans ses yeux verts. Busner lui fit un petit grattouillis sur le dos des mains. C'était un acte particulier, intime, qui n'appartenait qu'à eux. Avec une infinie délicatesse, il rebroussa le poil des doigts de Charlotte avec le poil plus épais des siens. Elle se calma presque instantanément, pantela, claqua des lèvres et se blottit dans le nid. « Charlotte, dactylographia l'ancienne personnalité télévisuelle, ton trou du cul est plus important que tout pour moi, ton "heuh-heuh" enfure m'est un monde enchanté...

– "Chup-chupp-hou" troufignon chéri, grand fou "chup-chupp"...

– Je suis sincère, Charlotte. Mais, tu sais, si Gambol arrive à me déloger du sommet de la hiérarchie, je n'en ferai pas un drame. Je suis vieux... c'est la loi des chimpanzés, depuis toujours. Non, la seule chose qui m'ennuie vraiment, c'est que Whatley et lui – je sais que Whatley est derrière – vont tenter un putsch avant que je n'aie pu faire de réels progrès avec Dykes. Je suis certain qu'ils vont sauter de la branche bientôt. La seule question est de savoir quand. »

Les deux seniors Busner continuèrent longtemps à se bouchonner. À travers les fenêtres ouvertes de la chambre, on entendait des chimpanzés au loin panthurler des au revoir en sortant des bars et des restaurants de Hampstead. L'air de la nuit fraîchissait, la maison était tranquille. Peu à peu, Charlotte se mit à renifler et bientôt, quand ses ronflements s'harmonisèrent avec ceux de ses subordonnés endormis, Zack Busner se retrouva seul avec ses pensées.

Dans la chambre des mâles sub-adultes, Simon en était au même point. Car si, incontestablement, il se sentait mieux là que dans les chintz proprets de la chambre d'allié, d'un autre côté, les nids bateaux en pin, d'une taille doublement réduite, avec leurs duvets aux couleurs vives, les posters de pop stars et de footballeurs punaisés aux murs, les maquettes d'avions suspendues au plafond et les rayonnages minuscules bourrés d'illustrés, tout cela éveillait des souvenirs de Brown House, des souvenirs de ses enfants, de sa vie humaine, qui hurlaient dans sa mémoire.

« *Papa.* » *Rien.* « *Papa.* » *Rien.* « *Pa... paa !* » *Rien.* « *Papa !*
Papa ! Papa ! – Quoi ? Qu'est-ce qu'il y a ? – Papa caca-boudin. »

Pouffements de rire. Trois têtes blondes qui s'entrechoquent comme
des noix. Et des doigts d'écureuil qui trottent entre ses cuisses.

« *Papa.* » *Rien.* « *Papa.* » *Rien.* « *Pa... paa ! – Quoi ? Qu'est-ce*
qu'il y a encore ? – Papa, Magnus est le ciel et je suis le monde. Et
le ciel est plus beaucoup grand que le monde, hein oui ? – Beaucoup
plus grand, mon chéri, beaucoup plus grand que le monde... »

Il avait pensé que son amour pour eux était *plus beaucoup*
grand que le monde, mais peut-être s'était-il trompé. Il avait
pensé que le puissant attachement physique qui le liait à ses
enfants le maintiendrait ancré dans le monde, mais il n'en était
rien. Comment eût-il pu en être ainsi ? Allongé dans le nid, à
Hampstead, dans un monde dominé par le physique, le corporel,
Simon contemplait le mur sombre, contemplait un poster montrant un chimpanzé avec des arcades sourcilières prononcées qui
hurlait dans un micro. Sous la photo, une légende : « Liam
Gallagher, Oasis. » Oasis, mon œil. Un mirage, oui. Un mirage
qui allait nécessairement se dissiper.

Chaque bobo, chaque écorchure, chaque coup, chaque bleu.
La fois où la hernie enflait d'heure en heure sur l'aine de Magnus
jusqu'à atteindre le volume d'un œuf de pigeon... Jean et lui qui
gémissaient d'angoisse en regardant Anthony Bohm la palper
d'un doigt sûr.

La fois où Henry s'était retrouvé dans le service de pédiatrie
de l'hôpital Charing Cross. Son petit museau engoncé dans le
masque en plastique du nébuliseur. Le sinistre « ka-tchouf, ka-
tchouf » de la pompe qui insufflait le gaz dans ses poumons
défaillants, insufflait la vie dans son corps martyrisé, cependant
qu'à deux pas, dans le nid-cage clos de rideaux à côté d'eux, un
jeune médecin à la digitation châtiée s'évertuait à expliquer à
des parents somaliens éperdus qu'on allait devoir retirer le côlon

de leur petite guenon. Que sa vie, à partir de ce jour, serait une vraie histoire de merde.

Et la fois où Simon junior, le cadet, le plus sensible, avait été battu à l'école. Quand il était rentré en larmes, l'arête nasale rouge, couvert d'ecchymoses. Simon avait rappliqué au pas de charge chez la directrice, avec le petit mâle tremblant contre lui, pour la semoncer, semoncer l'école, semoncer le plus beaucoup grand monde qui faisait du mal à sa progéniture.

Simon se tourna en se débattant contre les couvertures de son nid trop étroit pour faire face au mur. Il s'emmitoufla dans le duvet minuscule qui grattait contre son épaule velue, enfouit sa tête dans son bras replié et se força à dormir. Dormir, c'était rêver d'un monde où l'on ne vous touchait pas sans y être invité, où la culotte était de règle, où les petits Dykes venaient se blottir contre vous le matin. Simon espéra que le Valium administré par Busner produirait bientôt son effet et l'arracherait à cette effroyable réalité. Il voulait s'enfoncer dans le nid, s'immerger dans son confinement cotonneux familier. Il tira le duvet sur sa tête ébouriffée et s'ensevelit dans ses motifs multicolores de petits humains dansants.

Comme toujours dans la maison Busner, le matin s'accompagna d'un formidable tohu-bohu. Les mâles sub-adultes étaient rentrés de leurs patrouilles nocturnes et chahutaient dans la cuisine. Les femelles plus âgées préparaient le premier breakfast pour ceux qui devaient aller travailler. Cressida était toujours en chaleur après trois semaines, circonstance qui faisait autant sa fierté que son dam, mais l'activité copulatoire était en demi-teinte ce matin.

Après un coup d'œil dans la vaste pièce envahie de chimpanzés bondissants, pirouettants et tournoyants, Busner estima qu'il était encore trop tôt pour soumettre Simon Dykes au tumulte de la vie normale. « HoouuuGra ! » Il panthurla bruyamment en tapant sur le couvercle d'une poubelle en plastique. Le silence se fit. « Bon ! "HouGrnn" vous tous ! Je vous avais prévenu que je m'apprêtais à héberger un autre patient chez nous, mais j'ai l'impression que vous avez besoin d'un petit tambourinement supplémentaire... » Et il tambourina supplémentairement sur la poubelle. « Ce pauvre chimpe, Simon Dykes, est affligé d'un traumatisme qui lui donne l'illusion d'être un humain... » Les plus jeunes Busner se mirent à ricaner et à claquer des dents. « "Ouaarf !" Arrêtez ça, garnements, ou vos misérables museaux sentiront la pression de mes mâchoires. "Ouaah !" » Les rires s'essoufflèrent. « Maintenant, j'aimerais que vous fassiez preuve d'un minimum de tenue. Je vais emmener Simon prendre son premier breakfast dans le pavillon d'été. Je pense que la compagnie des poneys lui sera plus facile à supporter que la vôtre. "HouGraaa !" »

Busner sortit d'un bond et sauta dans l'escalier. Il hésita devant la porte de la chambre des mâles sub-adultes et poussa quelques grognements interrogatifs avant d'entrer. Simon venait juste de s'asseoir. Il se frottait les yeux. Busner fut étonné de voir qu'il avait choisi le nid inférieur. Encore une ramification de son délire humain, songea-t-il, sans aucun doute. Tel un humain, Simon s'était spontanément dirigé vers l'abri le plus accessible. « "Hou-Graa" Simon, vous avez bien dormi ? »

Simon avait du mal à se concentrer sur les digitations. Il se massa la tête. Il savait où il était, il savait avec qui il signalait mais, sur le moment, il eût été incapable de dire à quelle espèce il appartenait. Puis les brumes du sommeil s'éclaircirent et l'ancien artiste se prépara à affronter une nouvelle journée d'enfer au milieu des singes. « HouGraa », vocalisa-t-il faiblement, puis il signala : « Bonjour, docteur Busner. Excusez-moi, Votre Radieuse Trouduculité, je rêvais... je rêvais que j'étais un homme...

— Et, au réveil, vous êtes toujours humain "heu" ?

– Oui, oui, bien sûr.

– Vous n'avez pas de pelage "heu" ? Vos membres sont droits, vos bras plus courts que vos jambes "heu" ?

– Oui "houu" oui, bien sûr...

– Vous avez des fesses rondes et lisses comme deux saladiers "heuu" ?

– "Clac-clac-clac" oui, oui, si vous voulez, bien que ce ne soit pas exactement l'image que j'aurais choisie ! »

Sur cet échange de bonnes grimaces résolument conviviales, l'homme-singe agrippa la base du nid supérieur et s'éjecta de sa couche. Il se dandina autour de la pièce sans regarder Busner et ramassa quelques vêtements. Il enfila l'un des T-shirts que Tony Figes avait apportés et une veste en denim.

Comme il refusait de descendre par la façade, le bidouilleur clandestin d'anxiolytiques le conduisit à la porte du jardin par l'escalier. Simon se forçait toujours à marcher droit, sur deux jambes, en ignorant superbement les poignées.

Quand ils traversèrent la terrasse, il jeta un œil par les portes-fenêtres et éclata de rire. C'était la première fois qu'il voyait autant de singes, de générations différentes, dans un cadre domestique, et ce spectacle lui rappela les films comiques montrant des chimpanzés prenant le thé en société qu'il avait vus au zoo, quand il était petit. Ils bâfraient, enfournaient d'énormes quantités de fruits et de pain dans leurs gueules béantes et se chipaient la nourriture dans la bouche les uns des autres. Ils se balançaient dans tous les coins, transformant les meubles, par ailleurs très ordinaires – des chaises et une table en pin, une commode galloise, un bar en formica –, en agrès de gymnastique. Voyant l'amusement de Simon, Busner digita joyeusement quelque chose comme : « Ah, la famille... un peu trop bruyant pour votre premier jour... une fille encore en chaleur... » et le guida jusqu'à une pergola octogonale au fond du jardin, une fantaisie qu'il avait achetée sur catalogue dans un moment d'inspiration bucolique.

Là, Simon s'assit et s'attaqua à un bol de prunelles – qu'il trouva désagréablement amères – et à un bol de papayes – qu'il trouva douceâtres à vomir. Busner essaya de l'allécher avec une tranche de durion, en signalant : « Les meilleurs qu'on puisse trouver. Ma femelle gamma se les procure dans une épicerie indonésienne de Belsize Park. » Mais l'odeur seule suffit à repousser Simon.

Parmi toutes les bizarreries de son nouveau foyer, celles que Simon trouva les plus apaisantes et les plus distrayantes furent les poneys de compagnie. Il y en avait toujours trois ou quatre qui trottaient dans le jardin, poussaient des hennissements nasillards et déposaient de petits crottins incrustés de foin le long des parterres de roses. Simon était captivé. « Ils sont si petits ! signala-t-il, ébahi, à un Busner plongé dans la lecture du *Guardian*. Pourquoi sont-ils si petits "heuu" ?

– Petits "heuu" ? Oh oui, en effet. Bien sûr, à l'origine, le cheval sauvage était nettement plus grand, mais les chimpanzés en font l'élevage depuis un millénaire au moins et ils les ont sélectionnés pour arriver à la taille actuelle, plus commode, du cheval domestique, juste ce qu'il faut pour fertiliser les jardins et les cultures sans les endommager "chup-chupp". » Busner souleva l'un des petits animaux par la bride et caressa sa crinière caramel.

« Mais les chiens, alors ? Que sont devenus les chiens "heuu" ? Vous allez m'expliquer, je suppose "clac-clac-clac", qu'ils sont devenus plus grands !

– C'est exact, Simon, ils sont plus grands. Le chien sauvage ne faisait que cinq mains au garrot. En fait, des recherches récentes montrent que l'ancêtre de tous les canidés actuels devait avoir à peu près la taille d'un loup. Évidemment, un animal de cette carrure aurait été peu pratique comme bête de somme.

Donc, au fil des siècles, les chimpanzés les ont sélectionnés. Si ça vous intéresse, je peux vous emmener visiter quelques chenils de la région et vous montrer que les chiens font seize mains de haut. »

Simon assimila l'explication en signence. Cette inversion des espèces domestiques avait quelque chose de surréaliste, qui apportait un surcroît d'étrangeté à l'inversion de l'ordre naturel auquel il était déjà confronté. Il pensa – fatalement – à Sarah, à ses lèvres retroussées par l'extase sur ses canines quand il avait plongé en elle cette ultime fois, et pensa aussi à Gracie, son cocker, qui avait tant jappé et gratté à la porte de la chambre pour entrer, ce dernier matin. Puis il se rappela le cheval miniature qu'il avait vu tourner en rond dans cette maison du malheur à son réveil. Combien d'autres inversions ce monde de persécuteurs hirsutes avait-il en réserve ? Des lapins volants ? Des poissons vivipares ? Il s'enroula dans ses bras et se mit à se balancer d'avant en arrière sur son croupion, comme un primate en cage ou un enfant autiste.

Busner remarqua son changement d'humeur. Mieux vaut continuer à le distraire, se grimaça-t-il, poursuivre mon programme d'intégration par des activités extraverties. « "Grnnn" Simon.

– Oui, qu'est-ce qu'il y a "heu" ?

– Je pense qu'il faut battre le fer pendant qu'il est chaud. Commencer votre réacclimatation dès aujourd'hui.

– Qu'est-ce que vous avez en tête exactement "heu" ?

– Mais... une visite au jardin d'acclimatation, justement. »

Gambol panthurla par la fenêtre de la Volvo en se garant le long du trottoir, devant la maison Busner. Puis il attendit. Comme pour répondre à l'appel, Simon émergea de l'allée qui longeait la maison. Gambol remarqua qu'il marchait toujours droit, un peu à la bonobo, les jambes raides. Et, comme chez les bonobos, sa posture faisait ressortir son pénis rose. Gambol pâlit : il y avait quelque chose d'agressif et de dérangeant dans sa dégaine. Dykes était trop calme, il ne s'agitait pas comme un chimpe... et puis, il y avait ces vocalisations gutturales, ces signaux mal formés. Mais il était le ticket gagnant de Gambol et l'epsilon le savait.

Il s'extirpa de la voiture et vint à la rencontre de Dykes dans l'allée. « "HouuGraa" bonjour, monsieur Dykes, comment allez-vous aujourd'hui "heu" ? » Simon observa le chimpanzé qui s'adressait à lui. Il commençait à remarquer de subtiles différences qui lui permettaient de distinguer les animaux. Celui-ci avait de petites oreilles bien découpées, un museau presque imberbe et une peau plus blanche que celle de Busner ou de Bowen – et surtout que celle des singes de l'hôpital, qui étaient beaucoup plus élancés pour la plupart et avaient des museaux plus noirs et des lèvres plus roses.

« "Houu" ouais "HouGraaa". » Sans savoir pourquoi, Simon se mit à taper sur le tronc d'un arbre voisin et à souffler entre ses dents. Puis il avança. Et le petit chimpanzé recula. Simon fut impressionné par l'aisance avec laquelle le singe marchait en arrière, sans hésiter, sans trébucher. Quand il atteignit le portillon, il l'ouvrit à l'aveuglette, d'une main sûre, et se faufila – toujours à reculons – dans l'entrebâillement. Puis il s'agenouilla, pivota et présenta son cul rabougri à Simon.

Simon avait vu tant d'animaux faire de même avec Busner qu'il sut aussitôt ce qu'on attendait de lui. Il se baissa et plaqua une main sur le baba offert. Comme toujours, il fut surpris par l'impression d'humanité que produisait le toucher de ce corps, une fois qu'on avait fait abstraction de sa répugnante villosité. « "Grnnn" là, là "chup-chupp", vous êtes Gambol, n'est-ce pas "heu" ?

– C'est bien ça. J'admire votre délire, je vénère votre dinguerie...

– Ça va, ça va, Gambol, là, là "chup-chupp" », fit Simon en le gratifiant de quelques tapes paternalistes.

Busner les rejoignit, avec son attaché-case sous le bras et une paire de petits braillards pendus à son cou. Une poignée de mâles sub-adultes lui emboîtaient le pas en une farandole sinueuse de mains bouchonneuses et de bras farfouilleurs – le premier dans les poils du cou de Busner, le deuxième dans ceux du premier, et ainsi de suite. Ils étaient tous hérissés, tous grognons, et cette procession de chair simienne irritable intimida fort Simon. Il s'appuya contre la haie. Busner se tourna vers les sub-adultes. « "Ouaaarf" vous n'irez pas patrouiller aujourd'hui, je ne veux pas que vous embêtiez M. Dykes... et quant à *vous* "ouaaarr" ! » Sans cérémonie, il décrocha les petits agrippés à son cou et les envoya bouler, criaillants, dans un massif de roses.

Enfin seuls, les trois singes sautèrent dans la Volvo. Gambol mit le contact et démarra en trombe, passant six vitesses en six secondes. La grosse berline descendit en cahotant la côte de Frognal, tourna à droite et disparut en direction de Primrose Hill.

Si Londres semblait relativement aéré, clair et spacieux à ceux des occupants de la voiture qui assumaient leur chimpanité, pour Simon Dykes, c'était une ville exiguë et sinistre. Où qu'il dirigeât son regard, vers les maisons en briques rouges sur les hauteurs de Hampstead, les longues terrasses de Belsize Park ou les sand-wichs d'immeubles autour de Primrose Hill, il voyait un paysage urbain croulant sous son propre bric-à-brac : un débarras des siècles encombré d'immeubles jetés les uns contre les autres comme autant de meubles au rebut, couverts de toiles d'arai-gnées, poudrés de suie. Jamais Londres n'avait paru si claustral, si minuscule. Et partout il voyait les gnomes velus tricoter des orteils sur le pavé, coller leurs mains racornies sur les murs et tout ce qui passait à leur portée, sans jamais s'arrêter.

Il se blottit sur son siège. Il se sentait comme Alice au Pays des Apathies, avait presque envie de demander au singe nommé Gambol d'ouvrir le toit pour qu'il pût y passer son cou de girafe. Pour atténuer autant que possible la disjonction entre sa perception de son propre corps et son appréhension du monde qu'il habitait, Simon garda les yeux plaqués contre la vitre pendant tout le trajet, en se pelotant distraitement les couilles. C'est drôle, mais ma demi-nudité ne semble pas me gêner, pensa-t-il, ou peut-être pensa-t-il seulement le penser.

La Volvo entra dans Regent's Park et fila vers le zoo. En arrivant devant les portes principales, Gambol décrivit un grand arc de cercle en rétrogradant d'une huitaine de vitesses avec une technique consommée. Il arrêta la voiture juste devant un chimpanzé qui tenait une grosse grappe de ballons fantaisie gonflés à l'hélium.

Busner s'extirpa de son siège et vint chercher Simon à l'arrière. Simon trouvait son contact beaucoup plus supportable depuis qu'il avait lui-même cueilli de la merde séchée dans la fourrure du psychanalyste radical. Le corps de Busner avait acquis une forme d'acceptabilité à mi-chemin entre celle qu'on reconnaît à son propre trou du cul – en ce sens qu'il est touchable, alors que la plupart des autres ne le sont pas – et celle d'un vieux chien familier quoique malodorant – comme la Gracie de Sarah.

Busner fit halte près du marchand de ballons. « Vous avez dû venir ici avec vos petits, Simon "heu" ? signala-t-il.

– Oui, c'est exact, souvent. Magnus, l'aîné, est passionné par les animaux, le monde sauvage, ce genre de choses. Les autres se font un peu tirer la jambe... » Les doigts de Simon s'immobilisèrent. Il regardait les ballons aux couleurs métallisées qui voletaient au-dessus de sa tête. Parmi les Mickey, les Minnie et les Dingo, il y avait d'autres caricatures plus étranges, au museau pâle, avec des excroissances nasales exagérément prononcées.

Voyant ce qui fascinait Simon, Busner échangea quelques signes et pièces avec le marchand, acquit un ballon et tendit la ficelle à Simon en signalant : « C'est un humain, Simon, les chimpanzeaux les adorent... » Il entraîna Simon par le bras vers la boutique de souvenirs. Au milieu des timbales Lifewatch, des fanions et des autocollants, il y avait une série de masques en plastique accrochés sur un présentoir mural, des lions, des girafes, des tigres et d'autres museaux pâles avec un pif à la Fagin. « Vous voyez ! Des masques d'homme. »

Les deux singes continuèrent. Simon fermait la marche. Les yeux rivés sur le moignon de Busner, il observait attentivement le balancement paresseux des testicules gris de l'éminent psychiatre, qui apparaissaient et disparaissaient sous l'ourlet de sa veste en tweed.

Busner acheta les billets à un guichetier bonobo, ils descendirent une allée courbe à manupied et entrèrent dans le zoo. Simon trouva l'endroit en tout point identique au souvenir que lui en avait laissé sa dernière visite en compagnie de ses petits. À quand cela remontait-il ? S'il fallait en croire Busner, sa crise durait depuis près d'un mois déjà. En tenant compte des préparatifs de l'exposition et des nuits blanches au Sealink, Simon n'avait donc pas revu ses gosses depuis au moins deux mois. Or leur dernière excursion ensemble avait eu lieu précisément ici, au zoo.

Les animaux poilus, dans leurs demi-vêtements farce à la mode froid-de-cul, carpo-tarsant par-ci, dodelinant par-là, bras dessus bras dessous, dans une chorégraphie ondoyante de couleurs chair où les rouges, les roses, les orangés se brouillaient comme sur un Kodachrome. Ses petits, avec leurs cheveux blonds et leurs yeux bleus, aux iris ronds comme des bonbons – humanité suçable. Tous trois léchant des cônes glacés en gambadant, main dans la main, vers l'enclos du gorille.

« "H'houu" Simon ! » Busner était passé en mode professoral bipède. Il pontifiait. « Ainsi que vous ne l'ignorez pas, nous allons aborder maintenant la phase didactique de votre thérapie. Nous allons vous confronter à la réalité de votre chimpanité afin de tenter de dissoudre le contenu de votre illusion. N'oubliez pas : si, à quelque moment que ce soit, vous trouvez la vue de ces bêtes trop perturbante, vous n'aurez qu'à panthurler et nous battrons en retraite. »

Simon lorgna le singe qui gigotait des phalanges devant lui. Un singe à demi vêtu d'une veste en tweed et d'une chemise Viyella, avec une cravate en mohair et des lunettes à double foyer accrochées à une chaîne autour de son large cou. Il ne put s'empêcher de s'esclaffer en claquant des canines. Que pouvait-il y avoir de plus perturbant que *ça* ?

Sentant que l'humeur de Simon oscillait entre horreur et hilarité, Busner décida de passer à la suite sans plus attendre. Ils contournèrent un massif de verdure banlieusarde et se retrouvèrent face à l'imposante statue de Guy le gorille, la principale attraction primate du zoo depuis de nombreuses années. Comme d'habitude, le bronze plus grand que nature était assailli par une cohorte de mini-cornacs en forme de chimpanzeaux rieurs et bruyants, juchés entre ses larges omoplates et ouâârés par des parents irrités qui leur criaient de se tenir tranquilles pour la photo.

Busner entraîna Simon vers la haie de troènes qui bordait la barrière de sécurité, elle-même séparée des barreaux d'acier de l'enclos par un fossé d'un mètre. L'enclos – de quarante mains par quatre-vingts et trente de haut environ – était jonché de paille éparpillée. Il y avait de la paille partout : ici, débordant en gerbe d'une énorme corbeille en plastique sans fond ; là, en ballot dans un hamac de chanvre constitué d'un filet de cordes tendu entre quatre gros piquets et destiné – supposa Simon – à permettre aux gorilles de faire des nids.

Busner montra du doigt une espèce de chose pyramidale couverte de fourrure noire à reflets d'argent, accroupie sur un talus de paille – encore de la paille – vers le milieu de l'enclos.

« "H'houu" regardez, Simon ! Là, vous voyez... votre premier humain vivant ! »

Busner avait prévu plusieurs types de réaction possibles, mais certes pas le rire. Or ce fut le rire qu'il obtint. Un rire cinglant, aigu, claquant, à gorge déployée, qui attira l'attention de tous les chimpanzés alentour. Simon digita son incrédulité : « "H'hi-hi-hi-clac-clac" c'est pas un humain ! C'est un gorille !

– Bon, bon, d'accord "chup-chupp", c'est un gorille si vous voulez, mais il appartient à la même famille, tout comme l'orang-outan – à ce que je crois savoir, bien que je ne sois pas zoologue. Ce sont trois espèces sans queue "heuu" ? » Et Busner saisit Simon par la peau du cou pour le calmer, parce que le pauvre chimpe gémissait maintenant piteusement, son hilarité se transformant en désespoir.

« Bien sûr, docteur Busner, bien sûr, suis-je bête ! "U-h'u-h'u-h" vous comprenez naturellement que, de mon point de vue, ce sont le chimpanzé et l'orang-outan qui appartiennent à la même famille, pas l'homme. L'homme est un être à part, unique, avec une conscience de soi et, bien sûr "u-h'u-h", fait à l'image de son créateur. »

Busner était sans geste, stupéfait une fois de plus par la parfaite symétrie de l'illusion de Dykes. Il savait très bien que certains philosophes et anthropologues radicaux essayaient de redéfinir les frontières entre les espèces, allant jusqu'à intituler « humain second » le chimpanzé. Il en conclut qu'une partie de la psyché de Dykes avait dû assimiler cette information et la retourner pour procéder à une sorte d'inversion tragi-comique.

Mais, quel que fût le degré de l'illusion de Dykes, sa sortie de l'hôpital avait des effets plutôt positifs jusqu'ici. Sa signalétique s'améliorait d'heure en heure. Et, bien qu'il continuât à se raidir chaque fois qu'un autre chimpanzé l'approchait de trop près – réaction toujours suivie de vocalisations affligées –, il n'était plus sujet à ses crises d'hystérie incontrôlables. Busner estima que le moment était venu d'enfoncer le clou. Il attrapa la nuque du chimpe toujours ricanant et l'entraîna vers l'enclos des humains.

Il faisait partie du même complexe que celui des gorilles, un ensemble comprenant quatre pièces en son milieu – deux pour les gorilles, deux pour les humains –, peintes en jaune orangé et équipées de niches et de plates-formes pour dormir. Celles des gorilles étaient plus petites, puisque le zoo n'en comptait que deux spécimens alors qu'il possédait toute une société d'humains, mais les deux installations étaient pareillement pourvues en accessoires ludiques, aménagements indispensables à la survie des humains en captivité : d'épais cordages, des poteaux télégraphiques disposés stratégiquement et tout un jeu de poignées à différentes hauteurs.

Busner et Simon carpo-tarsèrent vers la gauche du complexe et arrivèrent devant la plus petite des deux pièces vitrées qui abritaient les humains. Il y avait là un attroupement de chimpanzés, le museau collé à la vitre pour déjouer les reflets, qui grimaçaient et vocalisaient avec animation. « "HouuGraa" regarde çui-là, il épluche une banane ! "H'heueu" c'est un mâle ? "Grnnn" et çui-là, qu'est-ce qu'il essaie de faire "heuu", il joue ? »

Simon, peu désireux d'aller voir de plus près ce qu'il y avait derrière la vitre, resta en retrait pour observer ces animaux-regardant-des-animaux. Avaient-ils conscience de leur ridicule ? « Ouaarr », cria un mâle trapu en faisant signe à sa femelle, dont la fourrure capillaire semblait – à moins que ce ne fût qu'une impression – imiter une coiffure humaine, bouffante et oxygénée sur les tempes. « Regarde-moi c't'empaffé avec ses petites dents rikiki "ouaarr" ! » Elle gloussa, empoigna le bras pelucheux de son compagnon et se frotta contre lui en arquant les jambes pour aérer son enflement fripé.

Non loin d'eux, d'autres chimpanzés, aux yeux curieusement bridés, brandissaient des caméscopes et se filmaient réciproquement en prenant des poses qu'ils devaient croire humaines devant l'enclos. Ce spectacle fit venir la bile dans le gosier de Simon. Il tirailla la manche de Busner et dactylographia sur la paume de son thérapeute : « Pourquoi est-ce que ces chimpanzés ont ces yeux bizarres ? Ils sont bridés. Et ils ont des poils plus noirs et plus lisses que les autres sur la tête. »

Busner regarda Simon et répondit, incrédule, en haussant les arcades sourcilières : « Ce sont des *Japonais*, Simon, et je vous prierai d'être un peu plus discret, ils comprennent peut-être l'anglais, on ne sait jamais. »

Mais Simon ne faisait déjà plus attention à lui. Il était emporté par sa curiosité. Derrière la vitre, des formes grises, bulbeuses, allaient et venaient entre l'ombre et la lumière. Il se fraya un passage dans la mêlée des membres velus et mit sa main en visière pour se protéger des reflets. Busner le tenait fermement par l'épaule, prêt à le maîtriser en cas de réaction agressive. Ils étaient là. Les premiers humains que Simon voyait depuis que le corps de Sarah avait connu l'orgasme sous son bassin raboteur. Les premiers visages humains qui se présentaient à ses yeux depuis que les poils avaient poussé sur ceux qu'il aimait.

Il y en avait un debout, à deux ou trois mètres, le dos tourné. Deux autres étaient couchés sur la plate-forme près du mur de droite, dos à dos. Et un enfant sautait sur le ventre rebondi d'un troisième, allongé dans la paille. La première chose que Simon remarqua fut leurs fesses. Elles étaient obscènes, bombées comme des ballons de plage délavés, et frappaient le regard d'autant plus que le reste du corps de ces animaux était relativement poilu. Il était difficile de distinguer les mâles des femelles mais tous, à l'exception du petit, avaient de grosses touffes de fourrure pubienne. Certains avaient même du poil sur la poitrine, les bras et les jambes.

Alors, celui qui se tenait au fond de la pièce se tourna et marcha sur deux pattes vers les spectateurs. Des « aaa » et

« ouaar » parcoururent l'assemblée des chimpanzés quand l'animal émergea de l'ombre. Simon toisa l'homme – si c'était bien un homme. Il n'avait jamais rien vu de semblable. D'abord, il était très gras, même plutôt graisseux que gras, avec des bourrelets flasques autour des membres et une espèce de bavette de chair distendue qui tombait de sa poitrine et de son ventre. Il y avait aussi des fanons verruqueux autour de son cou, un cou singulièrement étiré en longueur, comme le reste de son corps.

Mais le plus impressionnant n'était pas le corps, aussi stéatopyge fût-il, c'était le museau raplati de la chose. Simon se concentra, essayant d'y discerner la physionomie d'un homme, mais en fut incapable. Il avait certes une espèce d'appendice proboscidien qui pouvait passer pour une arête nasale, mais ses arcades sourcilières étaient pratiquement inexistantes et son front tout plat, ce qui agrandissait ses yeux – à moins qu'ils ne fussent réellement grands –, des yeux chassieux, bleus, exorbités, qui fixaient Simon sans la moindre lueur de rationalité ou de conscience de soi. À nouveau Simon tira Busner par la manche et inscrivit sur sa paume : « Vous savez si c'est un mâle ou une femelle "heu" ? »

La question stupéfia Busner. « Mais enfin, Simon, c'est un mâle, regardez la grande saucisse qui pendouille entre ses jambes. » Simon était atterré. Comment avait-il pu ne pas remarquer ce pénis de vingt bons centimètres, gros comme un tuyau d'arrosage, qui dépassait de sa toison broussailleuse ? Comme pour souligner son erreur, l'humain empoigna son organe caoutchouteux et entreprit de le branler énergiquement.

Un chœur de panthurlements enjoués s'éleva de l'assistance. « HouuGra ! » crièrent-ils tous en échangeant des signaux excités. « Regardez ! Il se branle ! Il se branle ! » Certains chimpanzés furent tellement enthousiasmés par cette démonstration de sexualité animale qu'ils se mirent à mimer des saillies, mais l'exaltation fut de courte durée.

Simon, les arcades sourcilières plaquées contre la vitre, observait avec fascination le museau impassible de l'humain masturbateur. Au bout d'un instant, la bête cessa, lâcha son membre toujours flasque et retourna en traînant le pas vers la partie obscure de la pièce. Aussitôt l'agitation reprit parmi les singes, saisis d'horreur devant cette même partie du corps qui avait tant surpris et révolté Simon. « Regarde son derrière, maman, signala un chimpanzeau à côté de Simon, t'as vu comme il est lisse, beurk !

– "Ouarf !" tiens-toi tranquille », rétorqua la mère.

Mais c'était surtout l'humain couché sur le dos et entouré d'enfants joueurs qui retenait l'attention des chimpanzés. Ils étaient charmés par les grimaces d'un moutard malhabile qui escaladait le ventre de l'adulte, essayait d'y tenir debout et retombait invariablement sur la paille dans un tourbillon de bras trop courts et de jambes trop longues.

Chaque fois que cela se produisait, les chimpanzeaux donnaient de la voix, poussaient des cris perçants qui se réverbéraient contre la vitre. Ils avaient toujours la même réaction – stéréotypée, aux yeux de Simon : « "Aâââ" regarde, maman, ils jouent ! » Sur quoi, la femelle adulte âââââait également et signalait : « Ils sont *trop* mignons », comme si cette mignonnesse, ce comportement apparemment chimpanique fût une découverte insoupçonnée.

Les deux humains étendus sur la plate-forme remuèrent, puis s'assirent. L'un était visiblement une femelle. Elle avait une poitrine encore plus pendante que le mâle et de longues tétines brunes. Quant à l'autre, il était très difficile de déterminer son sexe, vu qu'il restait recroquevillé et se balançait d'avant en arrière sur ses fesses. Chacun semblait indifférent à la présence de l'autre et, comme chez le mâle masturbateur, leurs museaux étaient dépourvus de toute expression et de sentiment.

Busner caressa le cou de Simon et planta quelques signes gentiment taquins dans sa fourrure. « Vous remarquerez "chup-

chupp" que les humains ne se grattent pas mutuellement. En fait "chup-chupp", ils ne se touchent pratiquement pas. »

Simon, qui prenait conscience de la signalétique de Busner en même temps qu'il prenait conscience du fait signalétique en soi, fut frappé pour la première fois par le potentiel poétique d'un tel signage. Signaler le toucher... en touchant. Des doigts qui dansaient l'un avec l'autre, l'un *pour* l'autre. Il tendit une main chercheuse, trouva la cuisse puissante du psychiatre et digita : « Ils sont vraiment étonnants à regarder "u-h'u-h". Pas du tout ce que j'attendais.

— Je crois qu'il y a des différences significatives entre les humains élevés en captivité et les individus sauvages.

— Lesquelles "heu" ? »

Il n'obtint pas de contre-signal, car de grands bruits se firent entendre : déplacements d'objets métalliques divers, maniements de verrous, ouvertures de portes, ferraillements de chaînes. Simon avait remarqué que les humains se mouvaient avec une langueur extrême, semblable à celle des malades mentaux sous Largactil, mais ce tumulte éveilla brusquement leur attention. Tous, sauf l'individu asexué qui végétait sur la plate-forme, se levèrent pour se diriger vers la gauche de la pièce, de leur démarche raide caractéristique.

L'un d'eux était un mâle, quoique moins bien pourvu que le masturbateur. Il était plus court sur pattes, plus râblé et avait un pelage pubien plus clairsemé, ce qui ne l'empêcha pas d'aller bousculer le costaud en jouant des épaules pour passer devant lui dans la file. Le costaud ouvrit alors sa bouche veule, dévoilant une rangée de chicots pourris. Si Simon s'attendait à une vocalisation intelligible, un échantillon de ce qu'il avait nommé « langage parlé », il dut être profondément déçu, car tout ce qui sortit de cette bouche fut un râle guttural et grave à faire trembler les carreaux.

Ayant ainsi râlé, le grand mâle asséna à son rival une lourde baffe, qui l'envoya tituber contre la vitre, où Simon put enfin l'observer en face, observer ses yeux ronds et vides. « Vous voyez, fit Busner sur sa nuque, c'est un commencement – quoique encore grossier – d'ordre hiérarchique. »

Les autres humains sortaient à la queue leu leu, en baissant la tête pour passer sous le linteau de la porte. Le mâle bêta putatif se ressaisit et leur emboîta le pas. « Aaaah », vocalisa un chimpanzeau, avant de signaler sur la jambe de Simon : « Le pauvre, ils l'ont laissé derrière ! » Et – surprise – Simon ne trouva pas ce toucher répugnant.

Le traînard se dirigea vers la porte, mais se baissa trop tard. Sa tête heurta le linteau avec un craquement audible et il tomba à la renverse, sur son cul rembourré. De joyeux rires s'égrenèrent en chapelet parmi les spectateurs.

Simon sentit la colère monter en lui. Blême de rage, il se tourna vers Busner. « "Ouaar !" c'est une honte, c'est mesquin. Ces chimpanzés n'ont donc aucune pitié pour ces pauvres créatures ?

– "Houu", ma foi, Simon, je suis assez d'accord avec vous, mais évitons d'attirer l'attention, si vous voulez bien. » Il tira son patient non orthodoxe à l'écart des autres chimpanzés, qui rigolaient toujours en se tenant les côtes. « Vous devez bien vous rendre compte que la vue d'un humain qui se cogne la tête est l'archétype du burlesque "heuu" ?

– Comment ça "heu" ?

– Eh bien, l'humain a une perception de l'espace beaucoup moins précise que le chimpanzé. Ses facultés extroceptives – c'est-à-grimacer l'évaluation intuitive de la disposition des objets environnants – sont très réduites, voire presque inexistantes. Les chimpanzés ont toujours utilisé l'homme comme un paradigme clownesque. Les numéros de cirque mettent souvent en piste des chimpanzés déguisés en humains, qui courent dans tous les sens en se cognant les uns contre les autres, vous voyez "heuu" ? »

Simon voyait beaucoup de choses. Par-delà les cages des gibbons, il voyait les feuillages de Regent's Park se balancer dans les lointains. Il voyait les badges Lifewatch qu'arboraient les chimpes autour de lui. Il voyait aussi ses trois enfants gambader en riant entre la machine à Coca-Cola, le distributeur de badges Lifewatch avec son sempiternel jingle à cinq notes et l'enclos des chimpanzés. Il les voyait courir avec insouciance, avec cette indolence propre à l'enfance, l'indolence d'un temps où l'énergie n'est pas encore contrainte, pas encore maîtrisée. Les corps de ses garçons, si graciles, si légers, si différents de ceux de ces animaux avachis derrière le verre renforcé. Il était écartelé entre des vues contraires, tel un enfant qui, mettant un œil de chaque côté d'un battant de porte, se place devant deux perspectives différentes impossibles à assimiler simultanément. Il voyait le corridor de sa vie. Simon était un homme grand. Il s'était cogné la tête contre mille linteaux, mille rambardes, tables et barres horizontales. Était-ce là que résidait son humanité ? Dans ces chocs et ces heurts, dont chacun – il se rappelait cela aussi – contenait la prescience codée qu'il eût pu être évité, comme si l'effet eût précédé la cause.

Le corridor de la vie de Simon se redressa. C'était une cheminée maintenant, un puits truqué pour faire croire à un corridor, avec des meubles fixés sur les parois, contre lesquels s'écorchait son corps en chute libre. Il tombait, tombait en arrière, se râpait les hanches contre les consoles, les coudes contre les poignées de porte... pour arriver à quoi ? À quelque écrasement primaire et définitif ? Il redoutait ce big bang, sentait déjà l'onde de choc le parcourir de l'occiput à la nuque, de la nuque à l'épaule, de l'épaule au coccyx. Il porta une main à son cul. Ses doigts trifouillèrent dans ses replis ischiatiques. Ressortirent, s'élevèrent, s'écartèrent. Il se tourna vers Busner, qui le tenait toujours, et signala : « Vous savez, quand j'étais môme, j'ai été renversé par un bus. C'était dans Fortis Green Road... » Il hésita. « Je revenais du cinéma... mais je ne sais plus quel film c'était.

– "H'houu" vraiment. » Busner était distrait, peut-être en visite dans le même corridor, ou un corridor parallèle. « Défaut d'extro-ception "heuu" ? Venez, maintenant, allons voir ce que font ces humains "heuu" ? Je crois que c'est l'heure de leur repas. »

Après avoir déposé au zoo son alpha en titre et le chimpe délirant en qui il voyait un futur capital, Gambol resta un moment assis dans la Volvo, à jouer avec les commandes du tableau de bord. Busner le traitait peut-être comme un vulgaire chauffeur de taxi, mais Gambol était loin d'être un chimpe de peine intellectuel, juste bon à faire les courses, à passer les coups de fil et à tenir le registre des recherches. Il était diplômé en psychologie de l'université d'Édimbourg et avait été couronné par le jury Morton-McLintoch pour un mémoire sur la psycho-logie clinique.

C'est d'ailleurs à la suite de cette distinction honorifique qu'il était entré dans la sphère d'influence de Zack Busner. Naturel-lement, Gambol connaissait les travaux de Busner depuis de longues années – son panthurlement particulier était l'un des symboles sonores des années 70, dont on rebattait encore les oreilles des téléspectateurs avec toutes les rediffusions d'émissions de jeux et de gesture-shows à l'américaine qui infestaient les chaînes câblées – mais c'était la lecture de la monographie défi-nitive de Harold Ford sur la *Théorie quantitative de la démence* qui avait fait de Busner son idole. Gambol s'était mis à lire tous les ouvrages de Busner qu'il pouvait trouver, depuis sa fameuse thèse de doctorat incomprise *De quelques implications implicites*[1] et les comptes rendus de ses recherches dans son infortunée

---

1. On peut en obtenir des extraits en écrivant aux archives de la Concept House. Joignez £7,99 et comptez vingt et un jours pour la livraison. *(NdA)*

Concept House jusqu'à ses derniers travaux sur les ramifications phénoménologiques existentielles des troubles neurologiques extrêmes.

Gambol devint un épigone. Sa propre thèse de doctorat devait porter sur la célèbre approche psychophysique prônée par Busner pour les cas inhabituels. *Devait* porter... jusqu'à ce que le dossier plastifié qu'il avait transmis à Whatley sur la table du Café Rouge passât entre ses mains étrillées.

La source du dossier était un chimpanzé nommé Phillips, qui travaillait dans une unité de recherche secondaire d'un laboratoire multinational, Cryborg Pharmaceuticals. Gambol avait maintes fois rencontré Phillips dans les séminaires de psychopharmacologie que Cryborg organisait pour les professionnels. En apprenant que Gambol était l'epsilon et l'assistant de Busner, Phillips n'avait pas caché la profonde antipathie que lui inspirait le grand singe, dont le retour en grâce et la nouvelle renommée étaient à ses yeux des impostures grossières.

Toutefois, quand Gambol avait cherché à en savoir plus, Phillips était resté circonspect, réduisant sa digitation à un vague cliquetis d'ongles. Gambol était-il au courant des rumeurs qui avaient circulé sur les zones d'ombre de la carrière de Busner au début des années 90 ? Savait-il que, durant cette période, Busner avait interrompu ses consultations à l'hôpital Heath pour travailler chez Cryborg ? Avait-il le moindre indice sur la nature de ces travaux ?

Les réponses étaient évidemment toutes négatives. Gambol insista, s'arrangea pour retrouver Phillips dans divers pubs autour de Hampstead et, peu à peu, au fil des mois, les éléments de l'histoire se mirent en place. D'abord, Phillips lui révéla que Busner avait été engagé par Cryborg pour diriger un protocole d'essais sur un nouvel anxiolytique ; puis il laissa sous-tâter — toujours par allusions, sans rien affirmer — que ces essais étaient illégaux.

Et, là, Phillips hésita. C'était une alliance bizarre en ce sens que, tout en projetant de ruiner la réputation de Busner et de détruire sa carrière, les deux subordonnés lui conservaient une certaine affection.

Ce fut alors qu'arriva Dykes. Et la situation changea rapidement. Quand Gambol lui gesticula de l'artiste et de sa singulière illusion d'être un humain, Phillips fut ébranlé. Il demanda à Gambol de le tenir informé de toute évolution et lui remit le dossier qui fut ensuite passé à Whatley, lequel devint alors – avec l'assentiment de Phillips – le troisième angle de leur triangle de conjurés.

Le dossier en question était une brochure publicitaire pour un médicament appelé – provisoirement – Inclusion. Ce médicament, expliquait la brochure, promettait d'être une panacée pour tous les dépressifs et névrosés des temps modernes. Le mode d'action exact de la drogue était laissé dans le vague – la brochure étant destinée de préférence à des praticiens peu regardants et avares de leur temps –, mais quiconque savait lire entre les lignes devinait aisément que Cryborg considérait l'Inclusion comme une avancée majeure dans le domaine de la psychopharmacologie.

Phillips indiqua à Gambol que les liens entre Busner et le chimpe qui se prenait pour un homme avaient des racines bien plus profondes que ne l'imaginait Simon Dykes. Il promit d'éclairer sa lanterne, mais à la condition expresse que Gambol lui fournît un compte rendu régulier sur les progrès de Dykes. C'était justement l'un de ceux-ci que l'epsilon ruminait à présent dans la Volvo stationnée, moteur allumé, devant les portes du zoo. L'idée de s'enfermer dans une cabine vidéophonique, pour digiter en catimini comme un espion industriel de bas étage, l'ennuyait beaucoup. Mais il était hors de question d'utiliser l'appareil de la voiture. Busner était très strict sur les dépenses.

Chaque journal, chaque panthuchage, chaque tasse de thé faisait l'objet de notes de frais hebdomadaires.

Gambol soupira et passa la première. Il irait panthucher à Camden Town. Et il aurait intérêt à gesticuler vite, car Busner avait été formel : la visite du zoo ne serait pas très longue et il voulait voir Gambol à son poste quand ils seraient prêts à partir.

Prêt à partir, Simon l'était dès maintenant. Ils avaient suivi les autres chimpanzés le long des barreaux de la partie ouverte de l'enclos des humains jusqu'à la pièce de derrière, où l'on donnait à manger aux animaux.

Simon ne s'était pas vraiment attendu à voir des tables avec des nappes blanches, de l'argenterie et des verres en cristal, mais tout de même... Le spectacle qui s'offrit à eux était aussi lamentable que perturbant. Un gros tas de nourriture avait été déversé sur la paille moisie qui couvrait le sol. Et quelle nourriture ! Des pommes, des oranges, des bananes et du pain. C'était tout. Simon chercha en vain quelque garniture, quelque plat d'accompagnement, quelque viande. Rien. Rien que des pommes, des oranges, des bananes et du pain blanc, du pain industriel si mou et si pâteux que les tranches restaient cimentées ensemble, même mélangées aux fruits.

C'était manifestement la perspective de cette bombance qui avait déclenché l'affrontement entre les deux mâles. Car maintenant le plus gros des deux – « le Branleur » comme l'avait baptisé mentalement Simon – était assis sur le tas, les jambes négligemment croisées, et un monticule de victuailles dissimulait sa bedaine. Il mangeait un quintuple sandwich, confectionné selon une recette personnelle consistant à empoigner d'un seul coup cinq tranches de pain superposées.

Tous les humains étaient rassemblés dans la pièce pour cette séance de sustentation. Simon s'efforça de regarder ses congénères avec un semblant d'objectivité, de déceler certains caractères physiques, d'identifier les sexes, les âges. À côté du Branleur, il y avait trois autres mâles adultes. Celui qui avait subi la rebuffade restait en retrait, les genoux cagneux, la tête appuyée contre une plate-forme, attendant apparemment que l'alpha eût fini de s'empiffrer. Un autre, en revanche, bénéficiait d'une certaine considération de la part du Branleur, avec qui, à en juger par ses verrues, il devait avoir un lien de parenté.

Celui-là se tenait à une poignée métallique, la mâchoire pendante, comme un passager inadapté d'un train de banlieue abandonné sur une voie de garage à côté du quai de l'évolution. De temps à autre, le Branleur lui passait un morceau de quelque chose, et le Banlieusard – ainsi que Simon avait surnommé le cousin putatif du Branleur – prenait la pomme ou la banane et la malaxait entre ses dents cariées, en faisant gicler pulpe, pépins et jus sur son menton.

La scène, qui avait d'abord simplement déconcerté Simon, puis l'avait intrigué malgré sa répulsion, le captivait à présent. Plus il regardait les humains, plus il se sentait proche d'eux. Comme lui, ils préféraient la posture bipède ou couchée. Comme lui, ils se déplaçaient en traînant les pieds – une façon d'opposer une force d'inertie à la dure réalité matérielle de leur prison. Leur dégaine déjetée, leur relâchement quand ils piochaient de la nourriture, fourrageaient dans les brins de paille ou arpentaient leur terrain de non-jeu, était une réplique cruelle de la marche hésitante de Simon à travers la hideur chaotique du monde des chimpanzés.

« "U-h'u-h" pourquoi ont-ils peint ces feuillages ridicules sur les murs "heu" ? pianota Simon sur l'avant-bras massif de Busner, entre le poignet et le bracelet-montre.

– Comment ça "h'heu" pourquoi ? Mais... pour imiter leur habitat équatorial, je suppose. Là, regardez cette plaque, elle vous renseignera sur quelques notions de base. »

La plaque apprit à Simon que les humains étaient répartis sur une bande étroite de forêt vierge et de savane africaines ; que leur nombre était en déclin parce que les bonobos empiétaient de plus en plus sur leur territoire ; et que leur nom latin était *Homo sapiens troglodytes*. « "Heuu" et qu'est-ce que ça signifie ?

– "Greu-nnn" eh bien... » Busner gratta son oreille généreuse. « Je n'en suis pas absolument sûr... <habitant des cavernes savant> peut-être "heu" ?

– Et le signe <humain> lui-même, docteur Busner, qu'est-ce qu'il signifie "heu" ?

– "Euch-euch" là, Simon, vous me posez une colle. Probablement un signe indigène, peut-être une translittération de la vocalisation humaine "huuum'a". C'est plausible, non "heu" ? »

Simon regarda son mentor, son guide, son unique chemin de retour vers un semblant de normalité. « "U-h'u-h" vous ne savez pas vraiment, hein "heu" ? digita-t-il d'un doigt anxieux et saccadé.

– Vous avez raison, Simon, je ne sais pas. Mais j'aimerais le découvrir. Nous sommes embarqués ensemble dans une quête picaresque du savoir. Je dois en apprendre plus sur l'humanité, et vous sur la chimpanité "heu". »

Pendant que les deux chimpes brassaient de l'air, un bénévole du zoo arriva devant l'enclos. Même aux yeux peu aguerris de Simon, c'était un mâle miteux et sans personnalité. Trop lourd, attifé d'une veste blanche avec un badge Lifewatch sur le revers, il fit de grands gestes aux chimpanzés attroupés devant la rambarde et se proposa de mettre le doigt sur leurs questions les plus insistantes. Pourquoi la notice placardée sur la grille portait-elle la mention « Animaux dangereux » ? Pourquoi y avait-il si peu d'activité copulatoire ? Comment pouvait-on reconnaître un mâle d'une femelle ? Et ainsi de suite.

« "H'hou" croyez-moi, fit le bénévole en se tordant les mains, l'homme est un animal extrêmement dangereux. Ne vous laissez pas abuser par tous les films et les publicités où on voit des humains dressés pour faire des tours. Le cinéma n'emploie que des humains de moins de cinq ans. Au-delà, ils sont trop rusés pour être maîtrisés et on les met au rancart. Soit on les remplace par la portée suivante de quatre ans, soit on les drogue "euch-euch", oui, oui, ça arrive, pour certains exploitants qui les utilisent comme mannequins de fantaisie et les promènent dans les stations balnéaires de la Méditerranée où des chimpes posent à côté d'eux pour des photos. »

Simon, qui observait ces explications avec beaucoup d'attention, eut envie de poser lui-même une question au bénévole. « "H'heu" mais les humains ne sont-ils pas plus faibles que les chimpanzés ? "Heu" sans réelle force physique ? Comment ces stupides créatures fébriles peuvent-elles représenter une menace sérieuse pour les chimpanzés "heu" ? » Busner était aux anges, ravi de voir son patient interpeller d'autres chimpes. Le bénévole, en revanche, le regarda de travers. Pour lui, comme pour tous les chimpes avec qui Simon avait été en contact, la signalétique spasmée de l'ancien artiste, son étrange posture et son poil raplati trahissaient une instabilité mentale, qu'elle fût innée ou acquise.

Le bénévole posa sur Simon ce regard particulier que les chimpanzés adoptent face aux malades mentaux, mélange de pitié et de peur déguisée en condescendance, et signala : « "Euch-euch", vous avez raison. Mais, bien que faible, l'humain est nettement plus grand que le chimpanzé. Et, bien qu'ils ne soient pas doués d'intelligence au sens où nous le tâtons – on a tendance à appeler intelligence humaine la moindre chose intelligente dont un humain se montre capable –, les hommes possèdent une forme de malice naturelle et une propension à faire un usage destructeur de leur environnement. Pour gesticuler "euch-euch" clair, ils façonnent des armes qu'ils sont prêts à utiliser à la première occasion...

– "H'H'H'Hi-hi-hi-hi" ! » Les dents en cimeterre de Simon

305

s'écartèrent et une pluie de rire tomba de leur fourreau d'émail. Il pensait bien sûr au type d'arme qu'il eût aimé façonner lui-même et à l'usage destructeur qu'il en eût fait.

Le bénévole serra les poings. Les autres chimpanzés étaient tout aussi déconcertés. Busner estima qu'il était temps de se retirer. Simon en avait vu assez pour aujourd'hui, mieux valait ne pas précipiter les choses. Busner le saisit fermement par l'épaule et l'éloigna de la pseudo-salle à manger des humains, en digitant derrière son dos quelques signes abrégés, du genre : « Faut l'excuser. Un de mes patients. Va pas très bien. Excusez-nous. Je suis son médecin. »

Et, sur la nuque de Simon, le phénoménologue existentiel enchaîna : « Maintenant, Simon, Gambol doit nous attendre à la porte principale. Nous en avons assez fait pour aujourd'hui et je pense que vous vous êtes "euch-euch" très bien comporté. »

Simon, lui, ne pensait pas grand-chose. En carpo-tarsant sur la passerelle couverte, les deux chimpanzés se retrouvèrent face à une pancarte sur un mur en brique à côté de la cage des tamarins. « L'Arbre des Primates » montrait la parenté de tous les primates dans l'évolution.

Busner supposa que c'étaient ces dessins de gorilles, d'humains et de singes qui avaient attiré l'œil de Simon. Gorilles et humains étaient rangés ensemble. On voyait un homme debout, bras dessus bras dessous avec un gorille, tandis que le chimpanzé était assis à l'écart, dans un splendide isolement génétique. Ils étaient sur la branche supérieure de l'arbre, avec d'autres singes du Vieux Monde. Les deux branches inférieures, plus espacées, étaient réservées aux singes vaguement apparentés du Nouveau Monde : à gauche, les marmousets, tamarins, douroucoulis et capucins ; à droite, les prosimiens – lémuriens, galagos et tarsiens.

Busner essaya de réagencer ce schéma pour l'accorder avec la vision gauchie que son patient avait du monde naturel, mais dut renoncer en sentant le pauvre chimpe, mi-riant mi-pleurant, lui tirer la manche à deux mains pour attirer son attention sur une autre pancarte plus petite.

« "Euch-euch" eh bien quoi, Simon "heu" ? Qu'est-ce que vous voulez ?

— Ça, là "hi-hi-hi", est-ce que ça symbolise "clac-clac-clac" ce que je pense que ça symbolise "heuu" ? » Simon alternait chatouilles et gémissements.

Busner lut la pancarte : « Les pavillons Michael Sobell ont été inaugurés par le duc d'Édimbourg, le 4 mai 1972. »

« Ma foi, ça me semble clair...

— Alors "hi-hi-hi" c'est vrai "heu" ?

— Qu'est-ce qui est vrai "heu" ?

— Que le duc d'Édimbourg est *vraiment* un macaque ! "Hi-hi-hi-hi-clac-clac-clac". » L'ancien artiste de renom était plié en deux.

« Pas un macaque, gronda Busner en intercalant des claques entre ses signes, un *singe*, Simon, un *singe*. Quoique peut-être pas un très grand. »

En levant le bras pour se protéger des coups de Busner, Simon lâcha la ficelle du ballon qu'il tenait depuis le début de la visite. Busner cessa d'exercer sa domination et, pendant plusieurs minutes, ils contemplèrent, accroupis, la caricature humaine sphérique et luisante qui s'élevait lentement dans les airs vers le ciel bleu.

CHAPITRE 15

La semaine suivante, on assista à deux incidents assez pénibles dans la maison du groupe Busner. Le premier impliqua Simon et le facteur, le second Simon et deux mâles sub-adultes Busner. Il n'y eut pas de provocation, ni dans un cas ni dans l'autre ; ce fut soit une réaction à une menace supposée, soit une tentative délibérée et malicieuse de blesser autrui.

Le facteur, manumarchant dans l'allée sur le coup de 8 heures du matin, fut surpris par un grand mâle qui, après une série de vocalisations graves incohérentes, renversa une poubelle en plastique sur ses épaules et l'accabla de coups de pied dans la région du bas-ventre.

Ils furent séparés par Nick et William, deux mâles sub-adultes Busner habitués à gérer les emportements intempestifs des pensionnaires insolites de leur alpha. Ils reconduisirent Simon dans sa chambre, allèrent réveiller leur alpha et s'efforcèrent de tempérer la colère du facteur qui menaçait d'appeler la police. Même quand Busner en personne s'en mêla, il fallut déployer des trésors de persuasion pour le calmer.

Le second incident fit suite à plusieurs larcins de Simon, qui déroba des vases un peu partout dans la maison. Les Busner étant richement pourvus en objets décoratifs de toute sorte, personne ne remarqua leur disparition jusqu'au jour où ils s'abattirent en avalanche sur les mâles sub-adultes qui jouaient dans le patio. « Ouâââââ-Ouaaaarrf ! » hurlait Simon en balançant toute une collection de flûtes en cristal et de pots en porcelaine. Personne ne fut touché directement, mais les éclats de verre blessèrent plusieurs chimpes, y compris Charlotte.

C'en était trop pour le vieux singe. Il fonça dans la chambre d'allié, où s'était réfugié Simon, et administra une dérouillée salutaire au forcené. Bien que Charlotte eût gardé son calme, Busner se sentit obligé de lui proposer de ramener Simon à l'hôpital. « "Euch-euch" je dois reconnaître que tes craintes étaient justifiées, ma chérie. Ce lascar est vraiment trop dérangé pour s'accoutumer à la vie ordinaire...

— Mais Zack, croupion de mon cœur, je croyais que tu commençais à "heuu" faire des progrès avec lui.

— Oui, en effet...

— En ce cas, il doit rester. C'est notre devoir.

— Oui, c'est notre devoir "greu-nnn" ! » approuvèrent Mary et Nicola, respectivement femelles thêta et iota, qui partageaient le nid de leur alpha cette nuit-là.

C'était vrai, il y avait eu du progrès. Simon était mûr pour partir à la rencontre du monde, mais chaque excursion le laissait abattu et morose. Le Dr Jane Bowen venait à Redington Road aussi souvent que le lui permettait son emploi du temps. Simon la trouvait bien plus compatissante que les autres, elle était plus douce et moins encline au châtiment physique que le grand singe.

Elle l'emmenait en promenade dans le Heath, généralement en début de matinée ou en fin de soirée. Là, elle l'encourageait à faire un peu d'escalade et essayait de l'habituer à la déambulation quadrupède. Ces sorties donnaient parfois de bons résultats, mais pouvaient aussi tourner à l'hystérie, comme le jour où Simon assista — sans comprendre de quoi il s'agissait — à une longue farandole de sodomisation en enfilade formée par des chimpanzés gays dans les sous-bois de Jack Straw's Castle.

Bowen avait toujours un caméscope et filmait son patient insolite avec l'objectivité d'un anthropologue observant des humains sauvages dans la savane africaine. Elle était de plus en plus persuadée que l'illusion de Simon avait une symptomatologie définissable – pouvant faire l'objet d'une communication remarquée à la Faculté.

Simon fut relogé dans la chambre d'allié – à son corps défendant. Quand Busner lui demanda ce qui le gênait tellement dans cette chambre, Simon pointa un doigt accusateur sur un charmant tableau préraphaélite montrant une belle jeune femelle à demi immergée dans une eau glauque, avec un protège-enflure William Morris enguirlandé de lis mortuaires, et signala avec mépris : « Ce travelo de mes deux. »

Busner comprit et fit accrocher un tableau abstrait à la place.

Après leur visite au zoo, Busner enjoignit à Gambol de rassembler toute la documentation possible sur les humains et les autres anthropoïdes. « Tout ce que tu pourras trouver, grimaça-t-il à l'epsilon félon, des études théoriques, des comptes rendus d'expédition, des œuvres de fiction...

– "Heuu" des films aussi, patron ?

– Naturellement, des films, des documentaires télé, des photos, tout. Sers-toi d'un bon ordinateur, branche-nous sur leur machin web, là, "euch-euch", les dernières recherches sont sûrement informatisées. Je veux pouvoir compulser toute la documentation disponible. Je pense que cela amènera une plus grande fusion entre Dykes et moi. »

C'est ainsi que Gambol, pestant intérieurement de voir son intellect déconsidéré, trimarda physiquement dans les bibliothèques et archives de Londres – et virtuellement dans l'hyperespace. Mais même lui fut surpris par la richesse du corpus qu'il y avait à découvrir.

Il rapporta le classique de Robert Yerkes de 1927, intitulé simplement *Les Humains*, la première étude de terrain sur l'humain sauvage. Il acheta tous les ouvrages de Jane Goodall sur les hommes sauvages de Gombe. Il acheta aussi les cassettes de la série *La Planète des hommes* – toutes les quatre – au Video-city de Notting Hill Gate, et installa un téléviseur avec magné-toscope dans la chambre de Simon pour que l'artiste et son thérapeute pussent les regarder en se reposant.

Il se procura également des textes plus confidentiels. Un fac-similé de l'édition originale de la classique étude anatomique d'Edward Tyson – publiée en 1699 – sur un spécimen humain rapporté d'Angola : *L'Orang-outan ou Pongidus sylvestris, L'ANA-TOMIE D'UN PYGMÉE comparée avec celle du singe et de l'homme.* Ce texte eut un effet intéressant sur Simon Dykes. Busner avança l'hypothèse que cette lecture touchait quelque chose de très profond chez l'artiste : le souvenir inconscient des premières rencontres significatives entre les humains et la civili-sation occidentale, ou peut-être même une mémoire phylétique qui écartelait sa conscience à la manière de l'écartèlement produit par le fossé d'effondrement de la Grande Vallée qui avait séparé l'homme du chimpanzé, reléguant le premier dans le cul-de-sac évolutionnaire de la jungle et laissant le second patrouiller libre-ment dans le patchwork d'écosystèmes où s'était déclenché le processus d'accélération de la spéciation polyterritoriale.

Ce qui intéressait Simon intéressa d'autant plus Busner que le texte de Tyson marquait l'apparition de la question humaine dans l'histoire de la pensée occidentale. Certains commentateurs considéraient que Tyson devait être placé sur le même piédestal que Vesale et Darwin[1]. Mais sa classification de l'humain – qu'il plaçait dans la chaîne de l'être un peu au-dessus de l'Hottentot parmi les espèces chimpanzoïdes – eut un effet à retardement.

---

1. Darwin avait d'ailleurs tout prévu en écrivant : « Si le chimpanzé n'avait pas été son propre classificateur, il n'aurait jamais pensé à créer un ordre séparé pour se situer lui-même. » *(NdA)*

Il fallut attendre cinquante ans et le mythe du Noble Sauvage pour que les humains anthropoïdes devinssent un élément de la grande querelle entre les anatomistes et les augustiniens au XVIIIᵉ siècle.

En voyant avec quel empressement Simon se jeta sur le fac-similé de Tyson, Busner commença à prendre la mesure de son patient. Il avait fait savoir au Trust qu'il travaillait sur un cas extrêmement intéressant. « Confidentiellement », avait-il digité à Archer, le directeur de l'hôpital Heath, devant un plat de queues de rats à la cantine, « ce patient que j'ai détourné du service de Whatley à Charing Cross est une bombe. Son illusion humaine a peut-être un fondement organique qui nous en apprendra plus sur la relation entre la conscience et la physiologie des chimpes que tout un autobus de patients neurologiques ordinaires. »

Il serait exagéré de signaler qu'Archer était blindé contre les grandes déclarations de Busner, mais ce n'était pas la première fois que l'ancienne personnalité télévisuelle annonçait une Avancée Significative et il savait que ce ne serait pas la dernière. Certes, son retour sur le devant de la scène médiatique prouvait que Busner avait encore de solides alliances dans le milieu de la télévision, mais une alliance n'était jamais définitive : toute vague montante avait son creux.

Donc, Busner délégua ses responsabilités professorales et confia ses patients à un thêta bûcheur, qui avait des ambitions de mandarin. À part quelques apparitions de pure forme dans d'inévitables réunions et séances de grattage, il passait ses journées à Redington Road.

Gambol avait installé la grande pièce du fond, qui servait de bureau à Busner au rez-de-chaussée, de manière à ce que Simon s'y sentît aussi à l'aise que possible. Toutes les images et photographies propres à titiller son délire – celles qui montraient des chimpanzés dans des contextes considérés par lui comme exclusivement humains – furent retirées. Même la collection d'affligeantes terres cuites de Busner, exécutées par des patients coprophiles, fut mise à l'écart. Sur le tableau de la cuisine, des instructions strictes stipulaient qu'aucun membre du groupe ne devait entrer dans le bureau pendant que le patient y était. Les parades et copulations devaient se limiter à la cuisine et à la salle de jeu des sub-adultes. Les poneys de compagnie seraient tenus en laisse.

Gambol rangea aussi la table de travail pour que Simon pût avoir un coin réservé où il serait libre de disposer à sa guise ses papiers et affaires personnels – quels qu'ils fussent – de manière à délimiter son territoire. Sur le conseil de Busner, Gambol se procura même quelques carnets à dessins, crayons et fusains pour le cas où l'artiste déciderait de reprendre son travail.

« On ne sait jamais, gesticula Busner à Simon en palpant les objets soigneusement ordonnés, la Muse peut avoir envie de vous visiter.

– "Hou-euch-euch" ouais, c'est ça, rétorqua Simon, et qu'est-ce que je fais si elle "euch-euch" se pointe "heuu" ? Je la grattouille ou je la chatouille ? »

Sentant qu'un châtiment corporel n'eût fait qu'aggraver les choses, Busner ne releva pas l'insolence.

Ainsi venaient-ils s'asseoir là ensemble, le singe essayant d'imaginer l'état d'esprit de l'homme, l'homme s'efforçant de s'accoutumer au corps du singe. Ils feuilletaient les livres, examinaient les photos et s'attablaient à tour de rôle devant l'ordinateur pour se cliquer un chemin dans le monde virtuel de l'anthropologie.

Ils collectèrent des informations en se basant sur le registre des groupes de recherche humaine recensés par les universités américaines. Ils surfèrent sur le web, découvrirent des sites comme : Safari Humain de Six Jours en Ouganda, Crânes d'Animaux Conservés, Humains et Chimpanzés ou encore Zone Humaine – éditions limitées d'art humain, où Simon put voir des exemples de peinture humaine, intitulés par les animaux eux-mêmes.

Ils passèrent en revue les documents on-line du Human and Chimpanzee Gesticulation Institute, qui proposait des biographies de Washoe et autres humains célèbres auxquels on avait appris à s'exprimer par signes au moyen de la méthode Fouts[1]. Et, bien sûr, ils consultèrent le site web de l'Institut du Dr Jane Goodall, qui fit dento-claquer Simon lorsqu'il découvrit l'existence d'un « Kit d'apprentissage pour ambassadeur humain ».

La somme des informations disponibles sur le web était d'une richesse déconcertante. On pouvait trouver un emploi auprès des humains, à condition d'être négatif au test de l'hépatite B. Et, naturellement, on pouvait contacter les militants des Droits de l'homme. Rien qu'en tapant le signe « humain », on voyait se dérouler un listing de quatre mille sites différents.

Comme c'était la première fois que Busner et Simon s'aventuraient sur le web, ils eurent l'impression que l'ensemble du système de gesticulation électronique était consacré aux humains. Une jungle de mégaoctets. Plus que jamais, en voyant la fascination des chimpanzés pour leurs proches parents en voie d'extinction, Busner se demanda si l'état de son patient n'était pas provoqué par l'esprit du temps autant que par la psychose.

À l'occasion, ils se retiraient dans les appartements plus exigus de Simon pour regarder des cassettes vidéo. Mais Simon ne restait jamais concentré très longtemps. Il se réveillait chaque matin plein de bonne volonté, prêt à prendre le taureau par les cornes, mais, à mesure que le soleil se levait, son moral déclinait. D'habitude, après le second déjeuner, comme n'importe quel humain

---

1. « Activités préférées : Washoe aime le plein air. Elle aime aussi regarder des catalogues (surtout les pages sur les protège-enflures) et des livres, seule ou avec des alliés pour gesticuler sur les images. Enfin, elle prend beaucoup de plaisir à se brosser les dents, à peindre, à prendre le thé ou le café en groupe et à jouer à la main chaude. » (NdA)

en captivité, il venait voir Busner, de l'autre côté du bureau, et lui tendait son bras au poil terne. Busner savait ce que voulait l'homme-singe ; il voulait qu'il le ramenât dans sa chambre, le couchât sur son nid, préparât la seringue de Valium, enfonçât l'aiguille et appuyât lentement sur le piston ; il voulait sentir en lui la douce expansion du neuroleptique qui le ferait basculer dans le rêve.

Car, si l'artiste faisait de sincères – quoique obsessionnels – efforts pour comprendre sa condition psychique, son physique refusait de suivre. Il s'obstinait, tel un paillasse bonobo déguisé, à marcher bancal, sur deux jambes. Son allure – même pour un quinquagénaire comme Busner – était désespérément lente. Ce que Busner et Bowen avaient d'abord interprété comme une atrophie physique ou une paralysie hystérique empirait. Simon semblait incapable de se conformer à son environnement. Ses pieds ne trouvaient pas leur place sur le sol. Son extroception restait focalisée sur le devant, dans un étroit faisceau qui – métaphore busnérienne – l'assimilait à celle d'un automobiliste privé de rétroviseur latéral et incapable de tourner.

Le patient avait une vision singulièrement incohérente de son propre aspect physique. Parfois il acceptait le témoignage de ses sens, à savoir qu'il était doté de pelage, exempt d'appendice nasal et large d'oreilles. Mais d'autres fois, son étrange agnosie corporelle – voire sa diplopie – reprenait le dessus. Simon se voyait plus grand que tous les autres, glabre et, tel un ange tombé du ciel, prodigieusement beau.

« Il m'est venu une idée, signala Zack Busner à Peter Wiltshire, un soir où il avait enfin réussi à l'inviter pour une séance de bouchonnage digne de ce nom. Cette "greu-nnn" impression si forte qu'il a d'habiter un corps humain est peut-être une forme de mémoire immanente de l'évolution. Après tout, si le fœtus subit une série de transformations morphologiques parallèle à la phylogenèse, pourquoi n'en irait-il pas de même de la psyché "heuu" ?

– C'est une notion intéressante, Zack. Je "hue" peux ? fit Wiltshire en désignant l'armoire à liqueurs.

– Bien sûr, bien sûr... » Busner prit son verre et traversa la pièce en faisant ballotter ses testicules rebondis. Wiltshire descendit de son fauteuil, rejoignit son vieil allié et lui pelota gentiment les couilles pendant que celui-ci leur versait à tous deux une généreuse mesure de Laphroaig allongé d'eau.

« Mais qu'est-ce que tu as l'intention de faire avec lui maintenant, Zack "heuu" ? Tu vas continuer ton approche psychophysique ? Et pour trouver quoi "heu" ? Si c'est seulement pour réunir des données neurologiques, excuse-moi, mais ce n'était pas la peine de... je ne voudrais pas te vexer... mais ce n'était vraiment pas la peine de brasser tout ce vent, grimaça Wiltshire en brassant du vent pour illustrer son propos.

– Je sais, je sais. Je ne suis pas persuadé qu'il y ait quelque chose de concret à découvrir, mais plus je l'observe, plus il m'étonne. Il ouvre des perspectives nouvelles et insoupçonnées sur la chimpanité.

– Et ses sentiments, Zack, y as-tu pensé ? "Heuuu" ses petits, il doit avoir envie de voir ses petits "heuu" ? Et sa compagne ? »

Busner but une longue rasade et se doucha abondamment les dents au whisky avant de contre-singer : « Oui, en effet, c'est un problème. S'il s'agit d'une vraie psychose, un contact avec sa progéniture ne fera pas avancer les choses. Au contraire. Ça pourrait même entraver ses progrès. Mais, s'il s'agit d'un problème organique...

– Tu devrais le laisser partir...

– Pour aller où "heuu" ? Dans un établissement de long séjour ? Tu oublies, Peter, que ce chimpe est doué, qu'il mérite d'être sauvé. Il n'y a pas trente-six solutions. Soit nous l'aidons à retrouver son sens immergé – mais toujours présent – de sa propre chimpanité, soit nous l'aidons à s'acclimater, à trouver ses marques dans le monde, même s'il le perçoit à travers les lunettes déformantes de son délire.

— Et comment feras-tu ça "heuu" ?

— "Houu" comme d'habitude. Comme je le ferais avec n'importe lequel de mes tourettiques ou autres agnosiques. Je vais l'emmener en tournée. Mais, alors que dans le passé je devais surtout apprendre à mes patients à se réadapter sur le plan social, émotionnel et physique, je vais devoir assister Dykes à un niveau plus profond... »

Busner s'interrompit. Frances, une femelle sub-adulte, venait d'entrer dans le salon avec un plateau de fruits.

« "Grnn'miam", vocalisa-t-elle, mère a pensé que le Dr Wiltshire et toi aimeriez avoir quelque chose à mâcher, alpha... Où je dois poser ça "heuu" ?

— Mets-le là, par terre, ma chérie, pour qu'on puisse piocher dedans avec les orteils, Peter et moi. »

Frances posa le plateau sur le tapis, puis trottina vers son alpha accroupi. Busner lui caressa affectueusement le bas-ventre et écarta gentiment les poils de son vagin pour pouvoir glisser deux doigts dans sa fente. Peter trouva la scène charmante. Son vieil allié était devenu un grand sentimental. « La première étape sera Oxford, gesticula Busner par en dessous de l'entrecuisse de sa fille, qui se mit à ronronner et à glousser. Je pense emmener Dykes voir Grebe, le philosophe, et peut-être aussi Hamble à Eynsham.

— "Heuu" ? Hamble ? Tu es sûr que c'est une bonne idée ?

— Pourquoi pas ? C'est un naturaliste, un éthologue et un historien. Si je veux offrir à Dykes un aperçu sur l'interface entre son illusion et la réalité, il faut qu'il ait quelques notions sur ces matières...

— "H'h'h'houou" alphy, ça chatouille ! grimaça Frances.

— Oh, excuse-moi, ma chérie, fit Busner en regardant sa main baladeuse, j'avais complètement oublié que je digitais... Tu peux repartir maintenant "chup-chuppchupp". » Et il relâcha la sub-adulte, qui sortit à quatre pattes en refermant soigneusement la porte derrière elle.

Au même moment, à Chelsea, dans un restaurant en bas de Tite Street, les trois chimpanzés qui complotaient la chute de Busner avaient rendez-vous pour un premier dîner. C'était Phillips, le chimpe de Cryborg, qui avait suggesticulé l'endroit – « un petit resto sympa, vous verrez, ils ont un arbre au milieu de la salle pour les clients qui ont envie de faire une grimpette entre les plats » – et ce fut lui qui arriva le premier.

Quand Whatley et Gambol firent leur entrée, il y eut un peu de confusion dans les préséances. On essaya d'établir une hiérarchie provisoire. Gambol présenta sa croupe à ses deux aînés, pointant le cul successivement vers l'un et vers l'autre. Phillips ne présenta qu'une demi-croupe à Whatley – et Whatley n'en fit pas davantage. Puis tous trois, le dos voûté, se livrèrent à un grattage préliminaire.

« Bon "chup-chupp", signala Phillips après quelques minutes, quelles nouvelles avons-nous de notre estimé philosophe naturel et de son dernier patient "heuu" ?

– Eh bien, contre-signala Gambol, il a recueilli Dykes dans son groupe domestique à Hampstead et ils étudient ensemble...

– Étudient "heuu" ?

– Parfaitement "clac-clac", Busner semble penser qu'il peut rééduquer Dykes. Que, si son chimpe en apprend davantage sur l'anthropologie, il pourra réapprendre sa chimpanité ou, tout au moins, arriver à un modus vivendi.

– C'est complètement "clac" farfelu, "chup-chupp" en tout cas, à mon avis. On a vu des chimpanzés réapprendre certaines fonctions organiques atrophiées, ou même détruites, mais la chimpanité fondamentale... ça me paraît absurde. »

Whatley se pencha vers Phillips et gesticula avec beaucoup de sérieux : « Ça vous paraît peut-être "chup-chupp" absurde, Phillips, mais si vous aviez vu Dykes comme Gambol et moi, vous comprendriez. Son délire est remarquablement étayé, tous les éléments se tiennent. Mais grimaçons clair, Phillips "chup-chupp", que savez-vous au juste sur cette affaire "heuu" ? Gambol m'a montré les documents relatifs à l'Inclusion. C'est bien vrai, tout ça ? Busner a vraiment été impliqué dans un protocole d'essais illégaux pour un nouveau composé anxiolytique "heu" ?

– "Hou" que oui ! Et pas qu'un peu. Mais il y a encore autre chose, quelque chose, voyez-vous, que Busner lui-même ignore peut-être.

– Et qu'est-ce que c'est "heu" ?

– Excusez-moi, mesmâles, intervint un serveur, est-ce que je peux prendre votre commande "heuu" ? »

Gambol leva trois doigts et le serveur se retira vers la cuisine, en se catapultant au passage sur l'arbre ornemental.

« Le pigeon m'a l'air appétissant, signala Gambol. Vos magnificences postérieures ont-elles fait leur choix "heuu" ?

– Oh, la ferme, Gambol "ouarf" ! » Whatley lui flanqua une claque à droite, et Phillips une à gauche, de sorte que la tête du pauvre epsilon ricocha entre leurs grosses mains comme dans un dessin animé. « Vous ne pouvez pas attendre que Phillips ait terminé ses signaux, non ? Achevez, Phillips "heuu".

– Eh bien, comme je le signalais avant d'être si grossièrement interrompu, Busner a été engagé par Cryborg pour conduire des essais en double aveugle sur ce composé appelé Inclusion. Ils ont trouvé un médecin marron du côté de Thame, dans l'Oxfordshire, qui a accepté d'administrer le composé et un placebo à un certain nombre de ses patients souffrant de dépressions cliniques ou, du moins, de dépressions susceptibles d'être traitées par la psychopharmacologie...

– Le nom de ce médecin "heu" ? » Les doigts de Whatley se

crispèrent autour de ceux de Phillips. Gambol était debout sur sa chaise, horripilé, les bras en croix, les lèvres retroussées.

« "HouuGra" son nom ? Héhé, c'est là que ça devient bon. Le nom de ce petit médecin de campagne, qui n'a pas hésité à faire passer son intérêt personnel avant celui de ses patients, est Anthony Bohm.

– "H'haouuu" oh, oh, que je sois pendu. Bohm ? » Whatley se laissa retomber sur sa chaise et se mit à trifouiller distraitement dans la nappe comme dans un tissu vivant en mal de grattage. « L'affaire serait donc plus corsée qu'il n'y paraissait. Vous êtes en train de signifier que Dykes pourrait être une victime de l'Inclusion "heu" ? Attendez, attendez... quels ont été les résultats de ces essais ? Qu'est devenue cette drogue "heuu" ? »

Le serveur étant revenu à la charge, Phillips avait reporté son attention sur le menu. Il prit tout son temps, s'informa des spécialités de la maison, donna des instructions précises sur la cuisson de sa viande et pédipula longuement la carte des vins avant de se décider. Quand il se tourna enfin vers ses compagnons, leur curiosité ne s'était pas émoussée. « Toutes les formes d'essais – légales ou illégales – ont été interrompues. Les expériences de Busner se sont déroulées normalement pendant les premiers mois et on pensait déjà, avant même d'avoir collationné les résultats, que la drogue produisait les effets désirés. Et puis patatras, voilà qu'un des patients, qui prenait de l'Inclusion sans le savoir, fait une crise maniaco-dépressive aiguë.

– Dykes "heuu", Votre Éminence Anale ?

– Oui, Gambol, lui-même. »

Les trois chimpanzés s'immobilisèrent. Trois filets de bave identiques dégoulinaient de leurs trois bouches ouvertes. Le serveur reparut en bipède, louvoyant à reculons entre les tables, les hors-d'œuvre calés entre ses omoplates. Il posa devant eux deux bols de soupe et une assiette de terrine du chef, grimaça « bon appétit ! » en regardant ailleurs et repartit en carpo-tarsant. D'un pied, Whatley dégagea sa chaîne de montre prise dans les poils de son cou ; de l'autre, il attrapa une cuiller, puis gesticula tout haut ce que chacun pensait tout bas : « Est-ce que Dykes est au courant "heu" ?

— "Hou", non, ça m'étonnerait. Réfléchissez, il n'aurait jamais accepté que Busner s'occupe de son cas s'il avait su que c'était précisément lui, le psychiatre irresponsable qui avait déclenché sa psychose. Franchement "heuu" ? Mais le plus intéressant dans tout ça, c'est l'idée que l'Inclusion est peut-être à l'origine de la crise actuelle de Dykes.

— Oui, oui, c'est une hypothèse intéressante, en effet, quoique sans doute invérifiable. Je vénère vos arrière-trucs, docteur Phillips, je vénère votre perspicacité, mais éclairez ma lanterne. Pourquoi nous révélez-vous "grnn" tout ça, à Gambol et à moi "heuu", quelle est votre motivation ?

— Oh, l'explication est assez simple, docteur Whatley. J'ai consacré les meilleures années de ma vie à Cryborg Pharmaceuticals. Presque quinze en tout. L'an dernier, on a diagnostiqué chez moi une maladie incurable, dont je vous passe les détails. La direction du personnel m'a fait savoir que, pour avoir droit à l'assistance médicale de l'entreprise, et même pour prétendre à une retraite complète, il fallait que je travaille un an supplémentaire. Or ma santé ne me le permettra pas. J'ai "ouâââr" tout sacrifié à Cryborg. J'ai l'intention de récupérer ma mise. Je veux qu'ils payent.

« Quant à Busner, ma foi, je n'ai rien de personnel contre lui mais, quand on pense aux méandres de sa carrière, sa réincarnation en gourou du psychisme me donne la nausée. C'est un bonimenteur, un poseur content de lui. L'hypocrisie en personne. L'idée qu'on commence à le bouchonner pour l'installer dans le panthéon des grands singes me fait grincer des dents. J'ai juré la perte de Cryborg et, si Busner tombe de l'arbre en même temps, tant pis pour lui. Je ne verserai pas "h'houu" une larme. »

Whatley et Gambol regardèrent le fougueux chercheur moribond en signence et non-vocalité. Puis, timidement, Gambol lui demanda s'il voulait du sel.

Simon Dykes et Zack Busner, accroupis dans leur bureau commun, feuilletaient un exemplaire de l'*Essai de l'Érudit Martin Scriblerus sur l'Origine des Sciences.* Ce texte, l'une des premières satires faisant de l'homme un « philosophe sans geste », fut composé selon toute probabilité par Pope et Arbuthnot – entre autres. Largement inspiré par les travaux de Tyson sur l'anatomie comparée, l'*Essai* fut le précurseur de toute une lignée de satires du XVIIIᵉ siècle qui opposèrent des humains évolués à des singes primitifs. Une veine qui culmina avec les Yahous de Swift.

Antipsychiatre et patient lisaient sans gestes ni vocalisations. Leur concentration mutuelle n'était troublée que par d'occasionnels frottements de doigts contre des replis ischiatiques et d'occasionnels grognements suivis du rot y afférent.

Busner se plaisait à ces recherches. Jamais il n'avait imaginé que les relations entre le chimpanzé et l'humain pussent avoir autant d'implications souterraines. Il était vrai que la civilisation occidentale s'était propulsée vers la divinité sur l'escalator de la Chaîne de l'Être. Et, à l'instar de Disraeli, chacun avait voulu être du côté des anges. Pour que les chimpanzés à museau blanc atteignissent la perfection, il leur fallait des épouvantails, des contre-exemples repoussoirs. On voyait aisément comment le bonobo, avec sa grâce dérangeante, sa démarche verticale, avait rempli ce rôle. Mais Busner découvrait maintenant que, dans l'ombre du bonobo, il y avait un « Autre » plus déstabilisant, plus bestial : l'homme.

Ce fut à cet instant que le pseudo-humain de Busner rompit le fil de ses pensées : « "H'houu !" docteur Busner, je veux voir mes enfants maintenant. Je veux vraiment les voir. Ils me manquent "u'h'u'h'u" tellement. Je peux ? Je peux les voir, s'il vous plaît "heuu" ? »

Busner regarda son patient. La fourrure crânienne brune et bouffante de Simon était terne, comme d'habitude, et collée par la sueur sur ses arcades sourcilières. Ses yeux gris-vert protubérants étaient mornes et vides. Il ne parvenait à retrouver un affect réel qu'en gesticulant des sujets liés au contenu de son illusion. Le reste du temps, il était torpide, quoique enclin à des réactions violentes aussi inattendues qu'irrationnelles.

Busner monta sur la table et posa un bras sur l'épaule de Simon. Il savait maintenant comment toucher son patient pour ne pas l'affoler. Il fallait le palper avant de digiter dans sa fourrure, sans quoi il se plaignait de démangeaison et regimbait. Busner vocalisa, « chup-chupp », et imprima sur son pelage moite : « Simon, je respecte vos sentiments, mais avez-vous pensé aux leurs ?

— Ce qui signifie "euch-euch" quoi "heuu" exactement ?

— Ce qui signifie que ce ne serait peut-être pas très bon pour eux de vous voir dans cet état, de voir l'idée que vous vous faites de vous-même.

— L'idée que je suis humain "heu" ?

— C'est cela même "chup-chupp", mon petit patient.

— Si je suis votre petit patient, c'est que je suis "euch-euch" fou, exact ?

— Je n'ai jamais grimacé ça, Simon. Je n'aime pas grimacer en ces termes.

— Je veux retrouver mon univers. Je veux retrouver mon "houuu" corps glabre, retrouver le corps de mes petits. Je veux mes petits "houuu" ! »

Busner, qui tenait toujours le bras de Simon, traversa la table. Il savait déceler avec précision le point de rupture dans le crescendo de l'hystérie de son patient. Il y avait un cap à ne pas dépasser, il fallait le contenir à temps comme un jeune autiste.

Avant de gesticuler, il fallait utiliser le langage du corps. Busner commença par l'apaiser, « hue-ouh-hue », puis digita dans le bas de son dos : « Ils vous manquent, Simon "heuu" ?

— "Ar-rheuu-ar" vous le savez bien ! Je veux les voir, tous les trois, Henry, le petit Magnus *et* Simon !

— Mais "chup-chupp" vous êtes-vous demandé à quoi ils pouvaient ressembler ?

— Comment ça "heuu" ?

— Eh bien, ils ressemblent à des chimpanzés. Vous croyez que vous pourrez le supporter ? Que vos enfants ressemblent à des *animaux* ? Supposez que vous ayez la même réaction envers eux qu'envers les autres chimpes "heuu" ? »

Dans les bras de son médecin, Simon commençait à se détendre. Curieusement, l'odeur de Busner, l'odeur musquée de son poil dru le réconfortait. Il visualisa de nouveau ses enfants, plus concrètement cette fois, pas simplement comme des excroissances de sa propre misère, mais tels qu'ils lui apparaîtraient, figés derrière les faces plastifiées d'un porte-photo cubique sur la table du salon de leur mère. Le supporterait-il ? Supporterait-il de voir une fourrure brune au lieu de têtes blondes ? De voir des canines acérées au lieu de dents de lait ? D'entendre des hurlements, des caquètements, des grognements de bébés singes au lieu du joyeux babil dont il conservait le souvenir ?

Mais peut-être, songeait-il, rasséréné par les doigts de Busner qui lui lissaient les poils du dos, peut-être que cette image de garçons humains à laquelle je m'accroche est un faux souvenir, peut-être que c'est justement ça, la clef de voûte de ma crise. Peut-être que, si j'arrivais à l'éradiquer de ma mémoire, je retrouverais ma santé mentale, que ce serait un peu comme le film d'une démolition projeté à l'envers. « Non, digita-t-il dans la fourrure dense de Busner, non, il faut que je les voie. Vous voulez bien arranger ça avec mon ex-alpha ? Elle vous observera. S'il vous plaît "heuu" ? »

Sarah Peasenhulme faisait ce qu'elle pouvait pour ne pas oublier Simon, pour trouver un moyen de le revoir, mais la triste vérité était que son image se brouillait déjà dans son souvenir. Dans les jours qui avaient immédiatement suivi la crise de l'artiste, la réminiscence de ses pénétrations speedées était encore vivace et intacte. Elle sentait encore la fourrure de son ventre, ses gestes amoureux étaient encore imprimés en elle. Mais, depuis la saillie réconfortante de Ken Braithwaite, le corps de Simon ondoyait dans sa mémoire et se dissipait comme un mirage.

Depuis qu'elle l'avait vu de ses propres yeux, constatant par elle-même que sa folie, sa psychose, son délire – n'importe – persistait, Sarah avait commencé à perdre l'espoir de son retour. Les digitations saccadées de l'aliéné de l'hôpital, ses cris insensés se confondaient avec les souvenirs du Simon qu'elle avait connu. N'avait-il pas toujours été embrouillé ? N'avait-il pas toujours été à la limite de l'absurde dans ses façons de signaler ? Il était peut-être l'amant le plus rapide qu'elle eût connu, mais comment savoir si sa vitesse n'était pas un peu fourbe, un peu forcée, un peu inchimpaine ?

Sarah avait eu de grandes espérances. Simon était encore jeune – à peine trente ans. Il avait du succès. Il gagnait de l'argent. Était-ce trop que de l'imaginer fondant un nouveau groupe avec elle ? D'un côté, l'idée d'avoir les doigts avides d'un chimpanzeau enchevêtrés dans sa fourrure et la bouche vorace d'un chimpanzeau accrochée à sa mamelle l'épouvantait, l'hébétait, l'accablait. Mais, d'un autre côté, la maternité permettait d'acquérir un statut, une vie stable dans laquelle on ne passait plus son temps à désirer être quelqu'un d'autre, une vie déterminée et non plus contingente. Et ce n'était pas tout. Dans un groupe, la vie sexuelle changeait aussi. Quand on partageait son nid avec quatre ou cinq mâles vigoureux, on pouvait copuler beaucoup plus sérieusement.

Sarah reprit donc son travail, ses pédipulations de documents et ses manipulations de diapositives. En triant l'iconographie des artistes qu'elle représentait, elle décalait chaque fois d'un cran Simon et ses allures de pitre, de sorte qu'il se rapprochait toujours un peu plus du bas de la pile.

La nuit, elle continuait à manumarcher de son bureau de Woburn Square à Soho pour retrouver la fine équipe au Sealink, pour un verre, pour une ligne, pour un câlin.

Après le vernissage de Simon Dykes à la galerie Levinson, elle connut une semaine difficile. Des journalistes fouineurs la panthuchaient au bureau ou chez elle. Deux ou trois fois, on vint même gratter à sa porte. Puis les choses se tassèrent. De temps en temps, au club ou ailleurs, elle sentait des grimaces derrière son dos et se retournait brusquement pour surprendre une digitation furtive signalant qu'elle était l'ex-conjointe de l'artiste. Mais elle passait outre – ou se résignait.

Un soir, une huitaine de jours après que Simon eut quitté l'hôpital, elle retrouva Tony Figes au club. Figes – comme le révérend Peter Davis – était le stabilisateur de la vie affective de Sarah. À mi-chemin entre conseiller et confident. Quand elle gesticulait avec lui, Sarah oubliait son enflement, oubliait ses chaleurs, oubliait les roseurs péniennes qui clignotaient dans la cohue velue autour du bar.

Tony avait apporté le tube cartonné qu'il avait pris dans l'appartement de Simon. En franchissant les portes battantes du bar, il cogna l'objet, « toc-toc-toc », contre un mur. « Houu-Graa ! » panthurla-t-il en caracolant vers Sarah, accroupie comme une pelote de fourrure blonde et de satin noir.

« "HouuuGraa !" contre-aboya-t-elle, qu'est-ce que tu as là, Tony, c'est pour ton travail "heuu" ?

– Pas vraiment, ma belle. Viens, descendons sur le pont auto, je préfère te montrer ça en privé.

– Tu aurais une Bactrian sur toi "heu" ? demanda-t-elle en s'accroupissant avec lui dans la pièce du dessous.

– Tiens, fit-il en sortant son paquet, mais ce sont des légères, malheureusement.

– Ça tombe bien, digita-t-elle en allumant la cigarette offerte, j'essaie de prendre les choses à la légère, ces temps-ci.

– Sarah... » Il extirpa les dessins du tube. « J'ai trouvé ça chez Simon en allant chercher ses affaires. Et ça, tu auras du mal à le prendre à la légère. »

Sarah saisit le paquet de gros papier à dessin que Tony lui tendait du pied et observa les croquis un à un, d'un œil avisé de professionnelle. Elle examina la qualité du trait, apprécia le sujet, les jeux d'ombres. Elle les jugea comme elle eût jugé les œuvres d'un artiste inconnu, en se calfeutrant contre la charge émotionnelle qu'elle recevait toujours en regardant les dessins de son ancien conjoint.

Quand elle les eut tous passés en revue, elle les posa sur la moquette et écrasa sa Bactrian. « "Houuu" en effet, ce n'est pas la légèreté qui les caractérise. Tu penses qu'on devrait les montrer à Busner "heuu" ?

– Je ne sais pas...

– Il est clair que le "houu" délire de Simon a des racines plus profondes qu'on – ou que lui-même – ne l'imaginait.

– Il semble bien. Simon est obsédé par les humains depuis plus longtemps qu'on ne l'aurait cru. Tu as une idée de ce que l'humain représente pour lui, Sarah "heuu" ?

– Non. Ce qu'il représente pour nous tous, je suppose, le côté sombre de notre nature de chimpanzés, "heuu" ? Celui qu'on essaie de laver en faisant de l'humain un petit clown mignon, ou d'extirper en faisant de lui une brute, une bête terrifiante "heu" ?

– Mais, dans ces dessins, les humains habitent *notre* monde, "heu" ? »

Sarah soupira, se leva de sa chaise et se dandina jusqu'à la fausse fenêtre, où elle appuya sa tête en panne contre le panneau. Elle se rappelait leur dernier soir dans cette pièce – le soir de sa crise. Elle se rappelait le frottement de la cocaïne dans ses narines et le frottement de sa bite quand il l'avait plaquée dans le coin.

Elle se tourna vers Tony. « Tu sais, Tony "u'h-u'h-u'h", je crois que Simon en avait marre. Tout simplement. Marre. Il en avait marre de saillir. Il grimaçait souvent qu'il avait cessé de faire semblant de croire à la saillie. Il n'y *croyait* plus, tu comprends ? Il expliquait qu'il "hou" voyait le micro du preneur de son dans un coin du cadre, comme un bec picorant des vocalisations intimes. Il voyait le camérachimp s'agiter derrière les projecteurs pour essayer de nous filmer en gros plan. Il "hou"...

– "Greu-nnn" Sarah, allons, calme-toi. »

Tony manumarcha vers elle et la prit dans ses bras malingres. La serra. Elle enfouit son museau dans le pelage de sa nuque. Signence. Silence. On entendait plus que les tranquilles claquements de lèvres de deux vieux alliés qui se touchaient. Puis Tony pianota sur son dos : « Je crois que tu devrais garder ces dessins, Sarah "chup-chupp". Tu sais, je pense que Simon ne reviendra plus. Et...

– Et quoi "heuu" ?

– Et il faut bien que tu gardes quelque chose en souvenir de lui. Quelque chose qui ait de la valeur pour toi et... » Le triste gay s'écarta. Elle vit sa balafre vibrer sous les poils de son menton. « ... Et une valeur potentielle pour beaucoup d'autres. Sarah, ce sont sûrement les derniers dessins de Simon. S'il avait encore sa lucidité, je suis sûr qu'il voudrait que tu les gardes, pour en faire l'usage que tu jugeras bon. »

Sarah saisissait enfin la digitation de Figes. Il voulait qu'elle utilise ces croquis de chimpes en détresse dans un paysage urbain dévastateur pour fonder un nouveau nid. Pour s'installer. Pour se libérer. Mais, tandis qu'elle baisait chaleureusement l'arête nasale de Tony, elle visualisait l'aspect ultime de ces dessins : dans un halo de feu. Car tout ce qu'elle envisageait, c'était de les brûler.

Zack Busner descendit dans le hall pour panthucher Jean Dykes. Simon était dans le cirage, assommé par les sédatifs, mais deux précautions valaient mieux qu'une : l'artiste pouvait toujours se réveiller et venir épier en catimini sa gesticulation avec son ex-alpha. « HouuGra », vocalisa-t-il en tambourinant sur la table du téléphone. « Madame Dykes, je suis le Dr Zack Busner, je crois que George Levinson vous a signalé mon rôle auprès de votre ex-alpha "heu" ?

— Oui, il me l'a signalé, docteur Busner. En quoi puis-je vous aider "heuuu" ?

— Il s'agit de vos petits, madame Dykes. Simon s'est-il beaucoup occupé d'eux depuis que vous avez fissionné ? »

Jean Dykes prit tout son temps pour contre-signaler. Un temps si long, en vérité, que Busner faillit répéter la question. Il eut tout le loisir d'observer l'ancienne alpha de l'artiste et de s'interroger sur leur vie ensemble, en se basant sur ce qu'il voyait à l'écran. Comment cette femelle inélégante et austère avait-elle pu conicher avec Dykes, allaiter les petits d'un chimpe aussi volage et irrévérencieux ? À en juger par les perles usées de son chapelet, qui accompagnaient ses digitations comme des articulations subsidiaires, c'était une femelle qui prenait la foi au sérieux.

Elle daigna enfin répondre. « Docteur Busner. Comme vous le savez, dans notre société, les mâles s'occupent très peu de leur progéniture. La soi-disant révolution copulatoire des années 60, qui leur a permis de s'adonner de plus en plus à des saillies douteuses, n'a eu aucun effet sur leur sens des responsabilités. Cela étant, Simon a toujours été un alpha attentif et il a fait un effort pour rester en contact avec Henry et Magnus.

« – Et Simon "heuu" ?

– Simon "heuu" ?

– Oui, le cadet, Simon. Peut-être devrais-je grimacer Simon junior.

– Docteur Busner "houu", il n'y a pas de Simon junior. Il n'y a eu que deux chimpanzeaux dans notre groupe natal. Seulement deux. »

Il fallut un certain temps à Busner pour digérer la nouvelle. Voilà encore un tour singulier du délire de Dykes, une bizarrerie de plus dans une réalité déjà tordue. Ses doigts se remirent en mouvement : « Madame Dykes, je me rends compte que ça doit être assez éprouvant pour vous... mais avez-vous une idée de la raison pour laquelle Simon croit avoir trois petits mâles au lieu de deux "heuu" ?

– Docteur Busner. » La bigote appuya son chapelet contre son front. « Je ne tiens pas "euch-euch" votre profession en grande estime. Si vous êtes un médecin de l'âme, alors occupez-vous de soigner l'âme de mon ex-principal au lieu de descendre dans les souterrains de sa psyché.

– Qu'est-ce que vous tâtez par "heuu" là ?

– Je tâte précisément ceci que je ne suis pas "euch-euch" encline à ce genre de digitations. »

La rebuffade décontenança un peu l'éminent philosophe naturel. Il fit semblant de cueillir une lente dans la fourrure de son bas-ventre et regarda vers la porte d'entrée où, dans un carré de soleil, deux chimpanzeaux mimaient une copulation. Ainsi donc, le délire de Dykes était encore plus ramifié qu'il ne l'avait soupçonné. À quel dysfonctionnement organique pouvait-on valablement imputer un tel couac ? Tous les troubles – organiques ou psychiques – pouvaient donner lieu à une effervescence productive. Busner en était convaincu. Mais de là à produire un chimpanzeau qui n'existait pas ! Aberrant.

« "Greu-nnnn" madame Dykes, en fait, je vous panthuchais

pour manipuler avec vous la possibilité d'une visite de Simon à ses petits...

— "Hou" vraiment "heuu" ?

— Oui, bien que, généralement, je ne sois pas partisan de laisser les psychosés toucher des êtres avec lesquels ils ont entretenu des liens intimes.

— Je n'ai pas d'objection. Simon peut retoucher Magnus et Henry, si c'est ce qu'il veut.

— C'est très "greu-nnn" aimable à vous, madame Dykes, mais, à la réflexion, compte tenu de ces nouvelles données, je crois que ce ne serait pas une bonne idée. Si vous voulez bien me laisser libre d'en décider, je pense qu'il vaut mieux en rester là pour le moment et attendre que son état s'améliore.

— Comme il vous plaira, docteur Busner. "HouuGraa".

— "HouuGraa". »

Quelques heures plus tard, quand, réveillé, il se leva de son nid, se faufila en bipède dans le bureau et trouva le médecin de l'âme plongé dans la lecture, Simon fut confronté à une autre singularité grossière, une autre distorsion du monde. Busner leva les yeux de son exemplaire de *Melincourt*. « "Greu-nnn" Simon, j'espère que la sieste vous a fait du bien. J'étais captivé par l'évolution de votre cousin, sir Oran Haut-ton. Dans le roman de Peacock, il est pris en charge par un certain M. Forrester, qui considère que tous les grands singes, y compris les humains, font partie de la famille des chimpanzés. Personnellement, je ne partage pas cet avis "grnnn". »

Simon ne prêta guère d'attention à ces gestes bienveillants. Il salua Busner comme il avait appris à le faire, en pointant le cul dans la direction approximative du vieux singe ; et, quand il eut reçu une tape rassurante, il se cabra pour pouvoir planter ses signes directement dans le museau mou du psy. « Vous avez gesticulé avec Jean, mon ex "heuu" ?

– Oui, Simon.

– Et "heu" ?

– Simon "grnnn", ce que j'ai à grimacer risque de vous perturber...

– Elle ne veut pas que je les voie "heu" ?

– Non, Simon, ce n'est pas ça. Simon... » Busner descendit de son fauteuil et carpo-tarsa vers le triste fou accroupi. « Jean m'a montré que vous n'aviez que deux petits mâles. Pas trois. Deux.

– "Houu" vraiment "heuu" ? Et qui sont les deux qui me restent "houu" ? fit-il en mettant dans chaque vocalisation un amer sarcasme, que Busner choisit d'ignorer.

– Simon, il n'y a pas de Simon junior. Vous comprenez ce que je signale "heuu" ?

– Oh, oui, très bien. Vous êtes tout simplement en train d'éradiquer tous mes souvenirs, l'arrachement de la naissance, le premier câlin, le premier ceci, le premier cela. Vous effacez une personne, c'est tout. Parce que vous ne gesticulez pas d'un bout de chiffon "euch-euch" ! C'est pas un bout de chiffon ! C'est un <garçon>, bordel de merde ! Un vrai <garçon> humain ! »

Et, sur ces dernières vocalisations gutturales – une régression qui le ramenait aux premiers jours de sa crise –, l'ancien artiste s'effondra sur le sol, se roula en boule fœtale et se mit à arroser. Zack Busner, impuissant, lui posa un garrot, lui injecta une dose de tranquillisant puis ramassa le misérable paquet de chagrin et le porta dans sa chambre pour le border dans son nid.

Dans son sommeil médicamenteux, Simon Dykes rêvait. Le monde était transformé. C'était un royaume enchanté, peuplé d'êtres beaux et courtois, à la peau lisse, vêtus de linges blancs vaporeux ; un vaste espace, une sorte de halle faite d'arches et d'arcs-boutants en cristal de roche sur un tapis d'herbe ondoyante. Autour des dômes ornementaux, les habitants se mouvaient lentement, avec des précautions et des grâces infinies. Leurs mains restaient le long de leurs corps ou venaient doucement se poser sur leurs genoux lorsqu'ils s'asseyaient, figés comme des statues de pierre, pour attendre l'apocalypse dans leur tranquille église de campagne. Et, quand ils écartaient leurs lèvres rouges, si rouges, des vocalisations mellifues et merveilleusement intelligibles s'en échappaient pour s'élever vers les voûtes lumineuses.

Simon se promena parmi ces aliens. Il ne ressentait ni le besoin de toucher ni d'être touché. Comme si souvent dans ses rêves, depuis la nuit fatidique où la chimpanité s'était emparée de lui, il était parfaitement lucide au milieu de cette gavotte mesurée de formes anthropoïdes. Est-ce là le monde que j'ai quitté ? se demandait-il en les regardant défiler. Est-ce là ce que je prenais pour Simon – mon petit Simon « heuu » ? Il s'identifiait à l'enfant perdu, ou plus précisément à son corps perdu. Il le voyait debout, frissonnant, dépourvu de fourrure protectrice. Le petit Simon, aussi gracile qu'un jeune bonobo ; le pelage crânien blond et la nuque rasée, les traits raffinés et sérieux, des couilles et une zigounette minuscules comme les étamines d'une orchidée supérieure. Simon se tourna vers lui, fendit le tapis de verdure pour le rejoindre. Mais, comme il s'approchait, les yeux bleus du petit s'agrandirent, ses lèvres rouges, si rouges, s'écartèrent et son jeune corps se plia comme un roseau d'angoisse. Alors, Simon entendit d'affreuses vocalisations signifiantes – si gutturales mais si justes : « Va-t'en ! Va-t'en, Belzébuth ! Méchante bête ! Homme-singe ! »

Simon Dykes se réveilla dans son nid, à Hampstead, chez son psychiatre, en hurlant pour s'ouvrir un passage à la force des poumons dans son second mois de chimpanité.

CHAPITRE 16

En dépit de la régression de Simon, Zack Busner ne revint pas sur sa décision de l'emmener, selon ses propres termes, en tournée. « Ça peut te sembler absurde, mon vieux popotin chéri, pianota-t-il sur le croupion de Charlotte allongée dans son nid avec cinq autres, mais "clac-clac" Grebe est le chimpe idéal pour gesticuler avec Simon des ramifications philosophiques de son délire "chup-chupp".

– "Hue-hue-hue" et pourquoi donc, chéri "heu" ?

– Parce que ce jeune péteux est coprophile, voilà pourquoi. Les aspersions de Simon ne le rebuteront pas le moins du monde "h'h'hi-hihi" ! »

L'image lui parut si cocasse qu'il sauta ragaillardi du nid, attrapa une poignée, se catapulta dans le couloir et disparut en direction de la salle de bains sans cesser de claqueter.

L'automne était descendu sur Londres et, de ses doigts de givre, détachait les feuilles des arbres. Le matin, des marbrures de gelée blanche luisaient sur le macadam noir et humide de Redington Road. Avec la chute des feuilles, on distinguait désormais les corps des chimpanzés accrochés dans les branchages pour leurs exercices matutinaux, formes brunes contre un ciel gris. Dans l'air vif, les panthurlements des faubourgs résonnaient plus fort, on entendait plus clairement les râles des groupes natals copulant en chaîne avant le travail et la rumeur de la ville au loin.

Chez les Busner, cependant, les choses étaient plus calmes. Les chaleurs de Charlotte et de Cressida étaient terminées depuis longtemps, et les enflements d'Antonia et de Louise – respectivement gamma et zêta – étaient encore trop discrets pour attirer de nombreux galants. De temps en temps, Busner croisait un mâle esseulé qui s'agitait dans l'allée ou cognait contre la grille, le poil et le pénis hérissés, mais c'étaient des prétendants de second ordre que les femelles de son groupe rejetaient comme des torchons de vaisselle ou dont elles se détournaient comme d'un crachat de cireur de chaussures.

Nombre de sub-adultes étaient partis, qui au travail, qui à l'université. Les petits étaient à l'école – quand ils ne patrouillaient pas. Certains jours, Zack Busner et son étrange patient étaient les seuls mâles adultes présents à la maison, tels deux reclus entretenus par un sérail jacassant et trottinant de femelles presque invisibles.

Zack Busner acheva sa toilette par une rapide inspection de son arrière-train dans la glace et alla voir si son patient était prêt pour leur expédition, la plus longue à ce jour. Il trouva Simon Dykes encore au nid. L'écran de télévision scintillait dans la pénombre. Une odeur de déprime régnait dans la pièce, rance et insupportable – même pour Busner. Il entra en carpo-tarsant et se jucha sur le bord du nid. Simon avait arrêté la cassette. Une image figée gondolait sur l'écran.

Busner la reconnut. C'était un plan de *La Planète des hommes*. Il avait déjà regardé les quatre films de la série de science-fiction avec Simon, en guettant les réactions du chimpanzé devant ce monde inversé et conforme, en principe, à ses réminiscences fantasques. Mais Simon n'avait guère était impressionné. Le maquillage, signala-t-il, était tellement artificiel que c'en était risible. « Les humains ont des museaux "euch-euch" mobiles et expressifs. Ces travestis sont raides et figés, on voit bien qu'ils ont des prothèses. Et puis, comme je me tue à vous le répéter, docteur Busner, les humains gesticulent avec la voix, pas avec les mains. Franchement, même pour une série bêta, les scénaristes auraient pu avoir un peu plus d'imagination "houu". »

En outre, le fait que les humains partageaient la souveraineté avec les orangs-outans et les gorilles, au lieu d'être les seuls maîtres de la planète, le contrariait énormément. Il était content de voir que c'étaient des pacifistes et des intellectuels, mais le portrait que Roddy McDowell faisait de Cornélius, le savant humain, le mettait en rage. « "Euch-euch" il est ridicule, regardez-le, il se trémousse comme une marionnette au bout d'un fil ! "Ouaar" il aurait tout de même pu se donner la peine d'aller voir de vrais humains pour apprendre à marcher comme eux. »

Paradoxalement, Simon éprouvait davantage de sympathie pour les trois chimpanzés astronautes, projetés dans un avenir terrestre lointain par un infortuné périple interstellaire de trois mille années-lumière. Il admirait particulièrement le jeu de Charlton Heston. Il y avait certaines consonances entre l'amertume lasse du personnage de Taylor et le langoureux désespoir de Simon. « Il y a tout de même quelque chose qui me chiffonne, signala-t-il à Busner en regardant les digitations de l'acteur. Dans mon monde, Charlon Heston était l'archétype de la virilité à poitrine lisse. L'idée que cette chose hirsute et lui soient une seule et même personne est... est... "clac-clac" tout simplement grotesque ! »

C'était justement Charlton Heston qui était maintenant figé sur l'écran. Le sommet de sa tête oscillait comme un métronome. La scène se situait au début du film, tout de suite après le crash des astronautes, au moment où ils commençaient à accepter l'« Hypothèse de Haslein » selon laquelle ils avaient été déplacés de deux mille ans dans le futur. Taylor essaie de faire entendre raison à Landon, son compagnon idéaliste et sentimental. « C'est un fait "euch-euch", gesticule-t-il, accepte-le, tu dormiras mieux. »

L'image était arrêtée sur ce dernier signe, le signe « mieux », formé par les doigts de Heston. Busner observa l'écran quelques instants, en méditant sur les perspectives de l'expédition du jour. Puis il digita sur la jambe de Simon : « "Greu-nnn" bonjour, Simon, vous êtes prêt pour votre "heuu" excursion ? »

Simon s'ébroua et se hissa sur un coude. Atrophie des membres inférieurs, remarqua Busner une fois de plus. Orteils gourds. Le malade ne s'en servait jamais pour digiter. Grebe aurait peut-être quelques hypothèses intéressantes à ce sujet. « "HouuGra" bonjour, docteur Busner. Excusez-moi, je somnolais. Pour cette excursion... je ne sais pas, je... je me sens un peu comme ce Landon...

— "Grnnn" vraiment ? En quel sens "heuu" ?

— "Hou" à deux mille années-lumière de chez moi, je suppose. Oui, quelque chose comme ça. »

Busner n'était pas disposé à laisser son patient se réfugier dans des rêveries perverses, à le laisser fuir dans le manoir de son délire. Il lui colla une claque derrière l'oreille et profita de ses gémissements plaintifs pour le prendre dans ses bras. Il le bouchonna sérieusement et digita avec fermeté : « Allons, allons "chup-chupp", pauvre Simon, si je vous "chup-chupp" tarabuste un peu, c'est pour votre bien. Je crois très sincèrement qu'il faut vous remuer si vous voulez guérir. C'est en sortant que vous prendrez conscience de votre chimpanité. Vous êtes comme tous les patients qui souffrent de lésions cérébrales. Si on vous laisse faire, de nouveaux chemins neurologiques finissent par remplacer les voies fonctionnelles détruites. »

Simon fit l'aveugle œil. Il insista : « Mais c'est qui, ce chimpe qu'on va voir "heuu" ?

— David Grebe. Un chimpe fascinant. Comme sa spécialité est la philosophie sémiologique, j'ai pensé que ça vous intéresserait de gesticuler avec lui sur ce signage humain que vous appelez <langage parlé>. Et, surtout, je suis convaincu que Grebe est le chimpe idéal pour raccommoder les pensées éparses, pour — comment grimacer ? — en faire un tissu cohérent. Ensuite... »

Busner se leva et fit les cent pas, ou plutôt les cinquante, en bipède, dans la pièce. « Ensuite, nous aurons une petite récréation. J'aimerais aller voir Hamble à Eynsham.

– "Heuuu" Hamble le naturaliste ?

– C'est cela.

– J'ai lu ses livres. Excellents. Très drôles.

– Oui, oui. Comme vous le savez, ou allez le savoir, Hamble a rencontré des humains sauvages. Et il en sait plus que n'importe qui sur le monde naturel. Je suis sûr que ça vous passionnera de gesticuler avec lui, il est... il est plutôt excentrique. »

Busner ne voulut pas faire la route d'Oxford en voiture. Notamment parce que Gambol n'était pas disponible. On le voyait de moins en moins dans les parages de Redington Road, à cause de l'énorme charge de travail nécessitée par l'étude en profondeur qu'ils avaient entreprise l'année précédente, avait-il indiqué à son patron. Celui-ci ne savait plus très bien de quoi il s'agissait – son champ d'investigation était tel que cela pouvait concerner n'importe quoi, depuis l'escalade compulsive jusqu'au compissage de nid obsessionnel –, mais il l'avait cru sur grimace et lui avait donné congé.

Or Busner n'aimait pas conduire. Il s'était hasardé naguère, quand sa première portée de chimpanzeaux était encore jeune, à acheter une voiture automatique, expliquant que les changements de vitesse gênaient le cours de ses pensées, mais il avait toujours préféré les transports ferroviaires. Un voyage en train était d'ailleurs tout à fait conseillé, en l'occurrence, pour immerger un peu plus Simon dans le monde réel. On pouvait toujours craindre une crise, bien sûr, mais Busner emporterait des sédatifs. Il se sentait parfaitement en mesure de maîtriser son patient en cas d'affolement.

Ils partirent à manupied. « On va carpo-tarser jusqu'à Baker Street et, là, on prendra le taxi, gesticula-t-il en quittant la maison. Vous êtes d'accord "heuu" ? » Simon acquiesça en grognant mais, en réalité, la perspective d'une balade en plein air ne lui déplaisait pas. Il marcha d'abord sur deux jambes puis, sans y penser, se laissa tomber sur les mains après quelques pas pour suivre docilement, à quatre pattes, les fesses inexistantes et le splendide moignon anal de son thérapeute.

Le premier arrêt eut lieu au croisement de Fitzjohn's Avenue et de Finchley Road, à Swiss Cottage. Ici battait le cœur incolore de la ville – incolore car, si la brume du matin commençait à se dissiper, rien ne permettait d'espérer un ciel bleu pour la journée. Aucun contraste. Tout était brouillé : les voitures, qui semblaient agglutinées ensemble par une soudure à froid, les immeubles, l'atmosphère, les hordes de chimpanzés pressés, tout cela se confondait dans une même grisaille. Busner crapahutait, le museau sur le trottoir, vers le paquetage bétonné de la bibliothèque-piscine. Il arrivait à la hauteur de l'espace arboré qui entourait le bâtiment – cette espèce de gigantesque bureau à cylindre pétrifié –, quand il sentit que la queue de sa patrouille s'était détachée.

Il se retourna, vit que Simon s'était arrêté devant la bouche de métro, et revint sur ses pas. « "HouuGra", quel est le problème, Simon "heuu" ? » Simon ne répondit pas. Il se contenta de pointer un doigt crochu vers l'escalier sale de la station, où quelques activités copulatoires décousues étaient en cours.

Busner n'eut pas besoin d'autres digitations pour comprendre. À l'hôpital, Simon avait vécu dans l'isolement. À part ses brèves promenades avec Jane Bowen et sa visite très surveillée au zoo, il était peu sorti et n'avait donc guère eu l'occasion d'assister à des saillies. Sa psychose étant principalement centré sur le corps, il n'y avait rien d'étonnant à ce que le « monde humain » fût pour lui avant tout un monde non copulant ou, à tout le moins, un monde où la copulation se faisait ordinairement à deux et – idée astucieuse où l'on reconnaissait une imagination d'artiste, pensait Busner – dans l'obscurité.

340

« "H'h'hi-hi-hi !" ricana Simon. Regardez ça. J'avais déjà remarqué que les chimpes "euch-euch" baisaient sans complexes, mais à ce point-là, pardon ! »

En fait, cette tournée de saillies n'avait rien de particulier. Une femelle d'âge moyen – probablement une employée de banque, d'après sa veste grise ordinaire et son chemisier blanc encore plus ordinaire – était entrée en chaleur ce matin, d'après les estimations de Busner. Pour annoncer la chose, elle avait décidé d'arborer un assez séduisant protège-enflure, qui traînait à présent sur les marches, à quelques mètres de sa propriétaire couinante et râlante.

Elle avait dû, supposa Busner, accepter le premier prétendant venu en arrivant dans le métro et, après avoir présenté son délicieux bol rose pour un touillage initial, elle le faisait maintenant mitonner par les autres gâte-sauce zélés qui affluaient de la cuisine et dont les bites graisseuses érigées sur leurs fourrures graisseuses formaient une haie d'honneur dans l'escalier. Un peu plus bas, à mi-palier, deux mâles qui avaient déjà eu leur part toilettaient mutuellement leurs fourrures souillées de sperme et de mucus.

« Vous savez, griffonna Busner sur la jambe velue de Simon, ce n'est pas un spectacle particulièrement libidineux, surtout pour Londres. Attendez d'avoir vu les saillies en chaîne qui se produisent quand les chimpes sortent du travail et commencent à boire. Une jeune femelle en chaleur peut drainer derrière elle une file de vingt mâles si elle passe devant un pub à l'heure où les clients prennent l'air en groupe. Et, si un de ces mâles obtient une invite d'une *autre* femelle pendant qu'il importune la première, on peut assister à un chassé-croisé de copulations. J'ai déjà vu toute une guirlande de saillies en chaîne encercler Oxford Circus. Parfois, la police doit entourer certains quartiers d'un cordon de sécurité et disperser les coquins à coups de lance à eau. Vous comprendrez donc que ce que vous observez là n'a vraiment rien d'impressionnant. Mais, pour votre gouverne, Simon...

– "Heu" oui ?

– Soyez plus discret, je vous en prie, quand vous faites allusion aux activités copulatoires. On peut regarder, ce n'est pas un tabou, mais les commentaires sont considérés comme tout à fait vulgaires "ouaar" ! Attention, Simon, en voilà un qui arrive vers nous ! »

C'était vrai. Le mâle qui venait juste de se retirer, dans un râle suraigu, de l'enflement suintant de l'employée de banque grimpait vers eux, le poil hérissé, en poussant des rrrouaaboiements rauques. C'était un solide gaillard, et la vue de ses canines dénudées, encore incrustées de céréales pour breakfast, et de sa tumescence effilée qui s'agitait comme une baguette de chef d'orchestre eût semblé cocasse à Simon si elle eût été moins effrayante.

Simon sentit les poils de sa nuque se raidir – une sensation qu'il n'avait encore jamais éprouvée consciemment. À son tour, il se mit à aboyer en se dressant de toute sa hauteur. Le mâle colérique continuait son ascension, en ramassant sur les marches des feuilles, des tickets usagés, toutes sortes de détritus qu'il lançait en direction de l'antipsychiatre et de son patient.

Dans le tumulte des premiers instants, les deux chimpes se crurent capables d'intimider le caïd. Mais bientôt deux autres mâles post coïtum – qui, jusque-là, faisaient du va-et-vient dans l'escalier en criaillant et en cognant leurs attachés-cases contre les murs carrelés – décidèrent de se mêler au litige. Cette inversion dans le rapport des forces incita Busner au repli stratégique. Il empoigna Simon par la peau du cou. « "Ouaaa", déguerpissons, ils vont nous rentrer dans le lard ! »

Simon réagit de façon singulière à ce conseil salutaire. Il ne se fit pas prier. Il tomba sur les mains et détala à quatre pattes sans demander son reste. Busner courait derrière. En arrivant en lisière de l'espace arboré, l'ancien artiste sauta sur la première branche du premier arbre et grimpa fissa dans les frondaisons comme un chimpanzé pur singe.

Busner n'eut pas le temps de méditer sur cette rapide évolution. Il sentait presque dans sa nuque l'haleine Kellogg's du balèze qui le coursait. Il atteignit l'arbre quelques secondes après son protégé et s'y hissa péniblement. L'arthrite lui cisaillait les doigts comme de l'électricité neuronale.

Les poursuivants renoncèrent à l'escalade. Ils s'arrêtèrent au pied du tronc, poussèrent quelques furieux rrouaaboiements finaux, puis repartirent vers le métro. Sûrement des agents immobiliers ou des assureurs, pensa Busner en regardant leurs costumes à rayures.

Pour Simon, l'aventure avait été une révélation de chimpanité. « J'ai "chup-chupp" foncé vers les arbres sans réfléchir. C'est fou comme je me sentais agile, à l'aise, plein de force. Je n'avais plus grimpé à un arbre "h'h'hi-hi" depuis ma sub-adultescence ! » Il avait une perception complètement différente de son corps. Il pendait négligemment par un bras à une branche instable en titillant le bas-ventre de son thérapeute.

Busner se demanda secrètement si cette transformation s'expliquait par la poussée d'adrénaline que l'attaque avait déclenchée chez son patient. Ce réflexe de fuite devait obéir aux zones les plus primitives et les plus essentielles de son cerveau. L'hypothèse fut vite confirmée car, à mesure que son horripilation retombait et que son poil retrouvait sa mollesse habituelle, Simon perdait confiance. Il n'osait ni redescendre, ni monter plus haut. Et il avait peur de tomber. Busner dut aller demander au portier de la bibliothèque de lui prêter main-forte et une échelle pour chimpanzé handicapé. Alors seulement Simon se laissa persuader de redescendre.

En carpo-tarsant vers Regent's Park, ils assistèrent à plusieurs autres tournées de saillies. Chaque fois, Simon s'arrêtait pour regarder, mais en s'abstenant désormais de toute remarque gestuelle. Devant le portail électronique d'une grande villa, le tronc d'une séduisante jeune femelle blonde dépassait, en porte à faux, d'une grosse BMW noire. Sa tête butait contre l'encadrement de la portière ouverte et ses gémissements coïtaux étaient rythmés par l'allumage intermittent des phares. Dans la voiture, adroitement positionné sur le siège du conducteur, un bonobo vigoureux la carambolait en mordillant le dos de sa robe.

Près d'un parking à l'écart de la rue, Simon observa béatement une bande de sub-adultes dévergondés, venus apparemment en patrouille du Nord, qui besognaient une guenon à museau noir presque aussi grande qu'eux à la vitesse de l'éclair. Il ne s'écoulait jamais plus de quinze secondes entre le premier cri de la pénétration, le claquement de dents final et le panthurlement du retrait.

Quand ils eurent atteint le parc et traversé l'allée circulaire, ils débouchèrent, après une rangée d'arbres, dans une vaste clairière gazonnée où se déroulait l'une de ces saillies en chaîne qu'avait évoquées Busner. Habitué aux interventions d'urgence dans ce genre de sauteries, le psychiatre comprit immédiatement ce qui s'était passé. Quelques étudiants du Benelux en séjour signalétique et leurs professeurs avaient eu maille à partir avec trois groupes différents de cockneys en vadrouille. Les parades et contre-parades des jeunes mâles, devant les femelles sub-adultes, qui s'étaient ensuivies formaient à présent des enfilades compactes de fessiers pointus et d'enflures réceptives. Les sub-adultes avaient également colonisé les arbres. De leur poste d'observation, à croupetons, Busner et Dykes distinguaient des corps bruns qui virevoltaient dans les branchages, faisaient des saltos et des soleils comme des gymnastes. Le parc tout entier résonnait de leurs vocalisations cacophoniques.

« S'il vous plaît, docteur Busner, faites-moi quelques grimaces sur ces pratiques », digita Simon, les doigts raides, mais sans crispation. Il sortit un paquet de Bactrian sans filtre de la poche extérieure de sa veste, en alluma une et s'appuya sur un coude.

« "Grnn", grogna Busner, eh bien, d'aucuns soutiennent que ce que vous voyez là est l'essence même de la chimpanité. De tout temps, les artistes se sont intéressés à ces saillies en masse.

Au début de la Renaissance, ces farandoles de rut étaient représentées dans un décor de faune et de flore encadré de collines. Titien a peint de grandes scènes de saillies éthérées, avec des chimpanzés angéliques qui copulaient dans des tourbillons et des guirlandes de nuages...

– Mais enfin, docteur Busner, j'ai du mal à comprendre. De telles pratiques sexuelles ont une connotation effrayante "uh-uh", elles illustrent un monde sans amour dans lequel la saillie est anonyme et insignifiante "heuu". »

Busner lorgna bizarrement son patient, les arcades sourcilières levées, les lunettes baissées. Simon Dykes était en train d'acquérir une élégance de gestes qui le rendait étrangement aimable. Busner lui titilla le museau et digita : « J'aimerais en savoir plus sur la façon dont ça se passe dans *votre* monde. Les humains sont monogames "heuu" ?

– Oh, non, pas forcément. C'est la norme qui prévaut dans la plupart des sociétés occidentales ou occidentalisées mais, ailleurs, la polygamie et la polyandrie sont encore coutumières...

– Je vois. Donc, les humains occidentaux considèrent ce type d'organisation sexuelle comme... primitif "heu" ?

– C'est ça. »

Busner médita, en contemplant les méandres de la fumée de cigarette dans la fourrure de Simon, sur les astucieux renversements et jeux de miroir de son illusion persistante. La monogamie comme une fin et non comme un commencement, comme une raréfaction de l'intimité et non comme l'accouplement bestial qu'elle était à l'évidence.

« Mais, Simon "greu-unnn", les unions humaines durent-elles toujours toute la vie "heu" ?

– Non, non, loin de là. Les humains s'unissent pour des durées variables. Certains couples restent soudés de nombreuses années, d'autres se défont au bout de quelques jours ou de quelques semaines.

— Et le principe organisateur de ces couples est la "hue-hue" fidélité "heuu" ? Le droit de saillie exclusif ?

— Oui.

— Et il est respecté "heu" ?

— Pas vraiment.

— "Heuuu" ?

— Eh bien, il arrive que les mâles et les femelles copulent à l'extérieur du couple... ça arrive même tout le temps.

— Et ces saillies exogames ont toutes... une finalité "heu" ? »

Simon tira une dernière bouffée de sa Bactrian, pinça le bout incandescent entre ses doigts calleux et la jeta. « Ne croyez "h'h'hi-hi" pas ça. Bien souvent elles sont involontaires – et même déchirantes. Chez les humains, la tendance à l'inconstance semble aussi forte que la pulsion du mariage. »

Au même moment, une jeune guenon en chaleur passa devant les gesticulateurs. Son enflement – gros comme un compotier – toucha presque le museau de Busner. Le grand singe huma bruyamment en savourant l'effluve musqué. « Regardez-moi ça ! papillota-t-il. Si on n'avait pas un train à prendre, je me l'enfilerais volontiers, elle est délicieuse ! Regardez-moi la fleur rose qu'elle se trimballe "h'houuu" !

« Mais, Simon, poursuivit l'éminent philosophe naturel tandis qu'ils reprenaient leur manumarche, c'est un peu contradictoire. Vous grimacez à la fois que les unions sont nombreuses et que les saillies exogames sont courantes. En somme, arrêtez-moi si je me trompe, vous arrivez un peu au même résultat que les chimpanzés "heuu" ? »

Simon observa les testicules gris qui oscillaient devant lui comme le pendule d'une horloge biologique battant la mesure de la procréation. Il dut l'admettre : le vieux singe marquait un point.

CHAPITRE 17

Reniflant et soufflant, le museau appuyé contre la fenêtre à meneaux et petits carreaux de son bureau, le Dr David Grebe fixait d'un œil myope l'arrière-cour d'Exeter College. Une certaine tendance à trébucher rendait problématique chez lui le port de verres de contact, et la coquetterie – jointe à un renfoncement trop marqué de l'arête nasale – lui interdisait les lunettes. Zack Busner et son protégé auraient déjà dû être là. L'heure du troisième déjeuner approchait et Grebe n'avait rien prévu pour le repas. Une réservation dans un restaurant lui semblait hasardeuse et il ignorait si l'homme-singe était suffisamment apprivoisé pour être admis au réfectoire, surtout à la table d'honneur.

Il consulta à nouveau sa montre, en écartant les grosses mèches de poils de cheville qui en couvraient le cadran. Presque une heure et demie. Où étaient-ils ? Le train de Paddington arrivait à une heure moins cinq et il n'était pas difficile de trouver un taxi à la gare. Grebe se gratta pensivement le sacrum. L'homme-singe valait-il le coup ? Voilà la question. L'idée d'une illusion articulée sur les concepts basiques de l'acquisition du signage avait certes de quoi interpeller un philosophe tel que Grebe. Busner lui avait indiqué au téléphone que Simon Dykes était sensible, intelligent et bien gestualisé en dépit de son ataxie. Si c'était vrai, Grebe pourrait apprendre quelque chose.

Apprendre. C'était la passion de Grebe – un petit Gallois voûté, d'une trentaine d'années, avec juste quelques poils gri-

347

sonnants sur un crâne dégarni, qui avait gravi à la force des poignets l'escalier abrupt et tortueux de la hiérarchie universitaire en déjouant adroitement les pièges des conflits d'influences. Sa chaire à Exeter, il ne la devait qu'à lui-même ; il ne s'était pas compromis dans les habituelles combines et alliances pour s'élever, il n'avait pas brigué la faveur des jeunes diplômés et des assistants par l'intrigue ou la flatterie, il avait simplement mis à profit sa formidable puissance de concentration pour accumuler du savoir et le manipuler sous forme de théories crédibles.

Quand il était accroupi comme maintenant sur vingt étages de livres, il pouvait d'un seul regard embrasser cinq autres reposoirs du Signe – telles des strates géologiques. Le bureau de Grebe, qui occupait toute une arche au-dessus d'un portail du collège, était assez vaste pour contenir en outre quatre armoires de rangement, deux larges tables de travail et un imposant appareillage informatique, sans compter, bien sûr, les habituels encombrements oxfordiens de tables additionnelles, de fauteuils professoraux rembourrés, de piles bancales de paperasses, journaux et bouquins en attente de classement.

Car, bien que Grebe fût un thésauriseur invétéré, qui se jetait comme un rapace sur le moindre octet d'information recyclable, ce n'était pas un constipé, il amassait pêle-mêle toutes les fantaisies philosophiques passant à sa portée sans se soucier de leur dissémination. Si Zack Busner l'avait choisi comme intergesticulateur pour son patient pervers, c'était parce que Grebe était un théoricien de grand flair.

C'était lui qui, le premier, avait émis l'hypothèse selon laquelle la signalisation digitale s'était développée en tant que mode de gesticulation chimpanique à partir de la pratique du grattage. En effet, affirmait Grebe, lorsque les chimpanzés avaient commencé à se répandre – comme les humains – dans les régions tropicales de l'Afrique centrale, le grattage, efficace dans les petits groupes primitifs, n'eût pas été assez visible pour permettre la cohésion et le progrès dans les sociétés élargies. D'où la signalisation.

D'où aussi – et cela explique pourquoi le nom de Grebe était connu bien au-delà du petit milieu universitaire – la magnifique efflorescence de l'enflure sexuelle des femelles chimpanzés. Au risque de paraître répugnant à la chimpanité contemporaine, Grebe croyait fermement – avec l'appui d'un collègue primatologue – que la région périnéale des femelles primitives était d'une dimension réduite jusqu'à la discrétion – un peu à l'image de celle des femelles humaines d'aujourd'hui.

Pour la même raison, la capacité des humains à émettre une cinquantaine de phonèmes différents et – pensait-on – à les interpréter était, selon Grebe, un exemple de l'inadaptation de leur développement neuronal. L'interprétation de ces sons confus accaparait une telle partie du cerveau humain qu'elle interdisait le « big bang » qui avait permis l'évolution des pongidés.

À la différence du chimpanzé, dont les aptitudes signalétiques s'étaient affinées en deux millions d'années de sélection continue, déterminée par l'interaction cerveau-signe, l'humain était resté enclavé dans un jardin sonore aussi tonitruant qu'inopérant ; et son aptitude à la gesticulation effective demeurait aussi atrophiée que ses doigts et ses orteils rabougris.

De tels arguments situaient Grebe dans la lignée de Noam Chomsky et des psychosémiologues pour qui le signage était l'attribut distinctif du seul cerveau chimpanique. Étant donné l'incroyable plasticité du cerveau des primates, pouvait-on s'étonner qu'une sursaturation neuronale eût empêché la sélection naturelle d'agir sur les capacités cognitives ? Ainsi, la capacité humaine à traiter l'information et, par conséquent, à apprendre l'artisanat était ironiquement circonscrite par un manque de circonscription. Enfin, bref, pour grimacer les choses simplement : l'homme s'égarait dans sa propre tête. Incapable de créer un esprit syncrétique ou globalisant ; condamné sans rémission à obéir aux vains impératifs de la mémoire phylétique et aux gargouillis informes de ses propres vocalisations inconséquentes.

Mais ce n'était pas à tout cela que pensait Grebe en regardant la cour – et les croupions accorts pointant sous l'ourlet des toges estudiantines –, il palpait cette partie de lui-même qui désirait la carafe, la désirait douloureusement.

La carafe en question était posée sur un guéridon octogonal situé stratégiquement à côté de son fauteuil préféré. Elle n'en bougeait jamais. Quand il le fallait, Grebe ou son factotum la remplissaient en vérifiant soigneusement l'étanchéité du bouchon, mais on ne la déplaçait jamais. Était-il trop tôt pour une petite rince ? Grebe hésita. Dois-je attendre Busner et son homme-singe ? J'aurai l'air de quoi s'ils me surprennent à taquiner le goulot quand ils arriveront ? Ce serait discourtois...

Comme souvent, la force de l'habitude fit que le corps de Grebe décida à sa place. Il se cambra sur sa haute étagère, exécuta un salto arrière peu élégant mais efficace et atterrit sur ses quatre membres à côté de la table avec sa précieuse cargaison. « Aaaaa », s'écria en connaisseur l'universitaire distingué. Il déboucha la carafe et la renifla en retroussant les babines.

En vérité, Zack Busner et Simon Dykes étaient parfaitement à l'heure pour le train d'Oxford. Sur le quai de Paddington, en longeant à quatre pattes la masse ronflante de la locomotive, Simon leva les yeux vers la voûte tubulaire de la gare victorienne et signala à son médecin : « Il y a certaines choses qui ne changent pas.

– "Houu" vraiment "heuuu" ?

– Cette gare. Elle a toujours le même genre de lumière, comme si toute la structure était engloutie dans les eaux verdâtres de la Manche. »

Busner regarda son cas clinique avec un plaisir non dissimulé. C'était la première fois que Dykes lui proposait une métaphore. Sa première remarque de peintre. Fallait-il y voir un assouplissement, une dilution de son délire ?

Le voyage se déroula sans encombre. Busner acheta des billets de première classe, considérant qu'il y aurait moins de passagers qu'en seconde et donc moins de stress pour Simon. Mais, curieusement, le plus énervé des deux fut Busner. Le sempiternel tapotement de doigts racornis sur les claviers d'ordinateurs portables et le caquètement incessant des chimpanzés d'affaires adeptes du vidéophone mobile l'irritèrent à tel point que, peu après Reading, il se sentit obligé de faire une démonstration de force.

Il attrapa une brassée de magazines gratuits sur les distributeurs pariétaux et sillonna l'allée centrale au pas de charge en les jetant à la face des autres passagers. Les individus les plus bruyants eurent même droit à quelques coups sur la tête. Ce vigoureux rappel à l'ordre produisit l'effet désiré – la non-vocalité régna pendant tout le trajet – mais au prix d'une gêne collective typiquement anglaise. Décidément, songea Simon, c'est comme Paddington Station : certaines choses ne changent jamais.

En sortant de la gare d'Oxford, Simon rattrapa Busner, qui filait bille en tête vers les taxis, et lui signifia en se prosternant : « Je préférerais aller au collège de ce chimpe à manupied, si ça vous ennuie pas "heuu" ? Vous savez, j'ai habité les environs d'Oxford et j'aimerais revoir un peu la ville.

– D'accord, Simon, répondit Busner en posant sur lui une main rassurante, mais "greu-nnn" surtout prévenez-moi si vous sentez monter une crise d'angoisse. »

Ce ne fut pas de l'angoisse que ressentit Simon en trottinant le long de Worcester et dans Bartholemew Street vers Saint Giles, mais quelque chose entre l'amusement et le dégoût. Il conservait d'Oxford le souvenir d'une cité Renaissance pleine de cachet, d'une architecture élégante, immémoriale, sans rapport avec cette garenne compacte de vieux bâtiments grouillants de chimpanzés.

À Londres, le caractère tridimensionnel de la vie urbaine chimpanique l'avait frappé, mais pas à ce point. Partout où il regardait – au sommet de l'hôtel Randolph, sur le Mémorial des Martyrs, sur les toits de Balliol et de St. John –, il y avait des étudiants chimpanzés qui se querellaient, copulaient ou faisaient de l'escalade. Et en les voyant attifés de toges – c'était la première semaine du trimestre de la Saint-Michel – coupées court pour exhiber leurs trognons anaux, son exaspération grandissait.

En tournant le coin de Balliol – en bipède comme la cohue de touristes qui arrivait en sens inverse –, Simon fut témoin d'une scène qui lui arracha d'irrépressibles éclats de rire. « H'h'hi-hi-hi ! » claqueta-t-il. Busner se retourna, craignant un début de crise, mais Simon l'apaisa d'un geste. « "Greu-nnn", cria-t-il, regardez ! Là ! » Busner regarda. De l'autre côté de Broad Street, il y avait une attraction touristique appelée « L'Expérience d'Oxford ». Simon connaissait l'endroit pour y être allé avant sa crise – réminiscence de ses années à Brown House. Devant l'entrée, une troupe de touristes américains – car la coupe raccourcie de leurs imperméables Burberry rendait leur américanité criante, même pour Simon – avait croisé un groupe d'étudiants de retour de leur cérémonie d'intronisation au Sheldonian Theatre.

Un couple de jeunes guenons en grande chaleur arborait des enflements resplendissants comme des balises roses, qui illuminaient la monochromie de l'esplanade. Naturellement, une chaîne de copulation s'était formée et les touristes mâles caracolaient de long en large sur le trottoir en braquant devant leurs têtes chapeautées d'onéreux appareils vidéo. Avec la pancarte en arrière-plan, la scène devenait burlesque. C'étaient *eux*, l'expérience d'Oxford, ces bêtes bagarreuses en rut.

Simon moulina des bras. « Ce qui m'épate le plus, là, fit-il en désignant la mêlée de l'autre côté de la rue, c'est que, contrairement à ce qu'on attendrait d'un étudiant d'Oxford "hi-hi-hi", ils ont tous le front bas ! » Et il se tordit de rire.

Busner le prit par la main pour franchir la porte de Balliol. Quand ils eurent traversé Broad Street, après un slalom entre les voitures stationnées en double file, Simon fut pris d'un nouvel accès de claquement de dents en apercevant les effigies de pierre des chimpanzés philosophes sur les colonnes de l'enclave sheldonienne. Socrate avec des canines protubérantes, Platon avec des naseaux ratatinés, Héraclite avec une couronne de lauriers lithiques sur un front inexistant.

« HouuH'Graaa ! » appela Busner devant la porte sculptée du bureau de Grebe. Un panthurlement se fit entendre de l'intérieur et les deux chimpes entrèrent. Simon se surprit à ramper bas sur le tapis persan et à pointer le croupion dans le museau d'un chimpanzé flétri, qui trônait dans un ample fauteuil en sirotant un verre de cristal rempli d'un épais liquide brun. Comme toujours, Simon fut intrigué par la manière dont son propre corps semblait reconnaître spontanément les singes devant lesquels il devait se prosterner.

Grebe posa son verre de merde sur le guéridon et gratifia le brave chimpe d'une caresse de bienvenue sur le dos. Il avait soigneusement observé l'allure de Simon, quand il était entré, et noté l'étrange atrophie de ses jambes, ainsi que le caractère machinal de sa déférence. Quand Busner approcha à son tour et que les deux grands singes se présentèrent réciproquement leurs croupes, Grebe mit immédiatement en forme ses premières impressions : « "Euch-euch" eh bien, Busner, s'agit-il d'une forme d'héautomorphisme "heuu" ? »

Busner, amusé par l'excellence de la supputation, sauta à côté de Grebe et lui fit une papouille en digitant : « Non, en vérité, ce n'est pas ça "chup-chupp". Il nous voit tels que nous sommes et, bien que les éléments de son illusion soient toujours en place, "hue-hue-hue" sa perception de son propre corps en tant qu'humain est indubitablement biaisée. Observez-le maintenant... »

S'étant prosterné et comprenant que sa place de subordonné dans la hiérarchie le libérait de l'obligation d'un grattage prolongé, Simon passait en revue les rayonnages de Grebe, tirant un volume ici avec la main, un autre là avec le pied. « Le voyage semble lui avoir fait du bien, mon petit Grebounet "chup-chupp". C'est la première fois que je le vois pédipuler et il vient presque, à l'instant, de se montrer capable d'un début de cha-touillisme. En outre, quand nous sommes montés dans le train à Londres, il m'a sorti une métaphore. Sa toute première digi-tation allusive "greu-nnn". »

Grebe, qui tripotait d'une main les bourses de Busner, signala de l'autre : « Je ne voudrais pas vous précipiter, mon cher Busner, mais j'ai comme un petit creux... » Il montra le verre. « Ça rafraîchit, mais ça ne nourrit pas son chimpe. Est-ce que "chup-chupp" vous pensez que M. Dykes saurait se tenir au réfectoire "heuu" ?

— Mais comment donc "grnnn", il s'est toujours bien tenu jusqu'ici.

— Bien. Dans ce cas, je vous propose de m'accompagner pour le troisième déjeuner. Nous reviendrons gesticuler plus tard "heuu". » Grebe consulta à nouveau sa montre. « Je vous donne jusqu'à 3 heures et demie. Ensuite, je dois retourner affronter les jérémiades quadrumanes de mes étudiants. »

Simon resta effacé pendant le déjeuner. L'immensité sombre du réfectoire d'Exeter College résonnait du panthurlement des potaches agglutinés le long des tables. Sur les lambris de chêne, les yeux peints des nobles, des doyens et des prélats disparais-saient dans la pénombre. Simon contemplait ces portraits de grands singes en toge, en armure ou en pourpoint à collerette, émerveillé par la précision du rendu des boucles et mèches des pelages. Il mourait d'envie de quitter son coin de table – une table d'honneur, sur l'estrade – pour aller voir de plus près, en escaladant les antiques poignées qui cloutaient les murs, si la qualité des coups de pinceau résistait à un examen rapproché.

Mais, outre le décor, c'était le décorum qui l'intriguait. Grebe avait présenté Busner à ses collègues – qui le connaissaient tous de réputation, bien sûr – mais ne leur avait donné aucune justification de la présence de Simon. Or, malgré cela, ils l'avaient tous admis de bonne grâce en leur sein velu. Son voisin immédiat – un physicien appelé Kreutzer – se tournait continuellement vers lui pour lui faire part de ses observations sur le collège ou la météorologie.

Une carafe de bordeaux circulait autour de la table en une ronde ininterrompue. Quand le contenu venait à manquer, un serviteur bondissait sur l'estrade, se carapatait vers le cellier et la rapportait pleine en deux temps, trois mouvements. Quand elle passa devant lui pour la quatrième fois, Simon déclina l'offre pour la quatrième fois, en gesticulant poliment à Kreutzer : « J'ai été un peu "u-h'u-h'" souffrant, ces derniers temps, j'ai peur que le vin au troisième déjeuner ne soit pas "houu" excellent pour moi. »

Kreutzer haussa les arcades sourcilières si brusquement qu'elles faillirent se décrocher de sa tête et regarda Simon avec perplexité. « Vraiment "heuu" ? Ma foi, je ne suis pas sûr que ce soit excellent pour moi non plus, mais tout le plaisir est dans "hi-hi-hi" l'incertitude. »

Le soiffard porta son verre plein à ses lèvres, dévoila des canines bleuies par de précédentes libations et le vida croupion sec. Le gosier encore glougloutant, il poursuivit : « Autrefois "grlll", quand vous vous accroupissiez à la table d'honneur, on vous demandait si vous étiez un chimpe deux-bouteilles ou trois-bouteilles "heuu". » Pour une raison qui lui appartenait, il sembla trouver la chose très drôle et partit d'un grand claquement d'incisives.

Les autres pontes durent apercevoir son trait d'humour, car ils s'esclaffèrent tous avec lui. Dans la demi-obscurité de la salle, on vit luire leurs énormes dents sur leurs museaux béants et poilus. Pour la première fois de la journée, Simon se sentit complètement étranger et désincarné. Il n'avait plus qu'un désir :

sauter de table, sauter la porte, filer à Cornmarket, prendre le bus de Tiddington et carpo-tarser jusqu'à Brown House. Mais supporterait-il de revoir ses petits ? Reconnaîtrait-il seulement leurs museaux sans rasage ?

Sa fugue hystérique – dont les arpèges morbides atteignaient déjà des octaves suraiguës – fut brutalement interrompue. De grandes clameurs s'élevant de la salle dominèrent le brouhaha de la table d'honneur. Les étudiants, dont la conduite était restée gentiment exubérante jusque-là, se livraient maintenant à un franc chahut. Debout sur les bancs, ils panthurlaient, la bouche arrondie en porte-voix, et martelaient les tables avec une vigueur qui faisait tressauter la porcelaine et la coutellerie.

Simon épia Kreutzer du coin de l'œil : ses larges pavillons auriculaires mordillés vibraient comme des feuilles. Il s'attendit à le voir, lui et ses collègues, réagir à l'émeute par une démonstration de force. Connaissant la société chimpaine, il prévoyait de la violence. Mais, à sa surprise, les pontes ajoutèrent au chahut. Ils montèrent sur la table et coururent en tous sens entre les plats, la toge virevoltante, le cul à l'air.

Avec leurs poils hérissés, ils semblaient avoir doublé de volume. Mais ce qui stupéfia le plus Simon fut – comme toujours – leur légèreté de pied. Nom de Dieu, quels dribbleurs ! pensa-t-il. Pas un verre ne fut renversé, pas une assiette déplacée par le fox-trot enfiévré des pieds académiques cornés sur le damas.

Le tohu-bohu des étudiants s'estompa quand l'un d'eux, à qui l'on avait passé un grand broc en verre, se dressa au bout de la table centrale, en face de l'estrade des professeurs, et se mit à pousser de puissants panthurlements discordants. « Hououu-Gra ! HououuGra ! HououuGra ! » La non-vocalité se fit dans la salle. Simon en profita pour attirer l'attention de Kreutzer. « "HouGra", qu'est-ce qui se passe, docteur Kreutzer "heu" ?

– On voit que vous n'êtes pas un ancien d'Oxford, vous, hein "heuu" ? contre-singea l'universitaire.

– Non, non, j'ai étudié les beaux-arts au Slade. » Le physicien le regarda en fronçant le museau avec dégoût. C'était comme, raconta plus tard Simon à Busner, si je lui avais signalé que j'étais une danseuse en tutu.

« Eh bien "aaaaa", mon ami artiste, ceci est un bizutage. Il y a certaines traditions archaïques que nous tenons à préserver ici, à Exeter. Par exemple, lorsqu'un bizuth aborde certains sujets au réfectoire, il a un gage. "HouuuOuaaarg !" » Ce dernier pan-thurlement tonitruant saluait le remplissage du cruchon géant du bizuth par un serviteur muni d'un tonnelet de bière brune. Entre-temps, les autres potaches avaient formé un cercle hirsute autour du jeune chimpe titubant.

« "Heuu" quels sujets exactement ? » demanda Simon.

Nouvelle moue dédaigneuse de Kreutzer. « Les sujets habi-tuels : politique, religion, boutique...

– <Boutique> ? Ça désigne les matières universitaires, c'est ça "heu" ?

– Bien sûr "ouarf".

– Mais... ça recouvre à peu près tous les sujets de gesticulation possibles...

– Non, non, digita Kreutzer, ironique, il y a encore le sport. Ou la météo ! »

Ses doigts restèrent en suspens. Les étudiants commençaient à taper en cadence sur les tables, de plus en plus vite. Le bizuth fautif versait peu à peu la bière dans sa bouche. Piqué par la curiosité, Simon insista : « C'est ça, "heuu" son gage ? Boire de la bière ?

– Trois pintes. Si vous croyez que c'est facile, essayez donc vous-même "aaaaa" ! »

Même à six ou sept mètres de distance, Simon pouvait voir la nuque du chimpe se soulever et s'abaisser au rythme de l'ingur-gitation. C'était un spécimen impressionnant, et le contenu du cruchon diminuait rapidement. « Bonne descente ! » signalèrent quelques professeurs en criant – « HouuGraaa ! » – pour encourager le chimpanzé pénalisé. Tout semblait bien se passer pour lui – il en était à sa dernière demi-pinte – quand Simon vit son moignon anal trembler et s'allonger. Puis, sans autre avertissement, le bizuth se mit à arroser irrépressiblement en tournant sur lui-même. Crachotant du moignon et postillonnant de la verge, il tournait, il tournait. Des gerbes de pisse et de merde liquide éclaboussèrent les autres étudiants jusqu'à ce que le derviche incontinent tombât de la table et fût transporté à l'extérieur par ses copains.

Loin d'être dégoûtés par ce rituel dépravé, les professeurs manifestèrent leur enthousiasme à hauts cris et grands gestes pendant de longues minutes. Quand il put enfin discerner quelque chose dans le tourbillon des digitations, Simon vit que Kreutzer lui adressait le doigt. « Vous êtes venu voir Grebe, n'est-ce pas "heuu" ? fit le physicien.

– Oui.

– Eh bien, voilà qui va mettre ce vicieux de bonne humeur. Il adore la merde au troisième déjeuner "hi-hi-hi" ! »

Simon n'eut pas le loisir de méditer sur cette remarque. Busner venait d'apparaître à son côté et lui faisait signe qu'il était temps de prendre congé. Simon salua son compagnon de table, mais celui-ci ne lui accorda qu'une tape furtive sur le derrière. Le chimpe trois-bouteilles ne s'intéressait plus qu'au porto, qui arrivait vers lui de main en main.

Le ciel jusqu'alors gris se teintait d'un vague rayon de soleil quand les trois chimpanzés carpo-tarsèrent dans la cour. Grebe marchait devant. Lorsque Busner et Simon entrèrent dans son bureau, en haut de l'escalier de pierre en spirale, il était déjà accroupi dans son fauteuil, sa carafe brunâtre à la main. « Un petit coup de merde "heuu" ? demanda le philosophe.

– Pas pour moi, merci, contre-signala Busner. Simon "heuu" ?

– Excusez-moi, de quoi s'agit-il "heu" ? fit Simon, perplexe.

– Voulez-vous de la merde "heu" ? »

Grebe agita la carafe, dont le contenu visqueux clapota doucement.

« "HouuuGrnnn" sans vouloir vous vexer, docteur Grebe, ça ne me tente pas. »

Busner s'attendait à une réaction scandalisée de Simon devant la coprophilie de Grebe. Busner lui-même ne dédaignait pas un petit verre de merde à l'occasion, mais Grebe était un *aficionado* qui – il le savait de source sûre – entretenait une fosse à purin personnelle dans les caves du collège. Convaincu d'être un humain, Simon trouverait sans doute insupportable cet aspect du comportement chimpanzé.

La réponse ne tarda pas, car Grebe avait fait ses propres recherches. Tout en sirotant sa merde – qui avait de la cuisse –, il leva les pieds et orteilla un petit laïus. « Monsieur Dykes, j'aurais pensé qu'un humain comme vous trouverait ma coprophilie dérangeante, voire répugnante. Je crois savoir que vos congénères, tant à l'état sauvage qu'en captivité, ont une aversion prononcée pour leurs propres excréments, n'hésitent pas à se déplacer pour satisfaire à leurs besoins physiques à l'écart du nid et "euch-euch" enterrent le produit de leurs efforts. »

Simon se détourna de la bibliothèque pour faire face au philosophe. Après les bizarreries de son périple avec Busner et les étranges événements du réfectoire, voilà maintenant un coprophage. Décidément, c'était une journée contrariante. Car, bien qu'il commençât à s'habituer au monde des chimpanzés, à s'y mouvoir plus à l'aise, il se sentait plus humain que jamais. Il était prêt à reconnaître le caractère pratique de la déambulation quadrupède. Compte tenu de la réduction des dimensions, marcher debout eût exposé son crâne à toutes sortes de chocs. Il reconnaissait de même que c'était assez commode de ne pas porter de chaussures ni de vêtements en dessous de la taille et de se gratter le moignon de temps en temps pour retirer des épines et autres saletés gênantes. Enfin, le signage lui venait assez facilement – ce qui n'avait rien d'étonnant, au fond, dans la mesure où le signage humain, la « parole », était autant gestuel que vocal. Mais manger de la merde ? Non. Jamais. Ça, tout comme leur rut à grande vitesse, c'était de la vraie bestialité. D'ailleurs, si la répulsion de Simon devant la carafe diarrhéique de Grebe était relativement modérée, c'était justement pour cette raison : c'était de la déjection animale, pas de la crotte humaine. Même liquéfiée et présentée dans du cristal sur un guéridon, elle n'était pas plus répugnante qu'un chapelet de crottes de lapin sur un coteau.

Simon phalangea Grebe du tac au tac : « C'est exact. *Nous* ne chions "euch-euch" que là où il faut. Faire autrement serait contraire à l'hygiène. Chez les humains, les coprophiles sont considérés comme des pervers. Et d'ailleurs, si j'en crois l'un de vos collègues à la table d'honneur, il semble que vous soyez vous-même considéré comme tel, docteur Grebe, "heuu" ? »

Busner resta placide : si Simon devait recevoir une raclée, autant qu'elle vînt de Grebe. Mais, au lieu de rabrouer l'impertinent par la violence, Grebe choisit de le faire par le geste. Il releva le museau, contempla le plafond et, le regard fixé sur les moulures, fit une démonstration de dextérité signalétique :

« *Monsieur* Dykes, vous feriez bien de réfléchir à ce que représente pour nous "euch-euch" le spectacle de l'humanité. Permettez-moi de citer le *Cauda Caudex*, l'un des premiers traités connus sur les animaux. <Les humains sont ainsi nommés à cause de l'*humeur* qui les porte à singer le comportement des chimpanzés rationnels. Ils sont conscients des éléments, se réjouissent à la nouvelle lune et s'attristent à son dernier quartier. Les humains n'ont pas de queue. Le diable a la même forme, avec une tête mais sans queue. Si l'humain est laid dans son entier, sa plus grande laideur réside dans sa partie postérieure...> Suivent quelques considérations théologiques "euch-euch" puis,

pour répondre à votre arrogance sémantique, le *Caudex* continue : <"Simia", le signe latin pour "humain", vient du grec et
signifie "avec des narines serrées ensemble". Leurs...> ou
devrais-je signaler *vos* <narines sont en effet serrées l'une contre
l'autre comme un soufflet sur un museau horrible...>

– "HouuGrnn", je tâte bien, docteur Grebe, fit Simon, attentif, mais les <humains> évoqués ici ne sont sûrement pas des
hommes sauvages d'Afrique. Ce texte doit dater d'avant leur
découverte ou, en tout cas, d'avant leur pleine appréhension par
la chimpanité "heuu" ? Quoi qu'il en soit, si vous avez l'intention
d'ergoter sur la sémantique, expliquez-moi donc quel est le *véritable* sens du signe <humain>, "heu" ? Expliquez-le-moi, si vous
pouvez. »

Grebe but une nouvelle gorgée de merde avant de répondre.
Busner vit qu'il appréciait la gesticulation, qu'il apprenait des
choses et en gardait d'autres en réserve. Busner était également
impressionné par son protégé : sa défense et illustration de sa
propre illusion était en soi une ramification fascinante.

Grebe sauta de son fauteuil et se catapulta vers sa table de travail,
où il prit une feuille de papier, qu'il passa à Simon en digitant :
« Je pense que ceci vous intéressera, monsieur Dykes "h'heuu".
Voyez-vous, j'avais prévu votre question et, sachant que Busner
vous amenait ici, j'ai envoyé un e-mail à un allié de Londres, un
certain Dr Phelps de l'École des Études orientales et africaines.
Vous aimeriez peut-être jeter un œil sur sa réponse "heu" ? »

Simon prit la feuille et lut :

HouH'Graaa. Cher David,
À propos des humains. J'ai interrogé le spécialiste attitré des
signes anglais d'origine africaine et il m'écrit ceci :

Les premières attestations du signe « humain » indiquent qu'il
s'agit du « nom indigène en Angola ».

En kimbundu (un signage angolais), c'est *ki-humanzé*, en fiot (un signage du Cabinda), *ki-hpumanzé*, et en kikongo, dans la signalisation zaïroise, *ki-hpumanzi* (le *ki* étant un préfixe nominal).

Quand je lui ai demandé si ces signes signifiaient quelque chose, il a écrit : Tous ces signes désignent simplement l'« humain », sans autre sens.

J'espère que ça t'aidera. H'Hououu, Nigel.

Simon resta sans gestes après sa lecture. Il y avait dans la note de Phelps une sorte d'objectivité froide, voire glaciale, qui entamait sa conviction. Ainsi rédigé noir sur blanc, en signage universitaire, l'argument semblait imparable et Simon était tenté d'y croire. Tenté de changer de casquette. Un coup je la mets, un coup je l'enlève. Mais, quand on bouge trop souvent sa casquette, elle finit par s'envoler. Que lui resterait-il alors de son humanité ?

Il se leva et se gratta le croupion. Il portait une veste empruntée à Busner, un truc en tweed – toutes les vestes de Busner étaient en tweed, à l'exception de son costume de soirée – qui lui démangeait la région ischiatique s'il n'aérait pas de temps en temps la partie de son corps qu'il commençait à considérer – par pur conformisme – comme son resplendissant trou du cul. Au demeurant, pensait-il, mieux valait avoir un trou du cul reluisant pour se lancer dans un débat comme celui-là.

Il se dandina en agitant la feuille imprimée. « "HouuGrnn", docteur Grebe, vous voulez gesticuler avec moi de ma notion du signage humain, eh bien allons-y, "heuu" ! »

Grebe avala une gorgée de son cocktail merdeux et sauta sur ses pieds. Les quelques poils qu'il avait encore sur le crâne se dressèrent pour former une sorte de crête sagittale. « "Eucheuch" je vous félicite, monsieur Dykes. Pour un chimpe affligé de croyances aussi singulières, vous vous en tirez très bien. Votre médecin m'a fait de votre état une description de laquelle j'ai déduit que vous étiez sujet à une forme d'aphasie qui vous empêchait de comprendre les signes *per se* mais ne vous empêchait pas de les interpréter, grâce à une sensibilité surnaturelle au tempo "grnnn". »

Se piquant au jeu, Grebe recourut alors à une technique qui lui était utile pour impressionner ses étudiants. D'un bond, il prit appui des deux pieds sur les oreilles du repose-tête de son fauteuil et sauta pour se suspendre au lustre, de manière à poursuivre sa conférence avec une pédanterie pédestre en papillotant des orteils. « À moins "h'heuu", reprit-il du haut de son estrade pendulaire inversée, que ce ne soit le contraire. Vous souffririez en ce cas d'un défaut de ce que les psychosémiologues nomment <tempo intuitif> et Frege *Klangenfarben*, que l'on pourrait traduire par <tempo colorique>. En d'autres signes, une agnosie du tempo, ou atempie. Vous suivez mon croupion "heuu" ? »

Simon ne quittait pas des yeux le moignon fripé du professeur. « Tout à fait, docteur Grebe, tout à fait.

– "Grnnn" bien. Comme vous le savez sans doute, la gestique ne se limite pas à un ensemble de signes. Elle est une expression de l'être tout entier, pas seulement une reconnaissance des signes. Or, si je comprends bien, vous essayez de me faire tâter que votre conscience possède intrinsèquement un mode de gesticulation entièrement différent, fondé sur des phonèmes vocalisés "heuu" ?

– C'est exactement cela, docteur Grebe. Les humains vocalisent superbement. Bien sûr, nous pouvons aussi interpréter les gestes, le signage humain utilise plusieurs indicateurs – visuels ou sonores, d'ailleurs – exprimables par le geste. Le signage est une "grnnn" totalité, l'interaction des deux systèmes sémantiques. »

Assez satisfait lui-même de l'élégance de ses gestes, Simon s'accroupit sur le tapis persan après sa digitation. Busner, fort impressionné, rampa vers lui pour lui faire un petit guili-guili sur le bassin. Mais Grebe n'était pas chimpe à se laisser démonter si facilement. Toujours suspendu au lustre, il remua les pieds dans le plat. « Totalité peut-être, signala-t-il sentencieusement, mais j'ai comme l'impression que vos deux signages n'interagissent pas sur grand-chose. Ou alors "greu-unnn" il faudrait considérer que vous faites allusion à un signage dans lequel le geste n'est manipulable dans sa totalité que par un seul individu – ce qui, nous le savons depuis Wittgenstein, est une impossibilité. Je suppose que ce n'est pas *ça* que vous désignez sous l'appellation <parole> "heuu", monsieur Dykes [1] ? »

Simon, malgré les torsions rassurantes que l'éminent philosophe naturel administrait à sa pilosité testiculaire, trouva ces propos pontifiants un peu durs à avaler. Grebe essayait de miner ses convictions de l'intérieur, de brouiller la ligne de démarcation entre ses souvenirs du monde humain et cette – affreusement didactique – planète de singes.

Car il y avait toujours, chevillé en lui, un noyau dur de mémoire, constitué de tout ce qu'il vénérait le plus dans la voix humaine : l'ineffable beauté de Jessye Norman chantant *Les Quatre Derniers Lieder* de Strauss ; la richesse et la vitalité d'une déclamation shakespearienne ; la gravité de la poésie de Mandelstam récitée en russe ; ou un vieil enregistrement éraillé de Bernard Shaw refaisant le monde. Dans son oreille interne, il entendait des incantations de sorciers africains pour faire venir la pluie – ou l'élégie d'un vieux sage aborigène chantant la nostalgie d'un pays sans frontières. Et Billie Holiday, hein ? Billie Holiday poussant une note de pur glucose. Et le doux babil d'un enfant – un de ses enfants ? Et mille autres sons, mille autres encore. Les tendres incitations d'une amante, la caresse de ses chuchotements ; ou ses exhortations plus stridentes – les exhor-

---

1. Le Dr Grebe se montre ici sous son vrai jour et aurait probablement adhéré à la proposition de John B. Watson, le fondateur du béhaviourisme moderne : « J'aimerais rejeter toutes les images en bloc et tenter de montrer que pratiquement toute pensée naturelle procède de la senso-motricité des doigts et des orteils. » *(NdA)*

tations de Sarah à la baiser... baise-moi... baise-moi ! Tout cela était gommé ? N'avait jamais existé ?

L'ancien artiste, perdant son sens de la perspective, contempla la projection bidimensionnelle du singe en suspension au-dessus de sa tête. Ses yeux suivirent la rigole poilue qui reliait le sacrum au scrotum. Il se leva et tambourina sur le fauteuil de Grebe. Busner, ébahi, remarqua que son horripilation était complète : le poil sortait dru du col de sa veste d'emprunt, sa fourrure crânienne était aussi hérissée que celle d'un punk.

Et, là, Simon entonna la plus étonnante vocalisation que Grebe ou Busner eussent jamais entendue de lui, une imitation totalement convaincante d'une colère d'homme sauvage, mêlée d'une fureur foncièrement chimpaine et lourde de signification. « Enculé-de-macaque-bouffe-merde ! hurla-t-il. Tu-mériterais-que-je-te-perce-un-autre-trou-du-cul ! » Puis, jugeant la trajectoire du philosophe avec une précision décidément très chimpaine, il sauta, attrapa les testicules de Grebe et le décrocha du plafond.

L'universitaire s'abattit pesamment sur le sol, renversant dans sa chute la précieuse carafe, dont le contenu abject bronza le tapis. Simon ne fit pas de quartier. Il asséna à l'expert en psychosémiologie et signage humain une série de grandes baffes sonores, qui claquèrent haut et fort dans la chambre d'écho du bureau.

Il n'y eut même pas de lutte : en quelques secondes, le baba pâlichon de Grebe fut exposé et son museau enfoncé dans la liqueur brune. « Iiiik ! Aaaaargh ! » vocalisa le philosophe en signalant frénétiquement d'une main : « S'il vous plaît, s'il vous plaît, monsieur Dykes... cher monsieur ! Je vénère votre vision artistique ! J'adore votre "hououââââr" moignon anal ! Je me prosterne devant la splendide magnificence de votre trou du cul ! Je reconnais votre suzeraineté maintenant et "houuu" pour toujours ! »

Simon, comme de juste, mit fin au châtiment et gratifia Grebe du nécessaire grattage de réconfort qu'on attendait d'un supérieur hiérarchique. En vérité, il n'eût pas dédaigné lui faire ce dont il l'avait menacé dans ses vocalisations – mais il ne se rappelait pas ce que c'était.

Plus tard, comme ils carpo-tarsaient de conserve dans le marché couvert, Busner exprima son admiration pour l'audace de son patient par un panthurlement spontané. « Avez-vous pris plaisir à cet exercice de domination "heuu" ? signala-t-il à Simon, qui allumait sa énième Bactrian de la journée. Je sais que vous n'êtes pas inchimpain au point d'y être resté indifférent. »

Simon lorgna le bidouilleur clandestin d'anxiolytiques à travers les miasmes de la nicotine et gesticula avec son briquet jetable : « Je vais vous expliquer ce qui me turlupine, docteur Busner. Si, d'après les gesticulations de ce Grebe – par ailleurs confirmées par le témoignage de mes propres sens –, nous habitons un monde où la perception visuelle prime la perception auditive, alors l'invention de la télévision devrait avoir précédé l'invention de la radio "heuu" ?

– En effet, contre-signala Busner en fronçant les arcades sourcilières, elle l'a précédée. La radio n'existait pratiquement pas avant la Seconde Guerre. Elle a été inventée par un chimpe appelé Logie Baird. Un Écossais, je suppose "grnnn".

– Et comment l'a-t-il inventée "heu" ?

– Par hasard, tout à fait par hasard. Un jour, il est entré dans son laboratoire et son assistant de recherches avait laissé une télévision allumée dans un placard. Tout ce qu'a fait Baird fut de fermer la porte. On continue "heuu" ? »

CHAPITRE 18

À Londres, un assistant de recherche nettement moins coopérant – quoique très zélé à sa manière – participait à une réunion extraordinaire de l'alliance contre Busner. Ses coalisés faisaient triste mine : Whatley avait les traits tirés et Phillips était visiblement très atteint. Le premier se faisait une idée assez précise du mal dont souffrait le second, trahi par les lésions du sarcome de Kaposi qu'on apercevait au bas de sa nuque malgré sa cravate serrée. Le psychiatre se demandait comment Phillips avait contracté le CIV mais, contrairement à son habitude, il eut le tact de ne pas poser la question.

« Ma foi "grnnn" Gambol, vous avez été très inspiré dans le choix de notre lieu de rencontre "heuu". Tant mieux, tant mieux, comme ça, on ne sera pas dépaysé. » Phillips montra la fresque qui ornait les murs du restaurant : une jungle aux couleurs vives, dans le style du Douanier Rousseau. Au premier plan, on voyait le museau raplati d'un adulte humain émerger d'une mosaïque de feuilles et, plus loin, dans les fougères, des faces bestiales de femelles portant des petits sur le dos. Dans cette végétation en deux dimensions, leurs tétines nues pointaient comme des canons lactifères.

Le même sujet se répétait à l'infini : il y avait des farandoles humaines sur les menus et, au plafond – plus rare –, une grande photographie d'humains en rut museau à museau (la femelle avec les pattes arrière serrées autour de la taille du mâle et les doigts de pied en éventail). Même les serveurs du Human Zoo – c'était le nom de ce restaurant à thème – étaient déguisés en humains, dans des costumes en matière synthétique imitant la texture caoutchouteuse de la peau des animaux.

Whatley montra du doigt l'un de ces serveurs : « Pourquoi est-ce qu'il a une peau noire, celui-là, Gambol "heuu" ? Les humains n'ont pas la peau noire. »

Gambol leva les yeux d'une feuille de papier qu'il était en train de lire. « Excusez-moi, vous avez signalé quelque chose "heu" ?

– Cet humain en noir, là "euch-euch", répéta Whatley, irrité.

– Ah, oui, oui, ça existe. Le serveur est déguisé en humain d'Afrique occidentale. Le signe latin est *Homo sapiens troglodytes verus*. Il y en a aussi des sous-espèces dans les régions centrale et orientale...

– Il y a plusieurs races alors "heuu" ? C'est comme les bonobos par rapport à nous "heu" ?

– En quelque sorte.

– Est-ce que les humains noirs sont différents des autres, comme les bonobos sont différents des chimpes caucasiens "heu" ? intervint Phillips, lui aussi fasciné par le serveur en justaucorps noir.

– Aucune idée, répondit Gambol. Je suis psychologue clinicien, pas anthropologue "euch-euch". »

Malgré l'agacement de Gambol, perceptible dans sa digitation saccadée, Phillips insista : « Je veux signifier, est-ce qu'ils sont doués pour la danse et le spectacle comme les bonobos "heuu" ? Doués pour le sport et tout ça, enfin, vous voyez "heu" ?

– "Ouaaarf !" aboya Gambol. (Phillips était trop malade pour lui faire peur.) Mettez-la un peu en veilleuse, Phillips. Le serveur arrive et *c'est* un bonobo. Nous sommes tous les mêmes, quelle que soit la couleur de notre pelage. »

C'était justement parce qu'il n'en était pas convaincu, bien sûr, que le chimpe de Cryborg avait récolté son virus mortel. Bisexuel et amateur de chair exotique, Phillips était l'un de ces Européens adeptes du tourisme copulatoire qui trouvaient drôle et stimulant d'aller saillir des indigènes d'Afrique centrale. Le résultat de son penchant était la maladie qui le tuait à petit feu sous les yeux de ses alliés. Et tous trois savaient pertinemment que le bonobo qui avait contaminé Phillips avait fort bien pu être infecté par une morsure d'homme sauvage.

« HouGra », vocalisa le bonobo en collant noir. « Puis-je prendre votre commande, mesmâles "heu" ? gesticula-t-il.

– "Heu" qu'est-ce que c'est, les <bananes douces> ? » demanda Gambol en tapotant sur le menu. Le serveur gratta ses fausses bourses avant de répondre : « C'est une spécialité de notre autre restaurant, dans Wardour Street. Une croustade de cervelle d'écureuil sur un lit de banane écrasée. Ç'a beaucoup de succès "grnnn'miam".

– "HouGra" bon, je prendrai ça, alors, et une soupe pour commencer. »

Les autres chimpes commandèrent à leur tour et, en dépit de son costume ridicule et incommode, le serveur prit note avec beaucoup de sinistérité. Puis il disparut d'un bond, laissant les conspirateurs se tordre les mains sur la question Busner. « "Eucheuch", commença Whatley, je pense qu'il est grand temps de dénoncer les agissements coupables de Busner au Conseil de l'ordre. Non seulement il promène ce chimpe gravement perturbé comme une marionnette, mais il est virtuellement certain que l'illusion de Dykes, ou sa psychose, comme vous voudrez, est la conséquence des errements de Busner lui-même dans ces essais pharmaceutiques illégaux "ouarf" !

– Je suis d'accord, approuva Phillips. Malgré tout le respect que je dois à Busner pour ses réussites passées – et encore, ça se discute –, il a commis là une faute professionnelle "euch-euch" incontestable. Nous devons faire quelque chose !

— D'après vous, Gambol "heu", reprit Whatley en pinçant le biceps de l'assistant félon, Busner sait-il que Dykes est peut-être une victime de l'Inclusion et que son délire est probablement un effet secondaire d'une médication hasardeuse ?

— On peut en tout cas supposer, mesmâles, qu'il a de sérieux soupçons. Il sait qu'Anthony Bohm était le médecin traitant de Dykes. Il sait que Bohm était la courroie de transmission de l'Inclusion. Maintenant, est-ce qu'il en a touché un signe à Dykes ? Ça, c'est une autre question...

— Assez tourné autour du pot, nécessité fait doigt, trancha Phillips.

— Vous avez raison et c'est pourquoi j'ai préparé cette lettre pour le Conseil de l'ordre. Tous les détails y sont. J'en ai deux copies ici, parcourez-les et, si la fusion s'opère, jetons le pavé dans la mare, "heuu" ! »

Naturellement, comme le subodorait Gambol, l'apôtre de l'approche psychophysique des pathologies mentales et dysfonctionnements organiques n'avait plus guère de doutes sur son éventuelle implication dans le drame de son patient. Mais était-ce sa faute si la chaîne des causalités faisait parfois des nœuds ? Le destin l'avait rapproché de Dykes, eh bien, tant mieux. La boucle était bouclée. Que Dykes fût victime d'un dommage neurologique — inné ou acquis — ou sous l'emprise d'une psychose baroque dépassant l'entendement, cela ne changeait rien à la valeur de leur entreprise. Chaque jour, Busner constatait une évolution dans le comportement de Simon. Aux yeux du psychiatre, il s'adaptait à sa singulière interface phénoménologique comme n'importe quel chimpe souffrant de troubles de la perception s'adapterait, selon le cas, au signence de la cécité ou à la non-vocalité de la surdité.

Busner se doutait également qu'on n'allait pas tarder à lui poser des questions gênantes. Les absences de Gambol, tant domestiques que professionnelles, indiquaient qu'une nouvelle alliance se fomentait. Bah, grimaça-t-il intérieurement en suivant le moignon de Simon Dykes dans les allées bondées et le tonitruant capharnaüm du marché couvert, si ma sollicitude pour la psyché de ce pauvre chimpe doit se traduire par mon éviction du corps médical, à Dieu vat ! Ma philosophie et ma carrière se sont toujours fondées sur un refus des catégories bassement fonctionnelles. Ce sera une excellente fin pour mon règne d'alpha.

Mais ces digitations – qui, comme toujours chez Busner, ressemblaient à des palpations de termites sur un monticule de cogitation – furent brutalement interrompues par le télescopage de son museau contre le croupion de Simon. « Chup-chupp », fit le psychanalyste radical en retroussant ses amples lèvres pour savourer l'odeur de la fente ischiatique.

« Hue-hue-hue », pantela Simon, qui fut pris d'une quinte de toux. Il s'était arrêté pour allumer une de ses éternelles Bactrian. Busner ne lui interdisait pas de fumer – bien que la maladresse de l'ancien artiste parsemât sa fourrure de brûlures – mais voyait d'un mauvais œil ce retour au cycle destructeur de l'intoxication.

Ce n'était pas là ce qui troublait Simon. Il s'était accroupi pour tirer sur sa Bactrian et avisait le paquet avec un sourcillement perplexe. « Il y a quelque chose qui ne va pas avec ces cigarettes, signala-t-il.

– Trop fortes peut-être "heuu" ?

– Non, non, c'est pas ça. C'est l'animal sur le paquet. Il a deux bosses...

– Parce que ce sont des Bactrian, Simon, fit Busner en tordant la fourrure de son protégé.

– Je sais, je vois bien. Mais dans mes souvenirs... » – vague battement de phalanges – « dans mes souvenirs d'humain, je fumais toujours des Camel.

– Des Camel "heuuu" ? Vous voulez signifier que les Bactrian sont appelées Camel dans votre "greu-nnn" planète des humains[1] ?

— C'est exact "h'hi-hi-hi". Quelle inversion ridicule, presque comique "heu" !

— Ce qui n'a rien de comique, en revanche, ce sont les dégâts que ces Bactrian font dans votre fourrure, contre-signala Busner en appliquant tendrement un peu de salive sur une brûlure en dessous du sein gauche de Simon. Bon, mais c'est pas le tout, faut qu'on y aille. Hamble va nous attendre, je le connais. »

En effet, Hamble, le second dissolvant d'illusion de Busner, les attendait quand le taxi — conduit par un bonobo particulièrement remuant — arriva en cahotant sur le chemin pierreux d'Eynsham et s'arrêta en dérapage contrôlé devant la maison.

Hamble, à quatre pattes, les guettait par-dessus une haie d'aubépines en bordure de son jardin. La taille de son poitrail et sa pilosité broussailleuse lui donnaient, aux yeux de Simon, un aspect férocement animal. Pour tout vêtement, il portait une vieille veste de camouflage militaire déboutonnée. Avec ses larges épaules et son souffle puissant qui formait des ronds de vapeur dans l'air automnal, il faisait vraiment singe, il ressemblait vraiment — pensa Simon en embrassant du regard le décor bucolique de sa maison, la pommeraie d'un côté et les champs de chaume de l'autre — à une créature échappée d'un zoo.

Hamble avait le museau plutôt pâle pour un mâle adulte, mais il arborait d'imposantes rouflaquettes rousses frisées en forme de côtelettes d'agneau qui, ainsi que ses canines saillantes, impressionnèrent fortement Simon. Intimidé, il panthurla avec beaucoup de déférence, pendant que Busner payait la course, et rampa dans le jardin, le cul à l'air et le troufignon contracté.

---

1. En anglais, « camel » signifie indifféremment chameau ou dromadaire. « Bactrian camel » désigne spécifiquement le chameau (à deux bosses). (NdT)

Mais Hamble était bien l'excentrique qu'avait annoncé Busner. Il tambourina vaguement sur les aubépines – sans bruit, forcément –, panthurla discrètement, « HouH'Gra », sauta la haie et gratta gentiment Simon en digitant : « Monsieur Dykes, allons. Je peux vous appeler Simon "heu" ? Ne vous prosternez pas comme ça. Je prends acte de votre soumission avec plaisir, mais n'en faites pas trop "chup-chupp", ça va bien comme ça. »

Simon regarda son gesticulateur, cul par-dessus tête. Hamble avait la gueule grande ouverte mais il avait rentré les dents et sa mine n'avait plus rien d'effrayant. « H'heuuu ? » panthurla Simon.

« Mais oui, mais oui, répondit Hamble. Rappelez-vous ce que Coleridge a écrit dans son Épigramme : <Il vit une maison avec un appentis / Sans plus de faste qu'une chaumière / Et le Diable rit sous cape, car son péché favori / Est l'orgueil qui singe l'humilité> "heuu" ? »

Simon observa le museau enjoué du grand chimpanzé, ses yeux rieurs et, sans réfléchir à ce qu'il faisait, se releva pour enlacer Hamble. Ah, quel plaisir de sentir autour de lui ces bras tentaculaires, ce pétrissage réconfortant. Après l'accolade, il signala : « "Hou" docteur Hamble "chup-chupp", vous n'imaginez pas quel bien ça me fait de vous voir citer ces vers. Coleridge est l'un de mes poètes préférés. Figurez-vous que, la veille de ma crise, je méditais justement sur son image qui compare l'esprit à un vol d'hirondelles fusionnant et fissionnant...

– Comme une troupe de chimpanzés.

– "Heuu" ? Moui, si vous voulez, comme une troupe de chimpanzés. Mais je pensais à l'esprit *humain*... Vous trouvez ça absurde "heu" ? »

Sans se départir de sa bonne humeur, Hamble se tourna vers Busner, qui avançait clopin-clopant, sur trois pattes, dans l'allée boueuse, son porte-documents sous le bras. Les deux mâles seniors se saluèrent sans cérémonie, comme deux vieux – quoique non intimes – alliés. « HouuH'Gra », panthurla Busner. « Houu-H'Gra », panthurla Hamble. « Eh bien, eh bien, Zack Busner, vous m'avez l'air en pleine forme. Je ne vous ai pas tâté depuis... combien de temps déjà "heuu" ?

– Oh, ça doit bien faire deux ans, Raymond, contre-signala Busner. Depuis cette lamentable rixe qui nous a opposés dans un bistrot, en revenant de la conférence de McElvoy à la Royal Society "grnnn".

– Lamentable. Tout ça à cause de ce pauvre tourettique qui vous accompagnait. Vous vous souvenez, c'est sa vocalisation intempestive qui a déclenché la bagarre. Oh, là, là, Zack, qu'est-ce qu'il pouvait gueulesouffler !

– Eh, c'est le propre des tourettiques, Raymond. Ils gueule-soufflent intempestivement, c'est comme ça. Mais bref, continua Busner en tapotant gentiment le poil dru du bas-ventre de Hamble, nous voilà "chup-chupp" réunis et c'est tout ce qui compte "heuu" !

– "Clac-clac-clac", dento-claqua bruyamment Hamble en sortant les canines, vous avez bien raison, Zack. Maintenant, si j'en crois mon petit doigt, j'ai l'impression que ce cher Simon serait bien content de fissionner un peu. Laissez-nous donc gesticuler seul à seul "heuu" ! Profitez-en pour aller carpo-tarser, le temps se lève, il va faire beau, cet après-midi. »

Busner ne prit pas ses signes en mauvaise part. Pourquoi pas ? se grimaça-t-il. Hamble est un chimpe de cœur et son excentri-cité facilitera ses rapports avec Simon. Busner interrompit son grattage de politesse et se leva. « Par où dois-je détaler, Ray-mond ? Par là "heuu" ?

– Oui, c'est sympa par là. Vous pouvez descendre vers la rivière. Mais faites attention dans le pré, le fermier a des chiens qui peuvent devenir nerveux. »

Busner planta un baiser baveux sur le museau de Simon et le confia aux soins de Hamble, ainsi que son porte-documents. La dernière chose que les deux chimpes virent de l'éminent philosophe naturel fut son périnée proéminent qui, telle une fleur rose et jaune, voltigeait entre les plates-bandes du fond du jardin.

Hamble grogna, prit Simon par la main et le fit entrer dans la maison.

Les deux heures qui suivirent furent les plus stimulantes, les plus passionnées et les plus *incarnées* que Simon eût connues depuis sa crise. Elles furent aussi les plus déconcertantes. Busner avait bien préjugé de l'influence de Hamble sur son patient : le naturaliste avait de telles connaissances anthropologiques et un toucher de poil si finement tourné que Simon se prit au jeu et parut accepter un peu mieux sa condition chimpaine.

Mais, d'un autre côté, l'excentricité de Hamble, la bizarrerie de sa maison et son comportement décidément très chimpanzé incitèrent Simon à s'accrocher au peu d'humanité qui lui restait. En outre, Simon avait lu les livres de Hamble avant sa crise et conservait une image mentale de l'auteur en tant qu'homme (avec de vraies rouflaquettes), non en tant que chimpanzé. Hamble ajouta d'ailleurs à la confusion en lui proposant de fumer un joint.

Mais cela se produisit plus tard. D'abord, ils entrèrent dans la Tanière. C'était ainsi que Hamble désignait sa maison, désignation plusieurs fois justifiée, d'abord par une renarde allaitant ses petits sur un bas-relief au-dessus de la vieille porte en chêne, puis par la voussure du couloir, couvert d'un tapis couleur de terre, qui évoquait une galerie souterraine, elle-même ramifiée en plusieurs autres galeries également voûtées, terminées par des sortes de terriers en guise de chambres. Dans le couloir principal, ils rencontrèrent trois spécimens de l'innombrable progéniture du maître des lieux. Les deux adultes s'arrêtèrent pour les chatouiller et applaudir à leurs joyeuses pavanes.

Il était assez malaisé de se déplacer dans la Tanière. Partout où Simon posait les pieds ou les mains, il y avait quelque chose. La Tanière était pleine, archipleine de choses : des squelettes d'animaux, des oiseaux empaillés, des crânes de chimpanzés, des collections de papillons, tantôt suspendus, tantôt entassés contre les murs incurvés, des livres en pagaille sur des étagères bondées, et une incroyable variété de tables et de chaises, servant parfois de présentoirs à d'autres collections plus petites – coquillages et crustacés, fleurs et plantes séchées, échantillons de roches et pierres semi-précieuses – toutes alignées avec une précision méticuleuse. Les moindres espaces muraux étaient occupés, ici par des aquarelles ou des eaux-fortes de flore et de faune, là par des masques africains et des gribouillages de chimpanzeaux.

Il n'y avait pas que les gribouillages, il y avait aussi les chimpanzeaux eux-mêmes et leurs jouets : soldats de plomb ou de plastique, maisons de poupée, cubes de Lego, trains électriques, ours et humains en peluche, le tout disposé avec la même minutie que les artefacts des adultes, auxquels ils s'entremêlaient pour former un curieux palimpseste de réification.

Hamble évoluait avec beaucoup d'assurance dans ce musée domestique et, quand il eut accroupi son visiteur dans un confortable fauteuil en cuir et commencé à gesticuler, Simon comprit que cette moraine intermurale était régie par un ordre moteur interne : Hamble lui-même.

Dans le salon-étude, avec ses petites fenêtres en hauteur et le feu qui crépitait dans la cheminée, le bric-à-brac devenait étouffant. De temps en temps, au fil de ses digitations, Hamble sautait pour attraper un objet ou un livre illustrant ses remarques. Simon constata, admiratif, qu'il trouvait toujours l'objet idoine sans hésitation, que celui-ci fût derrière ou devant lui. Pareille extroception n'était pas rare chez les chimpanzés, Simon le savait, mais elle était singulière chez lui en ce sens qu'elle procédait par automatismes, comme si l'ordonnancement des objets fût une réplique, un simulacre de l'ordonnancement de son propre cerveau. Dès leurs premiers échanges dactyliques, Simon eut l'impression de digiter, non avec Hamble, mais avec le grand chimpanzé qui habitait sa tête – probablement volumineuse, comme il se devait.

« Greu-unnn », vocalisa plaisamment le naturaliste quand ils furent accroupis. « Pour répondre à votre question, monsieur Dykes...

– Appelez-moi Simon, je vous en prie.

– Simon, d'accord. Eh bien, sans vouloir apporter mon soutien, loin de là, aux agissements extrémistes des militants des droits des animaux "euch-euch", j'ai une conception de la conscience moins exclusive que la plupart de mes collègues scientifiques. Vous buvez quelque chose "heuu" ?

– Oui, merci.

– Bière, vin, alcool "heuu" ?

– De la bière, ce sera parfait "grnn". »

Hamble fit un bond, tendit les mains derrière lui et, à l'aveuglette, en poursuivant sa digitation avec les pieds, prit une bouteille sur un plateau, la décapsula, puis remplit un verre de bière qu'il passa à Simon sans en renverser une goutte. « Bien qu'il ait écrit au début du siècle et eût un penchant prononcé pour la morphine, je pense que la description de l'esprit par Eugène Marais mérite toujours d'être manipulée. Vous avez lu, je suppose, son *Âme de l'humain* "heuu" ?

– Je crains que non, docteur Hamble.

– Appelez-moi Raymond. Eh bien "grnn", Marais a été le premier à établir une distinction entre mémoire individuelle et mémoire phylétique chez les animaux. D'après sa théorie, c'est le rapport entre les deux qui détermine le degré de conscience, ou de sensibilité, si vous préférez. Il aurait pu tomber d'accord avec... » – le naturaliste attrapa machinalement un livre, l'ouvrit et le tendit à Simon sans s'interrompre – « Linné lui-même, qui soutenait : <Il est remarquable que l'humain le plus malin diffère

377

si peu de l'homme le plus sage.> Voyez, là, dans son *Systemae naturae* original, il classe l'humain parmi les chimpanzés et lui donne le nom de *Pongis sylvestris* ou *Pongis nocturnus*. Mais je ne crois pas que Marais serait allé jusque-là "heuu". La bière est assez fraîche "heu" ? »

Simon connaissait tout cela. Mais il se garda bien de manifester de l'irritation. Il descendit de son siège, rampa vers Hamble et se prosterna en gesticulant : « S'il vous plaît "HouuGrnn", docteur Hamble, Raymond, je révère vos livres et, même si nous nous connaissons depuis peu, j'ai beaucoup d'affection pour votre moignon anal, mais... j'ai déjà lu presque toute la littérature historique sur les primates, surtout sur les humains. Tout ce que j'apprends ne fait que renforcer mon "HouuGrnn" sentiment que le monde a été inversé... Humain pour chimpanzé, chimpanzé pour humain. »

Voyant que Hamble lui tendait toujours la main, Simon réintégra son siège sans cesser de gesticuler. « Ce qui m'intrigue le plus et qui, je pense, m'aidera le plus dans ma bizarre impression d'être "hou" humain, c'est la question des humains *sauvages*. Je ne me suis pas du tout reconnu dans les humains que j'ai vus au zoo. J'ai perdu un de mes petits, vous savez, et... et je me demande s'il n'est pas chez des humains sauvages... »

Les doigts de Simon s'immobilisèrent sur cette étrange révélation.

C'était une idée qui couvait depuis quelque temps chez lui. Si la thérapie peu orthodoxe de Busner commençait à porter certains fruits – Simon se sentait moins aliéné dans son corps de chimpanzé, s'adaptait peu à peu au monde –, elle restait sans effet sur la nostalgie poignante qui tenaillait l'ancien artiste : les souvenirs de sa sexualité très humaine, du corps de Sarah et, derrière, en filigrane, les images de Simon junior, son fils, claires et irréfutables. Car, dans ce tête-à-queue universel, il y avait une réalité dont il ne démordait pas : il avait *trois* fils. Mettre la main sur celui qui manquait serait peut-être mettre la main sur la poignée d'un parachute de sécurité qui lui permettrait d'atterrir en douceur dans un monde lisse et glabre.

Hamble plissa les arcades sourcilières. Comme Busner lui avait décrit l'état de Dykes dans les grandes lignes au vidéophone, il n'avait pas été étonné par l'atrophie partielle de ses membres, non plus que par la surprenante cohérence de son aliénation, mais là, il était face à une donnée nouvelle. Il dressa les doigts et répondit : « D'accord, Simon. Eh bien "greu-nnn", il est vrai que j'ai rencontré des humains à l'état sauvage. » À nouveau, il tendit le bras pour attraper un objet à l'aveuglette, cette fois un crâne humain. Il le passa à Simon, qui le berça dans ses mains en observant la suite : « Votre supposition est correcte, la captivité induit des différences considérables. Mais je vous propose un marché. Je veux bien vous raconter ma rencontre avec les humains sauvages si, en échange, vous m'éclairez sur certains points de votre propre conception de l'humanité. J'aimerais notamment en savoir "grnn" un peu plus long sur la sexualité humaine "heu" ! »

Voilà qui touchait une corde sensible de la mémoire de Simon. Tout au long de la gesticulation de Hamble, qu'il suivit cependant avec beaucoup d'attention, il fut hanté par des fantasmes charnels.

« J'ai, reprit Hamble, passé six mois au Congo l'an dernier. Je ne cherchais pas explicitement des hommes sauvages, mais j'en ai "greu-nnn" effectivement rencontrés. Je patrouillais avec quelques bonobos de la région. Nous nous trouvions en lisière de la forêt équatoriale, la végétation n'était pas encore "h'houu" très dense. Les bonobos se déplaçaient de branche en branche mais, personnellement, je préférais carpo-tarser, je trouvais cela plus commode. Bref, nous débouchons dans une vallée avec une rivière et, sur le versant opposé, que vois-je ? Tout un troupeau de ces créatures "houu".

379

– Vous avez eu peur "heuu" ?

– "Ouaaar" bien sûr. Ils étaient une bonne centaine, qui avançaient en masse entre les arbres comme des spectres ou des zombies. C'est pour ça que les indigènes les craignent tant : les humains patrouillent toujours en masse et, s'ils croisent un groupe isolé de bonobos, leur supériorité numérique les rend très dangereux.

« Donc, en les voyant arriver "grnnn", nous nous arrêtons et nous serrons les rangs. Nous n'étions pas très rassurés. Même à cette distance – nous devions être approximativement à cinq cent quatre-vingt-trois mètres –, on pouvait entendre leurs vocalisations gutturales et on les voyait même faire quelques signaux rudimentaires. Ce devait être leur nid, parce qu'on discernait leurs abris nocturnes entre les arbres...

– Ils construisent des abris "heuu" ?

– Ah oui, oui "grnnn". Les humains sauvages souffrent d'agoraphobie et ne supportent pas d'être sans confinement. Quoi qu'il en soit, la patrouille humaine a fini par arriver à une forme de consensus. J'ai vu un gros alpha – un spécimen effrayant, avec une grande toison crânienne – signaler à la troupe de se scinder en deux groupes pour nous prendre en étau et nous encercler. Et la rivière, me demanderez-vous "heuu" ? Eh bien, figurez-vous, et je ne mens pas, que les humains n'ont absolument pas peur de l'eau. Il y en a même qui nagent ! Alors vous imaginez notre "houu" effroi. »

Simon n'était pas très concentré sur les signaux de Hamble, il avait devant les yeux l'infernal théâtre d'ombres qui se jouait à l'intérieur de lui-même. Et il était distrait par les panthurlements des petits Hamble dans les recoins éloignés de la maison, des panthurlements qui lui rappelaient cruellement ceux de ses propres petits. Mais, voyant que son intergesticulateur s'était immobilisé, il le relança d'un signe : « Et qu'est-ce que vous avez fait "heuu" ?

« – Eh bien, on a avancé vers la rivière en rrouaaboyant et en panthurlant aussi fort que possible. Deux bonobos avaient des fusils – oh, de vieilles pétoires, pratiquement des mousquets – et ils ont fait feu. Ils ont tiré, tiré, tiré. Ç'a marché. Les humains ont battu en retraite. Et nous aussi. Une sorte d'armistice tacite, si vous voulez.

– "H'heuuu" ? » Simon sauta sur son fauteuil, soudain captivé. « Vous voulez signifier, Raymond, que les humains sauvages sont doués de raison "heuu" ?

– D'une certaine manière, oui, mais regardons-nous bien, il ne s'agit pas d'une faculté de raisonnement comme le prétendent ces anthropologues à la manque...

– Ce qui signifie "heuu" ?

– Eh bien, prenez ces films de Savage-Rimbaud, par exemple, sur des humains captifs auxquels on a appris à s'exprimer par signes. Si vous les passez au ralenti, vous vous apercevez que les humains ne font que mimer au millimètre les gestes de leurs instructeurs. En d'autres grimaces, ils sont peut-être capables de répéter des signes et de s'en servir, mais pas de les manipuler "grnnn". Comme Stephen Jay Gould l'a très justement remarqué, ça n'a aucun intérêt d'apprendre à un animal à se comporter comme un autre. L'intelligence humaine est, par définition, ce que les humains font naturellement, non ce qu'on leur apprend à faire "heuu" ! »

Pendant sa dissertation, Hamble avait sorti un paquet d'herbe de la poche intérieure de sa veste de treillis. Il le jeta en l'air du bout du pied, le rattrapa, l'agita et signala : « Un petit pétard "heuu" ? D'après ce que m'a confié Zack, vous n'êtes pas adversaire du franchissement de la frontière herbacée. » Un sourire amusé fendit son museau richement denté.

« Je ne sais pas "houu"...

– Allez, allez, envoyez-moi une Bactrian et je nous en roule un petit pendant que vous me gesticulerez de la sexualité

381

humaine. Vous n'ignorez pas que, dans la communauté des anthropologues, la sexualité interespèces est courante – même si c'est un phénomène qu'on préfère passer sous signence "heu" ?

– Vous êtes sérieux "heuu" ? »

Hamble saisit adroitement la Bactrian d'une main, sans cesser de digiter de l'autre. « Très sérieux. Ça n'a jamais été confirmé, mais on soupçonne fortement que Dian Fossey, la femelle que Louis Leakey a envoyée étudier les gorilles de la montagne rwandaise, a eu "euch-euch" une liaison – si l'on peut employer ce signe – avec le jeune mâle gorille appelé "clac-clac-clac" Digit. Un nom bien trouvé "heu" ? C'est après "hue-hue" que Digit a été tué par des braconniers que Fossey a piqué une colère et s'est lancée dans cette campagne antichasse qui a entraîné sa mort. À moins que certains bonobos du cru n'aient simplement été choqués par l'idée qu'une chimpanzée puisse copuler avec un gorille. Et "grnnn" Aspinall en est un autre exemple.

– Aspinall "heu", le chimpe du casino ?

– Oui, oui. Comme vous le savez sans doute, il avait un zoo dans le Kent, où il acceptait que les gardiens aient des relations "chup-chupp" plus intimes que de coutume avec les animaux. Et Aspinall a souvent déclaré qu'il "grnnn" avait lui-même des rapports *très* proches avec ses gorilles. C'est peut-être pour ça que, dernièrement, l'un d'eux a arraché le bras de son gardien : il voulait juste un "clac-clac" câlin ! »

Un briquet était apparu dans le pied de Hamble. Il alluma le joint qu'il avait adroitement confectionné, s'accroupit dans son fauteuil et tira quelques bouffées avec délices.

Des volutes de fumée sortaient de sa bouche ouverte, s'enroulaient en arabesques bleues sur sa poitrine foisonnante et formaient un écran devant ses signes, de sorte que Simon ne capta la suite de son discours que par bribes. « Soyez gentil de satisfaire ma curiosité, Simon. Vous prétendez avoir vécu dans un monde où les humains sont l'espèce primate dominante. Un monde tout à fait semblable à celui-ci, considéré dans son ensemble, avec l'industrialisation, les jeux télévisés japonais et "euch-euch" – ce truc me chatouille – le cannabis transgénique. Mais, dans le détail, au niveau du physique, de la sexualité, tout est différent, non ? Les pratiques coïtales et tout ça "heuu" ? »

Il y eut un instant de signence et de non-vocalité. Hamble tendit le joint à Simon et, machinalement, Simon le saisit avec les orteils. Hormis les anxiolytiques, c'était sa première drogue depuis sa crise et c'était aussi la première fois qu'il se servait consciemment de son pied comme d'une main. Il leva sa jambe vers son museau, en s'émerveillant de sa souplesse, de la précision et de la sûreté de son geste, aspira profondément la fumée et se délecta de l'arôme floral particulier de l'herbe. La première bouffée lui parut si savoureuse qu'il en tira une autre, puis une autre encore, exhalant et inhalant simultanément comme un saxophoniste pratiquant la respiration circulaire pendant un riff prolongé.

« Vous voulez savoir comment c'est "heuu" ? reprit Simon d'un doigté expressif et délié. (L'hallucinogène faisait son office.) Eh bien, ainsi que vous ne l'ignorez pas, Raymond, nous copulons face à face. Notre peau a une douceur somptueuse, un toucher satiné. On ne se touche pas beaucoup dans notre monde et la copulation est pour nous l'occasion de nous tripoter mutuellement. J'ai vu des chimpanzés "euch-euch" copuler et, en comparaison de la copulation humaine, je vous assure que ça semble très peu satisfaisant. *Nos* copulations peuvent durer très longtemps, elles nécessitent des palpations "greu-unnn" tendres et calculées "chup-chupp", du tact "chup-chupp", des frôlements "hue-hue-hue", des caresses...

– En somme, c'est un peu comme une séance de grattage, non ?

– Non ! Non, non "euch-euch", pas du tout. Nous nous faisons face, nous nous regardons dans les yeux sans peur de représailles. Et nous nous embrassons – nous avons des dents beaucoup plus petites que les vôtres, vous savez – pendant plusieurs minutes. En outre, Raymond, nous faisons l'amour uniquement avec des partenaires exogames. L'idée de baiser avec des membres de son groupe est un puissant interdit chez les humains. Un tabou absolu. Où est la romance si vous pouvez baiser la première femelle dont l'enflure vous plaît "heuu" ? Comment peut-il y avoir de la tendresse "heuu" ? Et comment pouvez-vous faire la différence entre les adultes et les sub-adultes si vous tringlez vos propres petits "heuu" ? »

Hamble avait l'esprit ouvert, mais le paradoxe avait de quoi déconcerter : où est la tendresse, où est la romance, grimaçait-il intérieurement, si on ne peut baiser ni ses petits ni les femelles qui vous plaisent ?

Simon était défoncé maintenant, et les images de son passé, son doux passé d'homme, lui revenaient en mémoire avec une odieuse acuité. Comment avait-il osé croire que la sexualité humaine ne représentait plus rien pour lui ? Peut-être était-ce précisément – et cette idée le mettait en rage – son incapacité à appréhender ce qu'il y avait de plus sacré, de plus important, de plus fondamentalement humain dans la vie – l'expression physique de l'amour – qui l'avait précipité dans ce royaume de cauchemar, avec ses singes fumeurs de dope et ses chimpanzés médecins.

Le médecin en question apparut justement à point nommé. Busner ne fut pas trop content de voir Hamble partager un joint avec Simon. Il serra le poing en carpo-tarsant dans la pièce. « "HouuH'Graa", franchement, Raymond, je doute que maniaco-dépression et marijuana fassent très bon ménage. "Heuuh" ?

– Oh, je ne sais pas "euch-euch". » Il prit le joint entre les orteils de Simon. « J'ai pensé que ça aiderait ce pauvre chimpe à déballer son illusion et que ça décaperait notre gesticulation, que j'ai trouvée très instructive. De toute façon... » Il descendit de son fauteuil et rampa vers Busner. « Nous nous connaissons depuis trop longtemps pour fissionner à cause d'une brouille pareille, "heuu" Zackie ? » Les deux mâles alpha entreprirent de se bouchonner avec beaucoup de style, abandonnant Simon, avachi dans son fauteuil, aux turbulentes visions d'humains en rut qui tempêtaient sous son crâne.

Ils quittèrent la Tanière peu après. Hamble offrit à son visiteur un exemplaire de son récit de voyage en Amazonie, *Dans la merde profonde*, mais Simon contre-signala qu'il possédait déjà le livre, quoique sous un autre titre et dans un monde parallèle[1].

Le taxi les attendait. La dernière image de Simon, comme il repartait sur le chemin cahoteux, fut le naturaliste derrière la haie d'aubépines, exactement dans la même posture qu'à leur arrivée, avec sa grande gueule pleine de bonne humeur et ses rouflaquettes rousses luisant au soleil couchant.

Pendant tout le voyage de retour à Londres, Simon baigna dans un tourbillon de souvenirs. La petite tête penchée de Sarah. Sa main lissant sa fourrure crânienne blonde. Ses petites canines pointues dénudées par l'extase. Ses petites mains tiraillant doucement sa bite turgescente. Et ces singulières vocalisations humaines dans la chaleur de la copulation. « Là-là, là-là... Là. Là. »

En arrivant à Redington Road, il s'enferma dans sa chambre et mit la cassette de *La Bataille de la Planète des hommes*. De toute la série, c'était le film qui l'amusait le plus et, paradoxalement, l'aidait le plus à retrouver la teneur de son identité perdue, du moins pendant quelques secondes. Il aimait le décor ridicule : la bataille semblait se dérouler dans un centre com-

---

1. Raymond Hamble est la transposition de Redmond O'Hanlon, naturaliste anglais au tempérament excentrique et auteur de plusieurs livres, dont un récit de voyage en Amazonie, *In Trouble Again (Help !)*. (NdE)

mercial de Milton Keynes. Quelle chatouillade ! Et puis, les humains – ces espèces de zombies qu'on voyait se masser sur des passerelles aériennes pour attaquer leurs maîtres chimpanzés – étaient tellement irréalistes. Le costumier n'avait pas cherché à imaginer ce que pouvaient être, concrètement, des humains intelligents et civilisés. Ils étaient donc, à l'instar des chimpanzés, nus en dessous de la taille et sans chaussures.

Certaines répliques du film – le dernier du cycle – le faisaient hurler de rire. En particulier quand les chimpanzés acculent le rejeton humain superintelligent qui s'était échappé du futur dans le pénultième film *(Les Évadés de la Planète des hommes)* et que le méchant en chef – comme l'appelait Simon – gesticule : « À le voir comme ça, on a l'impression de regarder un sale microbe qu'on a enfin réussi à piéger "rrouaaa". »

Puis, tout à la fin, quand les hordes d'humains envahissent le complexe – très années 70, ça –, le même personnage profère ces signes immortels : « Ce sera la fin de la civilisation chimpanzé, et le monde deviendra la planète des humains "rrouaaa". »

Si seulement ! pensait Simon en fumant tristement une Bactrian. Si seulement ! Les effets de l'herbe de Hamble – qui était très forte – s'étaient estompés, mais elle avait renforcé sa conviction qu'il devait rencontrer son ex-alpha, Jean, revoir ses petits museau à museau. S'il y avait vraiment une correspondance entre ce monde et le monde qui avait précédé sa terrible nuit au Sealink, alors les seuls chimpes capables de l'aider étaient ceux de son groupe fissionné.

Busner interrompit sa rêverie. Il panthurla derrière la porte et, n'obtenant pas de réponse, entra. « "HouuH'Graa", eh bien, Simon, qu'avez-vous pensé de votre journée ? Instructive "heuu" ?

– Très instructive, docteur Busner. Ça m'a vraiment fait du bien de flanquer une dérouillée à cette créature. Quant à Hamble, je l'ai trouvé sympa "grnnn". Il ne semblait pas du tout gêné par l'idée que je me prenne pour un humain et considère le monde actuel comme une illusion grotesque...

— Moui, enfin..., gesticula Busner, n'oubliez pas que Hamble est *très* excentrique.

— À part ça, c'était toujours la même chose "houu".

— La même chose "heuu" ?

— Parfois, je me sens presque capable d'accepter la réalité telle qu'elle se présente, et puis... le passé afflue de nouveau et "houu", c'est très perturbant. Mais il y a une chose dont je suis convaincu, et que j'ai d'ailleurs signalée à Hamble. Il faut absolument que je voie mon ex-alpha. Elle seule peut m'aider à découvrir la vérité. S'il vous plaît, docteur Busner, ça fait plus de deux mois maintenant, puis-je revoir mes petits "heuu" ? S'il vous plaît. »

Simon rampa vers Busner et se prosterna plus bas que terre. Le psychanalyste radical – comme il s'intitulait lui-même – posa une main apaisante sur le trognon ischiatique du chimpe maladif et pianota sur son postérieur moustachu : « Là... là "chup-chupp", mon pauvre vieux Simon, j'ai été très impressionné par votre conduite et vos gesticulations aujourd'hui. Je pense qu'une petite séance avec votre ancien groupe peut vous être profitable. Votre ex-alpha est bien disposée et je vais "hue-hue-hue" voir s'il y a moyen d'arranger ça. Mais il y a autre chose que je voulais vous proposer...

— Oui, quoi "heuu" ?

— Je viens d'être panthuché à l'instant par l'allié de votre ancienne conjointe, Tony Figes. Il a signalé qu'il y avait un vernissage ce soir à la galerie Saatchi. Il a l'air de penser que l'exposition vous plairait. »

Simon interrompit le grattage et fit face à Busner. « Suggesticulez-vous que nous devrions y aller "heuu" ?

— Eh bien "euch-euch", certainement pas si vous ne vous en sentez pas capable. Il y aura sans doute de nombreux chimpes que vous connaissez. Mais, d'un autre côté... » Et Busner continua sa digitation de l'autre main : « D'un autre côté, c'est juste au bout de la rue, on peut y aller à manupied. Bien sûr, comme toujours, si vous sentez venir une crise, on s'en ira. Je pense que ça pourrait être une bonne idée. Après tout, c'est une branche de plus à gravir dans l'arbre de la guérison, "h'heuu" ! »

CHAPITRE 19

La soirée était fraîche et venteuse. Toutefois, Busner et Simon n'hésitèrent pas à carpo-tarser vers Boundary Road en passant par Fitzjohn's Avenue et Swiss Cottage. Par rapport à la matinée, il y avait assez peu d'activités copulatoires à observer dans les rues, mais les choses changèrent du tout au tout quand ils atteignirent le quartier de la galerie. Malgré le manque de lumière, Busner put voir que le carrefour d'Abbey Road et Boundary Road, à deux cent vingt-quatre mètres devant eux, était bondé de chimpes amateurs d'art qui s'accouplaient, s'invectivaient, se grattaient et se bousculaient pour entrer dans la galerie Saatchi.

Busner se redressa et se tourna vers Simon. « "Heuuu" vous êtes sûr de supporter le choc ? Il y aura de nombreux chimpes que vous connaissez...

– "Houu" je ne serai sans doute pas en mesure de les reconnaître dans cette foule, surtout que ce sont des *chimpanzés* "clac-clac-clac" !

– Peut-être, Simon, mais eux, ils vous reconnaîtront certainement. Vous n'avez pas été vu en public depuis que les journaux ont rendu compte de votre exposition *et* de votre crise. Je vous garantis que nous n'allons pas "euch-euch" passer inaperçus. »

En réalité, Busner espérait surtout que Sarah Peasenhulme, l'ex-compagne de Simon, serait au vernissage. Elle avait bien sûr été au cœur de sa gesticulation avec Figes. « Elle a une liaison avec Ken Braithwaite, l'artiste conceptuel, avait signalé Figes au téléphone, mais elle serait très heureuse de se faire saillir par Simon et de tâter son moignon ischiatique. Vous pensez qu'il serait partant "heuu", docteur Busner ? »

Busner avait répondu qu'il n'avait aucun moyen de le savoir, mais que Simon semblait accepter de mieux en mieux sa chimpanité. Il ne croyait pas si bien grimacer car, depuis Hampstead, Simon manumarchait avec une fluidité que Busner ne lui avait encore jamais vue. Ses pieds et ses jambes semblaient moins atrophiés, et il avait laissé sa veste déboutonnée malgré le vent froid, montrant qu'il préférait désormais la vraie fourrure à la fausse.

Les deux mâles étaient assez dominateurs pour se frayer un passage dans la foule et franchir les grandes portes lancéolées en acier gris du complexe. Passé le seuil, une rampe en pente douce formait un coude et menait à la galerie elle-même. Au creux du coude, il y avait une maquette grandeur nature de camion de pompier. Simon, qui trottait devant en gigotant du croupion dans la mêlée hirsute, ne lui accorda pas un regard, et Busner, toujours optimiste, en déduisit que la vue de ces locaux familiers avait sur lui un effet rassurant.

Moins rassurants étaient les panthurlements interrogatifs qui parvenaient à ses oreilles. Simon avait été reconnu et le panthuchage arabe allait bon train.

Busner tendit les invitations à l'hôtesse d'accueil qui, reconnaissant Simon elle aussi, présenta sa croupe et leur demanda à tous deux de signer un autographe sur le catalogue. Malgré le panneau d'interdiction de fumer, visible au-dessus de sa tête, elle ne pria pas l'ancien artiste d'éteindre sa Bactrian. Simon inscrivit son nom, le petit doigt relevé, debout devant le bureau, fier et dédaigneux. Quelques chimpanzés s'approchèrent, deux ou trois lui présentèrent leurs croupes et, machinalement, il leur accorda une tape rassurante sur leurs moignons frétillants. « H'heuu »,

390

vocalisa Busner après les formalités. « Vous connaissiez ces chimpes, Simon ?

– Je ne crois pas, contre-signala-t-il. Des étudiants en art, peut-être. »

Busner était déjà venu à la galerie Saatchi, mais ses dimensions l'époustouflèrent à nouveau. Le vestibule à lui seul était assez grand pour contenir la galerie Levinson de Cork Street. Après une courte volée de larges marches, sur la droite, ils entrèrent dans une salle vaste comme un hangar d'aviation – et presque aussi haute. Le sol était enduit d'une sorte d'épaisse émulsion grise comme la rampe d'accès, et les murs blanchis à la chaux. L'éclairage était si uniforme, si monotone que sa provenance était indéfinissable. Dans ce désert stylisé, on trouvait tout de même quelques sculptures éparses et quelques toiles sur les murs. Mais ce ne fut pas l'aspect désertique du lieu qui frappa le plus Busner et Simon, ce fut au contraire sa surpopulation.

Car, s'il y avait foule à l'entrée, la densité démographique battait tous les records à l'intérieur – à croire que toute la chimpanité du monde s'était donné rendez-vous ici. En tout cas, le Tout-Londres du monde des arts y était. Ils étaient tous sur leur trente et un, carburaient tous au champagne, gesticulaient haut et fort, posaient, crânaient, paradaient.

Les femelles portaient des robes courtes, des bustiers, des corsages et des protège-enflures de tous les styles, mais toujours du dernier chic, et les mâles n'étaient pas en reste. Les vestes et les chemises des deux sexes étaient généralement ouvertes, offrant une vue plongeante sur les pelages et, ici ou là, un sein percé – parfois les deux. Il y avait des chimpes en cuir, des chimpes en vinyle, d'autres en lamé or, en PVC, en popeline ou en serge noire – la tendance de la saison, avait expliqué Isabel, la delta de Busner, à son alpha.

Intrigué par le spectacle de cette horde caparaçonnée, Busner ne put s'empêcher d'en toucher un doigt à Simon. « H'heuu ? »

vocalisa-t-il. Simon se retourna. « Pourquoi sont-ils tous si habillés ? »

L'ancien artiste regarda son thérapeute. Le pauvre vieux, songea-t-il, il est comme un poisson hors de l'eau dans ce genre de raout. Pour la première fois depuis qu'il avait été placé sous la responsabilité de Busner, il eut l'impression que leurs relations s'inversaient. La situation prenait un tour nouveau. D'habitude, c'était Busner qui l'aidait, le grattait, le massait, le guidait. L'idée que, désormais, c'était à *lui* de le bouchonner et de le piloter le requinqua.

« "Euch-euch" docteur Busner, fit-il, vous devez comprendre que cette scène est une expression de... — comment grimacer "heu" ? — ... de l'ordre de domination qui s'opère parmi les éléments disparates du monde de l'art. Ils sont tous *si* habillés, comme vous signalez, parce que c'est l'un des rares moyens dont ils disposent pour attirer l'attention, la caresse, de leurs "euch-euch" supérieurs hiérarchiques, ou de leurs subordonnés, ou de leurs pairs...

— C'est bien ce que je pensais. »

Les chimpes s'accroupirent et contemplèrent, en se tâtant mutuellement la peau des bourses, le virevoltant sérail simien qui défilait devant leurs yeux.

« Après tout, reprit Simon en plantant soigneusement ses signes sur les testicules de Busner, ils peuvent difficilement porter leur réputation sur leur dos "hi-hi-hi", hein, mon vieux Busner "heuu" ?

— S'il vous plaît, s'il vous plaît, fit Busner en le tripotant gentiment, nous nous grattons d'assez près maintenant pour que vous m'appeliez Zack, "heu" !

— D'accord, mon Zackie "chup-chupp", je suis très honoré de constater que vous reconnaissez mon ascension dans la hiérarchie. Donc, comme je le signalais, la réputation de ces artistes — si ce sont des artistes — est tellement sujette à caution qu'elle donne lieu à une constante "greu-nnn" réévaluation de la part des critiques "grnn". Les critiques ont d'ailleurs leur propre hiérarchie, elle-même sujette à caution, de sorte que leur statut par rapport aux artistes est extrêmement fluctuant. C'est pourquoi "chup-chupp" ils sont tous tirés à quatre épingles, se pavanent, se bouchonnent et se font reluire la croupe – comme des peigneculs qu'ils sont "h'hi-hi-hi" ! »

Busner s'esclaffa, fort amusé lui aussi par la chatouillade. Puis, se trouvant à côté du buffet, les deux chimpes prirent chacun un verre de champagne et continuèrent à carpo-tarser autour de la salle surdimensionnée, où étaient exposées de grandes toiles aux couleurs vives. C'étaient des tableaux de genre, montrant des Américains moyens dans des scènes de la vie ordinaire – lavant des voitures, faisant des grillades au barbecue, jouant au frisbee, etc. – mais toujours déformées d'un côté, comme si le spectateur – ou le peintre – fût astigmate. La distorsion communiquait un sentiment de malaise lynchéen, accentué par l'hyperréalisme des couleurs et la rudesse des coups de pinceau.

« Pas mal, gesticula Simon, pas mal du tout. Qui est-ce qui expose "heu" ?

– Un groupe de jeunes artistes américains, répondit Busner. »

Après un peu de circumnavigation et une nouvelle escale au buffet, Simon, qui menait la patrouille, tomba en arrêt, le moignon tremblant, le derrière hérissé. Busner s'empressa d'enfouir quelques doigts protecteurs dans la fourrure de son protégé. « "Heuu" qu'y a-t-il, Simon ?

– "HouuGrnnn", fit Simon, songeur. Je me trompe peut-être, Zack, mais j'ai l'impression de *reconnaître* ces deux chimpes, là, en haut des marches. »

Busner suivit son regard et vit deux jumeaux bonobos non identiques. « Les deux bonobos "heu" ? Ces deux-là ?

– Oui, ces deux-là. Ce sont des bonobos "heu" ? J'avais déjà

393

vu ce signe, mais personne ne m'avait encore montré exactement ce que c'était.

– Et qui pensez-vous qu'ils soient, Simon "heu" ? demanda Busner avec un doigté léger comme une caresse.

– Je pense "h'houu" que ce sont deux amis de Sarah. Ken et Steve Braithwaite. Un des articles de journaux que vous m'avez donnés à l'hôpital laissait tâter que Ken avait baisé Sarah. C'est drôle... »

Simon laissa ses doigts en suspens. Busner le pinça : « Quoi ? Qu'est-ce qui est drôle "heu" ?

– J'imagine que je devrais normalement éprouver de la jalousie en voyant Ken – si c'est réellement Ken –, eh bien non. J'ai juste envie d'aller à sa rencontre pour voir lequel de nous deux se prosternera "heu". »

Busner le regarda bizarrement. Il comprenait, bien sûr, ce à quoi il faisait allusion. Étant donné la pratique humaine perverse de la monogamie, on pouvait concevoir que la saillie hors groupe d'une alpha, d'une bêta, d'une gamma ou même d'une conjointe, voire – absurdité dento-clacable – d'une conicheuse provisoire produisît un certain choc émotionnel. Mais, bien que cette réflexion lui plût énormément, ce qui le séduisait surtout, c'était que Simon eût reconnu les bonobos.

Les deux chimpes continuèrent à observer les Braithwaite, qui se tenaient en bipèdes au sommet de l'escalier. Une procession de chimpes les saluait avec une nonchalance tout à fait insolite, bombant à peine le cul et les touchant du bout des doigts sans jamais les gratter vraiment. « C'est quoi au juste, les bonobos "heu" ? demanda finalement Simon.

– Simplement une race de chimpanzés qui habitent l'Afrique, Simon.

– Vous voulez signifier qu'ils sont *noirs* "heu" ? »

Busner connaissait maintenant assez bien les sous-espèces

humaines pour ne pas être pris de court. « C'est cela même, Simon. Ils sont l'équivalent des sous-espèces humaines noires.

– Alors, je suppose qu'il doit y avoir aussi du <bonobisme> "h'hi-h'heu" ?

– En effet.

– Eh bien "h'hi-hi", fit l'ancien artiste en découvrant joyeusement ses dents du bas, ça explique beaucoup de choses.

– Quoi, par exemple "heu" ? demanda Busner, perplexe.

– Par exemple le fait qu'ils ne sont pas très nombreux à ce vernissage. Comme je l'ai déjà signalé, certaines choses ne changent pas. »

À ces grimaces, Simon se leva et clopina en bipède vers les Braithwaite. Busner trottina derrière. Hélas, le temps de monter l'escalier, les Braithwaite avaient disparu dans la foule des visiteurs. Simon sauta pour essayer de les apercevoir, mais il ne vit qu'une marée de chimpanzés d'où émergeaient des têtes intermittentes comme des flotteurs dans la tempête. « Ils ont jeté l'ancre dans la foule », indiqua-t-il à Busner. Puis il se figea. « "Houu" ça, c'est bizarre... »

Cette partie de la galerie était aussi vide que l'autre, mais il y avait moins de place perdue. Divers mannequins de chimpanzés grandeur nature garnissaient son inexistence incolore. Ce n'étaient pas exactement des statues – ils étaient en plastique ou en latex – mais ce n'étaient pas non plus des mannequins ordinaires. Le plus proche d'eux, arrêté à mi-pas dans son mouvement, semblait essayer de se détacher de son socle. Il était vêtu d'une blouse blanche et brandissait une éprouvette, mais la courbure de sa nuque lui donnait une apparence non simienne. Il avait une énorme tête massive de mutant. « Je vous imagine souvent comme ça "h'hi-hi" ! » gesticula Simon, facétieux, à Busner.

Les autres mannequins était tout aussi aberrants : une silhouette avec une tête en forme de pomme de terre, un Bugs

Bunny mutant, un dronte. Mais le plus étrange de tous était la petite silhouette éperdue d'un enfant humain. Le créateur avait transmuté sa créature : il était couvert d'un pelage inégal très inhumain, avait des pattes arrière munies de doigts préhensiles et se servait de l'une d'elles pour se faire une piqûre interminable avec une seringue jetable à insuline.

Simon et Busner manumarchèrent autour des mannequins en huant doucement puis, arrivant devant le jeune drogué hybride, s'arrêtèrent pour tripoter un commentaire. « "H'hou" nous sommes en plein dans notre sujet, Simon, vous ne trouvez pas "h'heu" ?

— "Greu-nnn" vous avez raison, Zack. Ces œuvres sont évidemment des réflexions sur la déviance des tendances naturelles : la distorsion de notre appréhension du corps par rapport au mode de vie contre nature qui est aujourd'hui le nôtre, en tant que chimpanzés. »

Bien que surpris de voir son protégé reconnaître spontanément sa cochimpanité, Busner se laissa entraîner par la gesticulation : « Ça rappelle un peu vos dernières œuvres "h'heuu" ?

— Il y a de ça, en effet. Comme dans mes tableaux apocalyptiques, ces mannequins sont l'expression d'une perte cruciale de la perspective, d'un brouillage de la ligne de démarcation entre le chimpanzé et la bête. »

Entre-temps, un petit chimpe voûté, au museau tacheté, qui portait une moumoute assez peu discrète et une veste de lin blanc soigneusement retroussée pour exhiber son croupion, s'était approché d'eux. Voyant que Simon avait terminé sa phrase, il leur présenta son cul et digita : « "HouuH'Graaa" docteur Busner, je suis très honoré de m'aplatir devant vous. Simon, ça me fait plaisir de te revoir parmi nous. S'il te plaît, permets-moi de peloter ton scrotum pendulaire. » Ce qu'il fit aussitôt.

Sentant une palpation étrangement familière, Simon regarda

droit dans le museau de ce joyeux subordonné, un museau à deux bouches, l'une avec des dents, l'autre suturée par la cica-trisation. Pas d'erreur, c'était Tony Figes. « "HouuH'Graa" Tony ! Le Dr Busner m'avait signalé que tu serais peut-être là. Alors, qu'est-ce que tu penses de cette expo "heu" ? »

Devant le museau sans malice de Simon, Tony décida d'entrer dans son jeu et de faire comme s'il avait oublié qu'ils ne s'étaient plus touchés depuis leur fin de soirée dans ce bar clandestin, près de Cambridge Circus, quelques heures avant sa crise. Il contre-signala tranquillement : « Pas inintéressant. J'ai vu ce que tu digitais au Dr Busner à l'instant et je suis d'accord avec toi. Ces mannequins – et l'artiste a été très bien inspiré de leur donner un aspect humanoïde – sont en quelque sorte des "grnnn" chimères modernes, des monstres composites façonnés à partir de chimpanzés, d'animaux et d'aliens. La faune du futur. À l'instar des totems dans les mythologies chimpaines tradition-nelles, il n'est pas absurde d'imaginer qu'ils aient une fonction religieuse "heu" ? »

Busner remarqua que, loin d'être déconcerté par la manipu-lation de Figes, Simon, l'homme-singe déshumanisé, se hérissa de plaisir et, haussant les arcades sourcilières, panthurla cordia-lement, « H'houu », avant de tâtonner : « Quel genre de fonction religieuse, Tony "heuu" ?

– Eh bien, notre mode de vie actuel a peut-être transformé notre conception de la chasse, mais je pense que les observations de Lévi-Strauss sur la question restent "greu-nnn" aussi vraies aujourd'hui qu'au temps où les artistes néolithiques appliquaient les premiers ocres sur les parois de la grotte de Lascaux. Tu te rappelles certainement "chup-chupp" que, selon lui, le commen-cement de tout art chimpanzé est la personnification – et la représentation – des animaux "heuu" ? »

Simon se déconcentra. La référence à Lévi-Strauss venait de refermer un circuit dans son esprit, sa mémoire-minute avait bouclé la boucle de son délire : ce qui avait existé n'était pas effacé. Et, sans toutefois accepter en aucune manière ses membres velus, sa mince bite rose, sa face noircie, ses sourcils ossus, ses yeux verts protubérants et sa fourrure crânienne bouffante, Simon Dykes commençait à se retrouver pour la première fois depuis des mois.

Non loin de là, un grand mâle goitreux à barbe blanche et au crâne dégarni se dandinait, jetait des brassées de catalogues et gesticulait avec une arrogance inimitable. Simon le reconnut sans hésiter : c'était Gareth « Grunt » Feltham, le critique d'art tendancieux du *Times*. Il était flanqué de son lèche-cul habituel – un fait que Feltham avéra en lui donnant son cul à lécher au moment où Simon regardait –, Pelham, le chroniqueur mondain. Pelham était aussi teigneux dans son incarnation chimpaine que sous sa forme humaine – et peut-être même davantage, dans la mesure où il semblait l'être ici autant physiquement que mentalement.

Et là, juste à côté, ce chimpe colossal – qui venait d'arracher le protège-enflure noir Bella Freud d'une femelle accroupie pour effectuer une pénétration pantelante – était Flixou le sculpteur, un ancien rival professionnel de Simon.

L'identification de Flixou permit à Simon de franchir un échelon supplémentaire dans ce jeu absurde. La présence de plusieurs femelles en chaleur dans les parages attisait les velléités copulatoires. Deux d'entre elles, particulièrement resplendissantes et sans protège-enflure, exhibaient des périnées engorgés, bombés et luisants comme des cuvettes en plastique. Deux autres n'en étaient qu'au tout début de l'œstrus, mais leur peau lisse godait déjà joliment sous leur fourrure pelvienne. Et il y en avait une cinquième, une femelle à tête blonde, une jeune guenon délicate dont la fleur rose commençait à faner sous son protège-enflure Selena Blow. Simon renifla : son œstrus touchait à sa fin mais, même à douze mètres, il sentait qu'elle était encore réceptive.

Il la regarda droit dans le museau, son museau en cœur, et, en voyant ses lèvres impeccables, fines mais souples, se retrousser pour dévoiler des canines étrangement pointues – même pour une chimpanzé –, il sut que c'était Sarah. Il poussa un panthurlement farouche. « HououuRouaaargh ! » Busner et Figes sursautèrent. Simon s'apprêtait à bondir vers Sarah pour lui faire il ne savait quoi, quand il s'aperçut que les deux autres étaient déjà sur la brèche.

Les deux Braithwaite, pour être précis. Ken et Steve paradaient devant Sarah d'une façon très peu orthodoxe. Ça valait le coup d'œil : ils sautillaient en bipèdes entre les mannequins, virevoltaient, dansaient, faisaient des saltos arrière... D'autres mâles, informés par l'odeur qu'une femelle de premier plan encore en chaleur – quoique finissante – honorait de sa présence l'ouverture de l'exposition, se portèrent volontaires pour honorer à leur tour *son* ouverture. Certains arboraient des vestes en soie de Chine, d'autres des vestes Paul Smith ou en denim Levi's, mais tous avaient les mêmes frétillantes bites roses et les mêmes frétillants troufignons. Et, avides de la couvrir, ils paradaient, l'importunaient, criaient, rrouaaboyaient, tambourinaient sur le sol.

Un semblant d'ordre hiérarchique s'était établi : Ken Braithwaite avait obtenu la première place dans la file. Sarah s'accroupit, en épiant Simon par-dessus son épaule. Ken Braithwaite écarta son protège-enflure et se mit à la saillir avec la nonchalance caractéristique des chimpanzés. Sans même prendre la peine de poser son verre de champagne, le singe poussa, pantela, dentoclaqua, jouit en quelques secondes, se retira, digita : « Merci pour le "hue-hue" coup, Sarah » et s'en alla en se dandinant. Steve Braithwaite le suivit en reniflant le foutre frais sur sa fourrure.

Sans attendre que le deuxième mâle dans la file eût couvert son ancienne conjointe, son adorable conicheuse, Simon poussa un second panthurlement ravageur, « HououuRouaaargh », et se rua vers la queue leu leu des queutards. Tony Figes se tourna vers Busner : « Vous croyez qu'il "houu" s'en tirera "heu" ? » L'ancienne personnalité télévisuelle, pourtant peu coutumière du fait, se donna du champ pour gesticuler une plaisanterie douteuse : « S'il peut tirer, il pourra s'en tirer "h'hi-hi" ! »

Ils regardèrent Simon se camper sur le fameux revêtement de sol « désertification industrielle ». Flixou, le sculpteur, avait réussi à s'interposer dans la chaîne des prétendants copulateurs. Simon l'aborda sans ambages. « Aaaaïïïï », cria-t-il, et il lui balança un grand swing sur la nuque. Le sculpteur – dont l'œuvre la plus célèbre à ce jour était un énorme bloc de glace exposé sur la rive droite et intitulé simplement *Glace gâchée* – se cabra. Simon ne lui laissa pas le temps de récupérer. Il lui crocheta la gueule d'un coup de griffes. Voyant qu'il saignait, et ne voulant pas risquer de tacher sa veste Jasper Conran, Flixou accepta la défaite. Il tendit sa croupe à l'homme-singe, qui lui accorda une petite tape rapide et pénétra aussitôt Sarah en douceur.

« IiiiRroua ! » râla-t-elle en sentant darder en elle la bite familière.

« Hue-hue-hue », pantelait Simon en se démenant, tout en pianotant sur son échine : « "Hou" Sarah, Sarah, ça me fait "chup-chupp" tout drôle ! » Il lissa sa fourrure blonde du sommet de sa tête aux muscles noueux de son dos puis, passant une main sous ses hanches mouvantes, empoigna son enflement pour tâter sa chair engorgée de lubrifiant comme un sac spongieux. « Hue-hue-hue ! » Encore trois petits coups et ils exultaient déjà. « Hue-hue-clac-hue-clac-boum-huue ! » Alors, comme une seule âme, sous la torture du plaisir, ils atteignirent un orgasme comme on en n'avait plus entendu depuis longtemps à la galerie Saatchi. « IiiiiiiiRrouaaaa ! » hurlèrent-ils. Même dans l'autre salle, les chimpes s'immobilisèrent et cherchèrent à savoir d'où venait ce tapage.

Zack Busner était enchanté de la tournure des événements. Supposant que, après avoir couvert Sarah avec un tel brio, Simon prendrait le temps d'un bouchonnage postcoïtal digne de ce nom, il s'en alla sur trois pattes, son verre à la main, voir s'il restait du champagne.

Devant le buffet, il y avait une petite troupe de chimpes complètement indifférents aux copulations en chaîne qui se déroulaient dans la galerie supérieure. Busner reconnut l'un d'eux, un grand individu au pelage capillaire châtain et au déhanché féminin. Rajustant ses doubles foyers, il l'identifia à ses ridicules lunettes ovales Oliver Peeples et à son faux protège-enflure plus ridicule encore. C'était George Levinson, infailliblement.

George menait la gesticulation, brassant l'air de ses grandes mains. « Bien sûr que les Juifs sont comme les autres chimpes, ils le sont juste un peu plus... » digitait-il avant d'apercevoir Busner. Il se prosterna aussitôt. « "H'houu" docteur Busner, quel plaisir de voir votre vénérable moignon parmi nous. Tony Figes m'a signalé que Simon vous accompagnerait peut-être "h'heu" ? »

Busner tapota son large derrière. « "H'houu" monsieur Levinson, vous deviez être très absorbé par votre gesticulation... Vous n'avez pas entendu ce merveilleux râle coïtal "heu" ? C'était Simon qui saillait sa vieille conjointe...

– Sarah "heu" ? Quelle excellente nouvelle, quelle excellente nouvelle. Ça signifie qu'il est en voie de guérison, je suppose "heu" ? Que votre méthode spéciale a porté ses fruits, docteur Busner. »

L'un des intergesticulateurs de Levinson, qui les observait attentivement, se prosterna à son tour devant Busner. « "H'houu" docteur Busner, c'est ça "heu" ?

– C'est exact.

– J'admire votre éblouissante fêlure ischiatique, votre postérieur est comme l'étoile du matin et votre philosophie souterraine comme un bal masqué dans un monde gris. Je suis, monsieur, votre subordonné obligé. »

Busner, ravi de tant de bassesse, flatta le popotin offert et alla jusqu'à le baiser. « Vous êtes trop bon de me baiser le cul, gesticula le chimpe en se redressant, vous ne vous souvenez probablement pas de moi, mais nous nous sommes brièvement grattés l'an dernier, à la clinique Cassell. »

Busner le regarda plus attentivement : un chimpe jeune, d'une vingtaine d'années, noir de poil, avec un museau très blanc et une extravagante fourrure crânienne permanentée qui ne lui allait pas très bien. « "H'heuu" ? Non, je ne vois pas. Vous vous appelez "heu" ?

— Alex Knight. Je suis producteur-réalisateur de télévision. Je faisais un documentaire sur les cures de gesticulation, d'où ma présence à Cassell...

— "Greu-nnn" ah oui, oui, ça me revient maintenant. Bernard Paulson vous avait chaudement recommandé. Que puis-je pour vous "heuu" ? »

Le producteur s'abaissa encore un peu plus, conscient du caractère osé de la grimace qu'il préparait : « "HouGrnn" je... j'ai cru comprendre, docteur Busner, que vous vous occupiez de Simon Dykes "heu" ?

— C'est exact.

— Il aurait fait une crise de folie, paraît-il, et se prend pour un humain "heuu" ?

— Oui, c'est exact également, bien qu'il vienne de manifester, pas plus tard que ce soir, des signes de guérison tout à fait nets. Il s'est mêlé à une chaîne copulatoire avec beaucoup d'entrain...

— Mais il se voit toujours comme un humain "heu" ?

— Oui, je crains que le cœur du problème ne demeure "eucheuch" intact. Mais, grimacez-moi, Knight, en quoi cela peut-il vous intéresser "heu" ?

402

– Simple curiosité, docteur Busner, simple curiosité. Je me demandais comme ça, à tout hasard, si vous... et M. Dykes, naturellement... seriez disposés à gesticuler de la possibilité de participer à un documentaire télévisé "heu" ?

– Un documentaire "heu" ?

– Un documentaire. Ça porterait évidemment sur la relation thérapeutique que vous avez élaborée avec lui et, plus généralement, sur votre philosophie phénoménologique existentielle des troubles mentaux "greu-nnn". »

Busner observa le museau du chimpanzé. Il avait l'air sincère et Busner faisait confiance au jugement de Paulson, qui pensait le plus grand bien de lui. Mais ce qui le décida vraiment fut la connaissance que Knight semblait avoir de sa philosophie. C'était peut-être un chimpe avec qui on pouvait faire affaire. « "H'houu" monsieur Knight, en règle générale, je me méfie de la télévision, qui a trop tendance à confondre vulgarisation et simplification. Cependant "houu", certaines "grnn" circonstances nouvelles font que je pourrais être intéressé. Vous avez une carte "heuu" ? »

Knight n'avait pas de carte. Il dut demander un stylo et du papier à la ronde pour griffonner ses coordonnées. Busner prit le numéro et lui signala du pied : « Vous pouvez vous attendre à un panthuchage de ma part dans un avenir proche, monsieur Knight... » Il s'apprêtait à lui fixer déjà certaines conditions, quand une série de puissants soufflecris retentit dans la galerie supérieure – « HeouRrouaa ! » « HeouRrouaa ! » « HeouRrouaa ! » –, soufflecris qui appartenaient indubitablement à Simon.

Il n'avait pas fallu plus de cinq minutes à l'ancien artiste pour se mettre dans un mauvais pas. Après avoir couvert Sarah, ils s'étaient accroupis ensemble et Simon avait eu droit à son plus satisfaisant, son plus réconfortant grattage depuis sa crise. Les petits doigts de son ex-conjointe palpèrent, tordirent, pétrirent la fourrure de son bas-ventre, retirèrent sperme et sécrétions vaginales séchées, caressèrent sa bite flageolante. « "Greu-unnn" Simon, c'est si bon de te toucher, mon amour, digitait-elle. Tu as l'air d'aller beaucoup mieux "chup-chupp". Je me faisais tellement de souci...

– "Grnnn" je vais mieux, Sarah "chup-chupp", c'est vrai. Je ne peux pas expliquer pourquoi, mais le monde me semble beaucoup moins étrange. Rends-toi compte, ça ne m'a même pas dérangé de voir Ken Braithwaite te couvrir tout à l'heure...

– Mais... mais dérangé en quoi, Simon "heuu" ? Ton statut dans la hiérarchie reste assuré. »

Simon regarda ses yeux verts fendus verticalement. Ils étaient animaux – sans l'ombre d'un doute –, mais complètement exempts de malice ou de veulerie. Il répondit en peignant son pelage blond : « Je ne sais pas comment t'expliquer... N'importe, ça ne m'a pas dérangé "grnnn". »

Le bonobo en question arriva sur ces entrefaites, accompagné du reste de la bande, la fine équipe des branchés, Steve, Tony et Julius, le barchimp du Sealink. Une femelle svelte – mais moins mince que Sarah, avec de plus longues mèches blondes – caracolait derrière eux en criaillant par-dessus son épaule, importunée par deux mâles qui paradaient dans son sillage. « H'houu », vocalisa Simon, avant de gesticuler : « Hello, Tabitha, toujours poursuivie par les mâles "heuu" ?

– "H'houu" Simon ! fit-elle en lui bisoutant le museau. Quel plaisir de te toucher ! »

Julius y alla de son bisou, lui aussi, et lui palpa les couilles un instant.

« "H'houu" mon chimpe, signala Simon.

– "H'houu" mon chimpe, contre-signala Julius. Puis-je vous assister dans le choix d'une boisson rafraîchissante "heu" ? »

Les deux vieux alliés pouffèrent en signence. Simon remarqua que Julius s'était taillé un nouveau bouc inversé, plus grand et

404

plus pointu que le précédent. « "H'heu" un nouveau rasage, Julius ?

— Oui "hi-hi", gloussa le barchimp, merci Gillette, la perfection au masculin "h'hi-hi-hii" ! »

Compte tenu de la bonchimpie régnante et de la ferveur des grattages célébrant la reconstitution de la fine équipe, il eût été étonnant de voir Simon jouer les effarouchés quand Steve Braithwaite lui demanda : « Une petite ligne, Simon "heu" ? » Ils s'éclipsèrent tous aux toilettes.

La cabine était assez haute pour leur permettre de s'y entasser tous les sept. Steve abaissa la lunette et s'accroupit dessus pour détrancher des lignes sur le réservoir de la chasse d'eau. Simon était accroupi en dessous, avec Tony et Sarah, tandis que les Braithwaite et Tabitha étaient suspendus au plafond, d'où ils pédipulaient de temps en temps les fourrures crâniennes de ceux qu'ils surplombaient, provoquant force claquements de lèvres. Simon prit le billet roulé qu'on lui offrait, l'enfourna dans sa narine, sniffa et sentit immédiatement une amertume chimique lui chatouiller le gosier. Il se tourna vers Steve : « D'où elle vient, cette coke, Steve "heu" ?

— Je l'ai achetée à ce chimpe Tarquin, tu sais, celui qui traîne toujours au club, répondit le bonobo. C'est de la merde, mais elle te file une bonne claque sur le moignon. »

Simon sniffa copieusement. Un flot de cocaïne mêlée de mucus dégoulina dans son larynx. « T'as mis le doigt dessus, Steve, signala-t-il. C'est de la merde. Dieu merci, certaines choses ne changent *vraiment* pas "h'houu" ! »

Le petit coup de fouet de la drogue ne dura pas. Du temps où il était humain, la mauvaise cocaïne l'amenait toujours au bord d'un précipice d'angoisse. Il en fut de même, cette fois-ci. Quand, revenant dans la galerie, il alluma une de ses éternelles Bactrian, Julius gesticula : « "Houu", à ta place, je fumerais pas, Simon. Pas après une ligne.

– Qu'est-ce que tu me gesticules, Julius... » contre-signala Simon. Mais, en essayant de vocaliser la forme interrogative, il se mit à éructer, « heuueurrh », puis à tousser, « eurgh-euch-euch », car, dans sa confusion somatique, le pauvre aliéné avait oublié que les chimpanzés ne peuvent pas vocaliser et respirer en même temps. La cocaïne l'avait anesthésié de diverses manières.

Bipède chancelant, il s'appuya contre le non-mur de la galerie. Son cœur s'accéléra. Ses yeux verts protubérants s'agitèrent en tous sens. Vision de cauchemar. Un monde de bêtes. Autour de lui, les chimpanzés détalaient, crapahutaient, velus, farouches, horripilés. Et, quand il regardait leurs iris fendus, il n'y voyait que des intelligences d'aliens. Sous l'effet de la cocaïne qui diffusait dans son cerveau dérangé, même la fine équipe lui devenait étrangère. Le décor de la galerie Saatchi, avec son troupeau de singes à demi vêtus qui trottaient sur trois pattes en levant des verres de champagne, était comme un cirque où se jouait un numéro de dressage pour des petits d'homme.

Il riait, il criait. Souvenirs et faux-semblants s'entrecroisaient devant ses yeux. Les branchés magnifiques s'employèrent à lui administrer un bouchonnage d'urgence, mais ses quintes de toux et de rire tournèrent vite à l'hystérie. Il se mit à soufflecrier.

Ce fut alors qu'arriva Busner. La clique fissionna. En guise de calmants, il asséna quelques coups sur le museau de Simon puis, sans chercher à savoir exactement ce qui s'était passé, adressa un panthurlement d'au revoir à l'assemblée, « HouuGraaa », tambourina sur un socle – comme par hasard, celui du petit humain mulâtre – et emmena l'ancien artiste.

La dernière chose que vit Simon à travers ses larmes en se retournant fut le museau bien-aimé de Sarah. Elle semblait traumatisée et cherchait à calmer ses esprits à la manière des singes, en se faisant sauter par Ken Braithwaite.

Busner panthéla un taxi dans la rue et, quelques minutes plus

tard, ils étaient de retour à Redington Road. Il mena Simon
directement à sa chambre pour lui faire son habituelle intraveineuse de Valium. Le dément écarquilla les yeux en voyant l'antipsychiatre chercher une veine sous les poils de son bras.

« "Heu" qu'est-ce qu'il y a, Simon ? demanda le vieux singe.

– "Houu" j'sais pas, Zack, j'sais pas... » Busner avait trouvé la
veine. Il retira le garrot et enfonça le piston. Jane Bowen avait
insisté sur ce mode d'administration du médicament, en raison
de l'extrême fébrilité du patient, et Busner jugeait plus sage de
s'y tenir. La méthode intraveineuse permettait un dosage plus
précis.

Les yeux de Simon roulèrent dans leurs orbites. Busner sentit
les muscles de son bras se détendre. Ses doigts esquissèrent des
signes dans le vide : « Quand vous me faites ces piqûres... quand
je regarde mon bras pendant que vous me faites ces piqûres...
j'arrive presque à le voir comme un bras de chimpanzé... Vraiment. Je vois du pelage. Oui, oui... » Et, sur ce nouvel aveu de
chimpanité naissante, Simon Dykes se laissa tomber sur son nid,
se lova en position fœtale et s'endormit. Busner se releva péniblement – la nuit était humide, c'était terrible pour l'arthrite –
et contempla le malade.

La froideur professionnelle n'avait jamais été la caractéristique
de la philosophie thérapeutique de Busner. En regardant le
museau de Simon, provisoirement reposé par la drogue, et son
triste pelage pectoral grêlé de brûlures de Bactrian, il comprenait
que leurs relations avaient dépassé les limites du simple rapport
médecin-patient. D'une certaine façon, ils étaient maintenant
des alliés, unis contre un monde hostile, qu'il fût humain ou
simien. Il s'ébroua. La chambre était suffocante. Puis il s'épouilla
la raie du cul et alla se servir un troisième souper.

Dans son sommeil, Simon rêva. Il était redevenu humain. Il
marchait droit, avec aisance. Sa longue colonne vertébrale sou-

tenait un faisceau d'extroception quintessentiellement humaine. Et dans ce faisceau allaient et venaient ses trois petits mâles sautillants. Ils riaient, ils avaient tous des cheveux filasses et une peau rose à croquer. Mais le plus adorable de tous, la prunelle des yeux de leur père, c'était Simon junior. Simon senior courut vers lui, le souleva dans ses bras, sentit ses petits genoux se serrer autour de son abdomen. Il enfouit son museau dans la chair douce de sa nuque et gémit en inhalant son essence humaine, sa merveilleuse sensualité.

Plus tard dans la nuit, Simon passa d'Éden en Purgatoire. Il fit un cauchemar dans lequel il se voyait avec Sarah, copulant à la manière humaine. Il était allongé sur elle et sentait son corps glabre se déhancher sous lui. Le frottement de sa peau nue était nauséabond. C'étaient comme deux museaux rasés, glissants de sueur et faisant ventouses. Les yeux de Sarah étaient dérangeants aussi, bleus, bestiaux, perçants comme des dagues ; et sa bouche, son horrible petite bouche aux dents miniatures, d'où sortaient des grognements graves et des vocalisations faussées. « Greu-mmmbaisemoi ! Greu-mmmbaisemoi ! » Simon s'enfonçait en elle mais ne sentait rien, aucun afflux de bouillie d'enflure, rien qu'une absence, un vide local. « Greu-mmmbaisemoi ! Greu-mmmbaisemoi ! » Plus elle vocalisait, plus il s'échinait, mais ni l'un ni l'autre ne parvenaient à jouir, la saillie durait des *siècles*, durait des *minutes*. C'était – dans la logique du rêve – un affreux présage d'impuissance, de vieillissement, de mort.

Dans le sommeil, l'angoisse lui déformait le museau, lui ouvrait la bouche, lui arrachait des jappements et de petits cris perçants, qui vibraient derrière ses grosses dents.

Le lendemain, Busner se leva de bon matin. Il arriva à temps pour prendre son premier breakfast avec les chimpanzeaux qui se préparaient pour l'école et les sub-adultes qui se préparaient à patrouiller. Il joua avec les premiers, bouscula gentiment les seconds, caressa les poneys de compagnie omniprésents et couvrit deux de ses plus jeunes guenons, qui connaissaient leur premier œstrus. L'un dans l'autre, c'était un joyeux matin de groupe, une Arcadie d'insouciance que défonça tout à coup un missile en forme de missive, un obus dans une enveloppe brune.

Mary, la femelle iota, revint du vestibule sur trois pattes en tenant la lettre assassine. Zack lisait le *Guardian*, accroupi devant la table de la cuisine, pendant que le Dr Kenzaburo Yamuta, le mâle zêta éloigné, lui épouillait le dos. À peine eut-il vu l'enveloppe que le vieil alpha sauta debout sur sa chaise pour s'adresser à son groupe. « "HouuGraa !" Il y a quelque chose d'important dont je dois gesticuler. Je veux voir tous les adultes du groupe, mâles et femelles, de bêta à epsilon, dans mon bureau d'ici trois minutes. Les autres, tenez-vous tranquilles. Colin, ajouta-t-il en se tournant vers le mâle thêta, tu iras voir dans un instant si Simon va bien. Nous avons eu une nuit difficile et il aura peut-être besoin de quelque chose contre la gueule de bois "h'houu". »

Quand les chimpes convoqués s'attroupèrent dans le bureau, Busner avait lu et assimilé le contenu de l'enveloppe. Il les salua, « HouuH'Graa », puis désigna la lettre posée sur la table. « J'ai gesticulé de cette affaire avec Charlotte dans notre nid, il y a quelques semaines, peu après l'arrivée de ce pauvre Simon... » Il s'interrompit pour scruter les neuf paires d'yeux verts qui l'observaient. « Je soupçonnais alors notre ancien mâle epsilon – et mon ancien assistant – Gambol de fomenter une alliance contre moi... »

Cette révélation provoqua une levée de digitations effarées et une éruption de gémissements affolés. « "Greu-nnn" un peu de calme, je vous prie ! Comme je viens de le signaler, je prévoyais le coup bas. Vous savez tous que j'ai largement mon compte d'ennemis dans les hiérarchies médicale et psychiatrique "chup-chupp". Vous savez également que je n'ai jamais dévié de mon chemin pour aller me prosterner devant ces individus ou leur témoigner la déférence requise, j'ai toujours fait ce que je jugeais nécessaire pour aider ceux d'entre nous que la chimpanité appelle "euch-euch" malades mentaux.

« "Houu" à présent les loups sortent de leur tanière. Gambol, je ne sais comment, a obtenu certaines informations qui peuvent me compromettre gravement. Des informations concernant un programme d'expérimentations malencontreuses dans lequel je me suis bêtement laissé embarquer. Il s'agissait de tester un nouvel anxiolytique, mais je vous "euch-euch" fais grâce des détails. Sachez simplement que mes malversations présumées impliquent indirectement Simon Dykes. Gambol s'est cru malin de déballer tout ça au comité d'éthique du Conseil de l'ordre des médecins, qui a décidé d'examiner mon cas "euch-euch". Cette lettre, acheva-t-il en agitant l'odieuse missive, m'informe que je n'ai plus le droit d'exercer tant que l'instruction n'est pas terminée "rrouaaa" ! »

Chahut dans le bureau. Les chimpanzés Busner se mirent à bondir dans tous les sens, à grimper aux murs, hérissés et rrouaa-boyant furieusement. Busner s'arc-bouta derrière la table. S'il devait y avoir putsch contre son règne d'alpha, c'était mainte-nant. Mais aucune fusion ne s'opéra, le tourbillon de poils ne donna lieu à aucune alliance spontanée. Au bout d'une minute ou deux, il tapa donc sur la table et vocalisa pour capter à nouveau leur attention. « HououuuGraaa ! » Signence et non-vocalité s'ensuivirent.

« Maintenant, je n'ai pas l'intention de m'abaisser devant ces chimpes. J'ai décidé de ne pas intervenir dans l'enquête... » Un houuement de panique parcourut l'assemblée. « "Euch-euch" ce serait compromettre toute ma carrière. Non, plutôt que de rele-ver le gant, je redescends de l'arbre professionnel. Je continuerai à m'occuper de Simon Dykes, que je respecte aujourd'hui comme chimpe et comme allié. J'ai maintenant une idée précise sur la suite du traitement.

« J'aurais aimé rester ici dans le groupe domestique, mais je "houu" me rends compte que mon règne d'alpha sera peut-être terminé quand nous... »

Nouveau chahut. Tous sautèrent, criaillèrent, tambourinèrent sur toutes les surfaces disponibles, horizontales et verticales. Il y eut quelques échanges de coups entre David, le petit delta déluré, et Henry, le gros bêta lourdaud, mais qui ne se transformèrent pas en rixe. La fusion ne tarda pas. Les chimpes signifièrent au Dr Kenzaburo Yamuta de gesticuler en leur nom.

Le zêta se leva. « "HouuGraa !" Zack, je me tords les mains au nom de tous en signalant que l'idée de ne plus nous courber devant ton radieux et splendide trou du cul nous attriste à l'extrême. Zack, nous adorons ta fêlure ischiatique, nous ne demandons qu'à caresser ton croupion avec dévotion, ton statut de magouilleur marron dans le milieu psychiatrique est un sujet de grande fierté pour chacun de nous "h'houu". Nous voulons que tu restes notre alpha et, quelles que soient les manipulations que tu choisiras d'entreprendre, sois assuré que nos tripotages t'accompagneront. »

Pendant ce discours, Busner sentit ses cavités oculaires se mouiller de larmes. Il savait que son groupe domestique le respectait, mais avait toujours pensé que ce respect reposait davantage sur la crainte que sur l'amour. Pleurant, il sauta par-dessus la table, s'accroupit devant les petits pieds de Kenzaburo et se mit à lui bouchonner le bas-ventre en ronronnant et en claquant des lèvres. Les autres Busner se joignirent à lui et la réunion s'acheva par un grattage de groupe sincère et profondément satisfaisant.

Zack laissa les mamours durer le temps qu'il fallait, puis se leva et gratifia Kenzaburo d'une dernière torsion d'encouragement accompagnée d'un bécot sur son museau raplati. « "Houu-Graaa !" Eh bien, l'affaire est tâtée. Kenzaburo, décroche ces bouts de papier désormais inutiles », fit-il en désignant ses diplômes encadrés, son certificat de membre honoraire du Collège royal des psychiatres, de membre actif de l'Institut de psychanalyse et de membre bienfaiteur du Variety Club de Grande-Bretagne, « pendant que je vais voir Simon. Son ex-groupe et ses petits seront ici pour le premier déjeuner. Je fonde de grands espoirs sur leur séance de grattage. »

Simon avait la tête lourde, et le commerce clandestin de ses visions nocturnes le hantait encore. Il fut cependant ravi d'apprendre que des membres de son ex-groupe allaient venir à la maison. Busner s'accroupit sur son nid pour lui toucher gentiment la nouvelle. « J'ai panthuché votre ex, hier, et elle a accepté d'amener les chimpanzeaux aujourd'hui "greu-nnn". Elle sera accompagnée d'autres membres du groupe. Vous pensez que vous pourrez "chup-chupp" le supporter "heu" ?

— Pourquoi pas ? Bien sûr, contre-signala Simon. Après tout, je me suis bien débrouillé au vernissage, avant de m'énerver bêtement.

— Avant de prendre cette "euch-euch" cocaïne...

— Elle était coupée "houu" ! C'était une vraie merde !

— C'est possible, Simon, n'empêche que... enfin, loin de moi l'idée de condamner radicalement l'usage de drogue... »

Les doigts de Busner, d'habitude si diserts, bégayèrent. Il sentait qu'il devait lui faire part de son propre problème. Et il le fit, quoique avec une omission significative : il négligea simplement de phalanger le scandale qui avait entouré les essais de l'Inclusion, se contentant de mettre l'articulation sur les passages de la lettre du Conseil de l'ordre critiquant ses méthodes thérapeutiques inhabituelles.

« Vous voulez signifier, gesticula Simon en l'observant, que vous pourriez être radié pour avoir tenté de m'aider d'une manière trop originale "heuu" ?

— En gros, c'est à peu près ça, fit Busner innocemment.

412

– Mais c'est "euch-euch" absurde ! Vous avez sauvé ma santé mentale, peut-être même ma vie ! »

Busner eut un petit sourire modeste de bon aloi, mais en pensant secrètement : j'ai surtout commencé par mettre ta santé mentale en danger et très probablement dérégler ton cerveau.

« Regardez, Simon, reprit-il, le vrai problème, c'est que votre cure n'est pas terminée. Nous devons encore résoudre la question de votre fils manquant. Vous êtes toujours convaincu qu'il existe, n'est-ce pas "heu" ? » Simon acquiesça en signence. « Et tous vos fantasmes humains sont liés à ce manque, exact "heu" ?

– "Houu" oui. »

Simon blêmit au souvenir de sa nuit, de ses rêves de copulation bestiale, humaine. Car, en regard du monde éveillé, avec ses poneys nains, ses Bactrian et ses cassettes de *La Planète des hommes*, ces rêves n'étaient pas des cauchemars, mais des visions érotiques.

« "Greu-nn" Simon, tant que nous n'aurons pas éradiqué ce surmoi humain, vous ne pourrez pas reprendre une vie ordinaire. Nous allons donc avoir besoin de fonds pour poursuivre notre travail...

– Je vous paierai, Zack, je vous paierai, si c'est ce que vous voulez "heu" ?

– Non, Simon "grnn", fit Busner avec gentillesse mais fermeté. Ça ne me semble pas être la bonne solution. Je pense à autre chose. À une alliance... »

Et il lui mima son entretien avec Knight, le producteur de télévision.

« "Greu-nnn", fit Simon après un instant, vous proposez une collaboration avec ce chimpe pour un documentaire "heu" ?

– C'est ça. Je sais de source sûre qu'il est digne de confiance et j'ai déjà vu ce qu'il fait. Du bon boulot. Pour les chimpes de la télé, le tapage autour de la trahison de Gambol et de l'enquête du Conseil de l'ordre sera la cerise sur le gâteau "chup-chupp".

Je sais que ça peut paraître bizarre, Simon, mais réfléchissez : ces chimpes ont tellement de fric que, si d'aventure nous devions nous lancer dans des frais importants pour mener à bien notre travail, ils paieront. »

Après une ou deux heures de grattage et de gesticulation attentionnés, Busner laissa Simon se préparer à sa séance avec son ex-groupe. Ils se séparèrent sur une entente parfaite. Busner panthucherait Knight pour lui fixer leurs conditions. Knight aurait toute liberté pour réaliser le film à sa guise mais, en contrepartie, il assumerait toutes les dépenses et l'alliance Busner-Dykes conserverait un droit de veto sur la diffusion du documentaire terminé.

Busner panthucha donc. Knight accéda à toutes ses exigences. C'était un jeune chimpe ambitieux, qui gravissait rapidement les échelons de la hiérarchie. Comme il travaillait en équipe réduite – un seul assistant, une preneuse de son et lui-même à la caméra –, il était prêt à courir le risque. « Si mes suggesticulations vous agréent, signala Busner, alors vous seriez bien inspiré de faire un saut chez moi, à Hampstead, à l'heure du second déjeuner. Mon petit doigt m'auricule que l'état de M. Dykes va connaître des développements imminents. Apportez tous les papiers nécessaires – si vous pouvez les faire rédiger à temps "heu". »

Knight gesticula que cela ne poserait pas de problème et, quand il eut pris note de l'adresse, les deux parties raccrochèrent satisfaites.

Le petit doigt de Busner était bien informé.

CHAPITRE 20

Le groupe Dykes – ils avaient gardé la même désignation – arriva à l'heure à Redington Road, et cela malgré le fait que Jean Dykes, qui frisait pourtant la trentaine, était encore sujette aux enflements de longue durée qui avaient séduit Simon à l'origine. Elle restait en chaleur plusieurs semaines d'affilée et, comme c'était une catholique fervente, elle mettait un point d'honneur à copuler autant que possible. Elle s'était fait saillir plusieurs fois dans le train de Thame, deux fois dans le métro entre Marylebone et Hampstead, et quatre fois dans la rue. Un seul de ces accouplements avait été endogame.

Avec Jean étaient venus les trois nouveaux membres mâles de la hiérarchie Dykes. L'alpha, Derek, était le garagiste de Tiddington. Simon, qui les épiait derrière les rideaux de la chambre des sub-adultes, reconnut son museau pommelé, ses grosses cuisses et son postérieur massif. Les deux autres lui étaient inconnus et lui déplurent à première vue, surtout le spécimen à museau rond avec la collerette de poils blancs sous le menton, qui entreprit justement d'enfiler son ex au moment où il regarda. La saillie fut si rapide que, n'eût-il été mieux informé désormais sur la sexualité des chimpanzés, Simon eût pu croire qu'ils venaient de se télescoper par mégarde.

Mais ce n'étaient pas les adultes qui l'intéressaient, fornicateurs ou non, c'était ses rejetons bien-aimés. Où étaient-ils ? D'abord une petite tête, puis une autre émergèrent derrière la

415

haie. Simon avait craint de ne pouvoir les identifier, mais c'était une angoisse infondée. Il eût reconnu Magnus entre mille, tant la mèche blonde qui rebiquait sur son front était caractéristique. Quant à Henry, il était aussi trognon et craquant dans son incarnation simienne que sous son aspect humain.

Les deux petits mâles fusèrent devant les deux adultes, franchirent le portillon en coup de vent et se ruèrent dans l'allée, jusqu'à la porte d'entrée où ils furent accueillis par un détachement de singillons Busner. Il s'ensuivit une fusion bouillonnante, typiquement chimpanzée : des bonds, des cris, des poursuites et des chatouillements. Quelle différence avec la méfiance hautaine des petits humains, songea Simon en descendant l'escalier de main en main. Il s'arrêta devant le portemanteau du vestibule.

Busner sortit de son bureau en carpo-tarsant, accompagné d'un chimpe en qui Simon reconnut Colin Weeks, un mâle gamma rapporté assez falot. « "HouuGraa", vous êtes prêt, Simon "heu" ?

– Je n'ai jamais été aussi "houuu" prêt, Zack. »

Le carillon égrena ses discordances habituelles et Colin Weeks ouvrit la porte. Les petits Dykes déboulèrent comme un double projectile, un balluchon de fourrure châtain clair, exactement de la même nuance que celle de Simon, qui termina sa course sur le parquet. Ils se désenchevêtrèrent, se relevèrent et assaillirent leur alpha en criant : « HouuH'Graa ! HouuH'Graa ! Houuh-Graaa ! »

Ils sautèrent dans les bras ouverts de Simon. Magnus s'accrocha à son cou, Henry à son bras et tous deux se mirent à digiter ensemble des signes presque impossibles à démêler : « Alphy ! Alphy ! "Greu-nnn" où t'étais "heuu" ? Tu nous as rapporté des cadeaux "heu" ? Qu'est-ce que tu nous as rapporté "heu" ? Alphy ! Alphy !

– "Hue-ho-hue-greu-nnn" du calme, tous les deux, du calme... » Simon fit pleuvoir des baisers sur leurs museaux. Il ébouriffa leurs fourrures capillaires, baisa leurs larges oreilles et huma leur essence velue, leur odeur composite de lui-et-eux, l'odeur de la consanguinité.

Pendant ces quelques moments, enguirlandé de petits êtres aux doigts et aux orteils entrelacés dans son pelage, Simon Dykes oublia ses prétentions, osa défier son propre idéal et n'éprouva que de l'amour pour sa progéniture, quelle que fût son espèce.

« "Greu-nnn" c'est si bon de vous toucher, mes chéris, vous êtes super. Vous avez été sages avec votre mère "heuu" ? Vous l'avez aidée "h'heu", vous lui avez obéi ?

– "Grnn" ou... oui, alph, tapota Magnus sur le front de son alpha, qui se couvrit de perles de sueur, telles des bulles de sens. On a eu tous les deux des bons bulletins ce trimestre, et Mme Greely m'a mis deux fois les félicitations...

– Bravo, Magnus "h'hououu". Quel brillant jeune chimpe tu vas devenir. »

Ils étaient indifférents aux autres chimpanzés qui arrivaient dans le vestibule, mais Simon reconnut bientôt un panthurlement familier. « HouuGraa ! » vocalisa Jean Dykes pour attirer son attention. « Eh bien, vieil alpha, nous voilà ! » L'idée de revoir Jean avait beaucoup tracassé Simon. Ils avaient un si lourd passif, il y avait eu tant d'incompréhension mutuelle, tant de luttes et de fâcheries ; des désaccords sur des questions de principe, de préséance, de hiérarchie. Les fusions, les fissions, les alliances et les coups de force avaient été trop nombreux pour en retenir le compte.

Il avait craint que la seule vue du museau de Jean ne le replongeât dans sa psychose, craint de ne pas savoir comment se comporter avec elle, de ne pas savoir qui devait se courber devant l'autre. « Ne vous en faites pas "grnn", lui avait assuré Zack Busner. Le moment venu, vous saurez quoi faire. »

Et il sut. D'instinct. Il manumarcha vers Jean accroupie. Elle n'avait pas changé, elle avait toujours la même frange de poils noirs sur son front bas, la même flamme religieuse dans ses yeux aux paupières lourdes. « HouuH'Graa », panthurla-t-il puis, courbant l'échine, il pivota et tendit son postérieur tremblant vers son museau. Elle posa un bisou gluant sur son croupion, puis ils inversèrent les positions et ce fut Simon qui, machinalement, lui baisa le cul. Pendant un instant, sans se soucier des autres chimpanzés qui s'employaient à établir une hiérarchie provisoire, les deux anciens conicheurs se bouchonnèrent gentiment et tendrement – en souvenir du bon vieux temps.

Zack Busner observa cette émouvante fusion avec des sentiments mêlés. Il voulait la guérison de Simon, bien sûr, et cette scène était le gage d'une nouvelle amélioration de son état morbide. Mais il éprouvait aussi une certaine tristesse. Simon était son dernier patient, son ultime cas ; sa guérison complète serait la fin de sa carrière de thérapeute. Le vieux singe n'aurait plus alors – métaphoriquement – qu'à ramper dans les sous-bois pour se construire son nid terminal.

Chassant ces images dérangeantes de son esprit, il se leva, tambourina sur le mur, vocalisa bruyamment, « H'hououu », et, quand l'émoi des retrouvailles s'apaisa, digita : « Permettez-moi de souhaiter la bienvenue aux membres, adultes et chimpanzeaux, de l'ex-groupe de Simon et de leur signifier tout le plaisir que j'ai à voir leurs resplendissants trous du cul. Maintenant "greu-nn", n'oubliez pas que cette fusion a un but. Simon, Jean et moi devons avoir une importante gesticulation. Alors, les petits, vous feriez mieux d'aller jouer en haut. Il y a de tout nouveaux arbres de jeu, vous verrez, Magnus et Henry, je suis sûr que vous adorerez les escalader. Quant à vous, mâles adultes, je vous propose d'aller prendre un premier déjeuner pendant ce temps "h'heu". »

Le gros mâle qui avait sailli Jean Dykes devant le portillon était à la traîne. Il venait seulement d'entrer, avec toute la pompe pédestre d'un notable de province. Reconnaissant sa démarche familière, Simon sut immédiatement qui c'était. Anthony Bohm, son médecin et vieil allié. Ainsi donc, c'était lui que Jean avait rallié à son groupe, avec Derek le garagiste et le maigrichon imberbe aux rouflaquettes brunes. « HouH'Graa », vocalisa Bohm. Carpo-tarsant vers Simon, il fit une rapide courbette et gesticula : « Quel plaisir de voir ton croupion, Simon. Baise-moi le cul, tu veux "heu" ? » Simon s'exécuta.

Busner sépara doucement les deux chimpes. « Docteur Bohm, fit-il, ayez la bonté d'accepter un premier déjeuner. Il y a des durions frais "chup-chupp". Après ma gesticulation avec ces deux anciens conicheurs, j'aimerais digiter un instant avec vous en privé... si vous êtes disponible "heu". »

Bohm se prosterna. « Bien sûr, docteur Busner, vous êtes mon hôte, je suis tout dévoué à votre joli plissé ischiatique et soumis à votre domination divine. Je suis déjà impatient de vous "greu-nn" accorder cet entretien. » Colin Weeks apparut au côté de Busner et ajouta ses doigts à ceux de son alpha dans la fourrure du médecin. Les deux mâles Busner lui titillèrent poliment le popotin et, après un délai de bienséance, tous les chimpanzés fissionnèrent vers d'autres pièces.

Quand ils furent installés autour de la grande table en chêne du bureau de Busner – Jean et Simon lovés dans le fauteuil, Zack accroupi sur le sous-main –, les trois chimpes abordèrent la manipulation à l'ordre du jour. « "H'heu" madame Dykes...

– Je vous en prie, appelez-moi Jean, docteur Busner. Je reconnais votre suzeraineté temporelle temporaire et, bien que j'aie d'abord pensé que votre action sur l'âme de mon pauvre alpha égaré ne lui vaudrait rien de bon, je vois maintenant, à l'expression humble de son museau, que vous avez réussi à le ramener plus ou moins dans le droit chemin "h'houu". »

Busner fut un peu désarçonné par cette religiosité affichée, mais Jane Bowen et Simon lui-même l'avaient averti de la bigoterie de Jean Dykes. Il ne fit donc pas de commentaire, se contentant de papillonner des phalanges : « C'est trop servile à vous, madame Dykes, trop servile. »

Simon, qui était resté signencieux depuis l'irruption des chimpanzeaux, grattouillait la fourrure pelvienne de Jean avec une grande tendresse et – ce qui expliquait l'expression de son museau – une grande humilité. De tous les chimpes qu'il avait rencontrés, à part ses propres petits mâles, le corps de Jean lui était le plus familier. Son pelage, sa silhouette, ses arcades sourcilières, même le grain particulier de ses tétines allongées, tout cela lui rappelait le passé, leur vie de groupe à Brown House.

En frottant quelques particules de sperme gélifié d'Anthony Bohm, il inscrivit sur sa fourrure – avec beaucoup de déférence : « Grimace-moi "chup-chupp" Jean, est-ce qu'on a toujours eu d'autres mâles en résidence du temps de notre fusion "heu" ? »

Jean arrondit les yeux. Cette question absurde la prenait de court. « "Houu" ma chère vieille bite, de quoi gesticules-tu "heu" ? Derek était ton bêta et Anthony un gamma éloigné. Il y a eu Christobel, aussi, mais tu ne la couvrais jamais assez. Elle a fissionné bien avant nous "greu-nn". »

Cette palpation du passé malaxait douloureusement Simon. Si la refusion avec ses chimpanzeaux avait été satisfaisante jusque-là – avec reconnaissance mutuelle et bouchonnage généreux –, elle ne s'était pas faite sans frais. En le ramenant dans l'étreinte hispide de la chimpanité, elle ramenait aussi devant son œil mental ces visions d'une humanité perdue qui lui apparaissait de plus en plus folle, délirante, bestiale.

Dans l'ombre de ses deux petits mâles, il en voyait toujours un troisième, humain. Il se rappelait son petit visage glabre, sa mâchoire fuyante et ses incisives légèrement écartées, aussi bien – sinon mieux – que les museaux de ses rejetons poilus. Avec ces souvenirs venaient les images crépusculaires d'un passé humain. Des frites au four et des bâtonnets de poisson pané ;

des petites culottes mal ajustées ; des jeux d'eau dans la baignoire, des éclaboussures sur le carrelage. Et toutes ces images lui montraient *trois* mâles. Où était le troisième ?

Simon retira ses doigts de l'enflure de Jean et se redressa. Il gesticula, en incluant Busner dans ses signes : « Je sais que ça va te paraître fou "houu", Jean, mon ex-alpha adorée. Dieu sait que ça m'a suffisamment affolé moi-même, mais cette "houu" maladie qui m'afflige tient en partie à ma conviction absolue que nous avons eu trois petits ensemble. Trois, pas deux. Vois-tu une raison quelconque qui "h'heuu" puisse m'inciter à croire ça ? »

Jean sembla penser que la question était trop saugrenue pour mériter une réponse. Le seul signe qui retint son attention fut le blasphème de son ex-alpha. Elle décida de sévir par un méchant coup de poing dans l'œil. « Iiiiik ! » cria Simon.

« "Rrouaa" ne digite pas en vain le nom de ton Seigneur, Simon ! Souviens-toi de l'Évangile : Au commencement était le Signe et le Signe s'est fait chair, "h'heu" ? »

Simon eut la sagesse de ne pas riposter. Il s'inclina devant Jean et reprit : « Je suis désolé "houu", je ne voulais pas être irrespectueux mais... Jean, ce petit mâle manquant "heuu" ? Pourquoi ai-je cet étrange souvenir "heuu" ? »

Jean Dykes était interdite. « "Houu" je... je n'en ai pas la moindre idée, Simon. J'ai toujours voulu un troisième bébé après le sevrage de Henry, mais tu "euch-euch" t'y es toujours opposé en expliquant que tu devais te concentrer sur "euch-euch" ton art...

– Jean "greu-nn", excuse-moi de t'interrompre, mais le petit auquel je pense serait né entre Magnus et Henry. Il devrait avoir sept ans maintenant. Et c'est un "houu" petit humain. »

Busner se livrait à un subtil guili-guili avec Jean Dykes. Du bout des orteils, il signifia sur sa voûte plantaire : « S'il vous plaît, madame Dykes, je sais que sa question peut paraître absurde, mais essayez de vous mettre à sa place... Il a fait de gros progrès dernièrement... »

Jean haussa les arcades sourcilières. « Un petit humain "heu" ? D'environ sept ans... » Ses doigts s'immobilisèrent. Une lueur s'alluma dans ses yeux verts. « Un petit humain "h'hi-hi". Simon, il faut m'excuser "h'hi-hi", nous avons... nous avons effectivement eu un petit humain...

– Quoi ? "H'hououu" ! Quoi, Jean "heuuu" ? s'exdigita l'ancien artiste en sautant sur ses pieds, hérissé, sur le qui-vive, comme une bête aux aguets.

– Simon, s'il te plaît "hougrnn", calme-toi. Oui, nous avons adopté un petit homme...

– Adopté "heuu" ?

– Oui "hi-hi", c'est ça, au zoo, au zoo de Londres. Tu as voulu faire ça pour nos chimpanzeaux. C'était dans le cadre de leur programme de sauvegarde des espèces, Lifewatch, je crois. Tu sais que nos petits ont toujours aimé les animaux et tu as pensé que ce serait bien pour eux d'avoir un "greu-nnn" animal avec lequel ils pourraient fusionner. Une de tes rares attentions paternelles. Tu as parrainé cet animal. Et c'était un mâle d'environ sept ans...

– Est-ce que "heuu"... est-ce que je lui ai donné un nom, Jean ? Je lui ai donné un nom "heu" ?

– Eh bien, tu as laissé ce soin à Magnus. Après tout, l'animal était pour lui. Il lui a donné un nom, en effet... je suis surprise que tu ne t'en souviennes pas...

– Pourquoi "heu" ?

– Parce que c'était une plaisanterie dans le groupe, tu en dento-claquais tout le temps avec les petits. Quand tu es allé voir l'humain au zoo, il avait des poils capillaires un peu comme les tiens, mon ex-alpha, et les yeux aussi, alors Magnus l'a appelé... Simon. »

Quand Alex Knight, le documentariste, arriva à Redington Road, deux heures plus tard, l'ex-groupe de Simon était sur le départ. Manumarchant dans l'allée, il fut confronté au spectacle d'un grouillant grattage d'adieu mêlant une vingtaine de chimpanzés de tous âges. Sans se donner la peine de présenter sa croupe – ils étaient tellement enchevêtrés qu'ils ne l'auraient même pas remarqué, de toute façon –, il brancha sa caméra et commença à filmer. Le tournage allait se perpétuer plusieurs jours durant, tant Busner et son patient insolite lui parurent divertissants.

« HouuGraaa », vocalisa Simon pour la dernière fois en voyant les deux petits croupions disparaître en direction de Frognal. Magnus et Henry s'arrêtèrent, et se retournèrent pour panthurler : « HouuGraa. » Leurs cris de fausset résonnèrent dans la grisaille d'un après-midi de fin d'automne typiquement anglais.

Simon pivota vers Busner, accroupi à côté de lui sur le perron. « Je les reverrai bientôt "heu", n'est-ce pas, Zack ?

– Bien sûr, Simon, cette "chup-chupp" refusion s'est remarquablement bien passée. Votre ex s'est montrée très coopérative et vos petits ont été ravis de se faire gratter par leur alpha. Anthony Bohm, Derek et ce gamma... comment s'appelle-t-il "heu" ?

– J'sais pas.

– Enfin, bref, l'autre mâle aussi. Ils m'ont tous signalé que vous pourriez retourner dans le groupe chaque fois que vous désirerez voir vos petits. C'est déjà pas mal, hein "heuu" ?

– Oui "greu-nnn", ma foi. »

Busner aperçut Alex Knight. « "HouuH'Graa" monsieur Knight, venez donc nous présenter votre moignon. » Le jeune chimpe rappliqua, cul en tête, caméra au poing. « Vous êtes juste à l'heure, digita Busner quand Knight se fut dûment aplati, pour la visite au zoo.

– Au zoo "heu" ?

– Vous m'avez bien vu. Au zoo. Mon allié, M. Dykes, a adopté un petit homme au zoo de Londres, un petit homme qui pourrait bien être la clef de voûte de sa triste illusion. Nous pensons qu'un face-à-face avec cet animal pourrait dissoudre le surmoi qu'il a construit autour de la notion d'humanité. »

Évidemment, le réalisateur eut du mal à comprendre ces signes, mais il acquiesça sagement en laissant sa caméra tourner.

Simon, en revanche, fut tout excité. « Qu'est-ce que vous voulez signifier "heuu" ? On va au zoo maintenant "heu" ?

– Pourquoi remettre au lendemain ce qu'on peut faire le jour même ? Pendant que vous vous adonniez au "greu-nnn" grattage avec votre ex-groupe, j'ai panthuché Hamble à Eynsham. Comme je le subodorais, il connaît le conservateur en chef des primates du zoo de Londres, un chimpe appelé Mick Carchimp. Hamble l'a panthuché à son tour. Il est d'accord pour nous recevoir et nous aider dans la mesure du possible. "H'heu" je me demande s'il fait partie du même groupe.

– Qui "heu" ?

– Carchimp. Du même groupe que cet avocat véreux. »

Ils partirent dans le car télé. Simon avait proposé à Zack de le laisser conduire la Volvo : « Allez, laissez-moi faire, j'ai toujours aimé conduire. » Mais, en voyant le nombre de vitesses – vingt en marche avant, quinze en marche arrière et nécessitant toutes un double débrayage – il avait baissé les bras.

Alex Knight était accompagné de sa preneuse de son, Janet Higson, et d'un assistant-chimpe-à-tout-faire appelé Bob. Bob était au volant. Alex Knight, accroupi devant, gardait la caméra braquée sur les deux chimpes à l'arrière et la pauvre Higson, calée dans le fourgon, se démenait pour capter leurs vocalisations avec un micro directionnel.

Mick Carchimp vint les accueillir devant la porte principale avec le directeur du zoo, un type qui insista pour se faire appeler

simplement Jo. Il se vautra devant Zack et Simon en digitant :
« C'est un honneur pour nous de recevoir une patrouille aussi
inaccoutumée et avec d'aussi superbes fêlures ischiatiques. Je
vous en prie, ayez la bonté de me "greu-nnn" baiser le cul. » Ils
le firent de bonne grâce, puis le cortège au complet manumarcha
vers l'enclos des humains. Alex Knight filmait toujours.

En semaine, le zoo n'était pas très fréquenté. Çà et là, quelques
touristes accroupis grignotaient des cacahuètes et se bouchonnaient distraitement. La même torpeur régnait chez les animaux.
Les hérons faisaient le poireau dans leur cage, sur un pied, sta-
tiques comme des ornements de jardin. Dans l'enclos des gorilles,
le seul signe de vie était l'ondulation rythmique du tas de paille,
qui cachait aux regards le dos argenté du mâle géant.

Quant aux humains, ils étaient aussi zombiques et veules que
la dernière fois. « "H'heuu" vous avez déjà vu notre groupe
humain, je crois, monsieur Dykes ? gesticula Mick Carchimp
comme ils arrivaient devant la vitre.

– Oui, en effet, contre-gesticula Simon. Je me souviens de
celui-ci en particulier "euch-euch". »

Il désignait le Branleur qui avait retenu son attention l'autre
jour. Égal à lui-même, le Branleur, debout et hagard, branlait
mollement sa grosse francfort. Ses yeux vides, à la pigmentation
blanche, se révulsaient en cadence et un fil de bave, reliant sa
bouche à sa poitrine, vibrait en synchronie avec ses à-coups
masturbatoires.

« C'est notre mâle alpha, expliqua Carchimp. Notre plus
ancien pensionnaire humain.

– Il est né ici "heu" ? demanda Busner.

– Non, à Twycross. Ils ont une importante réserve d'humains
là-bas. Mais nous avons aussi des hommes qui ont été capturés
à l'état sauvage. Celui-ci, par exemple. » Carchimp montrait le
triste individu que Simon avait baptisé le Banlieusard. Fidèle à
son surnom, lui aussi, il restait debout sans bouger, en serrant

d'une main une poignée à hauteur d'épaule et de l'autre, ballante et grise, une tranche de pain blanc.

« C'est un spécimen capturé en Tanzanie, mais nous l'avons racheté à un laboratoire pharmaceutique qui en avait fini avec lui...

– Qu'est-ce qu'ils font aux humains "heuu" ? demanda Simon.

– "Houu" toutes sortes de choses, monsieur Dykes... jamais très agréables, j'en ai peur. Je crois que celui-ci était détenu dans un complexe concentrationnaire – vous savez que les humains aiment être confinés – avec d'autres mâles et on leur tirait dessus des fléchettes hypodermiques remplies de cocaïne.

– De cocaïne "heuu" ? Dans quel but ?

– Bonne question. Je crois que c'est dans le cadre d'une étude sur la dépendance aux drogues. Voyez-vous, les humains ont la malchance d'être nos plus proches cousins génétiques, si bien qu'ils servent à toutes sortes de recherches. Même ici, au zoo, nous faisons quelques expériences... quoique sans douleur, dans la mesure du possible.

– Quel genre d'expériences "heuu" ? »

Le museau de Simon était le portrait de l'angoisse. Il ne s'était pas vraiment attendu à voir Simon junior dans l'enclos, mais l'image de son petit homme manquant restait gravée dans sa mémoire. Il regarda dans les coins sombres de la pièce des humains à travers la vitre de sécurité. Ce serait démoniaque, ce serait terrible d'apercevoir le museau familier, la mâchoire fuyante, les petites dents écartées parmi ces bêtes brutes et nues. Toutes les visions de Simon lui montraient un enfant habillé, un enfant en uniforme scolaire. Or, habillés, ces humains eussent semblé déguisés pour une exhibition dans un thé dansant ou une publicité P.G. Tips.

Plus troublante encore était l'image de Simon junior avec des électrodes sur le front ou des seringues dans la peau, Simon junior infecté par le CIV, ou criblé d'anthrax, ou avec les paupières scotchées pour exposer ses globes oculaires exorbités à un test sur la nocivité des vaporisateurs d'eau de toilette.

« "Houu" eh bien, nous ne faisons rien qui attente à leur intégrité physique. Nous nous intéressons plutôt au profil génétique des sous-espèces humaines. Le problème, avec les humains en captivité, c'est que les sous-espèces se sont mélangées, de sorte que la plupart de ces spécimens sont hybrides. Voyez-vous, jusqu'à ces derniers temps, on ne savait pas qu'il existait des sous-espèces...

— Et "h'heuu", si je peux me permettre, qu'est-ce qui les distingue ? intervint Busner.

— Pour un profane, c'est assez difficile à cerner, notamment à cause de leur taille, je suppose. Mais, en gros, il y a des différences dans la "euch-euch" couleur de la peau et la forme du museau. Avec l'habitude, bien sûr, on arrive à faire la distinction assez facilement, quoique ça ne nous soit pas d'une grande utilité ici, étant donné qu'ils sont tous hybrides, à l'exception de celui-ci », répondit Carchimp en indiquant le Banlieusard.

Les chimpanzés restèrent accroupis en silence plusieurs minutes, à observer l'inactivité de l'enclos. La plupart des animaux étaient rassemblés sur la plate-forme de couchage mais, contrairement aux chimpanzés, ils ne cherchaient pas à se toucher. Ils étaient assis côte à côte, les pieds pendants, raides comme des serre-livres en os, veules, sans expression. La seule animation venait d'un groupe d'enfants qui jouaient en contrebas. Les mioches avaient des attitudes presque chimpaines. Ils se roulaient dans la paille, se suspendaient aux poignées, se chatouillaient et se défiaient.

Naturellement, c'étaient eux qui attiraient l'attention des quelques visiteurs du zoo. Comme toujours, les chimpes étaient enthousiasmés par les petits humains et ne cessaient de digiter qu'ils ressemblaient à des chimpanzeaux. Simon empoigna la grosse cuisse de Busner et tapota : « Si je vois encore un chimpe signaler qu'ils sont mignons, je crois que je vais crier.

– Calmez-vous "greu-eunn", répondit Busner. La politesse exige de laisser Carchimp diriger la visite quelque temps avant de passer aux choses sérieuses. »

Deux adultes humains retenaient également l'intérêt des visiteurs. Ils étaient tout au fond de l'enclos, presque entièrement cachés par un ballot de paille. Tout ce qu'on voyait d'eux était une paire de fesses qui se soulevaient et s'abaissaient, se soulevaient et s'abaissaient. Deux pieds enserraient ces obscènes excroissances lisses. Les chimpanzés montraient la scène du doigt mais, d'après leurs commentaires, aucun n'avait l'air de comprendre ce dont il s'agissait. « C'est très rare, gesticula Mick Carchimp pour satisfaire la curiosité de Simon, de les voir copuler en plein jour.

– "H'heuu" copuler ?

– Parfaitement. Vous savez bien sûr que les humains recherchent généralement l'intimité pour la saillie. Je suppose que c'est la raison pour laquelle ce couple essaie de se cacher derrière la paille. Le mâle est au-dessus et ce sont les pieds de la femelle que vous voyez agrippés autour de son postérieur. Ce n'est pas un spectacle très ragoûtant...

– Ça dure une éternité ! s'exdigita Busner.

– En effet. Vous devez savoir qu'une saillie humaine peut durer jusqu'à une demi-heure, et parfois même plus longtemps chez les individus sauvages, d'après certaines observations. Mais personne ne comprend vraiment pourquoi. »

Simon croyait comprendre pourquoi. Le labeur charnel des fesses animales, qui montaient, descendaient, montaient, descendaient, fit ressurgir dans le tréfonds de son esprit une vision de Sarah en belle humaine gémissante sous lui, les pieds serrés autour de ses propres fesses. « S'il vous plaît "heu", je ne voudrais pas vous presser, monsieur Carchimp...

— Je vous en prie, appelez-moi Mick, contre-signala le conservateur de primates.

— Mick, je ne sais pas si le Dr Hamble vous a indiqué le motif de notre visite, "heu" ?

— Il m'a indiqué que vous vous intéressiez à un individu humain en particulier. »

Simon alluma une Bactrian et inhala profondément avant de continuer : « "Houu" c'est exact. Je crois que vous avez lancé un programme "euch-euch" d'adoption d'animaux, une sorte de parrainage pour les frais d'élevage... "heu".

— C'est vrai, ça fait partie du programme Lifewatch 2000. L'humain qui vous intéresse a été adopté "heu" ?

— Nous le croyons, intervint Busner. Mon allié, M. Dykes, a parrainé l'animal au nom de ses petits. Un enfant mâle de sept ans environ, qui pourrait bien être dans ce groupe-là.

— Nous n'avons pas de jeunes de cet âge en ce moment, mais venez toujours dans mon bureau, "heu" ? J'ai le registre des naissances et le registre de Lifewatch. Avec ça, nous devrions découvrir ce qui est arrivé à votre humain adopté. »

Le bureau de Carchimp se trouvait à l'arrière du bâtiment administratif et, bien qu'il ne fût pas à proximité immédiate des enclos, il était imprégné d'une forte odeur animale. Le mobilier était parcimonieux : deux armoires de rangement cabossées et un secrétaire. Des arbres génétiques et des fiches vétérinaires étaient punaisés sur les murs.

L'équipe de Knight s'engouffra dans la petite pièce, avec Carchimp, Busner et Simon. Le directeur s'était éclipsé, expliquant qu'il était attendu par une autre équipe de télévision pour une interview.

En bons chimpanzés, ils se livrèrent à un grattage de cinq minutes, afin de conforter la hiérarchie provisoire. Puis Carchimp s'extirpa du peloton poilu pour attraper du pied un gros classeur sur l'étagère inférieure d'une des deux armoires et un dossier plastifié sur l'étagère supérieure. Il déposa le tout par terre. « Voici le registre Lifewatch, grimaça-t-il. Monsieur Dykes, vous rappelez-vous le numéro de série de votre humain d'adoption "heu" ? »

Simon était soufflé. « Le numéro de série "heu" ? Je... non, mais je sais son nom. J'ai adopté cet humain pour mon fils aîné, Magnus, et il l'a baptisé... Simon.

– Simon "heu" ? Nous n'enregistrons pas nos humains sous un nom, nous ne voulons pas tomber dans le primatomorphisme, vous comprenez. Évidemment, dans la pratique quotidienne, les gardiens leur donnent des noms, mais ça n'a rien d'officiel. Encore que... encore que la littérature de Lifewatch ne soit pas toujours sans reproche "euch-euch" de ce point du vue, ajouta-t-il en brandissant un prospectus intitulé <Comment bouchonner un humain>. Cela étant, le numéro de série de l'animal se trouve peut-être sous le nom de Dykes. Voyons voir... » Il se mit à feuilleter le registre. « Dykes, Dykes... ah, voilà. Simon Dykes. Vous avez parrainé le numéro 9234, à concurrence de cinq cents livres sterlings... une très généreuse donation. Bon, si je regarde dans l'autre registre maintenant, je vais sûrement savoir ce qui est arrivé au 9234. Il a pu être transféré dans un autre zoo, ou même ailleurs...

– Vous ne l'avez tout de même pas "houu" livré à un laboratoire de recherche, j'espère "heuu" ? gesticula Simon, affolé.

– Je peux vous rassurer sur ce point, monsieur Dykes, grimaça Carchimp en s'approchant de lui pour digiter directement sur son pelage. Ce n'est pas le genre de la maison, surtout "euch-euch" avec un animal adopté. Imaginez la réaction des militants des Droits des animaux s'ils appreniaent qu'un de nos pensionnaires a terminé dans un laboratoire ! »

Carchimp acheva son massage sémantique par une torsion répétée et retourna au registre. « Voilà, j'ai le doigt dessus. 9234.

C'est tout simple, vous voyez. Il n'est plus chez nous, en effet. Il a été transféré, hélas...

– Où "houu" ? Où "heuu" ? fit Simon en griffant le vide avec angoisse.

– Pour tout vous grimacer, monsieur Dykes, 9234 semble être rentré chez lui.

– Chez lui "heu" ?

– C'est exact, il est l'un des rares humains qui ont quitté le monde développé pour regagner l'Afrique. 9234 a été intégré à un programme très controversé de réintroduction des humains dans leur habitat naturel. Si vous voulez le revoir, il vous faudra retrouver sa trace. »

Simon retomba sur le cul, ébranlé. Busner prit le relais : « Monsieur Carchimp, quand vous signalez que 9234 est rentré chez lui, voulez-vous signifier qu'il est né en Afrique "heu" ? Que c'est un homme sauvage ?

– Oh, ce serait très étonnant, docteur Busner. Il y a tellement d'humains en captivité en Occident qu'il est inutile de capturer de nouveaux spécimens. Nous en avons plus qu'il n'en faut et nous sommes même obligés, comme beaucoup d'autres zoos, de castrer les mâles à la puberté. »

Simon, qui n'avait pas perdu un signe de leur échange, frissonna. Son museau, déjà cireux, blêmit encore. Il agrippa ses propres testicules d'une main muette et moite.

Busner insista : « Et, monsieur Carchimp, puis-je vous demander pourquoi...

– Non, s'il vous plaît, non, Votre Magnificence Ischiatique. S'il vous plaît, ce serait pour moi un honneur si vous m'appeliez Mick.

– Ah "greu-nnn" bon, Mick, alors... vous demander pourquoi, donc, ce programme est controversé "heu" ?

– Eh bien, comme vous le savez... » Carchimp prit ses aises. Visiblement, il se préparait à leur servir tout un laïus. « Comme vous le savez, grimaçais-je, le programme d'observation des humains à l'état sauvage est, à l'origine, une initiative du Dr Louis Leakey. Il a envoyé "greu-nn" Jane Goodall dans la réserve du Gombe en Tanzanie pour étudier les humains, Dian Fossey au Rwanda pour étudier les gorilles des montagnes et Birute Galdikas à Sumatra pour étudier les orangs-outans. Malgré la polémique qui a entouré les travaux de ces trois femelles, force est de reconnaître qu'elles ont apporté des contributions durables à l'anthropologie.

« Goodall a elle-même participé à plusieurs programmes de réintroduction, mais celui-ci est "houu" assez spécial. Une de ses assistantes sur le terrain était une Allemande, Ludmilla Rauhschutz. Rauhschutz est extrêmement riche et a des notions plutôt fantaisistes sur les relations entre les humains et les chimpanzés. Elle s'est séparée de Goodall et a soudoyé le gouvernement tanzanien pour obtenir l'autorisation d'installer sa propre unité de recherche dans la région du Gombe. Elle joue sur les deux tableaux : d'un côté, elle emmène des touristes voir des hommes sauvages et, de l'autre, elle essaie de réintroduire des humains captifs dans la nature... »

Simon se leva et lui coupa le geste. « Mick, digita-t-il au conservateur en chef, pourriez-vous "houu" m'expliquer pourquoi Leakey a choisi exclusivement des femelles pour ces études "heu" ?

— Bonne question, Simon. Leakey pensait que les humains, particulièrement les mâles, seraient moins perturbés par des femelles. Les humaines, comme vous le savez, ont une enflure sexuelle à peine visible, si bien qu'un chimpanzé mâle aurait pu éveiller des instincts copulatoires sans le savoir.

— Je vois.

— En principe, nous n'envoyons pas d'humains à Rauhschutz. Mais, à l'occasion, comme dans le cas de ce mâle pubescent, nous estimons que ça vaut le coup d'essayer. Après tout, c'est ça ou la castration. »

Ainsi s'acheva le discours de Carchimp.

Le soir venu, blotti dans le nid de la chambre d'allié, Simon regardait un épisode de *Chef cuisinier dominant sub-adulte*. Un mâle, que Simon identifia comme le présentateur de télévision Lloyd Grosschimp, gesticulait avec son invité, le très médiatique chef Anton Mosichimp. Une expression anxieuse froissa les petits museaux des sub-adultes aspirants chefs dominants quand les deux gros mâles commencèrent à se disputer. « "Euch-euch" Anton, signala Grosschimp de son doigté bostonien, ça ne m'étonne pas que tu n'aies pas aimé le soufflé de cette jeune femelle, je ne crois pas que tu aies beaucoup d'affection pour les jeunes femelles – et leurs soufflés – en général.

– Je peux savoir ce que tu veux "euch-euch" insinuer "heu" ? répliqua le chimpanzé français.

– Oh, rien "h'hou", rien du tout... Tu as trois chimpanzelles, je crois "heuu" ? »

Mais Simon ne put pas voir la réponse de Mosichimp. La porte de la chambre à nicher s'ouvrit à la volée et l'ancien psychiatre entra à quatre pattes. Voyant les chimpes sur l'écran, il digita : « Mosichimp "h'hou". Je connais quelqu'un qui le connaît. Il paraît qu'il viole ses filles, il ne les baise pas assez, voire pas du tout !

– Ah bon ? fit Simon, d'une phalange aussi peu expressive que la reine gesticulant à la fenêtre de son carrosse dans un défilé officiel.

– Qu'est-ce qu'il y a, Simon "heuu" ? Cette visite au zoo vous a perturbé "heu" ?

– Bien sûr.

– Vous pensez toujours que ce petit humain, 9234...

– Pas 9234, merde "rrouaaa" ! Il s'appelle Simon "rrouaaa" ! »

Busner réagit instantanément à cette insubordination. Il sauta sur le nid et, moulinant des bras, frappa durement Simon sur le museau. Il ne lui fallut que quelques secondes pour soumettre l'ancien artiste, qui ioula grâce et se retourna fissa pour présenter sa croupe à son alpha. Busner lissa sa fourrure ébouriffée en tâtonnant : « Ça va "greu-nnn", ça va, je comprends que vous soyez bouleversé, mon petit Simon, mais je ne peux pas permettre cette insolence, je suis sûr que vous comprenez...

— Oui, oui, je suis "chup-chupp" désolé, votre sacrum représente tout pour moi.

— Je sais. Mais il ne s'agit pas de ça pour l'instant. Croyez-vous toujours que cet humain soit votre fils manquant, *votre* Simon "heuu" ?

— Oui. Je ne sais pas pourquoi, mais oui.

— Bien. » L'éminent philosophe naturel s'assit par terre. « En ce cas, j'ai peut-être "grnn" une bonne nouvelle pour vous.

— Laquelle "heuu" ?

— J'ai gesticulé avec Alex Knight. Sa compagnie est fascinée par votre cas et elle est prête à avancer les fonds.

— Les fonds pour quoi "heu" ?

— Pour nous permettre de partir à la recherche de cet humain. En Afrique.

— Nous allons en Afrique "heu" ? Mais quand ?

— Dès que ce sera chimpainement possible. »

CHAPITRE 21

Le Landcruiser Toyota déglingué brinquebalait sur la piste bourbeuse et malaisée, soulevant dans son sillage des mottes et des gerbes de boue liquide. La mélasse, qui retombait en pluie sur les six chimpanzés recroquevillés à l'arrière du véhicule, les contraignait à un bouchonnage ininterrompu et exhaustif. Simon Dykes, anciennement artiste, puis malade mental et aujourd'hui pisteur lancé dans une quête insolite, était engoncé entre Janet Higson, la preneuse de son, et Bob, le factotum.

Depuis le soir où Busner était entré dans sa chambre pendant *Chef cuisinier dominant sub-adulte*, les journées de Simon avaient été accaparées par les préparatifs de son voyage en Afrique. Il avait fallu obtenir les visas, s'occuper des vaccinations, acheter l'équipement.

Partout où allaient Busner et Simon, la caméra vidéo d'Alex Knight les suivait.

« C'est pour situer le contexte, avait expliqué le documentariste. Il me faut des images pour tenir le spectateur en haleine avant la première rencontre de Simon avec les hommes sauvages et, si tout va bien, son entrevue avec 9234, le petit humain qu'il croit être son fils manquant. »

Au début, la présence constante de l'équipe de télévision déstabilisa et irrita Simon. Il y eut quatre ou cinq confrontations dures entre lui et Knight. Trois d'entre elles se terminèrent en rixe mais eurent finalement un effet bénéfique sur Simon : il y

435

gagna de l'assurance dans ses relations avec le réalisateur et une plus grande confiance en soi. C'était prévisible, pensa secrètement Busner. Il n'y avait rien de tel pour conforter l'ancien artiste dans son être physique que ces deux activités typiquement chimpaines : le sexe et la violence.

À la longue, Simon s'habitua si bien à l'équipe qu'il ne la remarquait même plus, allumait ses interminables Bactrian avec le briquet de Bob sans un regard ni un signe.

Pour Busner, le voyage en Afrique était le dernier rinçage, l'ultime essorage de sa carrière finissante. Il n'avait aucune idée de ce qu'il ferait à son retour – s'il devait faire quelque chose. Le jour de la visite de l'ex-groupe de Simon à Redington Road, il avait eu une gesticulation privée avec Anthony Bohm, laquelle avait confirmé ses soupçons. Depuis que Phillips avait sonné l'alarme contre les agissements de Cryborg Pharmaceuticals, Anthony Bohm était, lui aussi, bien sûr, dans le collimateur du Conseil de l'ordre. « Je me demande, avait-il digité, anxieux, quelle sera la réaction de Jean. Je ne suis qu'un membre éloigné de son groupe, mais même ce "houu" statut risque d'être remis en cause. Vous connaissez sa rectitude morale. »

Busner le calma, le repeigna, le papouilla, le cajola. « Vous vous faites trop de mauvais sang pour cette histoire, docteur Bohm. Rassurez-vous, j'ai décidé d'assumer l'entière responsabilité de cette déplorable affaire. Vous n'aurez qu'à affirmer que je vous ai trompé, que vous ignoriez tout du caractère illégal des prescriptions de l'Inclusion et je corroborerai vos grimaces. C'est le moins que je puisse faire pour dédommager ceux que j'ai entraînés dans mon erreur. J'espère que vous vous en sortirez avec un simple avertissement.

– Et "heuu" pour Simon ?

– Ah, Simon. Il a différentes hypothèses sur les causes de sa crise. Parfois il y voit les conséquences d'un traumatisme ancien, un bus qui l'a renversé dans son bas âge, parfois il pense que c'est à cause des drogues qu'il prenait. Vu qu'il est en voie de guérison, je n'éprouve pas le besoin de lui révéler ce qui, après tout, n'est peut-être pas la vérité. »

Ils s'étaient séparés sur ces manipulations. Busner informa le Conseil de l'ordre qu'il fournirait tous les justificatifs à son retour d'Afrique et leur donna sa grimace qu'il ne gesticulerait pas publiquement de la question entre-temps.

Quant à Gambol, Phillips et Whatley, les trois chimpes dont l'alliance avait renversé Busner et définitivement compromis son statut de grand singe, leur victoire fut une victoire à la Pyrrhus. Phillips succomba à une maladie pulmonaire opportuniste quelques semaines après la séance de grattage au Human Zoo. En fait, ce fut une chance pour lui car, eût-il survécu, il eût vu Cryborg Pharmaceuticals mettre tout le poids de sa puissance financière dans la balance de la Justice, avec le résultat qu'on pouvait attendre : un acquittement complet.

Whatley, averti de la lettre du Conseil de l'ordre à Busner, se présenta directement au Trust pour poser sa candidature au poste vacant de consultant spécial de l'hôpital Heath. Il obtint la place dès qu'Archer – le directeur administratif – eut confirmé que Busner prenait une retraite anticipée. Mais le règne de Whatley comme alpha du service psychiatrique fut tourmenté. Le personnel était habitué à une hiérarchie à la fois élastique et rigoureuse, tandis que Whatley se montra aussi dictatorial qu'inefficace. Les patients en étaient tout aussi conscients que les internes et les infirmiers, si bien que ce ne fut une surprise pour personne quand Whatley fut brutalement agressé par un chimpanzé fou qu'il essayait de châtier. La gravité des morsures nécessita un arrêt de travail de six mois. À la fin de sa convalescence, Whatley n'était plus le même chimpe. Aux dernières nouvelles, le Dr Kevin Whatley, professeur en médecine psychiatrique, dirigeait des séminaires de désaccoutumance au tabac avec Allen Carr.

Son successeur en qualité de consultant spécial de l'hôpital Heath fut le Dr Jane Bowen, dont les judicieuses observations sur le délire hallucinatoire de Simon Dykes donnèrent lieu à un article élégamment rédigé[1]. Sa description minutieuse de la symptomatologie, de la pathologie et de l'étiologie du trouble permit – ainsi que l'avait prophétisé Busner – de diagnostiquer de nombreux autres cas. Comme de juste, le délire humain fut désormais appelé « maladie de Bowen ».

Gambol enfin. Houu Gambol, le petit epsilon pâlichon et maigrelet qui avait réussi à désarçonner Busner de son piédestal et à le jeter au tapis, Gambol, naguère admirateur fervent puis Iago sournois, décida assez naturellement de quitter la psychologie pour passer à l'activité la plus lamentable qui restât à sa portée : il écrivit un roman sur le sujet. *La Face cachée de l'esprit*, un roman à clés fondé sur ses expériences avec Busner et mettant en scène un personnage appelé « Jack Sumner », fut un best-seller qui figura en tête des listes à la rentrée littéraire. Gambol devint la coqueluche du monde des lettres, enchaîna cocktails, lectures publiques et quatrièmes dîners en ville dans le vertige de la célébrité. Il devint le premier, non plus le cinquantième, dans les chaînes copulatoires et fréquenta le Sealink.

Inutile de grimacer que cette phase fut de courte durée. Ayant épuisé son sujet – Busner étant la seule chose intéressante qui lui fût jamais arrivée –, il fut incapable d'achever son second livre de commande. Il dépensa sans compter et, quand il eut flambé son à-valoir, se retrouva le bec dans l'eau : l'ombre portée de l'affaire Cryborg était si longue qu'il ne retrouva jamais d'emploi dans son ancienne spécialité.

En quelques mois, il fut brisé. Le milieu éditorial laissa tomber ce mâle pitoyable aussi vite qu'il l'avait hissé. Ils avaient beau proclamer, tous, qu'il n'y avait rien de plus romantique, de plus

---

1. « Rêves humains », *British Journal of Ephemera*, mars 1995. *(NdA)*

haut à leurs yeux qu'un écrivain désintéressé, suant sang et eau dans une pauvre chaumière sans espoir de tirage ni de droits d'auteur, la vérité était que, comme le reste de la chimpanité, ils n'avaient pas de temps à perdre avec les ratés.

Le seul chimpanzé, outre Jane Bowen, qui se tira plutôt bien, et même avec profit, de cette triste affaire Simon Dykes fut Sarah Peasenhulme. Sa joyeuse copulation finale avec son ancien coni-cheur à la galerie Saatchi l'avait complètement libérée de son sentiment de culpabilité. Curieusement, elle se sentit soulagée d'être débarrassée du fardeau qu'avait toujours été pour elle, en définitive, ce mâle survolté. Quand, à la fin du plus long œstrus de sa vie, elle découvrit qu'elle était grosse, malgré un stérilet de la taille d'un bouchon-flotteur, elle décida de demander aux Braithwaite de fonder un groupe natal avec elle.

Steve et Ken furent enchantés. Ils amenèrent Earl – un vieil allié – comme gamma, leur oncle Marcus comme delta éloigné, un copain appelé Cuthbert comme epsilon et deux autres frères, Paul et Delroy, comme zêta et thêta.

Sarah eut toutes les saillies qu'elle désirait – toutes les péné-trations rapides et fermes qui lui avaient tant manqué dans sa sub-adultescence. Et, quelques années plus tard, quand ses chim-panzelles connurent leurs premiers petits enflements, elle prit plaisir à les voir tringlées en enfilade par leurs parents mâles attentionnés. Lorsqu'elle visualisait Simon, ce qui lui arrivait rarement, c'était toujours avec une expression nostalgique sur le museau, mais ce n'était ni à sa rapidité ni à ses prouesses athlé-tiques de copulateur qu'elle pensait, c'était aux dessins récupérés par Tony Figes dans l'appartement de l'artiste. Leur vente à un collectionneur privé lui avait permis d'acquérir un joli nid de cinq pièces.

Cela lui fut particulièrement utile dans la mesure où, évidem-ment, vu la composition de son nouveau groupe, elle ne put jamais retourner dans le Sussex.

« "H'heu" tu crois qu'on devrait gratter le chauffeur ? digita Bob sur l'épaule de Simon entre deux embardées.

– J'sais pas. Ce serait peut-être une erreur, tu sais qu'il y a du sida partout dans la région "houu".

– "Euch-euch", toussota Busner sur le siège avant, on ne peut attraper le CIV en se grattant. Attendez, je vais voir si je peux faire quelque chose pour lui. » L'éminent philosophe naturel fourra ses doigts dans le pelage pectoral crasseux du bonobo et fut immédiatement remercié par un grand claquement de dents, suivi d'un bécot gluant sur le museau – petite singerie que Busner reçut en réfrénant une moue de dégoût.

Le vol depuis Londres avait été long et pénible. Busner ne comprenait pas pourquoi Air Lanka était la seule compagnie à proposer une ligne régulière pour Dar es-Salaam, sauf à imaginer que seuls les chimpes habitant une partie du monde défavorisée pussent avoir envie d'aller voir comment c'était dans une autre partie du monde défavorisée.

Là, le groupe Busner-Dykes dut attendre trois jours en ville l'autorisation de circulation sur le territoire et un chauffeur-guide habilité à les emmener à mille deux cents kilomètres de là, sur les rives du lac Tanganyika où était installé le camp Rauhschutz. Ce furent trois jours difficiles, qui leur permirent de découvrir la dure réalité d'un pays en complet désarroi. Les atrocités continuaient au Rwanda et, malgré l'éloignement, Dar Es-Salaam était envahie par les réfugiés. Ceux qui avaient de l'argent acceptaient le premier hébergement qu'on leur offrait, ceux qui n'en avaient pas s'accommodaient des quelques arbres encore debout. Le groupe Busner-Dykes dut se replier dans un bordel, où on leur demanda de payer à la demi-heure.

Busner en profita pour les mettre en garde contre les activités copulatoires en Afrique. « Je sais que le risque de contracter le virus est moindre dans le cadre des relations hétérosexuelles, mais les femelles d'ici ont souvent été "euch-euch" infibulées et même enflurectomisées. En outre "houu", dans l'état actuel de nos connaissances, le virus est encore en mutation. Nous sommes sous les tropiques, où l'on trouve la plus grande "euch-euch" biodiversité de la planète. Il y a plus d'espèces ici que partout ailleurs, et cela vaut pour les virus comme pour les autres organismes. De surcroît, avec les "houu" terribles événements du Rwanda et du Burundi, vous pouvez être certains que les sources d'infection "euch-euch" sont légion.

« Toutefois, continua-t-il en agitant ses longs bras, je ne me fais pas trop de souci parce que, à part ces "euch-euch" femelles professionnelles, je ne crois pas que vous rencontrerez beaucoup d'occasions de copuler. Les bonobos, comme vous le savez tous sans doute – à part Simon, peut-être – ont une sexualité déviante non pénétrative, préférant le frottage à la saine insertion. Une pratique qui explique en partie leur malheureuse fécondité galopante : sans sperme étranger dans l'utérus, les femelles conçoivent à un rythme effarant. »

De toute façon, Simon trouvait l'Afrique chimpanisée trop affolante pour avoir les moindres velléités copulatoires. Dans cette multitude noire effervescente qui débordait des immeubles croulants de Dar es-Salaam, c'était à peine s'il parvenait à distinguer les femelles. Quant à repérer celles qui enflaient, il n'y songeait même pas, baissait la tête et suivait docilement le croupion de son alpha.

Le chauffeur-guide qu'on avait attribué à Busner était assez fiable, mais il ne grimaçait qu'en pidgin, ce qui rendait la communication difficile. À mesure qu'ils avançaient vers le nord, le pays devenait plus sauvage et les averses plus violentes. La grande route à plusieurs voies grevée de nids-de-poule rétrécit jusqu'à n'être plus qu'une bande de goudron grevée de nids-de-poule et finalement une piste sans goudron mais toujours grevée de nids-de-poule, entre Kigoma et Nyarabanda, à une petite dizaine de kilomètres de la frontière du Burundi.

Il y avait des réfugiés partout. On les voyait escalader les palmiers en bordure de la route, progresser à la force des bras dans les frondaisons ou crapahuter dans le marécage en risquant le bain de boue à chaque passage de véhicule. Simon se demanda comment les humains réussissaient à survivre dans ce monde chamboulé : qui pouvait se soucier de quelques malheureux animaux quand il y avait tant de misère parmi les êtres chimpains ?

Ses craintes sur le sort de l'humanité se précisèrent à Kigoma lorsqu'un bonobo obséquieux – probablement un cadre du parti, d'après sa tunique repassée et ses lunettes de soleil « design » –, avec qui il partagea une brève séance de grattage, lui expliqua que la chair humaine était de plus en plus demandée. « Ils peuvent raconter ce qu'ils veulent sur les espèces protégées, digita-t-il, les humains essaient toujours d'attraper nos chimpanzeaux, alors nous, eh ben, on essaie d'attraper "grrn'miam" les leurs. Et avec ce qui se passe là-haut, ajouta-t-il en montrant le nord, y a tout un marché pour le gibier à peau nue. »

Mais Busner, qui avait vu ses signes, s'empressa de rassurer Simon. « Ne faites pas attention "chup-chupp". En vérité, la réserve humaine est bien mieux protégée que n'importe où ailleurs dans ce pays endeuillé. Je crains qu'on ne puisse pas en grimacer autant, hélas, des réserves des monts Virungas sur la frontière ougando-rwandaise où Dian Fossey a implanté le Karisoke Research Centre pour étudier les gorilles. Mais quelle "h-h'" ironie tout de même, et qui n'a sûrement pas échappé aux autochtones, de penser qu'on laisse les chimpanzés s'entre-tuer sans pitié pendant que les hommes vaquent à leurs occupations sans être inquiétés. »

Busner avait prévenu Ludmilla Rauhschutz de leur arrivée. Comme presque toujours quand il avait besoin d'un piston, Busner s'était découvert des relations utiles. L'alpha de Rauhschutz était l'impresario Hans Rauhschutz, avec qui Peter Wilt-shire avait produit plusieurs opéras dans le passé. Wiltshire pan-thucha Rauhschutz, qui leur donna une lettre de recommanda-tion, laquelle fut aussitôt faxée à sa fille.

Ludmilla Rauhschutz était – même aux yeux des anthropo-logues, souvent considérés comme des fanatiques dans le milieu de la zoologie – extrémiste dans sa conviction que les humains étaient à la fois sensibles et intelligents. Dans son livre *Parmi les hommes*, elle avait écrit : « Jamais, en tant que chimpanzé, je n'avais approché l'esprit de Dieu d'aussi près que dans la com-pagnie des hommes sauvages. »

Bien que ses travaux sur les humains du Gombe eussent été initialement reconnus comme déterminants, à la fois sur le plan de l'anthropologie et sur le plan de la compréhension des origines du chimpanzé, son entêtement à revendiquer pour eux un statut pseudo-chimpanique au titre de leurs qualités exceptionnelles lui avait valu une mise à l'écart de la hiérarchie universitaire.

Certains papillotements de couloir laissaient tâter que ses réin-troductions d'humains captifs étaient un prétexte pour attirer les touristes dans le camp Rauhschutz. Les touristes voulaient voir des humains, or les humains élevés en captivité, incapables de se défendre dans le monde sauvage et souvent victimes de l'agres-sivité féroce de leurs congénères, avaient tendance à rester près du camp pour se faire nourrir et photographier. Un anthropo-logue, qui avait visité le centre, avait gesticulé à Busner avant leur départ pour l'Afrique : « Ça ressemble davantage à une ménagerie de cirque qu'à un centre de réacclimatation. »

Busner avait vu grimacer de pires choses encore sur la femelle elle-même. On digitait que c'était « une affreuse grosse dondon qui traitait son humain de compagnie comme un chimpanzé ». D'autres papillotements l'accusaient des mêmes turpitudes que Fossey et maintes anthropologues femelles. On insinuait que Rauhschutz, dont les enflements étaient d'une discrétion à la limite de l'insignifiance, cherchait des humains comme coni-cheurs à défaut de pouvoir séduire des chimpanzés. À l'inverse, certaines mauvaises phalanges titillaient sous cape que Rauh-schutz devait son ascension hiérarchique et sa position de cher-cheuse alpha au seul fait qu'elle était stérile. Mais les mâles signalaient toujours ça des femelles qui faisaient une brillante carrière.

Busner, qui avait l'esprit ouvert, ne se laissa pas démonter par ces rumeurs. Après tout, songea-t-il, j'ai été suffisamment vili-pendé moi-même par la hiérarchie académique pour ne pas croire tous les on-mime qui circulent sur une autre marginale.

C'était à toutes ces digitations qu'il pensait maintenant, à quelques heures de leur destination. Il se demandait ce que l'avenir leur réservait. Car, en vérité, il était encore indécis. Cette conviction de Simon – que l'humain numéro 9234 était son fils manquant – constituait-elle vraiment le nœud du problème ou n'était-elle qu'un appendice de sa psychose ? Sa rencontre avec les hommes sauvages serait-elle une libération ou une damna-tion ? En fait, Busner avait la même attitude qu'Alex Knight et son équipe : il se contentait d'enregistrer l'événement en atten-dant de voir ce qui en résulterait.

Autour d'eux, le pays était extrêmement télégénique. Quand ils arrivèrent en vue de la réserve, et eurent fait viser leurs auto-risations par un bonobo traîne-Kalachnikov au poste de surveil-lance, un panorama verdoyant et vallonné s'ouvrit devant eux jusqu'aux immensités bleues du grand lac. Comme si Dame Nature eût voulu leur panthurler la bienvenue, la pluie diminua, puis cessa tout à fait. Le Landcruiser louvoya entre des talus herbeux hauts d'une dizaine de mètres et couronnés de brumes de chaleur. Il y avait des cocotiers à profusion et de grands arbres foisonnants d'efflorescences rouges.

Alex Knight panoramiquait sans arrêt. Il faisait un tour com-plet sur lui-même toutes les minutes. « "Aaaa" la lumière va baisser, expliquait-il à Simon, je veux être sûr d'avoir assez d'images pour situer les lieux. »

Ils atteignirent la dernière crête. En dessous d'eux, le lac. Les pirogues de pêche ralliaient le rivage, traçant des sillons gris-blanc dans l'azur ridé. Et voilà le camp Rauhschutz, un minable bivouac de cabanes en tôle ondulée. Les toits galvanisés prenaient des teintes orangées sous les rayons du soleil couchant, que l'horizon pénétrait comme une enflure stellaire rebondie.

Simon voyait tout, retenait tout, mais ses pensées étaient accaparées par la question humaine. Combien de temps lui faudrait-il pour retrouver Simon junior ? Il n'avait pas osé formuler complètement l'idée qui lui trottait dans la tête, une idée tellement bien accordée avec les autres éléments de son délire qu'elle pouvait lui avoir été inculquée par le même charpentier psychique qui avait transformé ses lobes frontaux en y imprimant des hyperintensités focales et manipulé sa vision, l'idée que le petit visage glabre de Simon junior, avec son menton fuyant et ses quenottes légèrement écartées, serait le révélateur qu'il attendait – comme un remorqueur tirant toute une cargaison de changement. Car, pensait-il – audacieuse espérance –, quand Simon rencontrerait Simon, la planète des singes vacillerait sur ses bases et disparaîtrait à jamais. Busner enfilerait un pantalon, se raserait et, ensemble, ils prendraient l'avion pour une Angleterre où les politiciens n'étaient marron que par métaphore et non par la couleur de leur museau.

« HououH'Graa ! » panthurlèrent les six chimpes quand le Landcruiser s'arrêta dans le campement boueux. Ludmilla Rauhschutz les attendait en compagnie de ses assistants bonobos. Rauhschutz était d'une corpulence impressionnante. Son obésité lui donnait l'aspect d'une boule de fourrure châtain foncé. Son museau, étonnamment raplati et animal pour une Allemande, et sa coupe capillaire en brosse n'arrangeaient pas le portrait, non plus que l'espèce de burnous raccourci à fleurs qui flottait autour de ses épaules comme une garniture douteuse sur un plat peu ragoûtant. Hélas, ce burnous n'obscurcissait guère l'objet du non-désir qu'on apercevait entre ses cuisses laineuses. On comprenait tout de suite pourquoi elle ne portait pas de protège-enflure : elle n'en avait pas besoin. Pour que l'excroissance de sa région périnéale fût aussi rikiki en période froide, son œstrus devait être une piètre affaire.

Même Simon en fut décontenancé, au point de pianoter sur l'épaule de Bob : « "Euch-euch" c'est obscène, on voit presque pas son cul ! » Busner lui imposa le signence en grognant, car Rauhschutz manumarchait vers le Landcruiser, laissant à ses bonobos le soin de cogner sur les tôles ondulées derrière elle pour saluer les visiteurs.

« HouuGraa ! » lança-t-elle. Puis elle fit de grands gestes : « Bienvenue dans mon humble camp, docteur Busner. Toute la journée, j'ai guetté à l'horizon la lueur annonciatrice de la venue de votre rayonnant moignon lumineux. J'attends depuis de longues années le "greu-nn" privilège de fourrer mes doigts dans votre éminent pelage et de tripoter avec vous le triste état de la chimpanité. » Égal à lui-même, Busner ne trouva rien de déplacé dans cet écœurant déploiement de cautèle. Il sauta du Landcruiser avec la légèreté d'un sub-adulte en chasse et s'inclina bien bas devant la grosse guenon, en digitant : « "H'houu" c'est un honneur pour moi, madame, de faire votre connaissance. Toute la communauté scientifique est fascinée par votre fêlure ischiatrique — enfin, tous ceux qui comptent dans la communauté scientifique — et je vénère tout ce qui pendouille chez vous. Je serais infiniment flatté, croyez-le, que vous me baisassiez le cul. »

En observant cet échange, Simon se demanda si Rauhschutz soupçonnait Busner d'ironie dans ses singeries de principe, mais aucune trace de susceptibilité ne se lisait sur son museau raplati quand elle accorda le baiser demandé et sollicita en retour un léchage de cul de la part de Busner.

Le reste de l'équipée anglaise descendit du Landcruiser et manumarcha en panthurlant. Les bonobos rappliquèrent et il s'ensuivit une tournée de présentations, de contre-présentations et de grattage de groupe. Quand le paquet de poils fissionna, Busner mit le doigt sur Simon, qu'il fit pivoter vers Rauhschutz. « "H'hou" madame Rauhschutz, puis-je vous présenter le croupion de la raison principale de notre visite ? "Chup-chupp" Simon Dykes, l'artiste. »

Simon se prosterna, écrasant son museau dans la boue. Son troufignon se contracta sous la palpation franche et accorte de l'anthropologue. Levant la tête, il vit des cavités oculaires d'une profondeur peu commune et des iris d'une verticalité indiscutable. S'il s'était attendu à trouver une nuance d'humanité dans ces yeux-là, eu égard aux croyances loufoques de la femelle, alors il fut cruellement déçu. La physionomie de Rauhschutz était intégralement chimpaine, avide, curieuse, brutale.

« "Houu" monsieur Dykes, signala la femelle alpha avec un doigté germanique à couper au couteau, le Dr Busner m'a informée par écrit de votre "houu" mal étrange. Pardonnez-moi, ajouta-t-elle en se baissant pour lui mettre les doigts dans la fêlure ischiatique et lui tordre le scrotum, mais, à part une certaine raideur dans la démarche, je ne vois rien d'inchimpain en vous, a fortiori rien d'humain "grnnn".

– Madame Rauhschutz, votre enflure est la verdure tropicale qui nous entoure, votre raie est la Grande Vallée, source de toute spéciation. Il est vrai que je n'ai pas "greu-nnn" une apparence humaine, il est vrai également que depuis ma "euch-euch" terrible dépression je suis parvenu, avec l'aide du Dr Busner ici présent, à assumer une partie de ma "houu" chimpanité, mais il y a toujours une chose qui me perturbe. Ce qui a motivé notre visite... »

L'anthropologue marginale lui coupa le geste.

« Je sais, fit-elle en lui grattant le derrière. Le Dr Busner m'a expliqué que vous vous intéressiez au petit Castor...

– Au petit castor "heuu" ? gesticula Simon en brassant de l'air.

– "Houu" je suppose que vous le connaissez sous un autre nom. J'ai baptisé ce petit humain Castor à cause de ses... enfin, vous comprendrez quand vous le verrez. Mais je néglige tous mes devoirs d'hôtesse. Joshua va vous conduire dans vos appartements. » Elle se tourna pour s'adresser à l'ensemble du groupe. « Nous prendrons notre premier – et dernier – dîner dans une heure, au crépuscule. Vous constaterez, maguenonzelle et mes-mâles, que nous nous adaptons très bien au mode de vie diurne des humains. Nous nous levons à l'aube et nous nichons après le coucher du soleil. Si ça ne vous convient pas, je vous invite cordialement... à aller vous faire foutre ! »

Sur ce geste audacieux, voire incorrect, Rauhschutz poussa un panthurlement de stentorette, tambourina sur une pompe à eau qui se trouvait à portée de main et s'en alla à quatre pattes. Tous les bonobos, à l'exception d'un seul – visiblement Joshua –, suivirent son croupion. Simon fut ébahi de voir que deux d'entre eux portaient des Kalachnikovs.

Les appartements affectés aux Anglais étaient, évidemment, une simple cabane. Il y avait une trentaine de centimètres de jeu entre le sol en ciment et les murs en tôle. Comme Simon s'en étonnait, Joshua signala : « Si y a une bête qui rentre, faut qu'elle "houu" puisse ressortir. » Simon voulut lui faire valoir que, si les murs touchaient le sol, aucune bête ne pourrait *entrer* mais, en voyant les canines exposées et les lèvres en entonnoir du bonobo, il préféra s'abstenir.

Au moins avaient-ils chacun une moustiquaire et un matelas pneumatique individuel. Mais les nids de camp avaient la taille de baignoires pour bébé et la cabane était déjà peuplée d'invertébrés. Des moustiques bourdonnaient dans l'ombre et d'énormes lépidoptères heurtaient la lampe à gaz chuintante que Joshua avait allumée avant de les quitter. Il y avait aussi des bruits plus inquiétants, plus vertébrés, des bruits de pattes et des couinements évoquant immanquablement des rongeurs. L'atmosphère du lieu excita tellement Janet Higson et Bob le chimpe-à-tout-faire qu'ils commencèrent à mimer une copulation, alors que Janet était encore à plusieurs semaines de l'enflement.

Zack Busner fut le seul à accepter de bonne grâce la précarité de leur hébergement. Il avait beaucoup voyagé sous les tropiques dans sa jeunesse, pour étudier un trouble hystérique pervers malais connu sous le nom de *latah*, et la descente vers le lac, avec ses magnifiques forêts avoisinantes, l'avait plongé dans une rêverie nostalgique. Voyant le désarroi de son groupe, il rampa vers les deux téléchimpes haletants et gémissants pour les prendre dans ses mains et digiter : « "Chup-chupp" allons, allons ! Madame Rauhschutz est peut-être un peu bizarre, mais je vous assure qu'on se débrouillera très bien. Pour ce qui est du couchage, j'ai glané quelques tuyaux, dans mon jeune temps, qui nous aideront à améliorer la "greu-nnn" salubrité du lieu. »

Il leur apprit à tendre les moustiquaires et à ranger leurs affaires de manière à ce que les rats ne pussent pas les atteindre. Puis il sortit quelques assiettes en papier, qu'il remplit de paraffine et installa sous les pieds des nids de camp. « Ça éloignera tous les copains à six pattes avec qui nous ne voulons pas devenir trop intimes "hi-hi". » Cette disposition rassura beaucoup Simon car, depuis les quelques jours qu'il était en Afrique, malgré une application rigoureuse des innombrables pommades anti-insectes qu'ils avaient apportées, il avait le plus grand mal à empêcher les tiques, teignes ou pire d'élire domicile dans sa fourrure.

C'était d'ailleurs ce détail-là, plus qu'aucun autre, qui confortait en lui ce concept absurde : la chimpanité. Après tout, il était difficile de nier qu'on avait de la fourrure quand celle-ci dissimulait aux regards des piqûres de moustique pourtant affreusement démangeantes.

Le groupe Busner-Dykes s'épouilla du mieux qu'il put, puis quitta la cabane à tâtons. À tâtons parce que la nuit était tombée comme elle tombe sous les tropiques, soudaine et totale, comme un évanouissement de la Terre. L'antique forêt soupirait et mugissait dans la brise lacustre. Les cris des chauves-souris et le zinzin des insectes sillonnaient l'air fraîchissant. Plus loin, on entendait des craquements et des frôlements dans les broussailles, mais Simon avait beau tendre ses larges oreilles, il ne parvenait pas à capter les appels gutturaux caractéristiques des hommes sauvages.

Une table à tréteaux avait été dressée sur la terrasse de la plus grande cabane. Comme elle dominait le bleu nocturne du lac, ceux qui craignaient de s'ennuyer en mastiquant un repas constitué principalement de poissons exotiques – qu'ils avaient vu décharger tout à l'heure – et de grandes quantités de figues fraîches, pourraient toujours se distraire en regardant les lampions des pêcheurs se mouvoir sur les eaux.

Mais ils ne furent pas nombreux à s'ennuyer, car le premier-dernier dîner au camp Rauhschutz fut très animé. Pour commencer, ils découvrirent en sautant la rambarde de la terrasse qu'ils n'étaient pas les seuls visiteurs. Un autre groupe de chimpes les attendait à table. Il y avait trois mâles et cinq ou peut-être six femelles. Ils étaient tous de type caucasien – au museau très blanc dans la lueur des lampes – et portaient tous de ridicules panoplies en Gore-Tex et autres matières synthétiques bardées de pattes velcro, de boutons-pression et de lanières plus que superflues.

Tout cela sentait son Hollandais à vingt mètres. « H'houu », vocalisa poussivement Rauhschutz en soulevant son embonpoint pour les accueillir. « Je crois que vous connaissez déjà mes pensionnaires actuels, le groupe Van Grijn des Pays-Bas.

– Non, pas encore, signala Busner, mais nous sommes enchantés de rencontrer des croupions si merveilleusement mis en valeur par une parure high-tech flambant neuve. » Lesquels croupions se montrèrent. Et ceux des Anglais de même. Si Rauhschutz perçut une ironie dans la gestuelle de Busner, elle n'en laissa rien paraître.

L'alpha hollandais, un mâle à gros museau appelé Oskar, indiqua qu'ils étaient ici en qualité de représentants d'un groupe de pression néerlandais intitulé « Le Projet humain » ayant pour objet d'étendre aux humains, sauvages et captifs, certains droits du chimpanzé. « Nous sommes venus voir Mme Rauhschutz, digita-t-il avec d'exaspérants grincements de phalanges, parce qu'elle est "rhouu"... comment grimacer ? Elle est "rhouu" la femelle la plus... importante de notre temps.

— À cause de son œuvre pour la réhabilitation des humains captifs "heu" ? demanda Busner.

— Bien sûr "rgreu-nn", mais aussi parce que nous pensons qu'elle a une plus haute spiritualité que les autres anthropologues. Elle est, en quelque sorte, une sainte guenon sans religion. »

Sans religion, Busner n'en était pas si sûr, pour avoir lu *Parmi les hommes*, mais il ne fit pas de commentaire. L'anthropologue elle-même fut moins réservée. De sa place d'honneur en bout de table, qu'elle s'était attribuée d'office avec pompe et lourdeur, elle s'adressa à l'assemblée pendant que les compotiers de figues circulaient. « Je remercie "chup-chupp" Oskar d'aborder cette question de la spiritualité. Pour moi, l'humain n'est pas une bête brute, loin de là. À force de partager la communauté des hommes sauvages, j'ai le sentiment que, par leur immobilisme, leur intouchabilité, leur isolement apparent, ils m'en apprennent davantage sur la chimpanité que les chimpanzés eux-mêmes. »

Tout en gesticulant, Rauhschutz fumait un court cigare noir, coincé entre ses crocs jaunes, et s'envoyait de temps en temps un petit coup de schnaps dans un gobelet en fer blanc. Simon savait que c'était du schnaps parce que, si l'on pouvait trouver de nombreux défauts au camp Rauhschutz, le régime sec – dans tous les sens du signe – n'en faisait pas partie. Dès qu'ils s'étaient accroupis, on avait sorti les bouteilles d'eau-de-vie de pêche et elles faisaient le tour de la table depuis le début du repas.

Pour la première fois depuis sa crise, Simon se sentit suffisamment détendu pour boire de l'alcool fort. Il y avait, chez cette anthropologue non conventionnelle, quelque chose d'étrangement rassurant – par antinomie, comme si, rencontrant enfin une guenon *sincèrement* convaincue que les humains étaient doués de sentiment, il eût envie de ne plus y croire lui-même.

Il y avait aussi l'atmosphère anachronique du camp Rauhschutz. Malgré sa spiritualité affichée, Rauhschutz régentait son monde comme un préfet colonial. Les serveurs bonobos ne faisaient aucun signe, sauf pour demander aux convives s'ils avaient fini ou s'ils désiraient autre chose. Le reste du temps, ils étaient tapis dans l'ombre. Quand ils s'adressaient à Rauhschutz, ils l'appelaient « Baas ». Quand elle s'adressait à eux, elle les appelait par leurs prénoms – comme des sub-adultes – ou se contentait de les semoncer par un panthurlement impérieux.

« Nous sommes à l'aube, poursuivit-elle comme ils s'attaquaient au poisson, d'une catastrophe gigantesque, que les chimpanzés regretteront éternellement...

– Et de quoi s'agit-il "h'heu" ? fit Simon, incapable de se contenir.

– Il s'agit, mon ami "greu-nn" humain, de l'extinction de vos congénères psychiques à l'état sauvage. Oui "HouuGraa", d'ici cinquante ans, il n'y aura probablement plus un seul humain à l'état sauvage, et avec eux disparaîtront toutes nos chances de rédemption spirituelle. Il serait temps de nous rappeler la grimace de Schumacher : <Si la chimpanité remporte la bataille contre la nature, nous nous retrouverons dans le camp des perdants> ! »

À sa façon de digiter, il était assez clair que la perspective d'une défaite de la chimpanité ne lui faisait ni chaud ni froid. Elle s'était tellement identifiée à ce qu'elle pensait être la mentalité humaine qu'elle en avait perdu le sens des valeurs chimpaines fondamentales. À part le grattage de bienséance qu'elle leur avait accordé pour la forme à leur arrivée, Rauhschutz ne les avait pratiquement pas touchés. Elle préférait signaler à distance plutôt que directement dans le pelage. En outre, nonobstant les armes automatiques de ses bonobos et la débandade des réfugiés sur la route de Nyarabanda qu'ils étaient censés défendre, elle semblait tout à fait indifférente aux affreux massacres du Nord.

Si d'aventure elle mettait le doigt sur le sujet, c'était pour en déplorer les effets secondaires, tels que les problèmes d'approvisionnement, l'incommodité des voyages ou – et là, elle se lamentait vraiment – les risques que les troubles faisaient courir à ses groupes humains réacclimatés ou sauvages. Même pour Simon, pareil mépris pour les vies de millions de chimpanzés était dur à digérer. Pis encore : le seul conflit interclanique qui parût mériter l'indignation aux yeux de Rauhschutz – et lui semblait plus important, plus vital que tout autre – était celui qui l'opposait personnellement à la hiérarchie anthropologique internationale.

« Ils me "houu" traitent de gouine, gesticula-t-elle. Ils prétendent que j'ai des relations sexuelles avec mes humains "eucheuch". C'est typique. N'est-ce pas toujours ainsi qu'on déprécie les femelles dans notre société "h'heuu" ? J'aime trop les animaux, donc je dois copuler avec eux, parce que je suis une femelle et que, chez les femelles, le désir sexuel est plus fort que tout "rouaa" ! Alors, d'un commun accord, ils me discréditent et condamnent mes humains, mes beaux humains, à une ultime sauvagerie... la sauvagerie de l'extermination "ouaaarf" ! »

Comme pour répondre à ce cri passionné, un autre cri, beaucoup plus grave, s'éleva des ténèbres de la jungle environnante. Une plainte tellement étrange qu'elle semblait venir d'un autre monde, et qui était pourtant bizarrement familière aux oreilles de Simon. Signencieux et non vocaux, les chimpes pivotèrent sur leurs sièges dans la direction approximative du cri. « Montrez-moi, madame Rauhschutz, digita finalement Busner, est-ce l'un de vos humains "heu" ? Nous n'en avons pas encore vu depuis notre arrivée. »

Elle tira longuement sur son cigare avant de répondre et, quand elle signala, ses vocalisations d'accompagnement sortirent sous forme de bouffées de fumée qui s'accrochèrent à l'arrondi de son menton comme des barbes éphémères. « "Greu-nnn" oui, ce sont des humains, docteur Busner, de pauvres humains. Les individus sauvages patrouillent plus loin, mais ceux que j'ai "chup-chupp" personnellement réacclimatés ont tendance à rester près du camp. En fin d'après-midi, ils s'éloignent de quelques kilomètres pour aller se baigner dans une crique isolée. C'est l'heure où ils reviennent, maintenant, pour construire leurs abris nocturnes. Si vous "aaaa" écoutez attentivement, vous entendrez d'autres membres du groupe leur répondre. »

Les chimpes écoutèrent attentivement, comme elle les en priait, toujours signencieux et non vocaux. Simon sentit les poils de son cou se hérisser. Il serra son verre de schnaps, se concentra et, parmi les bruissements de la nuit, la stridulation des grillons, le vol soyeux des mouches, il entendit à nouveau la même plainte : « Taaaaaagueueueule-Taaaaaagueueueule. » C'était étrange. Il regarda les autres chimpanzés autour de la table. Tous ouvraient les oreilles, intrigués, mais percevaient-il comme lui de la colère et du désespoir dans ces cris rauques ? Ils n'en montraient aucun signe.

« Taaaaaagueueueule-Taaaaaagueueueule », répondit un autre humain, puis un autre encore, puis un troisième, puis un quatrième, jusqu'à ce que leurs appels se télescopent comme des vagues pour se mêler dans un même remous sonore.

Les cris durèrent plusieurs minutes avant de s'éteindre lentement. Il y eut un dernier « Taaaagueueule » plus aigu, et le silence retomba. Un grand sourire fendit le museau de Rauhschutz. « "Greu-nnn", fit-elle, le chœur nocturne des humains, sans doute un des échos les plus profonds et les plus imposants de la nature. Quand on l'a entendu une fois, on ne l'oublie jamais. C'est un "chup-chupp" privilège pour nous, mes alliés, que d'en être les témoins. Hier encore, ces humains étaient emprisonnés dans des zoos ou des laboratoires. Les chimpanzés leur ont inoculé leurs maladies, les gardiens les ont maltraités... et voilà qu'une chimpanzée s'est levée pour leur rendre la liberté "Houu-Graaa" !

– "H'heuu" excusez-moi, madame Rauhschutz, papillota respectueusement Busner, mais est-ce que ces appels ont une signification ? »

La question amusa Rauhschutz. « Oui, docteur Busner, ils ont une signification, contre-signala-t-elle. C'est la vocalisation humaine du coucher. C'est une tendre exhortation des mâles aux femelles pour leur annoncer que les nids sont prêts et que les activités copulatoires peuvent commencer. D'ailleurs, mesfemelles et mesmâles, il est temps pour nous "h'houuu" d'en faire autant. Au nid ! Bienvenue au camp Rauhschutz. Docteur Busner, soyez debout à l'aube, avec vos "grnn" alliés. Castor patrouille à quelques kilomètres d'ici et il vous faudra partir de bonne heure. Pareil pour vous, monsieur Van Grijn. J'ai prévu un programme très complet pour votre contingent. "Houu-Graaa" ! »

Sur ce panthurlement final, l'anthropologue tambourina sur la table, sauta la rambarde et disparut dans les limbes de la nuit, flanquée de deux caïds bonobos. On entendit quelques froissements d'herbes, puis plus rien.

Autour de la table toujours non vocale, les membres du groupe Busner-Dykes échangèrent des regards complices. La même idée carpo-tarsait derrière leurs fronts bas, escaladait les branches cellulaires de leur tissu cérébral. Se pouvait-il que Ludmilla Rauhschutz mît en pratique ce qu'elle prêchait ? Que les cris des mâles humains fussent un appel pour elle autant que pour leurs propres femelles ? Que Rauhschutz s'adonnât, cette nuit même, à quelque perverse copulation zoophile ?

Busner, Dykes, Knight, Higson et Bob se levèrent, s'inclinèrent devant les Hollandais et les bonobos qui rôdaient toujours dans l'ombre, puis se frayèrent un chemin dans la boue encore tiède du campement vers leurs appartements.

Une fois à l'intérieur, Busner alluma la lampe à gaz et, sans autre préambule, ils se livrèrent à une série de saillies expéditives. Était-ce l'atmosphère tendue du repas, était-ce l'atmosphère générale, plus tendue encore, du camp Rauhschutz ? Toujours était-il que Janet avait commencé à enfler discrètement depuis deux heures et qu'elle se montra tout à fait disposée à se faire couvrir par les mâles. Simon banda, poussa, dento-claqua, jouit en quelques secondes et se calma tout aussi vite. Après les grimaces farfelues de l'anthropologue et l'approbation tranquille des militants hollandais des Droits de l'animal, c'était un apaisement et un bonheur que de pouvoir se reposer dans l'étreinte désordonnée d'une séance de grattage postcoïtale. À peine eurent-ils trouvé leurs nids respectifs et se furent-ils faufilés sous les moustiquaires que le sommeil les enveloppa.

CHAPITRE 22

Conformément au diktat de la commandante du camp, Simon se réveilla à l'aube. Avant même de savoir s'il faisait jour, il entendit les bruits de la forêt, les criaillements des babouins, les bavardages des perroquets, des ibis et autres oiseaux, les cris gutturaux des humains – proches et mêlés aux vocalisations excitées des chimpanzés.

Il souleva la moustiquaire, sauta du nid et enfila sa veste de safari. Il se dandina dans la cabane en plantant fermement ses pieds cornés sur le ciment et, voyant que ses alliés étaient déjà levés, ouvrit la porte et plongea dans la lumière grise du petit matin.

Un spectacle animé s'offrit à ses yeux ensablés. Différents types de silhouettes circulaient dans le campement, les formes trapues des chimpanzés affairés et celles, plus grandes, plus élancées, de leurs cousins génétiques.

C'était l'heure du repas matinal pour les humains réacclimatés du camp Rauhschutz. On avait installé une mangeoire devant la terrasse de la cabane principale. Deux bonobos s'occupaient de la distribution. Les humains émergeaient lentement du couvert des arbres et s'approchaient de l'auge, tels des zombies, avec leur démarche bipède caractéristique, par petits groupes de deux ou trois adultes, sub-adultes et humaneaux.

Les bonobos les aiguillonnaient à l'aide de longues perches. Quand un humain tentait de s'octroyer un rab de bananes, de pain ou de figues, ils le repoussaient à coups de pique, sans ménagement et même avec brutalité, pensa Simon.

Les humains qui avaient eu leur part attendaient en rangs désordonnés à la lisière du camp. Au jugé, Simon estima qu'ils étaient une bonne soixantaine, mais leur nombre était difficile à évaluer à cause de l'aspect grisé de leur peau dans le demi-jour, de leur veulerie et de la langueur de leurs mouvements. En effet, pour un chimpanzé, habitué à observer des doigts nerveux et des membres vifs, il était très malaisé de les suivre des yeux, parce qu'ils ne bougeaient pas : il fallait s'y reprendre à deux fois pour les compter, revenir en arrière pour s'assurer que l'individu qu'on avait vu à un endroit s'y trouvait toujours, debout, les genoux cagneux, la mâchoire pendante, les mains sur les hanches, l'œil hagard.

Quelques chimpanzés hollandais se promenaient parmi ce troupeau de spectres. Ils se frottaient contre eux et essayaient de les gratter en poussant des vocalisations qu'ils supposaient compréhensibles par les humains, des cris graves et gutturaux imitant approximativement ceux des animaux. Simon eut l'impression que les humains étaient complètement insensibles à leurs efforts. Il s'approcha à quatre pattes et, déployant les pavillons encore ferlés de ses oreilles, il put faire nettement la différence entre les vocalisations des deux espèces. Les chimpanzés hollandais grognaient, huaient, haletaient, claquaient des lèvres pour tenter de communiquer aux humains la joie qu'ils éprouvaient à leur contact, tandis que les humains continuaient à grommeler, incohérents et porcins, leurs sempiternels « tagueule-tagueule-tagueule-tagueule ».

Simon n'eut guère le loisir d'apprécier le spectacle. Une main familière l'attrapa au collet en pianotant : « "HouGraa" bonjour, Simon, on s'est levé de bonne heure pour obéir à madame ! » Il se retourna. C'était son alpha.

Busner semblait enthousiasmé par l'ambiance du camp. De

petites rides malicieuses plissaient son museau. « Venez, reprit-il, "grnnn" madame nous attend sur la terrasse avec quelques-uns de ses "heu-heu" alliés intimes ! »

Ils retraversèrent le campement en sens inverse. Rauhschutz était fidèle au poste, attifée d'un autre burnous, en compagnie d'un petit groupe d'humains. La proximité des animaux à peau nue mit Simon mal à l'aise. Il rasa la rambarde en détournant le museau. Rauhschutz présidait une sorte de cérémonie du thé. Empoignant une grosse bouilloire en aluminium, elle remplissait des gobelets fumants, qu'elle poussait vers les mains tendues et glissantes des humains.

Ils avaient l'air d'aimer le thé. Ils pointaient leurs museaux plats vers le toit en tôle ondulé et vidaient le breuvage dans leurs gueules ouvertes, indifférents aux éclaboussures brûlantes qui tombaient sur leurs tétines exposées. « Rien ne vaut un bon thé pour se requinquer », digita discrètement Busner sur le poignet de Simon.

Bien que, dans l'ensemble, les humains de la terrasse ne fussent pas moins apathiques que leurs congénères disséminés, il y en avait un qui semblait plus déluré. Un mâle courtaud, avec une touffe de poils roux sur la poitrine et une autre, tout aussi répugnante, entre ses jambes tubéreuses, profita de la brève présentation de croupes matinale qui occupa Busner et Rauhschutz pour s'emparer du sucrier cabossé et enfourner son contenu entre ses fines lèvres roses. Il fit ensuite une démonstration de grande rapidité pour un humain en se carapatant dans le campement sur deux jambes. « "Houu" il a pris le sucre ! » gesticula Rauhschutz, et tous les chimpes coururent après le vilain mâle.

Le voleur de sucre, aussitôt rattrapé, dut recevoir une réprimande en forme de coup de pied au cul, car on le vit tout à coup décrire de petits cercles en titubant, en miaulant et en beuglant « tagueule-tagueule-tagueule ». Busner digita sur le flanc de Simon : « Je suppose que le taux de sucre dans son sang va monter en flèche. Ces créatures ont un métabolisme très réactif. Ils ne sont pas habitués aux stimulants. "Grnnn" le café et le sucre peuvent avoir des effets dramatiques sur eux. »

Simon ne savait pas s'ils étaient dramatiques, mais ils furent en tout cas très pénibles à observer. Le voleur de sucre réapparut près du mur de la cabane et se mit à cogner son front hydrocéphale contre la tôle sonore, en cadence, boum-boum-boum, comme un quadrupède géant – un bœuf ou un phacochère – contre un arbre. Revenant vers eux, l'anthropologue marginale regarda l'humain virtuellement réacclimaté avec une admiration béate et commenta : « "Houu" voyez avec quelle force et quelle précision il percute ce mur. Sans exagérer, je pense que ça dénote une compréhension profonde des lois de la physique. »

Joshua, le chef-assistant bonobo, manumarchait à côté de Rauhschutz, précédant de quelques encablures les autres membres du groupe Busner-Dykes, qui arrivaient du lac où ils étaient allés faire leurs exercices matinaux. Voyant qu'ils étaient tous rassemblés, Rauhschutz leur fit quelques grimaces de circonstance : « "HouuGraann" vous avez tous été bien reçus. Et vous (elle désignait Alex Knight, dont la caméra ronronnait déjà), je ne doute pas que vous donnerez une image flatteuse de l'œuvre que nous accomplissons ici "euch-euch". Mais ce n'est plus le moment de traîner. Le petit humain qui vous intéresse patrouille généralement vers le sud, à plusieurs heures de marche. Si vous voulez entrer en contact avec lui et revenir avant la tombée de la nuit, vous feriez bien "houu" de vous dépêcher. Joshua vous servira de guide. »

Ils crapahutèrent, sur terre et dans les arbres, pendant toute la matinée. Vers midi, ils descendirent un dernier à-pic luxuriant sous un soleil de plomb et débouchèrent dans une crique, où étaient assis six ou sept adultes humains égarés et deux jeunes. Joshua, qui avançait en éclaireur, s'élança vers eux en poussant de puissants rrouaaboiements pour les disperser et, courant de long en large comme un poney berger simien, réussit à extraire du groupe un des jeunes. Il le traîna par le bras vers les chimpanzés, qui observaient la scène debout, à l'écart.

Le pauvre petit homme se dandinait lamentablement. C'était vraiment un spécimen piteux, pensa Simon, comme tous les autres humains réacclimatés qu'il avait pu voir dans les parages du camp Rauhschutz. Sa misérable peau nue était toute griffée et écorchée par le tranchant des hautes herbes, son museau était criblé de piqûres d'insectes, sa fourrure capillaire poisseuse et hirsute. Arrivé à moins de cinq mètres des chimpanzés, Joshua gesticula : « Monsieur Dykes, voilà l'humain que vous vouliez voir. Celui qui est arrivé de Londres. Celui que la patronne appelle Castor. »

Simon plissa les yeux, aveuglé par la lumière équatoriale. Il observa longuement la gueule farouche du petit homme, qui l'observait en retour d'un œil vide au globe pigmenté de blanc. Il scruta son minois sans poils, son menton fuyant, ses dents de rongeur légèrement écartées, puis tourna les talons de ses quatre membres, vocalisa « H'houu », gesticula à la patrouille : « Bon, on a vu ce qu'on voulait voir », et ils repartirent vers le camp.

Tard dans la nuit, Simon Dykes et Zack Busner s'offraient un dernier grattage avant d'aller nicher, sur la petite terrasse de leur cabane. Les autres dormaient déjà. On les entendait souffler et renifler à l'intérieur. Les deux mâles étaient accroupis devant une table, à la lueur d'une lampe à gaz dont le chuintement se mêlait aux bruissements de la nuit.

Ils se passaient paresseusement une bouteille de scotch en commentant les événements de la journée. « Un whisky de première, digita Simon. C'est du "grnnn" Laphroaig, "heuu" ?

– Oui, contre-signala son alpha. Je me le suis procuré au duty-free de Dar es-Salaam. Encore une goutte ? »

461

Encore une goutte. Puis Busner se redressa et attrapa le menton de Simon pour digiter dans sa barbe : « Alors, mon vieil allié, vous avez décelé un air de famille chez le petit Castor "heuu" ?

– Pas le moindre. Pour moi, il ressemblait à n'importe quel humain, chafouin, bestial et haut sur pattes "heu-heu" ?

– Mais grimacez-moi, fit Busner en se penchant en avant, avez-vous le sentiment que cette "grnnn" révélation ait définitivement dissipé votre illusion "heuu" ?

– Oui. Et il n'y a pas que ça. C'est ce camp qui m'a changé. Quand je vois tout le mal que cette femelle se donne en vain pour renier sa propre chimpanité...

– Vous savez, Simon, reprit Busner avec un doigté subtil comme une aile de papillon, il y a une idée qui me trotte dans la tête depuis quelque temps. Je crois que votre délire humain n'avait rien à voir avec une psychose ordinaire "chup-chupp".

– Vraiment "heu" ?

– Oui, je veux signifier que votre expérience du vécu – comme nous grimaçons entre psychologues – n'était pas radicalement fausse, mais "houu" simplement différente. Dans la mesure où, avant votre crise, vous étiez déjà préoccupé par l'essence de la corporéité et de son rapport à notre perception fondamentale de la chimpanité, il me semble – et j'espère que vous me "greu-nnn" pardonnerez par avance cette spéculation si elle n'emporte pas votre adhésion – que votre conviction d'être un humain, venu d'un monde où les humains auraient gagné la bataille de l'évolution en lieu et place des chimpanzés, était au fond une sorte de figure de style satirique "heu". »

Simon médita un instant, puis papillota : « C'est une idée. »

Les deux alliés restèrent longtemps ainsi, à se toucher tendrement en se repassant la bouteille de scotch, cependant qu'autour d'eux dans la nuit équatoriale les humains ioulaient et poussaient leurs vocalisations dépourvues de sens (ou presque) : « Taaaaaagueueueule-Taaaaaagueueueule-Taggggueuuuule. »

RÉALISATION : I.G.S. - CHARENTE PHOTOGRAVURE À L'ISLE-D'ESPAGNAC
IMPRESSION : SOCIÉTÉ NOUVELLE FIRMIN-DIDOT AU MESNIL-SUR L'ESTRÉE
DÉPÔT LÉGAL : SEPTEMBRE 1998. N° 151 (43767)

Alternative Treatments

for Arthritis

An *A* *to* *Z* Guide

By Dorothy Foltz-Gray

Alternative Treatments *for* Arthritis

AN *A* to *Z* GUIDE

By Dorothy Foltz-Gray

An Official Publication of the Arthritis Foundation

Alternative Treatments for Arthritis: An A to Z Guide

By Dorothy Foltz-Gray

An Official Publication of the Arthritis Foundation

SECOND EDITION

© 2007
Arthritis Foundation
1330 West Peachtree Street
Suite 100
Atlanta, GA 30309

Library of Congress Card Catalog Number: 2005921874

ISBN: 0-912423-53-6

Printed in the United States of America

This book was conceived, designed and produced by the Arthritis Foundation. The mission of the Arthritis Foundation is to improve lives through leadership in the prevention, control and cure of arthritis and related diseases.

Editorial Director: BETHANY AFSHAR
Art Director and Cover Designer: TRACIE BULLIS
Production Artist: JILL DIBLE

Contents

Contents *continued*

The A to Z Listing of
Alternative Treatments 31

Acknowledgments

Alternative Treatments for Arthritis: An A to Z Guide was written to help those with any form of arthritis, as well as their families and loved ones. The book is the culmination of efforts by physicians, health-care professionals, Arthritis Foundation volunteers and staff, writers, editors, and designers. The editorial director of the book is Bethany Afshar. The art director and cover designer is Tracie Bullis, and the layout was done by Jill Dible.

We extend thanks to the author, Dorothy Foltz-Gray, a contributing editor of *Arthritis Today*, the Arthritis Foundation's bi-monthly magazine and the editor of *Good Living with Fibromyalgia* (Arthritis Foundation, 2006). She is also a contributing editor of *Health* and *Alternative Medicine* magazines. James McKoy, MD, Marilyn Barrett, PhD, and Carole Dodge, OTR, reviewed the book for accuracy.

This book is not meant to provide advice or suggestions for your personal medical treatment. Please consult your physician before trying any alternative treatment, or to answer any questions you may have.

*I*ntroduction

Approximately 46 million Americans have some form of arthritis, one of the most widespread conditions in the United States. There are one hundred or more varieties of the disease, all of them painful, resulting in stiff or swollen joints. The most common forms are osteoarthritis, affecting 21 million Americans, and rheumatoid arthritis, affecting 2.1 million, or one percent of American adults. Gout affects 5.1 million adults in the country, and 3.7 million have fibromyalgia. Arthritis is the leading cause of disability in the United States.

The prevalence of arthritis doesn't make it any easier to bear. Not only do some forms – like rheumatoid arthritis – take time to diagnose but effective treatment can be frustratingly elusive. Most people start out following medical regimens prescribed by rheumatologists, physicians who specialize in the treatment of arthritis. Patients may try a combination of prescription anti-inflammatories or disease-modifying drugs; over-the-counter pain relievers like acetaminophen; antidepressants, muscle relaxants, or topical treatments like anti-inflammatory gels. They may try steroid injections or surgery. And in almost all cases, their doctors advise exercise and maintaining a healthy weight.

Despite the range of traditional medical options, the same treatments don't work on everyone, and finding a successful regimen sometimes requires trial and error. Increasingly, arthritis patients are considering complementary and alternative medicine, or CAM, which can include anything from herbs to massage to yoga. In fact, according to the National Center for Complementary and Alternative Medicine (NCCAM) of the National Institutes of Health, 36 percent of American adults use some form of CAM; that figure jumps to 62 percent if megavitamin therapy and prayer are included. And as more and more studies reveal positive results with a number of the treatments, traditional medical practitioners are more comfortable with such choices, and may even suggest them as an adjunct to traditional remedies.

Some of the therapies, like massage, may involve manipulation of sore muscles and joints. Others, like meditation or relaxation techniques, address the psyche: theoretically, by lowering stress levels, sore muscles relax, lowering pain. And some, like yoga, relieve pain through movement, decreasing stiffness and increasing flexibility.

Clearly, if you are reading this book, you probably already have an interest in alternative medicine – or at least the hope that it might help you. Within these pages, you'll find a storehouse of information that can help introduce you to therapies that you can discuss with your doctor. The Arthritis Foundation offers this springboard to reputable information in part because simply scrolling the Internet for information about CAM can be both confusing and overwhelming. Knowing what sites and information are reliable can be a tough call. That's why we've done at least some of that work for you. But whatever you do, don't try any of these methods without consulting your doctor first.

Various herbal preparations, for example, can interact with medications you are already taking. Together, you and your physician can assess what's best for you.

The Arthritis Foundation is committed to helping all those with arthritis. In addition to this book, it offers a range of books, brochures and videos, and its bi-monthly magazine, *Arthritis Today*, which reports on the latest in treatments and research. Our Web site, www.arthritis.org, presents up-to-date news about treatments and research, and message boards on which you can discuss issues with others who have arthritis. It lists arthritis-related events such as the Arthritis Walk, and programs, community activities and free educational materials.

The Arthritis Foundation also has chapters and branch offices nationwide that offer programs for those with arthritis, including self-help and exercise classes. The foundation also raises money every year for medical researchers working on treatments and knowledge that may one day lead to cures for arthritis and related diseases. For more information, contact your local chapter. You can find your nearest office by calling (800) 568-4045 or by visiting the Arthritis Foundation Web site, www.arthritis.org. You may also purchase books and videos on our Web site, or by calling (800) 283-7800.

Chapter I
Understanding
Alternative Treatments

WHAT IS AN ALTERNATIVE TREATMENT?

Many alternative treatments are the mainstream medicine of the past – herbal remedies, for example, practiced before the technical advances of the last half century or so. And many, like meditation, have been followed for centuries and still are considered mainstream medicine in other cultures. But Western notions of mainstream medicine have shifted with medical progress. According to the NCCAM, alternative treatments are those that fall outside the practice of conventional medicine advanced by medical doctors (MDs) or doctors of osteopathy (DOs) and related professionals such as psychologists, physical therapists and registered nurses.

The range of alternative treatments is broad – from herbs to massage to mind-body practices. Below is a quick primer of just what they include:

HERBS, SUPPLEMENTS, AND VITAMINS

Available in health food and grocery stores without a prescription, these are sold without rigorous testing by the U.S. Food and Drug Administration (FDA), and many don't have scientific studies to back their claims. Herbs can come fresh, freeze-dried or as extracts formed into capsules or tablets. Extracts are also used to make tinctures, usually with an alcohol base. Infusions are liquids made from soaking the herbs in hot water for 10 to 15 minutes. Supplements can include vitamins, minerals, amino acids, enzymes, herbs or other plants in capsules or tablets – and they are considered foods, not drugs. But just like drugs, they affect your body. Sometimes, just like a drug, they may cause harm. And some may interact negatively with drugs you already take. Always check with your doctor before taking any supplement or herb.

BODYWORK AND MANIPULATIVE THERAPIES

There are more than one hundred types of bodywork, hands-on therapies that involve manipulation or touching of the body. These range from Swedish massage, a full-body kneading of the top layer of muscles, to Asian methods that apply finger and hand pressure on specific points to release energy flow, or *qi* (pronounced chee). Some methods – like reiki and therapeutic touch – don't actually use touch at all, focusing instead on guiding spiritual energy. The various therapies can help stretch tight muscles, improve flexibility, relieve pain, and help relieve stress and depression that often accompany arthritis.

MIND-BODY/MEDITATIVE TREATMENTS

Although Western medicine has tended to focus on physical symptoms, doctors and researchers are increasingly recognizing the mind's influence on the body. Stress, for example, ups the risk of high blood pressure and heart disease, and lowers immune system defenses. Stress can also augment pain and depression. Mind-body treatments like meditation and relaxation exercises work by lowering stress, which in turn calms body systems, lowering heart and breathing rate and blood pressure. Some of these techniques like meditation have been practiced since ancient times. Others like cognitive-behavior therapy began as recently as the 1960s. No one treatment is for everyone, and the choices are plentiful including biofeedback, meditation, visualization and guided imagery, hypnosis, relaxation exercises, stress reduction and relaxation programs.

ALTERNATIVE EXERCISE APPROACHES

Exercise is not just for fun anymore. Study after study indicates that exercise can help relieve the pain and stiffness of arthritis as well as lift spirits. Alternative forms of exercise originating from the Far East like yoga, tai chi and qi gong help strengthen muscles and improve blood flow to aching joints and muscles, and release feel-good endorphins without the strain of more traditional exercises. More modern forms of exercise like the Alexander technique, Feldenkrais method and Trager approach are designed to help you move more easily – and for those with arthritis that may mean learning to move in ways that minimize pain.

ALTERNATIVE HEALTH APPROACHES/PHILOSOPHIES

While 80 percent of medicine practiced worldwide is mainstream medicine, according to the World Health Organization, the approaches that Westerners consider "alternative" are more mainstream in other parts of the world and becoming more popular in the United States. An estimated 48 percent of adults used one alternative or complementary medicine in 2004, a six-percent increase since 1994 [*New York Times*, Feb. 3, 2006]. Other major healing systems include Ayurveda, the 5,000-year-old healing tradition of India. Its principles emphasize the balance of energy within body and soul. Treatment is non-invasive and includes recommendations similar to the practical advice of Western practitioners – a low-fat diet full of fruits and vegetables, plenty of exercise and rest.

Chinese medicine is another ancient system – 2,000 years old – that focuses on balance between energies. Its most commonly known forms in the West are acupuncture and herbal medicine. Its principles center on the notion of qi, considered the life energy that flows through the body in channels called meridians. Blocked or out-of-balance qi leads to illness.

Naturopathy stems from European practices of the 19th century that focus on prevention and the body's ability to heal itself. Treatments include changes in diet and exercise, the use of herbs and dietary supplements, homeopathy, spinal manipulations, hydrotherapy and counseling. Naturopathic physicians, or NDs, graduate from a four-year training program.

Homeopathy has a long history in Europe and was widely practiced in the United States until the 1950s. The theory behind it is that "like cures like." In other words, giving people a diluted form of what causes the illness will be its cure. Like Ayurveda and Chinese medicine, homeopathy focuses on life force or energy. Remedies are often in the form of tinctures, tablets or creams.

WHY PEOPLE WITH ARTHRITIS SEEK ALTERNATIVE THERAPY

People with arthritis seek alternative treatments for a number of reasons. Some people grow frustrated by relentless pain without a cure, and they are willing to try anything to improve their lot. For others, alternative remedies offer a greater sense of control over the disease than conventional medicine alone. By trying out various practices like massage or yoga, they feel more active in their care. For still others, alternative medicine complements conventional treatments providing relief from stress, depression, pain or stiffness. Some like the personal touch and less hurried visits alternative practitioners often provide. Still, alternative medicine holds no cure for arthritis. Used wisely and in partnership with your doctor, however, these remedies may make you feel better mentally and physically.

Chapter *II*

What You Should Know About Alternative Treatments

The Controversy of Using Alternatives

Many alternative therapies do not have FDA approval or the backing of rigorous scientific research. And unfortunately a lot of misinformation and faulty claims clog the Internet. So it's essential to consult with your doctor and do some research before using any new therapy, making sure that the information you gather comes from a trusted source. (See How to Be a Savvy Patient/Consumer, p. 18.) Before you use any treatment, understand the therapy's possible risks and benefits. And investigate how a new treatment will affect your particular condition and the medications you are already taking. Some therapies have been used safely for hundreds of years; newer treatments have less research or history to back them. It's especially important to be well informed about herbs and supplements. They are "natural" but they are also drugs that can be dangerous if misused, or interact with drugs you already take. Alternative medicines are also controversial simply because they lie outside the mainstream of Western medicine; many doctors are uncomfortable recommending them due to lack of knowledge about them or lack of scientific research.

THE COMPLEMENTARY APPROACH

Alternative therapies are often used in conjunction with conventional treatments to complement the treatments you are already using. This practice is called complementary medicine. For example, you may be taking medication for swollen, inflamed joints but your doctor may also recommend massage therapy or hydrotherapy as a helpful accompaniment to his prescriptions. According to studies at Harvard Medical School, most people use alternative therapies not to replace conventional treatments but to augment their conventional care. And as more and more research backs these treatments, conventional doctors are becoming increasingly comfortable with integrating such practices into their own treatment programs.

TALKING TO YOUR DOCTOR ABOUT ALTERNATIVES

If you do plan on using alternative medicine, the most important first step is to discuss your plans with your doctor. Take this book and any other research you uncover with you when you meet with your doctor. Let him help you explore what you can expect from an alternative treatment in benefits, risks, costs and interaction with traditional treatment. Talk about what signs of improvement to look for and how long you should give a treatment to work. Some doctors, however, are uncomfortable with remedies that fall outside mainstream medical training – although this is beginning to change as more research is done on alternative methods. If your doctor disapproves, you can try speaking to another doctor, or even changing to a doctor more comfortable with an integrated approach. But regardless of how your doctor feels about alternative medicine, for your own protection, keep him informed of any treatments you plan to try.

WHY ALTERNATIVES CAN BE POWERFUL: INTERACTIONS, SIDE EFFECTS AND CAUTIONS

Some alternative therapies recommend actions like fasting or a restricted diet. Others recommend herbs and supplements. Any measure that drastically changes what you eat can stress your body, especially one already taxed by illness. And although herbs and supplements may be "natural" products, nonetheless they are essentially drugs unregulated by the FDA (except for homeopathic remedies and vitamins). Just like synthetic medicines, they can have powerful effects – including unwanted side effects – and can interact with drugs you are already taking. The fact that they are unregulated also means that the preparations aren't standardized. One brand of St. John's wort, for example, may differ from another brand's version. Nor do the bottles have to contain what the labels say they do. In fact, when an independent lab (ConsumerLab.com, 2004) tested 16 brands of St. John's wort, only 10 passed the review. One had less than one quarter of the recommended dose of St. John's wort; three contained levels of metal (cadmium) higher than acceptable by the World Health Organization, and two did not identify what part of the herb they used. Labels may not, however, claim to treat, cure or prevent a disease; otherwise they are considered a drug and their sale illegal. That's why supplements often carry a disclaimer. The American Society of Anesthesiologists suggests patients stop taking herbal supplements two to three weeks before any surgery. A study released in September 2006 by the University of Chicago Hospitals found people taking traditional Chinese herbs experienced an increased risk of adverse events in the preoperative period. In fact, they found users were twice as likely to experience clotting and low levels of potassium than nonusers. Those using Chinese herbs medicines also stayed under anesthesia longer.

POSSIBLE NEGATIVE EFFECTS OF ALTERNATIVES (HISTORICAL CASES, POSSIBLE INTERACTIONS)

Many herbs and supplements are harmless. But some have the potential to harm. For example, St. John's wort can interfere with iron absorption and birth control pills, increase sunburn risk, and increase the effects of alcohol, sedatives and tranquilizers. Ginger and ginkgo can interfere with warfarin (*Coumadin*, a blood thinner) and aspirin. Ginkgo and other herbs can also increase risk of excessive bleeding. The herbs comfrey and kava kava have been linked to liver damage. Kava kava has also been linked to 24 liver failures and one death. Great Britain and other European countries, Canada and Japan have banned its sale, and in 2002 the FDA issued a warning about its use – as it did about comfrey in 2001. In February 2004 the FDA banned the sale of the popular diet supplement ephedra, or ma huang, because of its link to heart attacks, strokes and death.

Interactions of Supplements With Drugs

Herbs and supplements have their own drug-like powers. When they are combined with prescription or over-the-counter drugs, they may cause unwanted and sometimes dangerous, even fatal, interactions. Below are interactions to be aware of:

• **Bromelain** – May augment effects of blood-thinning drugs and tetracycline antibiotics.

• **Capsaicin (or capsicum)** – Increases the absorption and effect of ACE inhibitors (medications used for diabetic kidney disease, heart failure, high blood pressure); some asthma medications, sedatives and antidepressants.

• **Chondroitin** – May augment effects of blood-thinning drugs and herbs.

• **Comfrey** – May affect liver function or cause liver damage or death.

• **Echinacea** – May interfere with immune-suppressant drugs such as corticosteroids taken for lupus and rheumatoid arthritis. May increase side effects of methotrexate.

• **Evening Primrose Oil** – May neutralize effects of anti-convulsant drugs.

• **Fish Oil** – May increase effects of blood-thinning drugs and herbs.

• **GLA** – May augment effects of blood-thinning drugs and herbs.

- **Garlic** – May augment effects of blood-thinning drugs and herbs. May decrease the effect of immunosuppressants.

- **Ginger** – May augment the side effects of NSAIDs and effects of blood-thinning drugs and herbs. May also lower blood pressure and blood sugar levels.

- **Ginkgo** – May augment effects of blood-thinning drugs, antidepressants and herbs. Also affects insulin levels.

- **Ginseng** – May augment effects of blood-thinning drugs, estrogens and corticosteroids and interact with MAO inhibitors. May also lower blood sugar levels.

- **Glucosamine** – May artificially cause hypoglycemia during surgery.

- **Kava Kava** – May augment effects of alcohol, sedatives and tranquilizers. Has also been linked to liver damage and failure.

- **Magnesium** – May interact with blood pressure medications.

- **St. John's Wort** – May increase effects of narcotics, alcohol and antidepressants; increase sunburn risk; interfere with the absorption of iron and with birth control pills, drugs for HIV/AIDS and cancer.

- **Valerian** – May boost effects of sedatives and tranquilizers.

- **Zinc** – May interfere with corticosteroids and other immunosuppressants.

How to Be a Savvy Patient/Consumer

You can increase the chances that your choices of alternative therapies are sound by doing research on your own before diving into any therapy. What are the risks and benefits a therapy offers, particularly to someone who has your form of arthritis? What studies and research support the therapy's claims? If you're investigating a product, look it up on the manufacturer's website to see what studies from scientific journals are listed. Check out independent sites as well. But don't believe everything you see on a Web site or hear in an advertisement. Ask your doctor and pharmacist for advice. Even if they are not familiar with the therapy, they can probably refer you to a knowledgeable professional.

WHERE TO FIND INFORMATION
ABOUT ALTERNATIVES

The Internet is a great place to start searching for data on alternatives but make sure you're surfing reliable sites. One place to start is CAM on PubMed, www.nlm.nih.gov/nccam/camonpubmed.html. The site, developed by the National Center for Complementary and Alternative Medicine and the National Library of Medicine, offers peer-reviewed articles (meaning people in the same field have verified each article's accuracy). Another database, the International Bibliography Information on Dietary Supplements (IBIDS), is not quite as easy to use and can be slow but the information is reliable. Its address: http://ods.od.nih.gov/databases/ibids.html. You can also check out the FDA's Web site, which includes a Center for Food Safety and Applied Nutrition section on dietary supplements (www.cfsan.fda.gov). You can find product recalls and safety alerts at www.fda.gov/opacom/7alerts. html and at the Federal Trade Commission's Diet, Health and Fitness Consumer Information site, www.ftc.gov/bcp/ menu-health.htm.

Several other databases also provide information about herbs and supplements: The Natural Medicines Comprehensive Database (www.naturaldatabase.com) lists information about more than 1,000 herbs and supplements, including studies. A subscription costs $92 per year. Another, Natural Standard (www.naturalstandard.com), has solid, peer-reviewed information about all alternative treatments including herbs and supplements. An annual subscription costs $99.

When you check out other sites, NCCAM suggests you evaluate them using these questions:

- Who runs the site? That information should be on every page.

- Who pays for the site? Advertisers? A supplement manufacturer?

- What is the site's purpose? (Click on "About this site.")

- Where does the information come from? Sources should be listed.

- How is the information selected and reviewed? Is there an editorial advisory board?

- How current is the information? Materials should be dated.

- How does the site choose links to other sites? Some require link standards; others accept paid links without review.

- How much information does the site ask you to provide? Some ask you to become a member. If so, check the privacy policy. And make sure the site is secure before offering any personal or financial information.

- How does the site handle interactions with visitors? Is there a way to contact the site's owners? Are chat rooms or forums moderated?

After you've done the research, evaluate the evidence. Choose another therapy if you cannot find any reputable studies about it and the only "evidence" comes from customers. And, of course, dismiss anything that claims to work by secret formula or that touts itself as a cure. And avoid any practitioner who asks you not to see a medical doctor.

To protect yourself when you actually pick out a product, look for the USP (United States Pharmacopeia) on the label, which indicates that it meets the USP standard for strength, purity, packaging and labels and for FDA- or USP-accepted use. Another mark, NF (National Formulary) indicates the supplement meets the USP standard but not the FDA or USP accepted use. But having a mark does not mean the supplement is effective.

To find an alternative practitioner, again, start with your doctor. Or you can also contact a hospital or medical school for referrals. You can also check with the professional organization or state licensing board for the therapy you are considering. Once you have some names, ask for an initial meeting. Ask about training and qualification, experience in working with someone who has arthritis, how effective the therapy may be for arthritis, and anyrelated research available about the procedure. Ask too how many patients he sees per day and for how long, how much he charges and whether it is covered by insurance. Ask what happens during an initial visit and subsequent visits, and how many visits you can expect to have. Ask how his treatments work with the conventional treatments you already receive and how he will work with your doctor. Finally, leave the visit with his brochure and Web site address.

PAYING FOR ALTERNATIVES: INSURANCE COVERAGE ISSUES

Few alternative treatments are covered by insurance, although that is changing. According to a 2002 survey by America's Health Insurance Plans, 87.4 percent of insurance companies cover at least one type of alternative treatment. Several states – Arkansas, Illinois, Indiana, Nevada, South Dakota, Utah and Wyoming – require insurance companies to cover treatments by any licensed health professional. Washington requires coverage for acupuncture, chiropractic, massage therapy and naturopathy. You may boost your chances of coverage by asking your doctor to refer you to an alternative practitioner or to "prescribe" supplements since insurance companies are more likely to consider coverage if your doctor deems treatments medically necessary. Chiropractic, acupuncture and massage therapy may be covered but herbs and supplements likely are not. And it's a good idea to let your insurance company know what alternative treatments you would like covered and to ask what its plan offers.

Chapter III

What Is Arthritis?

Arthritis comes in more than 100 forms but most are characterized by pain, inflammation and stiffness in the joints, the spot where your bones meet, such as your knee or hip. The bone ends lie in a capsule and are covered in cartilage, which helps absorb shock and keeps the bones from rubbing together. Synovial tissue lines the joints, secreting fluid that helps them move. Muscles and tendons also help them move and add support. Different kinds of arthritis affect joints in different ways, even changing their shape and alignment. Some forms of arthritis also affect skin and organs.

Unfortunately, little is known about causes for arthritis. Some, like rheumatoid and psoriatic arthritis, are autoimmune diseases, meaning the immune system attacks itself by mistake. Osteoarthritis may be triggered by injury. In some forms of arthritis, genetics play a role.

COMMON TYPES OF ARTHRITIS

Osteoarthritis: The most common form of arthritis, osteoarthritis affects 20.1 million Americans, most of whom are over age 45. Also called degenerative joint disease, it involves the breakdown of joint cartilage, causing the bones – particularly weight-bearing bones like knees and hips – to rub together, which in turn brings on pain and immobility. Osteoarthritis has several causes: obesity, which adds wear to the joints, particularly the knees; joint injuries from sports, work activity, or accidents; and genetics. A person can be born with defective cartilage, which may over time cause cartilage breakdown and inflammation. Treatments include pain relievers, exercise, application of cold or heat, joint protection techniques and possibly surgery to replace damaged joint components.

Rheumatoid arthritis: Rheumatoid arthritis results from an abnormality of the body's immune system causing inflammation, which begins in the joint lining, and can damage both cartilage and bone. Approximately 2.1 million people in the United States have rheumatoid arthritis – almost 75 percent of whom are women. Most often it begins in middle age but it can begin as early as age 20. Juvenile arthritis even occurs in children as young as 2. Treatments can include drugs, exercise, hot or cold compresses, joint protection techniques and possibly surgery.

Fibromyalgia: Unlike other arthritis-related conditions, fibromyalgia does not damage joints or cause inflammation. Instead it generates widespread pain in the muscles, tendons and ligaments, accompanied by debilitating fatigue. The condition is characterized by 11 to 18 tender points – points that are sensitive to pressure – located in all areas of the body. As many as 3.7 million Americans have the condition, women more than men. Its cause is unclear, although researchers suspect emotional or physical stress may be involved. Treatments may include exercise, sleep therapy cognitive behavioral therapy, and medication.

Osteoporosis: As people age, most lose bone faster than they can replace it. The result is weakened, more brittle bones that can lead to fractures, rounded shoulders or shrinking height. It affects 25 million Americans, 80 percent of whom are women. Those with arthritis are at greater risk for osteoporosis because of inflammation or certain medications such as corticosteroids, which can reduce bone mass. Treatments include increasing calcium and vitamin D, medications, and weight-bearing exercise like walking.

Lupus: Lupus is a rheumatic disease – a disease involving the immune or musculoskeletal system – that affects skin, tissues and possibly organs. Women are eight to ten times more likely to get it than men are, and African Americans, Asians and Latinos more often than Caucasians. Symptoms can include a rash, sun sensitivity and inflammation of joints. It can be treated with medication for inflammation or to lower the immune system's activity; rest, exercise and diet.

Gout: Gout results from an excess of uric acid in the blood. The uric acid forms crystals that wind up in the joints (particularly in the big toe, ankles and knees), causing painful inflammation. Gout can be hereditary or result from excess consumption of alcohol or foods high in purines like liver, red meat, gravies, shellfish and some legumes. It can also be caused by obesity and some drugs used to treat high-blood pressure. It can be treated with medication and change in diet.

Back pain: Strain, injury or arthritis can trigger back pain that can range from mild to debilitating. Fifty to 80 percent of adults experience back pain at some point during their lives. Treatments include pain relievers, exercise, heat or cold packs, and learning self-protective habits.

Bursitis and tendinitis: Bursitis is inflammation of the bursa, a small sac filled with fluid that lies between the muscles and tendons or the muscles and bones. Tendinitis is inflammation of the tendon, the tissue that attaches muscles to bones. Although the cause is often hard to pinpoint, both conditions can be caused by overuse or injury, by poor posture or odd joint position, or as the result of other conditions – or even an infection. To treat the conditions, doctors recommend anti-inflammatories, heat or cold packs, and rest.

COMMON SYMPTOMS OF ARTHRITIS

Each condition has its own symptoms. But common to many forms of arthritis are inflamed and painful joints, stiffness, and even swelling. The symptoms can come and go, be in many or single spots, and symptoms can appear whether you've been moving about or inactive. In some forms of arthritis, the skin over the painful spot may redden and feel warm. And some forms of arthritis are also associated with fatigue.

COMMON MEDICAL TREATMENTS FOR ARTHRITIS

Of course, many types of arthritis have resulted in many types of treatments. But below are some common ones.

Analgesics: Doctors often prescribe over-the-counter analgesics, or pain relievers, like acetaminophen (*Tylenol*) to reduce arthritis pain.

NSAIDs: For pain and swelling, physicians may prescribe anti-inflammatories called NSAIDs, which can cause stomach pain. If they do, stop taking them and call your doctor.

Biologic agents: Prescription drugs may also include biologic agents – drugs that target specific parts of the immune system to lower pain and inflammation. These medications require close medical supervision.

Corticosteroids: Drugs called corticosteroids (sometimes called glucocorticoids), such as prednisone, may be given in pill form or as injections to reduce pain and inflammation. These can cause serious side effects such as suppressing the immune system or shifting fluids in the body. Anyone taking them needs close medical supervision.

Disease-modifiying antirheumatic drugs (DMARDs): DMARDs, such as sulfasalazine and methotrexate, slow down the progress of rheumatoid arthritis and some other types of inflammatory arthritis by suppressing the immune system. The prescription drugs can take weeks or months to work, and they increase the risk of infections. People taking these medications require close medical supervision.

Sleep medications: Seventy-five percent of those with arthritis also have sleep difficulty, according to the National Sleep Foundation. Sleep medications like zolpidem (*Ambien*) or zaleplon (*Sonata*) can deepen sleep and help relax muscles. Doctors also sometimes prescribe a low-dose antidepressant, which can improve sleep, pain and depression.

Surgery: Surgery for arthritis is becoming more common, particularly arthroplasty or total joint replacement. Damaged joints are replaced by artificial components that can provide improved mobility and reduced pain. In some cases, operations such as synovectomies, osteotomies and arthrodeses also are performed to remove damaged portions of the joint or to reshape bone or fuse the joint for pain relief and improved mobility.

The A-Z Guide

How to Use this Book

FOR PEOPLE WITH ARTHRITIS AND CAREGIVERS

The pages after this one list a range of alternative treatments in alphabetical order. Each entry will contain:

- The official name of the treatment

- Its common uses

- Scientific evidence

- Side effects and interactions

- Safety concerns

- Dosage, or ways to find a practitioner (whichever is applicable)

Under "scientific evidence," we list the names of the scientific or medical journal where the studies appeared. In some cases, the evidence suggests that a therapy is not safe. Those therapies will be marked by an icon warning 🔲 . But whether a treatment is marked with a warning or not, it's important to talk with your doctor about any treatment you plan to try beforehand. He or she can recommend the appropriate dosage and talk to you about any side effects you might experience, about possible interactions with drugs you are already taking, and about any risks of the treatment. Your doctor also can help you assess when to stop a treatment that doesn't appear to be working. Your pharmacist can also be helpful in answering your questions and suggesting brands.

The information contained in this book is not intended to replace the advice of your medical doctor. As many of these treatments have not been approved by the U.S. Food and Drug Administration as arthritis therapies, we strongly urge you to consult your physician for guidance before trying any alternative or complementary treatment.

Ultimately, the decision to try an alternative treatment is up to you – as is the research and decision about where the treatment fits with your current treatment plan and budget. We hope you find this book a helpful guide in that process.

FOR MEDICAL PROFESSIONALS:

As you know, alternative medicine is immensely popular. In 2006, Americans spent $27 billion annually on complementary therapies. Research funding is on the rise as well. NCCAM alone funded research to the tune of $117.7 million in 2004, more than double the funding five years prior. Top medical schools like those at Harvard University in Boston and the University of North Carolina, Chapel Hill, are incorporating integrative medical programs as well.

Patients in chronic pain – like those with arthritis – are flocking to these treatments out of frustration and hope. Many, however, are afraid to mention this to you, for fear you'll disapprove. We urge you to use this book as a starting point for a conversation about therapies your patients may want to try.

The book lists alternative treatments alphabetically according to the most common name of the therapy, from A to Z. In their descriptions, we draw on the most up-to-date scientific studies and evidence we can find, and cite those for our readers. We warn them away from treatments that researchers have found dangerous, and where there is little evidence for efficacy, we say so. The book has been edited and reviewed by physicians. (The experts' names and affiliations are listed in the acknowledgments page at the front of the book.) And throughout, we urge patients first to check with you, their physician.

Symbol Key

Because alternative treatments encompass a wide range – from supplements and herbs to massage and acupuncture, below is a symbol key to help you distinguish one type from the other. There are also treatments best avoided, and we've created a symbol to help easily recognize those treatments we consider potentially dangerous.

 These treatments are herbs or supplements in natural, pill, capsule, tincture, cream or liquid form.

 These treatments involve manipulation of tissues or joints, movement therapy or mind-body healing.

 WARNING! These treatments may be dangerous, and you should avoid them.

A-c

5-HTP (5-Hydroxytryptophan)

Common uses:

For the treatment of depression, anxiety, fibromyalgia; also for weight management and sleep aid

Our bodies produce their own 5-HTP from the amino acid tryptophan found in poultry, fish, beef and dairy product. The precursor to the neurotransmitter serotonin, 5-HTP is thought to be a mood-enhancer that increases pain tolerance, aids sleep and reduces hunger. The supplement is made from seeds of an African plant named *Griffonia simplicifolia*. By boosting serotonin levels, the supplement has been used to treat depression and fibromyalgia, and other conditions linked to low serotonin levels.

5-HTP is not without controversy, however. In 1989, the FDA banned tryptophan due to several deaths related to the blood disorder eosinophilia myalgia syndrome (EMS). The tryptophan had been contaminated during manufacture. In 1998, the FDA confirmed that some 5-HTP products also had impurities.

5-HTP may also interact with some drugs and supplements so it's important to check with your doctor before using.

SCIENTIFIC EVIDENCE

Since the 1970s a number of small studies have shown that 5-HTP is effective in treating depression with findings of 50-percent improvement in depressed patients. However, reviews of the studies have been cautious, suggesting that

5-HTP may have had some effect but not enough to match that of traditional antidepressants. Others felt the studies of majorly depressed were too small or lacking in controls to be definitive. In fact, a 2002 review of 108 studies concluded they were not sufficient to prove that 5-HTP was an effective treatment for depression. [Aust NZ J Psychiatry. 2002 Aug; 36 (4): 499-91.]

Several recent studies, however, have shown 5-HTP to help relieve symptoms of panic, particularly in women. [J Psychopharmacol. 2004 Jun; 18 (2): 194-9.] [Psychiatry Res. 2002 Dec 30; 113 (3): 237-43.]

Several studies have also indicated that 5-HTP may be helpful in treating fibromyalgia. In one placebo-controlled study, for example, 50 patients were given 100 mg of 5-HTP three times a day for 90 days. Fifty percent of the patients showed significant improvement through-out the study. [J Int Med Res. 1992 Apr; 20(2): 182-9.]

A group of small Italian studies in the late '80s and '90s also suggest that 5-HTP is an effective weight-loss tool, suppressing carbohydrate cravings. Twenty-five obese patients with diabetes received 750 mg of 5-HTP or a placebo for two weeks. Those taking the 5-HTP cut back on carbohydrates and fat in particular and lost a signifi-cant amount of weight. [Int J Obes Relat Metab Disorder. 1998 Jul; 22 (7): 648-54.] In 2006, the Netherlands began reviewing 5-HTP on obese women in a Phase II study, with results to appear in 2007.

A few studies have also suggested that 5-HTP can improve migraines but more research is needed.

SIDE EFFECTS AND INTERACTIONS

• May include nausea, constipation, gas, drowsiness, or reduced sex drive.

• Combining 5-HTP with antidepressants; other psychiatric medications; over-the-counter cold medications (or any containing ephedrine or pseudophedrine); or medications for Parkinson's disease may cause anxiety, confusion and other serious side effects.

• Taken with antihistamines, muscle relaxants or narcotic pain relievers may increase drowsiness.

• Vitamin B6 taken in doses of 5 mg or more can prevent 5-HTP from working correctly.

SAFETY CONCERNS

• In 1998, peak X, one of the impurities associated with the tryptophan deaths in 1989, was also found in some 5-HTP products. The FDA believes that peak X may lead to the blood disorder EMS.

• Manufacturers remain responsible for screening for peak X and any other contaminants. But the FDA has not issued any more warnings about 5-HTP.

• If you do take 5-HTP, do so only under doctor supervision. Ask him to check your blood for elevated eosinophil levels (white blood cells whose rise could signal EMS).

• Do not take 5-HTP if you are pregnant or nursing.

DOSAGE

Start with 50 mg three times a day at mealtime to minimize side effects. If you have not experienced side effects after one week, raise the amount to 100 mg at each meal. Never exceed 900 mg daily. Studies show 300 mg to 900 mg daily promotes sleep, reduces appetite and pain from fibromyalgia and migraines.

Acupressure

Common uses:

To relieve pain and stress, and improve well-being

A form of bodywork that involves using the fingers, knuckles and palms to apply pressure along the body, acupressure has been practiced in China for 5,000 years. According to Chinese medicine, qi (pronounced chee), the body's energy, runs along fourteen pathways in the body called meridians. If one of the pathways or channels is blocked the result is pain or illness. Acupressure is thought to restore the flow of energy along the meridians. Some studies suggest that acupressure also releases endorphins, the body's natural painkillers.

SCIENTIFIC EVIDENCE

Although studies have been small, most suggest that acupressure can relieve nausea and pain. A 2006 randomized controlled study out of Taiwan showed acupressure is more effective than physical therapy at reducing back pain, with 89 percent of the 129 participants showing a significant reduction in disability even at a six-month follow-up. [BMJ. 2006 Feb13; 1st online issue]. And in a clinical trial, those treated with acupressure over eight weeks (preceded by acupoint stimulation) had 39 percent less lower back pain than the control group at the end of the treatments. [Complement Ther Med. 2004 Mar; 12(1): 28-37.] A 2002 Swedish study of 410 women undergoing gynecological surgery found that postoperative nausea was significantly reduced in the acupressure groups compared to the control group. [Can J Anaesth. 2002 Dec; 49 (10): 1034-9.]

SAFETY CONCERNS

- Acupressure is considered safe – although acupressurists are not required to be licensed. Some are certified through the National Certification Commission for Acupuncture and Oriental Medicine (NCCAOM). Once you do find a practitioner, ask if he has a certificate from an acupressure school.

- A practitioner should never press an open wound, swollen or inflamed skin, bruises, surgical scars, varicose veins, broken bones, lymph nodes or tumors.

- You should not have acupressure if you have a contagious condition, or a heart, kidney or lung disorder.

- Tell your practitioner if you are pregnant so that she can avoid certain acupressure points.

FINDING AN ACUPRESSURIST

Ask your doctor for a referral. The following organization also offers a referral list:

- American Organization for Bodywork Therapies of Asia
  (856) 782 1616
  www.aobta.org

Acupuncture

Common uses:

To treat low back and myofascial pain; pain from headaches, migraines, menstrual cramps, fibromyalgia, osteoarthritis or dental work; nausea caused by pregnancy, anesthesia or chemotherapy; asthma; infertility; carpal tunnel syndrome; and addiction

Acupuncture has been practiced throughout Asia for thousands of years. Like acupressure, it's based on the theory that qi – considered in Oriental medicinal philosophy to be the body's life energy – flows through the body along lines called meridians. Illness like arthritis can cause an imbalance in qi, and out-of-balance qi can cause illness or pain. Very fine needles inserted into the skin along the meridians can correct the flow of qi, restoring balance and blocking pain. Although Western scientists aren't sure why acupuncture works, they believe that it may stimulate the central nervous system, which, in turn, releases endorphins or other chemicals in the brain that block pain.

SCIENTIFIC EVIDENCE

In 1997, after evaluating hundreds of acupuncture studies, the National Institutes of Health determined that acupuncture is effective for postoperative pain after dental surgery, and to treat nausea from chemotherapy, pregnancy and anesthesia. It also found acupuncture a helpful treatment for a number of conditions including fibromyalgia, headaches and carpal tunnel syndrome. A 2004 review of clinical trials drew similar conclusions. [J Altern Complement Med. 2004 Jun; 10 (3): 468-80.] A 2006 German review of 298 patients at 30 outpatient clinics found those receiving acupuncture decreased lower back pain by 28.7 percent in eight week, compared to 6.9 percent for those on a waiting list to receive the treatment. [Arch Intern Med. 2006; 166(4): 450-7.] A 2005 study by the same researchers showed acupuncture may decrease knee osteoarthritis symptoms after reviewing 294 patients at 28 outpatient clinics. While those receiving acupuncture for eight week showed a decrease in symptoms at eight and 26 weeks, there was no longer a significant difference in symptoms after 56 weeks. [Lancet. 2005; 366:100-101, 136-143.] A 2002 Brazilian study showed that the treatment of fibromyalgia with acupuncture reduced pain and depression. [Rheumawire 11/22/02]. Several 2004 studies point specifically to acupuncture's efficacy in treating osteoarthritis. In a three-year Spanish study of 563 patients with osteoarthritis of the knee, for example, 75 percent had a 45 percent reduction in pain with weekly treatments. [Acupunct Med. 2004; 22 (1):23-8.]

SAFETY CONCERNS

- Acupuncture is considered safe if it is done by a licensed practitioner with sterilized, disposable needles.

- The practitioner should use needles from a sealed package and should swab the puncture site with alcohol first. Otherwise, you could be at risk for infection.

- Consult your physician before deciding on acupuncture.

- Your acupuncturist should take a medical history before treatment. Be sure to tell him about any medications or supplements you take. Also tell him if you have a pacemaker, breast implants or are pregnant.

FINDING AN ACUPUNCTURIST

Ask your doctor for a referral. You can also check with the following organizations:

- The American Academy of Medical Acupuncture offers a list of medical doctors who practice acupuncture.
(323) 937-5514
www.medicalacupuncture.org

- Acupuncture and Oriental Medicine Alliance (AOM Alliance) refers visitors to state-licensed or national board certified acupuncturists
(253) 238-8134
www.aomalliance.org

- National Certification Commission for Acupuncture and Oriental Medicine (NCCAOM) offers list of certified practitioners.
(703) 548-9004
www.nccaom.org

- American Association of Oriental Medicine lists practitioners by location.
  (916) 443-4770 or (866) 455-7999
  www.aaom.org

Alexander Technique

Common uses:
Corrects poor posture, which, in turn, reduces muscle tension and increases ease of movement

The movement technique, founded in 1896 by Frederick Matthias Alexander, an Australian actor, addresses poor posture in order to increase ease of movement and diminish muscle tension. The idea behind the method is that proper alignment of the head, neck and spine improves health. AT is taught one on one or in a group sessions that last about 45 minutes. The instructor observes how you walk, stand, sit, bend and lie down, and then corrects your posture through instruction and touch.

SCIENTIFIC EVIDENCE

Scientific studies on the technique are scant. Recent studies show AT reduced lower back pain and improved balance in a small study out of Oregon in 2005, suggesting the need for more research. [Phys Ther. 2005; 85(6): 565-78.] A 2003 review of controlled clinical trials found only two that were sound in method and that had clinically relevant results, indicating that the techniques reduced disability in those with Parkinson's disease and with back pain. [Forsch Komplementarmed Klass Naturheilkd. 2003 Dec; 10 (6): 325-9.] A 2002 British study of 93 people with Parkinson's disease showed that AT improved movement ease and lifted depression significantly more than in the massage group or control group. [Clin Rehab. 2002; 16: 705-718]

SAFETY CONCERNS

- AT is safe even for pregnant women provided it is taught by a qualified instructor.
- If a position causes pain, stop.

FINDING AN AT INSTRUCTOR

Check with your physician or local practitioners. You can also check with the following organizations:

- American Society for the Alexander Technique offers a three-year certification course and referral service (800) 473-0620 or (413) 584-2359
www.alexandertech.org

- The American Center for the Alexander Technique Inc. also offers a three-year certification program and teacher referral service.
(212) 633-2229
www.acatnyc.org

Aloe Vera

Common uses:

Applied topically, aloe vera reduces inflammation and aids healing of burns and scrapes. Taken internally, it's used to treat rheumatoid arthritis and as a laxative.

Aloe vera belongs to the lily family and grows wild in Madagascar and Africa. It's also grown commercially in the United States, Japan, the Caribbean and Mediterranean. It's best known for the healing clear gel inside its leaves used to treat burns, scrapes, shingles and psoriasis. Aloe vera juice may relieve heartburn and ulcers. Another part, aloe vera latex from the leaf skin, is dried into a powder and used as a laxative.

SCIENTIFIC EVIDENCE

A number of studies show that aloe vera lessens inflammation. For instance, in a 1989 study, mice that received aloe vera both in their drinking water and topically healed more quickly than the control group. [J Am Podiatr Med Assoc. 1989 Nov; 79 (11): 559-62.] Mice receiving 100 and 300 mg of aloe vera daily for four days blocked substances that interfere with wound healing. [J Am Podiatr Med Assoc. 1994 Dec; 84 (12): 614.21.] Rats whose burns were treated with aloe vera gel had less inflammation and more healing than control groups after both 7 and 14 days. [J Med Assoc Thai. 2000 Apr; 83 (4): 417-25.] Mice fed a diet that included aloe vera showed lifelong ingestion showed beneficial effects on age-related diseases.

The study also found the diet did not have negative effects. [Phytother Res. 2002; 16(8): 712-8.] A 2006 review of aloe vera treatment on people with irritable bowel syndrome could not rule out improvements on diarrhea and suggested further studies. [Int J Clin Pract. 2006; 60: 1080-6.]

SIDE EFFECTS AND INTERACTIONS

- Long-term use of laxatives, including aloe vera latex, can cause potassium loss, a mineral that helps maintain fluid balance and is essential for the transmission of nerve impulses. It's especially dangerous if you are already taking a diuretic, corticosteroids or a digitalis heart medication.

- Aloe vera may slow healing on deep wounds.

- Taken internally, aloe vera may increase the effects of several drugs, including corticosteroids.

- Topical use may sometimes cause a rash. If so, stop using.

- The juice can sometimes contain aloe latex, causing cramps, diarrhea or loose stools. If so, throw it away.

SAFETY CONCERNS

- Read the label on any product to make sure that aloe vera is one of the first ingredients listed. Otherwise, you may be getting a diluted product. Creams and gels should contain at least 20 percent aloe vera.

- Make certain that aloe juice is not derived from aloe latex and that it does not contain aloin or aloe-emoin compounds, substances in aloe latex.

- Drink aloe juice between meals. Otherwise it may interfere with the absorption of nutrients, and the food may decrease the absorption of the aloe vera.

- Make sure that aloe vera juice has an IASC-certified seal, which indicates that it has been processed according to the standards of the International Aloe Science Council.

- Do not inject aloe vera. In 1998 several cancer patients injected with aloe vera died.

- During pregnancy, aloe vera can cause uterine contractions and miscarriage.

- Do not use aloe latex laxative when pregnant, breastfeeding or menstruating. It can trigger uterine contractions.

- Aloe vera for internal use should be pasteurized and contain preservatives to prevent contamination.

- If the leaf products of aloe vera aren't separated properly, the gel can contain a purgative called anthraquinones, which, ingested, can cause intestinal pain and damage.

- Do not give children or elderly, or anyone with intestinal difficulty, aloe vera latex.

Dosage

- For burns, sunburns and shingles, apply as needed.

- For cuts and scrapes, apply cream or gel two to three times a day.

- For heartburn, drink 2 ounces four times daily.

- For insect bites, apply gel four times a day.

- For ulcers, drink one half cup twice a day for one month.

- For constipation, take one 50 to 200 mg capsule daily, or 1 to 3 ounces of aloe gel. Do not use for more than two weeks.

Aromatherapy

Common uses:
To relieve stress and promote a feeling of well-being

People have used essential oils from trees, plants and herbs to treat various conditions for centuries. But it was a French chemist, Rene-Maurice Gattefosse, who coined the term in 1928 after he noticed the effectiveness of essential oils when treating wounds in World War I. Today aromatherapists use about fifty oils to treat conditions from stress to muscle tightness. (Rosemary oil is thought to relieve pain and help relax muscles.) The oils can be mixed with a neutral vegetable oil for use in a massage; they can be inhaled; or they can be added to bathwater. It's easy to do aromatherapy at home or go to an aromatherapist who can mix several oils to address a specific condition.

SCIENTIFIC EVIDENCE

Research indicates that the oils activate the olfactory nerve cells in the nasal cavity, which then send messages to the limbic system of the brain associated with emotions and memory. They may also help relieve certain conditions by stimulating the immune, circulatory or nervous systems. A Korean study reviewed the effect of lavender aromatherapy on pain, depression and life satisfaction in people with arthritis. While the study was small, the patients using a blend of lavender, marjoram, eucalyptus, rosemary and peppermint with almond, apricot and jojoba oil showed significant reductions in pain and depression scores. However, aromatherapy didn't increase feelings of satisfaction of life. [Taehan Kanho Hakhoe Chi. 2005; 35(1): 186-94.] The same researchers also reviewed its effects on cognitive function, emotion and aggressive behavior of elderly patients with dementia, finding hand massage using lavender provided significant benefits. [Taehan Kanho Hakhoe Chi. 2005; 35(2):303-12.]

SIDE EFFECTS AND INTERACTIONS

- Some oil can cause allergic skin rashes. If that happens, try a different oil.

- Don't mix soap and oil in a bath. The soap may interfere with the absorption of the oil.

SAFETY CONCERNS

- Essential oils are for external use only.

- Certain oils can trigger bronchial spasms. If you have asthma, speak to your doctor before using any oil.

- Avoid during pregnancy. Some oils can harm the fetus if taken internally or even if applied externally.

- Aromatherapy is not a substitute for traditional medical care.

FINDING AN AROMATHERAPIST

Aromatherapists are not licensed in the United States. The best way to find one is to ask your doctor or another licensed practitioner for a referral. Or find a licensed practitioner of another therapy like massage who also does aromatherapy. You can also contact the National Association for Holistic Aromatherapy (NAHA), (509) 325-3419, www.naha.org.

Avocado/Soybean Oil (ASU)

Common uses:
To help relieve pain of osteoarthritis

Theoretically, the mixture of one-third avocado oil and two thirds soybean oil helps relieve the pain of osteoarthritis by inhibiting cartilage destruction and by stimulating its repair. ASU has been used in France as a prescription treatment for osteoarthritis for more than 15 years as Piascledine 300. That brand is not available in the United States but ASU is sold here as a supplement.

SCIENTIFIC EVIDENCE

A 2006 systematic review of clinical trials out of Switzerland found beneficial evidence for avocado soybean use on people with osteoarthritis. [Arthritis Res Ther. 2006 Jul 19; 18(4): R127.] In 2002, a *Cochrane Review* examining herbal therapies for osteoarthritis concluded that ASU had convincing evidence. Two combined studies showed that ASU lessened disability, pain and dependence on NSAIDs in those with osteoarthritis. [Cochrane Database Syst Rev 2001; http://www.update-software. com/abstracts/ab002947.htm3; accessed Nov 10, 2003.] In a three-month double-blind study, ASU reduced the need for treatment with NSAID, or anti-inflammatories, in 164 patients with knee or hip osteoarthritis. [Curr Rheumatol Rep. 2000; 2: 472-7.] While a 1998 French double-blind, placebo-controlled study of 164 people with severe osteoarthritis of the knee or hip found the group taking the oil had significantly less pain and disability than the placebo group. [Arthritis Rheum. 1998; 41:81-91.] A similar study out of France found the supplement did not demonstrate any structural effect of ASU use on the hip, but did significantly reduce the progression of joint loss compared to those taking placebo. [Arthritis Rheum. 2002; 47(1): 50-8.]

SIDE EFFECTS AND INTERACTIONS
• Some people may have mild gastrointestinal discomfort.

SAFETY CONCERNS
• Do not buy products that say "Avocado and/or Soy Oil." That is not the same thing as ASU.

• Men with prostate cancer, women with breast cancer or those with a family history of both should use with caution.

DOSAGE

300-mg capsule once a day. While studies have used up to 600 mg, no improvements have been noted by increasing the dosage beyond 300 mg.

Ayurveda

Common uses:

To address energy imbalances in the body, mind and spirit, particularly stress-related conditions such as chronic fatigue syndrome, fibromyalgia, irritable bowel syndrome

Ayurveda is a complete medical system practiced in India for more than 5,000 years. The name means science of life, and its approach is largely preventive. The practice is based on the belief that every individual contains life energy called prana, and the five elements: earth, air, fire, water and space. The elements combine into three types of energy, or doshas: vata, pitta and kapha. Illness is caused by imbalance in one or more of the doshas. By applying ayurvedic practices involving vegetarian diet, exercise, meditation, herbal treatments, breathing and purification techniques, a person's doshas can be rebalanced.

In the West, Ayurveda practices are often used to address conditions that may be affected by stress such as chronic fatigue syndrome, fibromyalgia and irritable bowel syndrome.

SCIENTIFIC EVIDENCE

Although many individual aspects of Ayurveda have been studied, its practice has a whole has not been carefully evaluated, at least not by standards acceptable to Western scientists. Meditation, yoga and breathing exercises, however, are widely accepted as healthy practices as is the emphasis on exercise and a diet full of fresh fruits and vegetables. Researchers are currently investigating the effect of Ayurvedic medicine on cancer, asthma, perimenopausal symptoms, premenstrual syndrome, painful menstruation (dysmenorrhea), the immune system, cholesterol, hypertension, herpes, depression and diabetes.

SIDE EFFECTS AND INTERACTIONS

- Following an Ayurvedic diet may interfere with diets recommended for heart disease and diabetes.

- Some herbal preparations can interact with other medications. Check with your doctor.

SAFETY CONCERNS

- Those with serious chronic illness like heart disease or diabetes should not rely on Ayurvedic medicine alone.

- Cleansing with laxatives or enemas – both Ayurvedic practices – can cause chemical imbalances. Check with your doctor first. Make sure that any equipment used in such cleansings is sterile.

- If you are on a special diet because of heart disease or diabetes, consult your doctor before starting Ayurvedic diet practices.

- Consult your doctor before taking any herbal preparations. And tell your Ayurvedic practitioner what medications you are taking.

FINDING AN AYURVEDIC PRACTITIONER

Practitioners believe at least 200 hours of training is needed to perform treatment adequately. The United States does not offer licensing for Ayurvedic practitioners although U.S. Ayurvedic centers do offer one-year training programs (the programs in India are five and a half years or longer).

Ideally, opt for a practitioner who has a degree in Ayurvedic medicine from a qualified Ayurvedic university in India. The following organization offers information and referrals:

- The National Institute of Ayurvedic Medicine
(845) 278-8700
www.niam.com.

Balneotherapy

Balneotherapy is the use of warm water and minerals (or mineral-rich mud) to reduce stiffness and pain. See hydrotherapy on p. 148.

SCIENTIFIC EVIDENCE

A number of studies show the effectiveness of hydrotherapy in relieving arthritis symptoms, although some researchers note that the studies are too flawed to draw definite conclusions. [Forsch Komplementarmed

Klass Naturheilkd. 2004 Feb; 11 (1): 33-41.] In balneotherapy-specific studies, scientific evidence is considered insufficient, but with positive benefits that cannot be ignored, including a Cochrane Review of six trials with 355 people with RA. A Turkish randomized, placebo-controlled study to determine if balneotherapy was superior to tap water to treat knee osteoarthritis found the treatment statistically improved pain and tenderness. [Rheumatol Int. 2006. Jul 11: epub ahead of print.]

SIDE EFFECTS AND INTERACTIONS

None known

SAFETY CONCERNS

- Hot immersion baths, whirlpool spas, and saunas are not recommended for people with diabetes, high or low blood pressure, or for pregnant women.

DOSAGE

Make hot baths no longer than 15 minutes at no warmer than 115 degrees Fahrenheit.

FINDING A PRACTITIONER

Most hospitals and medical centers offer some form of hydrotherapy. Ask your doctor to refer you to a program. Naturopaths are also trained in hydrotherapy.

Bee Venom Therapy

Common uses:

Used as an anti-inflammatory for conditions such as tendinitis, bursitis, rheumatoid arthritis and osteoarthritis

The use of bee venom therapy can be traced to ancient times, when even Hippocrates, the Greek physician, used bee venom to treat arthritis and other joint problems. A Vermont beekeeper popularized the therapy in the United States sixty years ago. The practice involves administering bee venom by injection or via a bee sting. The venom contains anti-inflammatories called adolapin and melittin, which stimulate the production of cortisol, a natural steroid.

SCIENTIFIC EVIDENCE

Most studies of bee venom have been conducted on animals. A 2004 Korean study, however, on both patients and animals, found bee venom inhibited the generation of inflammation generators. [Arthritis Rheum. 2004. Nov 4; 50(11): 3504-15.] Another Korean study found bee venom acupuncture on RA-induced rats was effective at inhibiting protease activities and removing reactive oxygen-free radicals. [Toxicol In Vitro. 2006 Jul 28; epub ahead of print.]

SIDE EFFECTS AND INTERACTIONS

• Bee stings can be painful and may not work. If you see no improvement after eight sessions and a total of 20 to 70 stings or injections, it's probably not going to work for you.

SAFETY CONCERNS

- Do not use if you are allergic to bee venom. Keep a bee-venom allergy kit (with syringe of epinephrine) handy in case you turn out to be allergic.

- Do not use bee venom if you have heart disease, hypertension, tuberculosis or diabetes.

DOSAGE

Some people find relief after several sessions; others go back every several months for additional shots.

FINDING A PRACTITIONER

Bee venom injections are only FDA approved for desensitizing those with bee allergies. If you do find a physician who will administer venom, he probably won't charge you for the venom. The best way to find a physician who uses bee venom is word-of-mouth or through a pain clinic. To find a beekeeper who applies bee stings, contact the American Apitherapy Society, (914) 725-7944; www.apitherapy.org. Do not try the procedure on your own.

Biofeedback

Common uses:
Biofeedback is used to control chronic pain, stress, anxiety, muscle tension and gastrointestinal disorders; and is often used in the treatment of fibromyalgia.

Biofeedback combines electronic technology and mind-body techniques to teach people to regulate autonomic body functions such as blood pressure, pulse and muscle tension. A physician places sensors on the part of the body he will monitor and attaches those to electronic equipment that displays the body responses such as skin temperature, heart rates, and brain waves. The patient then learns mind-body techniques such as visualization or relaxation to influence those responses, lowering heart rate or relaxing muscles for example. The goal is to teach the patient to be able to monitor and make those changes on his own. The number of sessions needed varies from several to 20, depending on how long it takes to learn to effect and control responses.

SCIENTIFIC EVIDENCE

Many studies have linked biofeedback to pain and stress reduction. A 2004 study out of the University of Pittsburgh School of Medicine found a stress-reduction program greatly improved pain and both psychological and physical function in people with lupus. Nine months after the treatment, which consistented of biofeedback-assisted cognitive behavior treatment (CBT), patients continued to show the benefits compared to those in the study who did not receive biofeedback therapy. [J Rheumatol. 2002; 29(3): 575-81.] A 2002 review of randomized, controlled trials of interventions such as relaxation and biofeedback in people with rheumatoid arthritis found, despite some flaws, the therapies may improve rheumatoid arthritis management. [Arthritis Rheum. 2002 Jun 15; 47(3): 291-302.]

Side Effects and Interactions

None known

Safety Concerns

- If you have a pacemaker or have a serious heart disorder, consult your doctor before using biofeedback.

- If you are diabetic and using biofeedback to control your circulation, monitor your blood sugar for possible changes.

- Ask your doctor to recommend what brand of biofeedback equipment to purchase for home use.

Finding a Practitioner

It's best to get a referral from your doctor to a certified professional. Regulations and certification requirements vary by state. Many practitioners are certified by the Biofeedback Certification Institute of America, which also provides referrals: (303) 420-2902 or www.bcia.org.

Bitter Melon/Bitterin Oil

Common uses:

The melon is used to lower blood sugar and cholesterol, and to treat cancer, viral infections, and immune disorders. The oil is used topically to relieve inflammation and to treat wounds.

Bitter melon is grown in tropical parts of Asia, East Africa, and South America. Practitioners of Chinese medicine have used it to treat diabetes for hundreds of years. Some believe it also lowers cholesterol. The oil is used to treat wounds and as an anti-inflammatory.

SCIENTIFIC EVIDENCE

The bulk of evidence surrounds the use of bitter melon for diabetes. A 2003 review of studies to date by Harvard Medical School concluded the results regarding bitter melon (and a number of other herbs and dietary supplements viewed separately) and diabetes were positive but preliminary. [Diabetes Care. 2003 Apr; 26(4):1277-94.] Another Indian review noted that over 100 studies have authenticated its use for diabetes and its complications, and as an antibacterial and antiviral treatment as well. The studies have also shown its effectiveness against some cancers. [J Ethnopharmacol. 2004 Jul; 93(1):123-32.] A 1986 study of 18 adult diabetics showed a 20 to 30 percent reduction in blood sugar after taking bitter melon. [Ethnopharmacol. 1986; 17: 227-82] In vitro and animal studies show some antiviral activity against HIV and herpes, and some protective effects against leukemia and breast cancer.

SIDE EFFECTS AND INTERACTIONS

- Excessive dosages may cause abdominal pain, diarrhea, headache or fever. It should not be used with insulin or hypoglycemic drugs.

SAFETY CONCERNS

- Consult your doctor before using it if you are diabetic, hyperglycemic, pregnant or nursing.

DOSAGE

Puree the fruit (found in Asian groceries) with an equal amount of water. Drink ¼ to ½ cup a day. If you buy bitter melon juice, take ¼ to ½ cup of that. And if you take an extract, take ¼ to ½ teaspoon per day.

Boron

Common uses:

To treat osteoarthritis and osteoporosis; improve memory, regulate hormones, and help the body metabolize magnesium

Boron is a trace mineral that helps the body use calcium and magnesium. It may also help prevent bone loss and improve bone and joint health. Boron is found in fruits like apples, pears, and grapes; vegetables, nuts and dried beans.

SCIENTIFIC EVIDENCE

Studies of large populations indicate that in areas of the world where the intake of boron is one mg a day or less, the range of arthritis is 20 to 70 percent. In populations which get 3 to 10 mg of boron a day, the incidence is far less, about zero to 10 percent. [Environ Health Perspect. 1994 Nov;102 Suppl 7:83-5.] In a 1996 British study, researchers found that bone close to arthritic joints had significantly lower concentrations of boron than normal joints. [Bone. 1996 Feb; 18 (2): 151-7.] A small British study showed that boron aids those with osteoarthritis. [Journal of Nutritional Medicine. Vol.1. Abingdon, Oxfordshire, U.K.: Carfax, 1990: 127-32.]

SIDE EFFECTS AND INTERACTIONS

- May cause diarrhea and upset stomach.

- May irritate skin, mouth, eyes and throat.

- May increase levels of calcium in the blood, especially if you are already taking supplements containing calcium.

SAFETY CONCERNS

- Excessive doses can be poisonous.

- Boron may increase estrogen levels, which could up the risk of cancer in some women. It should not be taken with birth control pills, hormonal replacement therapy or any drugs containing estrogen.

- Those with an allergy to boric acid, borax, citrate, aspartate or glycinate should not take boron.

- Pregnant and nursing women should avoid boron.

DOSAGE

Doses of 3 to 6 mg a day have been used in studies. You may already get 3 mg of boron from your diet and/or from a multivitamin, so you should not take more than three additional mg a day. Calcium supplements often contain boron so be sure to read the label.

Boswellia

Common uses:
Boswellia is used to treat osteoarthritis, rheumatoid arthritis, asthma, bladder inflammation and inflammatory bowel diseases like Crohn's disease and ulcerative colitis.

Boswellia comes from the Boswellia serrata tree in India. Its resin, oil and gum have been used for centuries by Ayurvedic practitioners to treat inflammation. Today it's available in pill, cream or extract form to reduce inflammation of osteoarthritis and rheumatoid arthritis. It's also used to treat menstrual pain and to soothe bruises and sores.

SCIENTIFIC EVIDENCE

Research suggests that the acids in boswellia keep inflammatory white cells form entering damaged tissue and improve blood flow to the joints. The acids also inhibit something called leukotriene synthesis, a contributor to inflammation. In a 2005 study in arthritis-induced rats, researchers at the University of Maryland found an extract of Boswellia gum resin produced significant anti-arthritic and anti-inflammation effects. [J Ethnopharmacol. 2005; 101(1-3): 104-9.] However, in a 1998 double-blind German study, boswellia had no measurable effect on patients with rheumatoid arthritis. [Z Rheumatol. 1998 Feb; 57 (1): 11-6.] In a 2003 double-blind Indian study of 30 patients with osteoarthritis of the knee, those receiving boswellia extract for eight weeks reported decreased knee pain and increased function. [Phytomedicine. 2003 Jan; 10 (1): 3-7.] In a small 1998, double-blind German study, 70 percent of patients with asthma given 300 mgs of boswellia three times daily for six weeks improved dramatically. [Eur J Med Res. 1998 Nov 17; 3 (11): 511-4.]

SIDE EFFECTS AND INTERACTIONS

• May cause nausea, acid reflux, diarrhea, and skin rash

• It may increase the effects of cholesterol-lowering and anti-cancer drugs, and of supplements like glucosamine and chondroitin used to treat joint disease.

• It may lessen the effect of anti-inflammatories like ibuprofen (*Advil*, *Motrin*, *Nuprin*), aspirin and naproxen sodium (*Aleve*).

SAFETY CONCERNS

• May cause spontaneous abortion in pregnant women. Lactating women should not use it either.

• Boswellia in children may mask asthma symptoms.

• Don't take boswellia for more than 12 weeks and don't exceed the recommended dosage.

DOSAGE

150 to 400 mg three times a day for two to three months.

Bromelain

Common uses:
Used for muscle aches, arthritis, heartburn and aiding digestion

Bromelain is an enzyme found in pineapple that works as an anti-inflammatory and blood thinner by breaking down fibrin, a blood-clotting protein that can interfere with circulation and keep tissues from draining properly. Bromelain also blocks the production of compounds that can cause swelling and pain. May have the potential to help burn wounds and accelerate healing.

SCIENTIFIC EVIDENCE

A number of studies highlight bromelain's anti-inflammatory and pain-relieving effect comparable to NSAIDs. A 2005 German study showed that bromelain activated immune system cells that fight infections. Another 1995 German open study of people with strains and torn ligaments showed they had significantly less pain and swelling after taking bromelain than those taking NSAIDs. [Fortsch Med. 1995 Jul 10; 113 (19): 303.] In a 2002 open British study of 77 subjects with knee pain given either 200 or 400 mg doses of bromelain, all the symptoms were significantly reduced, more so in the group on a higher dose. [Phytomedicine. 2002 Dec; 9 (8): 681-6.] However in a 2002 double-blind study at Indiana State University, subjects taking bromelain or ibuprofen for muscle soreness showed no difference in relief than those taking a placebo or nothing.

[Clin J Sport Med. 2002 Nov; 12 (6): 373-8.] A review of studies also concluded that bromelain is effective at fighting tumor cells. [Cell Mol Life Sci. 2001 Aug; 58 (9): 1234-45.]

SIDE EFFECTS AND INTERACTIONS

- Large doses can cause upset stomach, diarrhea, excess menstrual bleeding or skin rash. People with ulcers should not take bromelain.

- Do not take if you are allergic to pineapple.

- Bromelain may increase the risk of bleeding when used with anticoagulants such as heparin or warfarin (*Coumadin*), aspirin and other NSAIDs. That's also true if used with supplements that increase the risk of bleeding such as gingko biloba or garlic.

- It may increase the effect of tetracycline, an antibiotic.

SAFETY CONCERNS

None known

DOSAGE

Enzymes are measured in GDUs (gelatin digesting units) or MCUs (milk clotting units). The amount of those in a milligram dose may vary. And one GDU equals 1.5 MCU. Dose suggestions range from 4,000 GDU (6,000 MCU) to 6,000 GDU (9,000 MCU). For capsules and tablets, take 500 mg to 1,000 mg three times a day between meals for eight to 10 days. Take it on an empty stomach if you are using it as an anti-inflammatory. Take just before eating if you are using it for indigestion or heartburn.

Burdock Root

Common uses:

To soothe chronic skin ailments, rheumatoid arthritis symptoms; to prevent cancer; also used as a diuretic, mild laxative, digestive aid, and a way to lower blood sugar

Burdock is a carrot-like root vegetable popular in Japan. It's found in Asian grocery stores and some health-food stores. Brown-skinned with white flesh, it tastes similar to celery and artichokes when cooked and bitter when raw. Fifty percent of the vegetable is a carbohydrate called inulin. Inulin may be behind the vegetable's ability to lower blood sugar. It may also act as an anti-inflammatory and stimulate immune cells that help skin conditions such as eczema. It also may promote the growth of friendly bacteria in the intestines.

SCIENTIFIC EVIDENCE

There is little clinical evidence backing its uses. Studies in Germany (1967) and Japan (1986) suggest antibiotic effects. Several Korean studies suggest antioxidant effects. [Am J Chin Med. 1996; 24 (2): 127-37.] [Am J Chin Med. 2000; 28 (2): 163-73.]

SIDE EFFECTS AND INTERACTIONS

- Compounds called glyosides stimulate the bowels and probably the uterus.
- May cause skin rash.

• Diabetics should consult with their doctors before using burdock.

SAFETY CONCERNS

• Animal studies suggest that burdock stimulates the uterus. Pregnant and nursing women should not eat burdock.

• Do not use if you have allergies to members of the Asteraceae/Compositae family, such as ragweed, chrysanthemums, marigolds and daisies. Severe allergic reactions have been connected to burdock.

• In the 1980s, several cases of burdock root tea poisoning were reported.

DOSAGE

Two to six grams of dried root daily, or three cups of dried burdock tea daily (one teaspoon dried root boiled in three cups of water for 30 minutes). Or 425 to 475 mg capsules three times per day.

Cat's Claw

Common uses:
Reduces inflammation and pain, and boosts the immune system

Cat's claw comes from the inner bark of a vine that grows in Peru and Bolivia. The name comes from the cat-claw look of two thorns at the leaves' base. Amazonians have used cat's claw to treat any number of ailments from cancer to arthritis to skin conditions – and even contraception. But scientists are most interested in its anti-inflammatory and immune-boosting properties.

SCIENTIFIC EVIDENCE

In a study of 45 patients with osteoarthritis, those treated with cat's claw for four weeks had significantly reduced pain compared to those treated with placebo. [Inflamm Res. 2001; 50 (9): 442-8.] In a double blind trial, patients with rheumatoid arthritis given cat's claw for 52 weeks had a significant reduction in pain and swollen joints. [J Rheumatol. 2002 Apr; 29 (4): 678-81.] Several in vitro studies have also shown cat's claw to be effective in reducing cancer cells.

SIDE EFFECTS AND INTERACTIONS

- May cause stomach upset, nausea, headache and dizziness.

- May increase the risk of bleeding when taken with anti-coagulants such as heparin or warfarin (*Coumadin*), aspirin, NSAIDs, or supplements such as ginkgo, biloba, garlic or chamomile.

- May interfere with the way the liver breaks down some drugs and supplements. Consult your doctor before using.

- May slow heartbeats or lower blood pressure. Do no use if you are taking anti-hypertensive medication or drugs for irregular heart rhythms.

SAFETY CONCERNS

- Taken in high doses, it may cause diarrhea, bleeding gums, bruising and lowered blood pressure.

- A member of the *acacia* species grown in the Southwest is also called cat's claw and is poisonous. The two species used for treatments are *Uncaria guianensis* and *Uncaria tomentosa*.

- Women who are pregnant, breastfeeding or who wish to become pregnant should not use cat's claw.

- People with autoimmune disorders such as rheumatoid arthritis, lupus, multiple sclerosis or HIV should consult their doctor before using cat's claw. It may overstimulate the immune system, worsening symptoms.

- Do not use if you have had or plan to have an organ or tissue transplant.

DOSAGE

In pill form, take 250 mg between meals twice a day. As a tea, 1 to 2 teaspoons of the dried herb per cup, up to three times a day.

Cayenne or Red Pepper

Common uses:
Pain reliever, digestive aid

Cayenne is packed with capsaicin, a phytochemical that gives chilies their heat. Capsaicin is used as a painkiller in commercial creams to ease the pain of arthritis and shingles. It may work by interfering with substance P, a chemical that transmits pain signals. It also releases endorphins, the body's natural pain relievers. The capsaicin in chili peppers also increases the secretions of mucous, temporarily clearing congestion. And it's thought to aid digestion by increasing blood flow to the stomach and intestines, by stimulating digestive juices, and by inhibiting bacteria that may cause ulcers.

SCIENTIFIC EVIDENCE

A number of studies have shown capsaicin to be an effective pain reliever. For instance, a systematic review of 10 randomized controlled trials found beneficial results of topical Cayenne preparations in four studies on adults with chronic lower back pain. [Cochrane Database Syst Rev. 2006 Apr 19;(2). CD004504.] In a 2003 study of 320 patients with lower back pain, 42 percent experienced less pain than placebo group after three weeks. [Pain. 2003 Nov; 106(1-2): 59-64.] While arthritis-specific studies are limited, in a double-blind study of 70 patients with osteoarthritis and 31 with rheumatoid arthritis, 80 percent of those treated with capsaicin cream had a reduction in pain after two weeks of treatments. [Clin Ther. 1991 May-June; 13 (3): 383-95.] When 96 arthritic patients applied capsaicin cream to arthritic joints for twelve weeks in a double-blind study, 81 percent of the patients had significantly fewer arthritic symptoms, including less morning stiffness, compared to only 54 percent of those using plain cream. [Sem Arthritis Rheum. 1994 Jun; 23 (Suppl 3): 25-33.] Studies also show capsacian cream may help psoriasis. One double-blind study showed people who applied 0.025 percent capsacian topical cream daily for six weeks experienced a significant decrease in symptoms. [J Am Acad Dermatol. 1993; 29: 438-442.] A number of studies also suggest that capsaicin protects the mucous lining in the intestines and helps to heal ulcers.

SIDE EFFECTS AND INTERACTIONS

- Discontinue if capsaicin irritates your skin.

- If you get it in your eyes or inside your nose, it will burn intensely but does no damage.

- Too many chilies may cause diarrhea and stomach pain.

- Capsaicin causes no problems when taken with drugs or herbs.

SAFETY CONCERNS

- Don't use on broken or irritated skin.

- Keep cayenne away from children.

- Don't use capsaicin and a heating pad or hot towel simultaneously; you'll increase the risk of burns.

DOSAGE

Use a dime-sized amount of topical cream on painful area. Leave on for at least 30 minutes.

Chinese Herbs

Common uses:

Because Chinese herbs are an integral part of Chinese medicine, they are used for any number of maladies from sinus congestion to arthritis to menopausal symptoms.

All Chinese herbs aren't exactly herbs. Most come from plants and vegetables but others are from minerals or animal products. Chinese herbs are primarily used in combinations of anything from two herbs to dozens. American researchers know little about Chinese herbs although some are beginning to be studied in the U.S. with positive results. The herb sinapis is often used to reduce swelling and as an analgesic in the treatment of rheumatoid arthritis.

SCIENTIFIC EVIDENCE

In an Australian double-blind study, subjects with irritable bowel syndrome taking individualized herbal formulas had significantly more symptom relief after 16 weeks than did those taking placebos. [JAMA. 1998; 280 (18): 1585-9.] When 54 patients with rheumatoid arthritis were given acupuncture plus a Chinese herb, all 54 felt some relief. [J Trad Chin Med (China). 1993 Sep; 12 (3): 174-8.] And when mice in which arthritis was induced were given a mixture of 12 herbs known as PG201, the progression of the arthritis was significantly reduced. [Rheumatology (Oxford). 2003 May; 42 (5): 665-72.] Some well-designed studies are under way in the U.S. and in China to evaluate the effectiveness of some Chinese herbs.

SIDE EFFECTS AND INTERACTIONS

- For the most part, it's not known if Chinese herbs are safe to take with conventional medicines.

- *Stephania*, *Clematis* and *Sinomenium*, often used to treat arthritis, were removed from the market because they are from the species of *Aristolochin*, which contains an acid that, in rare cases, can cause kidney damage or failure.

SAFETY CONCERNS

- Ask an experienced practitioner for herbs or for a reputable source. Some herbal preparations have been contaminated with pesticides, metals or even other drugs.

- Consult a medical doctor before taking Chinese herbs.

- Long-term use of some herbs can affect the liver. Again, consult with your doctor.

- Some Chinese herbs are dangerous during pregnancy.

- Chinese herbs are regulated as "dietary supplements." The FDA has not evaluated their effectiveness or safety. However, the Chinese government is taking some steps to ensure their safety.

- If you feel nausea, stomach distress or tenderness, or have coughs or fever, stop taking the herbs immediately and call your doctor.

DOSAGE

The first rule: don't exceed the recommended dosage. Dosages vary from preparation to preparation. Chinese herbs can come as pills, potions or liniments.

Chinese Medicine

Common uses:

Preventing and treating illness; pain relief

Traditional Chinese medicine has been practiced in Asia for thousands of years. Some examples have already been covered (or will be covered) in this book – acupuncture, acupressure and Chinese herbal remedies, for example. The medical system is based on a belief in the balance of energies call yin and yang. Yin and yang are also called feminine and masculine, and each person contains some combination of those energies. To be healthy, the energies need to be balanced. Another source of energy is called qi . Qi flows along meridians throughout the body. When qi is blocked, illness follows. Chinese medicine describes rheumatoid arthritis as stubborn or bone (wang bi or gubi bi). While the treatment overlaps with osteoarthritis treatment, stubborn bone medication is targeted at people with rheumatoid arthritis. If you visit a Chinese medicine practitioner, he will look at the pattern of your symptoms rather than for a specific illness. Like a Western doctor, he will perform a physical exam and then offer a diagnosis based on your qi deficiency and then make suggestions for reestablishing balance that may include herbs, acupuncture, massage, and changes in diet and exercise.

SCIENTIFIC EVIDENCE

Studies on different aspects of Chinese medicine such as massage, acupuncture, have suggested their effectiveness.

Acupuncture, for instance, can be helpful in easing the pain of arthritis. (See p. 41) Certain forms of gentle exercise like tai chi and qi gong may also help improve balance and ease of movement. (See pp. 242 and 208) And research on the effectiveness of Chinese herbs is increasing in the United States and in China. (See Chinese herbs above.) In an arthritis-specific study, 40 people with rheumatoid arthritis visited three different traditional Chinese medicine practitioners with at least five years experience and education in Chinese herbs. Each professional reviewed the patients and reviewers examined consistency between diagnosis and treatment, finding a low level of agreement in rheumatoid arthritis diagnosis and choices of therapy.

SIDE EFFECTS AND INTERACTIONS

• Some herbs may interact with other drugs. Check with your doctor before using them.

SAFETY CONCERNS

• Talk to your doctor before seeing a Chinese medicine practitioner. And make certain that whatever practitioner you see is certified and experienced.

• If you have acupuncture, make sure the practitioner uses sterile, disposable needles.

FINDING A PRACTITIONER

In the United States, practitioners tend to focus on only one or two aspects of Chinese medicine like acupuncture or massage. And licensing varies from state to state. For example, doctors of Oriental medicine (OMDs) are licensed in some states to prescribe herbal remedies and to perform acupuncture. Some Western practitioners have also incorporated aspects of Chinese medicine into their practices.

The following organization offers referrals of certified or licensed practitioners:

- The National Certification Commission for Acupuncture and Oriental Medicine
  (703) 548-9004
  www.nccaom.org

- The American Association of Oriental Medicine
  (866) 455-7999 or (916) 443-4770
  www.aaom.org

- American Academy of Acupuncture
  (323) 937-5514
  www.medicalacupuncture.org

Chiropractic

Common uses:

To treat back pain and other painful conditions

Chiropractic is the manipulation of the spine to relieve pain and restore normal movement. Although it's been practiced since the late 18th century, conventional medicine questioned its usefulness for years. However, in 1987, a group of chiropractors sued the American Medical Association for restraint of trade. Since then chiropractic has been increasingly accepted as part of conventional care. The idea behind chiropractic is that malalignment of the vertebrae, which house the spinal cord, affects our entire system. Chiropractors work by manually adjusting any part of the spine that seems misaligned. Some chiropractors also use electrical stimulation, ultrasound, homeopathy, herbs and nutritional counseling.

SCIENTIFIC EVIDENCE

There is no evidence suggesting that chiropractic can treat the wide variety of ailments some practitioners claim. But a number of studies do suggest that chiropractic can be effective in relieving back pain. A 2006 randomized clinical trial involving 235 patients found those using either flexion distraction therapy or physical therapy both experienced a decrease in pain one year later, but those still using the flexion treatment had lower pain scores than those still using physical therapy, indicating the benefits grow the longer treatment is received. A study of 72 patients with low back pain also showed that those received chiropractic treatment four times a week experienced more relief than those treated only once a week. [Spine J. 2004 Sep-Oct; 4 (5): 574-83.] A randomized clinical trial showed that chiropractic was more helpful in reducing pain than placebo. [J Manipulative Physiol Ther. 2004 Jul-Aug; 27 (6) 388-98.] However, some research has found manipulation therapy may actually increase pain. A 2005 randomized controlled trial found 30.4 percent of 280 patients with neck pain showed increased neck pain, stiffness and headache two weeks after treatment. [Spine. 2005 Jul 1; 30(13): 1477-84.]

SIDE EFFECTS AND INTERACTIONS

• Tell your chiropractor if you are taking anticoagulants. Chiropractic can increase bleeding or bruising.

SAFETY CONCERNS

• If you have arthritis or severe back pain, consult your doctor before trying chiropractic.

• Beware of practitioners who claim that chiropractic can fix anything such as bedwetting or infections.

• Do not let your chiropractor take repeat X-rays.

• Stop treatment if your symptoms get worse or if you see no improvement after a month.

FINDING A PRACTITIONER

Chiropractors are licensed in all states following four years of chiropractic training. Ask your doctor to refer you to someone or contact the following organization for information about finding a practitioner.

• American Chiropractic Association
(703) 276-8800
www.amerchiro.org

Chondroitin Sulfate

Common uses:
To strengthen and protect cartilage from breakdown.

Chondroitin sulfate is a natural component of cartilage that blocks enzymes destructive to cartilage tissue. It also helps cartilage retain water and elasticity. The supplement form comes from cattle trachea, shark cartilage, or in synthetic form, and it's been used in Europe for years as a treatment for osteoarthritis. Although it may help add stability to joints damaged by rheumatoid arthritis, it will not repair cartilage damage resulting from immune dysfunction and inflammation. It's often sold in combination with glucosamine, another compound involved in cartilage formation and repair.

SCIENTIFIC EVIDENCE

A number of studies suggest that chondroitin is better than placebo at relieving joint discomfort, which is why the NIH conducted the five-year, $12.5 million Glucosamine/Chonroitin Arthritis Intervention Trial (GAIT). The trial found that the supplements were more effective at decreasing pain when combined that alone. However, 300 people with knee osteoarthritis who received either chondroitin or placebo showed that chrondroitin may slow the progression of knee osteoarthritis. The randomized study involving 1,583 people with knee osteoarthritis placed patients into categories. Taking either 1,500 mg of glucosamine daily, 1,200 mg of chondroitin daily, both daily, 200 mg celecoxib daily or placebo daily for 24 weeks found that the supplements did not effectively reduce pain except for people with moderate-to-severe conditions. It may not be more effective than NSAIDs but it has fewer negative side effects and longer lasting effects. A one-year, double-blind Swiss study found that patients with osteoarthritis taking chondroitin had less pain and improved knee function than those taking placebos. [Osteoarthritis Cartilage. 2004 Apr; 12 (4): 269-76.] A double-blind Australian study of osteoarthritis patients found that a topical application of glucosamine and chondroitin reduced knee pain within four weeks. [J Rheumatol. 2003 Mar; 30 (3): 523-8.] A Belgian meta-analysis of clinical trials between 1980 and 2002 also found that chondroitin was effective at relieving pain and increasing mobility. [Arch Intern Med. 2003 Jul 14; 163 (13): 1514-22.]

SIDE EFFECTS AND INTERACTIONS

- May cause nausea and indigestion.

- It may increase bleeding if you are taking drugs or herbs that are blood thinners.

SAFETY CONCERNS

- Do not take chondroitin derived from shark cartilage. It may have heavy metal contamination.

- Do not take if you are pregnant.

DOSAGE

1,200 mg a day. It's most commonly taken with gluco-somine, although no studies suggest that they are more effective together than alone.

CMO (cetyl myristoleate; cerasomal-cis-9-cetylmyristoleate)

Common uses:
To treat most forms of arthritis.

CMO's effectiveness and safety are unproven. CMO in supplement form comes from beef tallow.

SCIENTIFIC EVIDENCE

This supplement has been touted by some as a cure for arthritis since 1994 when a promising study at NIH concluded that rats injected with CMO were protected from arthritis. [J Pharm Sco. 1994 Mar; 83 (3): 296-9.] A 2006 systematic review of clinical trials out of Switzerland found limited evidence of CMO's benefits in use on people with osteoarthritis. [Arthritis Res Ther. 2006 Jul 19: 18(4): R127.] A 2004 review of its effects on people with knee osteoarthritis found greater effects compared to placebo. Patients receiving CMO had improved range of motion and balance and had more ability to climb stairs, walk, sit and rising from sitting. [J Rheumatol. Apr 2004; 31(4): 767-74.] A double-blind study conducted in 2002 found those taking CMO reported increased range of motion, knee extension and overall function, and that the supplement may be an alternative to the use of NSAIDs. [J Rheumatol. Aug 2002: 29(8): 1708-12.] In fact, a 1997 double-blind study on 340 people who had tried NSAIDs without success found 63.5 percent of patients showed remarkable improvement when using CMO. [Townsend Letter for Doctors and Patients 1997: (Aug/Sep): 58-63.]

SIDE EFFECTS AND INTERACTIONS

- Corticosteroids and methotrexate may interfere with CMO.

SAFETY CONCERNS

- Do not stop taking your arthritis medications – corticosteroids or methotrexate – to take CMO. CMO has not been proven safe or effective.

DOSAGE

Take capsules as directed for 10 to 20 days.

Coconut Oil

Common uses:

To boost the immune system and support metabolic functions; to kill infectious organisms; promote healthy skin; ease digestion

Coconut oil is a saturated tropical oil. It differs from other oils because it has what are called medium-chain triglycerides instead of long-chain ones. Its fats get into the bloodstream more quickly than other fats, making them an excellent and fast energy source. The fats also go directly to the liver so that little is converted to fat in the body. In supplement form, the oil used as an antimicrobial for conditions such as intestinal yeast infections.

SCIENTIFIC EVIDENCE

Some researchers believe that the capric and lauric acids in coconut oil can support the immune system by fighting microorganisms involved in conditions such as herpes simplex and HIV. A small clinical trial in the Philippines showed that 50 percent of HIV patients consuming coconut oil had a reduced viral count and increased number of immune cells. [Reprowatch. 1999 Feb 1; 28:6,11.] Mice fed coconut oil for five weeks had lowered inflammatory responses than those fed olive or safflower oil, suggesting a possible anti-inflammatory property. [Immunology. 1999 Mar; 96(3): 404-10.] The research regarding coconut oil and heart disease is mixed. In a study of diets high in lauric acid (a large component of coconut oil), levels of LDL (bad) cholesterol and total cholesterol were significantly raised. [Am J Clin Nut. 56 (5): 895-898 (Nov 1992)]. But a 2006 study of the anti-inflammatory activity of HDL cholesterol found it decreased after the consumption of saturated fat and improved on the consumption of polyunsaturated fat. [J Amer Col Cardio. 2006 Jul 21.] Some studies have also shown that the medium-chain triglycerides in coconut oil speed up metabolism.

SIDE EFFECTS AND INTERACTIONS

• Eating high amounts of coconut oil on an empty stomach may cause stomach upset.

SAFETY CONCERNS

• May increase cholesterol and triglyceride blood levels.

DOSAGE

4 tablespoons a day (25 grams of lauric acid) are recommended to boost immunity.

Coenzyme Q10

Common uses:

To help fight fibromyalgia, chronic fatigue and Parkinson's disease; to treat heart disease; to control high blood pressure; to prevent and treat cancer; to counter Alzheimer's and memory loss; to treat gum disease

Coenzyme Q10 has been nicknamed vitamin Q because of its role in keeping the body running smoothly. It's found in every human cell – particularly in the heart – and in most foods. The Q stands for compounds called quinines that work with enzymes to produce chemical reactions throughout the body, particularly reactions that support the heart muscles. In fact, people with heart disease tend to lack coenzyme Q10. Co Q10 is also a powerful anti-oxidant that prevents cellular damage by unstable oxygen molecules called free radicals.

SCIENTIFIC EVIDENCE

Studies indicate the Co Q10 in combination with prescription medications can be effective in treating congestive heart failure. For example, ten out of 13 double-blind studies have drawn that conclusion. [Biofactors. 2003; 18 (1-4): 79-89.] Studies on its effect on fibromyalgia have been mixed. Some researchers believe that a deficiency of Co Q10 could lead to a lack of adenosine triphosphate (ATP), a molecule believed to be lacking in those with fibromyalgia. But a 1998 study found no difference in the level of Co Q10 in those with fibromyalgia and in healthy people. [Clin Exp Rheumatol. 1998; 16: 513.] In an open, controlled study of patients with fibromyalgia, however, 64 percent of those given 200 mg of Co Q10 and 200 mg of ginkgo biloba extract felt significantly better after 84 days than they did at the outset. [J Int Med Res. 2002 Mar-Apr; 30 (2): 195-9.]

SIDE EFFECTS AND INTERACTIONS

- May experience stomach upset or nausea, headache, difficulty sleeping or flu-like symptoms.

- If you take anticoagulants (prescription drugs or supplements), do not take coenzyme Q10 without consulting your doctor. It may increase the risk of bleeding.

- May increase the risk of blood clots.

- Vitamin E may augment the effects of coenzyme Q10.

- Statin drugs deplete Q10, so people taking statins should take Q10 to avoid a deficiency.

• Q10 decreased the effectiveness of warfarin in one study.

SAFETY CONCERNS

• Pregnant and nursing women and those with heart disease should check with their doctor before taking co-enzyme Q10.

DOSAGE

There is no established dose, although a typical dose is 50 mg twice a day.

Collagen

Common uses:

To treat rheumatoid and juvenile rheumatoid arthritis

Collagen is a substance extracted from animal cartilage. One type, type II collagen, appears to suppress the auto-immune response that attacks healthy joints in those with rheumatoid arthritis. Degradation of type II collagen is a central process in both osteoarthritis and rheumatoid arthritis.

SCIENTIFIC EVIDENCE

Studies of type II collagen have been mixed. In an Italian double-blind study of 60 patients with rheumatoid arthritis who were treated with type II collagen for six months, the patients showed only small and inconsistent benefits. [Clin Exp Rheumatol. 2000 Sep-Oct; 18 (5): 571-7.] In a randomized controlled trial of 190 patients with rheumatoid arthritis, those patients taking type II collagen showed no improvement. [Arthritis Rheum. 1999 June; 42 (6): 1204-8.] However, other studies have been more positive. A Harvard University double-blind study of 60 people with rheumatoid arthritis found that those who took type II collagen for three months had significant improvement in swollen, tender joints than did those taking a placebo. [Science. 1993 Sep 24.] In a multi-center, double-blind study of 275 patients with rheumatoid arthritis, significant improvements were seen even at the lowest of four doses given over 24 weeks when compared to placebo. [Arthritis Rheum. 1998 Feb; 41 (2): 290-7.]

SIDE EFFECTS AND INTERACTIONS

• May cause nausea.

SAFETY CONCERNS

• Taking animal cartilage injections from a physician is not the same as taking Type II collagen.

• Make sure that the collagen product you take does not contain herbs or other supplements.

DOSAGE

500 micrograms or less a day.

Colostrum

Common uses:

To improve muscle endurance and boost tissue repair; control diarrhea in those with immune deficiencies; help minimize stomach upset caused by NSAIDs

Colostrum is the first milk from a cow following the birth of a calf. It is rich in growth factors (which stimulate cell and tissue growth), antibodies, vitamins, minerals and high-quality protein.

SCIENTIFIC EVIDENCE

Bovine colostrum is credited with benefiting various disorders, including rheumatoid arthritis, but limited double-blind, placebo-controlled trails are available. A double-blind study found significant improvement in exercise performance in athletes taking bovine colostrum over eight weeks compared to the placebo group. [Int J Sport Nutr Exerc Metab. 2002; 12: 461-469.] Another double-blind study found that elite rowers who took colostrum had a significantly stronger athletic perform-ance than those taking a placebo. [Int J Sport Nutr Exerc Metab. 2002; 12: 349-365.] Studies of colostrum's effect in preventing stomach distress sometimes brought on by NSAIDs indicated that it's helpful in those who take NSAIDs intermittently, not chronically. [Clin Sci (Lond). 2001; 100: 627-633.] A number of studies suggest that colostrum is helpful in curbing diarrhea in those with immune deficiencies. In a double-blind trial, 80 children with diarrhea due to a viral infection received colostrum or placebo. By day four, 33 of those receiving colostrum were diarrhea-free compared to only 21 in the placebo group. And 95 percent of those taking colostrum were free of the virus versus only 50 percent of those taking placebo. [Acta Paediatr. 1995; 84: 996-1001.]

SIDE EFFECTS AND INTERACTIONS

- Do not use if you are allergic to cow's milk.
- Children may experience flu-like symptoms.
- May cause gas and nausea.

SAFETY CONCERNS

- You should only purchase fresh colostrum from someone licensed by the USDA.

DOSAGE

10 to 60 grams per day is the range found helpful in various studies.

Comfrey Root

Common uses:

Used externally to heal superficial wounds, reduce inflammation and pain in conditions like arthritis; taken internally to soothe coughs, ulcers, hernias, colitis, and to stop internal bleeding or diarrhea; to loosen congestion; to treat mouth sores and bleeding gums

Comfrey is an herb found in moist meadows or along river banks, where it may grow 4 feet tall. Its root has been used medically for more than 2,000 years to speed healing both inside and out. A compound called allantoin is thought to be the primary healer within comfrey root. But comfrey also contains vitamins A and B12, as well as calcium, potassium and phosphorus.

SCIENTIFIC EVIDENCE

Comfrey is dangerous when used internally. However, a number of studies attest to comfrey's healing effect when used topically. A double-blind, multi-center, randomized, placebo-controlled trial found comfrey extract ointment used to treat acute ankle sprains significantly reduced pain and ankle edema. [Phytopmedicine. 2004. Sep; 11(6): 470-7.] In another double-blind study of 142 patients suffering from ankle sprains, pain was reduced by 63 percent after 8 days in those who applied comfrey ointment four times a day. That was true for only 25 percent of those treated with placebo. Swelling was reduced by 61 percent (versus 36 percent for placebo). [Phytotherapie. 2000; 21: 127-134.] In a placebo-controlled study of 41 patients with musculoskeletal inflammatory conditions, patients treated with comfrey ointment felt some relief compared to placebo. [Planta Medica. 1993; 59: A703.] In a multi-center German study, more than two thirds of patients with painful conditions were able to reduce or stop taking anti-inflammatory drugs. [Fortschr Med Orig. 2002; 120 (1): 1-9.]

SIDE EFFECTS AND INTERACTIONS

• Long-term use may lead to loss of appetite, abdominal pain, lethargy and increased tenderness. Internal use may damage the liver.

SAFETY CONCERNS

• Should not be used externally by pregnant women or nursing mothers, or internally by anyone.

• Contains alkaloids that are harmful to the liver and may be cancer causing, even in small amounts.

• Do not use on deep wounds since it may heal the surface before the deeper wound.

• Do not use for more than four weeks.

• In 2001, the FTC and FDA asked retailers to pull comfrey containing oral supplements when a study suggested the herb could cause liver damage and possibly cancer. Due to the safety concerns of the oral treatment, external treatment packages must now provide warning labels, although still considered safe.

DOSAGE

Comes in ointments, salves and oil extract for external treatment. Do not use for more than four weeks.

Copper

Common uses:

Helps bone growth and may prevent bone loss; as an anti-inflammatory. Cognitive functioning of the brain is linked to the amount of copper in the body.

Copper is an essential trace metal found in nuts, chocolate, seeds and dried beans. It helps bone growth and may prevent bone loss. It's also necessary for the production of connective tissue, which is damaged in rheumatoid arthritis. Certain conditions like osteoporosis and bone abnormalities are associated with copper deficiencies. Copper is also an anti-inflammatory and may boost the effectiveness of NSAIDs. As an anti-oxidant, it helps protect cells from free radicals as well.

SCIENTIFIC EVIDENCE

A review of uncontrolled studies from 1940 to 1971 involving 1,500 patients with different forms of arthritis showed that copper helped some people with rheumatoid arthritis, ankylosing spondylitis, gout and Reiter's syndrome. The studies aren't conclusive but it's worth making sure you get at least 3 mg, including what you get from food sources. Copper has been linked to cognitive function. In a 2006 study of nursing home residents 65 and over, more than 3,700 people were examined four times in six years and discovered a diet high in copper and saturated and trans fats may accelerate cognitive decline. [Arch Neurol. 2006 Aug; 63(8): 1085-8.] A

University of California study showed that calcium and vitamin D are more effective at increasing bone density and preventing osteoporosis when used in combination with copper, zinc and manganese. [J Nutr. 1994 Jul; 124 (7): 1060-4.] Copper bracelets, which became popular for treating arthritis in the 1970s, remain controversial. While companies target the bracelets to the arthritis population as pain relievers claiming the copper is absorbed through the skin, no evidence has proven these effects. However, the minerals in copper are proven to treat symptoms related to arthritis, suggesting more evidence is needed.

SIDE EFFECTS AND INTERACTIONS
- May cause nausea, vomiting, diarrhea or anemia.

SAFETY CONCERNS
- People with Wilson's disease – a disorder that causes copper to accumulate in the body – should never take copper.

- Exceeding the daily requirement is dangerous and may cause nausea, vomiting, stomach pain, diarrhea, dizziness, headache and a metallic taste in your mouth. More than 20 mg dietary intake daily may damage the liver, inhibit red blood cell formation and produce muscle fatigue.

- Absorption of copper can be inhibited when eating foods rich in phytic acid (seeds, nuts, raw beans) or high amounts of fructose.

DOSAGE

1.5 to 3 mg per day of copper chelate. As much as 2 grams are found in many multivitamins. If you have copper plumbing you are also getting copper in your drinking water. And as indicated above, copper is in a number of common foods. So a supplement may create an overdose.

Copper Bracelets

Common uses:

To reduce joint pain of arthritis

Wearing copper bracelets to reduce rheumatic pain is an old folk remedy that little, if any, science bears out.

SCIENTIFIC EVIDENCE

Copper bracelets, which became popular for treating arthritis in the 1970s, remain controversial. While companies target the bracelets to the arthritis population as pain relievers claiming the copper is absorbed through the skin, no evidence has proven these effects. However, the minerals in copper are proven to treat symptoms related to arthritis, suggesting more evidence is needed.

SIDE EFFECTS AND INTERACTIONS

None known

SAFETY CONCERNS

None known

DOSAGE

Humans need 2 to 3 mg a day of copper. Chances are you won't be getting that from a bracelet. More effective sources are foods such as nuts, chocolate, seeds and dried beans, or taking a supplement.

Coral Calcium

Common uses:

Treatment for lupus, multiple sclerosis, cancer, fatigue, gallstones, indigestion and heart disease

Coral calcium is mined from coral reefs off the coast of Okinawa, Japan. The reef has a shell composed of calcium carbonate, magnesium, and trace minerals. The calcium does not cure disease, despite marketing claims it can cure many diseases, including cancer. In fact, both the FDA and the Federal Trade Commission have asked those marketing coral calcium to eliminate the false advertising.

SCIENTIFIC EVIDENCE

Calcium regulates nerve and muscle function, builds bones, and may prevent colon cancer, kidney stones, periodontal disease and high blood pressure. But there is no evidence that it can cure diseases like lupus, multiple sclerosis and heart disease.

SIDE EFFECTS AND INTERACTIONS

None known

SAFETY CONCERNS

- Calcium carbonate supplements are safer and far less expensive than coral calcium.

- Some calcium supplements contain lead. Make sure the label says lead free.

- Excess coral calcium may cause liver failure.

DOSAGE

1,000 to 1,500 mg daily for women; 700 mg for men. It's preferable to get most of that from food.

Cranberry Seed Oil

Common uses:

To keep body cells healthy, particularly skin cells

Cranberry seed oil is pressed from the seeds of American cranberries. Its power lies in its blend of omega-3, -6 and -9 essential fatty acids that are essential to skin, heart, brain and total health of the cells. It has an advantage over fish and flax oil, both of which also contain essential fatty acids: unlike those, it contains antioxidants that can keep it fresh for two years.

SCIENTIFIC EVIDENCE

Although there has been little research on cranberry seed oil, a number of positive studies have been on fatty acids. In a review of studies done between 1979 and

1995, researchers found that treatment with omega-3 fatty acids was more effective in treating rheumatoid arthritis than placebo. [Semin Arthritis Rheum. 1998 Jun; 27(6):366-70.] Reseachers in Spain noted that rheumatoid arthritis patients have a deficiency in fatty acids, which may explain why fatty acid supplement appear to be beneficial. [J Rheumatol. 2000 Feb; 25: 298-303.] In a double-blind, placebo-controlled study, those with rheumatoid arthritis took omega-3 and -6 fatty acids for four months. However, the researchers saw no benefit compared to placebo and concluded they need more information about effective doses. [Eur J Clin Nutr. 2004 Jun; 58(6):839-45.] A earlier review of studies and case reports concluded that omega-3 and omega-6 fatty acids do have an anti-inflammatory effect but do not correct the immune system dysfunction in RA. [Hawaii Med J. 1999 May; 58 (5): 126-31.] Researchers at the University of Massachusetts, Amherst, presented cranberry oil-specific findings at a 2000 conference. They revealed the oil contains potent forms of vitamin E without the palmitic acid found in other plants containing the cancer-fighting antioxidant, tocotrienels. The oil also contains high levels of omega-3 fatty acids, which is rarely found in plants.

SIDE EFFECTS AND INTERACTIONS
None known

SAFETY CONCERNS

None known

DOSAGE

As directed

Craniosacral Therapy

Common uses:

To ease pain, particularly headaches, and to promote relaxation

The therapy involves gentle manipulation of the skull, spine, and pelvis (the craniosacral system) to ease the flow of fluids within the system. Its practitioners believe that the movement of fluids creates an essential body rhythm that affects health, especially when blocked. No studies prove the therapy's effectiveness although patients do report relief. William Garner Sutherland, an American osteopath began the method in the 1930s based on his belief that the bones of the skull were designed for movement. Sessions last from 20 minutes to an hour.

SCIENTIFIC EVIDENCE

No clinical trials prove that this method works. In fact, a 2006 systematic review on whether manual therapies can reduce pain from tension headaches found no evidence of positive benefits. [Clin J Pain. 2006 Mar-Apr; 22(3): 278-85.] Another systematic review of craniosacral therapy as therapeutic intervention also found insufficient evidence to prove benefits. [Complement Ther Med. 1999 Dec; 7(4): 201-7.] Anecdotal evidence, however, suggests it can relieve headache pain, sinusitis and reduce stress.

SIDE EFFECTS AND INTERACTIONS

None known

SAFETY CONCERNS

- Be sure to see a qualified therapist, particularly if applying this therapy to an infant.

- If you have had a brain hemorrhage or aneurysm, check with your doctor before using this therapy.

FINDING A PRACTITIONER

Practitioners are usually physical or massage therapists or chiropractors as well. Look for someone who has special training in the method. You can also contact the Upledger Institute, Inc. for referrals of trained therapists: (800) 233-5880; www.upledger.com.

Creatine

Common uses:

To increase muscle energy; to relieve muscle pain from sports activity.

Creatine is a substance naturally produced by the liver. It's also available in protein foods like meats and fish.

Creatine helps muscles produce adenosine triphosphate (ATP), which fuels cell energy. It's often used in supplement form by athletes to enhance performance. However, some athletes get no benefit from creatine.

SCIENTIFIC EVIDENCE

In a study of 12 patients with rheumatoid arthritis, eight of those treated with creatine for three weeks showed an increase of muscle strength. But disease activity remained the same and function didn't improve either. [Rheumatology (Oxford). 2000 Mar; 39 (3): 293-8.] A double-blind study of 36 patients with muscular dystrophies found that significant improvement in strength and daily activities in those who took creatine as opposed to those who took the placebo. [Neurology 2000 May 9; 54 (9): 1848-50.] In two clinical trials of patients with a neuromuscular disease, patients showed a significant increase in strength after treatment. A 2004 Ohio State study also found low-dose creatine regimen improved exercise performance. [J Strength Cond Res. 2004 May; 18(2): 311-5.]

SIDE EFFECTS AND INTERACTIONS

- Can cause dehydration, stomach cramps and diarrhea.
- Can cause water retention if taken at higher than recommended doses.

SAFETY CONCERNS

- Stick to recommended dosages. Excess amounts may be harmful to the liver and kidneys. Besides, the body can use only so much creatine; the rest is eliminated as waste.

- Do not take immediately before or during exercise.

- Do not take if you are exercising outdoors in the heat. It can lead to dehydration.

- Long-term use can damage the kidneys.

- Do not take high doses if you are already taking NSAIDs because of the added stress on the kidneys.

DOSAGE

- Buy creatine monohydrate, the form used in most clinical studies.
- For exercise performance, take 2 to 4 teaspoons mixed with juice for five days, then only 1 teaspoon per day.
- For muscle aches, pains and sports-related injuries, takes 1 teaspoon twice a day mixed with juice until you no longer feel a benefit.

D-f

Deep Tissue Massage

Common uses:

To relieve chronic tension and low-back pain; relax tight muscles that surround arthritic joints; break up scar tissue

Deep tissue massages is the application of strong pressure on deep muscle or tissue layers to relieve tension. The practitioner often strokes across the grain of the muscles using his fingers, thumbs and even his elbows. This can result in soreness, especially in preliminary sessions. When muscles are stressed, they block oxygen and nutrients, which can lead to inflammation and a build-up of toxins in the tissue. Deep tissue massage helps loosen the muscle tissues, releasing the toxins, and allowing blood and oxygen flow.

SCIENTIFIC EVIDENCE

- See "Massage," p. 173

SIDE EFFECTS AND INTERACTIONS

- You may experience some soreness, especially after the first few sessions.

SAFETY CONCERNS

None

FINDING A PRACTITIONER

See "Massage," p. 173

Devil's Claw

Common uses:

To relieve pain, digestive problems, inflammation

The many small hooks that cover the plant's fruit also supply its name. The root of the African plant contains a painkilling and anti-inflammatory chemical called harpagoside. Although it's been touted as a remedy for a number of conditions, it's most effective as a pain reliever.

SCIENTIFIC EVIDENCE

Studies are mixed. In a French study, those with arthritis pain took devil's claw for three weeks with no significant relief of inflammation. [Prostaglandins Leukot Essent Fatty Acids. 1992 Aug; 46 (4): 283-6.] In a multicenter German study of patients with osteoarthritis of the hip or knee, patients treated with devil's claw showed continuous improvement in pain over the 12-week study. [Phytother Res. 2003 Dec; 17 (10): 1165-72.] And in a Canadian review of studies, authors concluded that the use of 60 mg or more daily of devil's claw was effective in treating pain. [BMC Complement Altern Med. 2004 Sep 15; 4(1): 13.] A Cochrane review of 10 randomized trials including adults with low back pain found 50 to 100 mg daily doses of devil's claw was better than placebo in reducing short-term pain, while another trial even found 12.5 mg daily had the same results as rofecoxib

(*Vioxx*), without the drug's negative effects. [Cochrane Database Syst Rev. 2006 Apr 19: (2): CD004504.]

SIDE EFFECTS AND INTERACTIONS

- May cause diarrhea and upset stomach.

- May increase stomach acid. Do not use if you have ulcers. Some studies stomach acid may counteract devil's claw's benefits, recommending it be taken between meals.

- Do not take with antacids, H2 antagonists such as cimetidine (*Tagamet*), famotidine (*Pepcid*) and ranitidine (*Zantac*), or proton pump inhibitors such as lansoprazole (*Prevacid*) and omeprazole (*Prilosec*).

- May decrease blood sugar levels. If you are being treated for diabetes, consult your doctor before using devil's claw.

- May increase the risk of bleeding when used with anticoagulants, NSAIDs, or blood-thinning herbs, such as ginkgo biloba and garlic.

SAFETY CONCERNS

- Do not use if you are pregnant or nursing. Devil's claw may stimulate contractions.

DOSAGE

50 to 100 mg of standardized harpagoside taken on an empty stomach.

DHEA

Common uses:

To treat Addison's disease, menopause, lupus, rheuma-toid arthritis, fatigue

DHEA is a male hormone made by the adrenal glands and converted into testosterone and estrogen. Both men and women produce DHEA, and its levels drop with age. DHEA levels are low in those with rheumatoid arthritus, juvenile rheumatoid arthritis and lupus. Taking corticos-teroids may further reduce the body's level of DHEA. At 60, we make only 15 percent the amount we did at 20. For that reason, in part, it has been marketed as a supplement that tackles age-related problems such as osteoporosis, cancer, weight gain and lowered sex drive. Science doesn't support most of the claims. However, DHEA does appear effective in treating lupus, Addison's disease (adrenal insufficiency) and some menopausal symptoms.

SCIENTIFIC EVIDENCE

Studies on DHEA are mixed. A double-blind pilot study on its efficacy with patients with Sjögrens syn-drome found no significant differences between DHEA and placebo. [Arthritis Rheum. 2004 Aug 15.] A 2004 Korean study examined the in viro effects of DHEA on knee joints in arthritis-induced mice and found it demonstrated a cartilage-protecting effect. [Arthritis Rheum. 2004; 50(8): 2531-8.] A similar German study found DHEA lessened the symptom severity. [Inflamm Res. 2004 May; 53 (5): 189-98. Epub 2004 Apr 21.] In an Italian study, rats given DHEA had immune responses restored that had been weakened by age. [J Immunol. 2002 Feb 15; 168 (4): 1753-8.] A 2002 study showed DHEA is beneficial for women with lupus (SLE). [Arthritis Rheum. 2002; 46:2924-7.]

SIDE EFFECTS AND INTERACTIONS

- May cause headache, fatigue and nasal congestion.

- Large doses may cause women to develop acne, facial hair, deepening voice, mood swings; men on large doses may experience higher blood pressure, aggression or breast tenderness.

- May raise blood sugar levels. If you have diabetes, check with your doctor before taking DHEA.

- May change the way the liver breaks down some drugs, such as triazolam (*Halcion*), raising the levels of the drugs. Taking DHEA with azathioprine (*Imuran*) or methotrexate may damage the liver.

- Drugs such as alprazolamm (*Xanax*) may increase DHEA levels, which in turn could raise side effects.

- May reduce levels of HDL, the good cholesterol.

SAFETY CONCERNS

- Take DHEA only under a doctor's supervision and only after he has determined that your DHEA level is low.

- In theory, may heighten the risk of breast, ovarian or prostrate cancer. Ask your doctor to examine you for any hormone-related cancers before you take DHEA.

- Women who are pregnant or nursing should not take this supplement.

- May raise the risk of blood clots.

- DHEA is a manufactured chemical, stronger than many herbs or nutrients. Its long-term safety is unknown.

DOSAGE

No more than 25 mg a day for men. As little as 5 to 10 mg a week can maintain normal levels of DHEA in the blood. In an ongoing study, women are taking 200 mg per day, but your doctor would likely start you on something much lower.

DMSO

Common uses:

To relieve joint and soft tissue inflammation; to treat interstitial cystitis, a bladder condition; to protect organs during transplants; to protect frozen human tissue (embryos, stem cells, bone marrow)

DMSO, a by-product of wood processing, is a chemical used in paint thinner and antifreeze. But it's also used for medical purposes, taken both externally and internally. In the 1960s, it received a lot of attention as a therapy for many kinds of arthritis. However in animal studies during the mid-60s, very high doses of DMSO damaged the animals' eye lens. This has not been true in human studies. Since then it's been approved by the FDA only to treat interstitial cystitis.

SCIENTIFIC EVIDENCE

Despite its controversy, many DMSO studies on humans have been positive as well as those performed on animals, finding it has favorable effects on inflammation and wound healing, and provides analgesic effects. In a German double-blind study, 112 patients with osteoarthritis of the knee, DMSO applied over three weeks was an effective pain reliever compared to placebo. [Fortschr Med. 1995 Nov 10; 113 (31): 446-50.] In a Swedish double-blind study of 150 patients with some kind of tendon-related pain, 44 percent of the patients were pain-free after 14 days of DMSO topical treatment compared to only 9 percent of the placebo group. [Fortschr Med. 1994 Apr 10; 112 (10): 142-6.] In an Irish study of 23 patients treated for interstitial cystitis with DMSO, 17 responded well to treatment. [Cathy McLean, Dept. of Urology, Gartnavel General Hospital, Glasgow, Scotland, 2000].

SIDE EFFECTS AND INTERACTIONS

- May cause bad breath or a taste like garlic and onions.
- May cause an allergic reaction, or skin irritation and itching.

- Do not take with other blood-thinning agents.

- May cause headache, nausea or rash.

SAFETY CONCERNS

- Do not buy DMSO yourself. If it is not pure, it can be dangerous, causing skin irritation; kidney, liver and vision problems; and speed up joint deterioration.

DOSAGE

DMSO is used orally, intravenously, through injection, applied topically. Used topically, apply doses of 60 to 90 percent DMSO one to three times a day.

FINDING A PRACTITIONER

Ask a doctor to help you find and use DMSO appropriately. You can also contact Oregon Health Sciences University in Portland, which has a program for treatment: www.ohsuhealth.com

Echinacea

Common uses:
Fights colds, flu and other infections

Echinacea is a native North American wildflower used to boost the immune system. It's approved in Germany by the national health agency for upper respiratory infections, wounds and lower urinary tract infections. The research in the United States has been inconclusive. It is not known how it affects those with already overactive immune systems; experts advise those with arthritis and other autoimmune conditions not to take it.

SCIENTIFIC EVIDENCE

Study results have been mixed. In a Canadian double-blind study of 128 people with a cold, those who took echinacea had 23.1 percent less severe cold symptoms than those in the placebo group. [J Clin Pharm Ther. 2004 Feb; 29 (1): 75-83.] But in a Seattle study, children with upper respiratory tract infections did not respond to treatment with echinacea and had an increased risk of rash. [JAMA. 2003 Dec 3; 290 (21): 2824-30.] A 2000 review of studies to date concluded that echinacea is effective not for prevention but for reducing the duration and severity of upper respiratory infections. [Biochem Pharmacol. 2000 Jul 15; 60(2): 155-8.] A 2003 review drew similar conclusions. [Integr Cancer Ther. 2003 Sep; 2 (3): 247-67.]

SIDE EFFECTS AND INTERACTIONS

- May interact with conventional drugs.

- Do not take with corticosteroids or other immunosuppressive drugs.

SAFETY CONCERNS

- Should not be taken by those with autoimmune conditions like rheumatoid arthritis.

• Do not take with drugs like methotrexate that affect the liver. It may contribute to liver damage.

DOSAGE

Limit use to eight weeks. Follow dosage recommended by the manufacturer.

Feldenkrais Method

Common uses:
To improve posture and reduce muscle tension

The Feldenkrais method is an education technique on how to move and stand in ways that can relieve physical tension and stress. Such relief allows a greater range of motion and flexibility. The method is often recommended by doctors and physical therapists because the movements are so gentle. It's an ideal method for those with arthritis to learn before taking up more strenuous activity since it teaches them how to move in a way that will help protect them from injury. The method is taught one on one or in classes.

SCIENTIFIC EVIDENCE

Studies have revolved around four areas: pain management; functional performance and motor control; psychological effects, and quality of life. A 2005 Swedish study of body awareness therapy, including Feldenkrais therapy, showed the therapy increases health-related quality of life and had beneficial effects on people with fibromyalgia and chronic pain. [Disabil Rehab. 2005; 27(12): 725-8.] A study of 34 chronic pain patients using Feldenkrais showed reduced pain, improved function, with continued independent use of the therapy two years after discharge. [Presented at CSM in Boston in Feb. 1998.] A very small study of five fibromyalgia patients showed increased management of daily living activities as the result of Feldenkrais training. [Presented at the Feldenkrais Guild Conference in Aug., 1997.]

SIDE EFFECTS AND INTERACTIONS

None known

SAFETY CONCERNS

None known

FINDING A PRACTITIONER

To be certified, Feldenkrais practitioners much have 800-1,000 hours of training in three to four years. Ask your doctor or physical therapist to refer you to a certified practitioner. Or you can contact the Feldenkrais Guild of North America, (800) 775-2118; www.feldenkrais.com.

Fish Oil

Common uses:

To reduce inflammation and pain, especially in rheumatoid arthritis; to help maintain a healthy nervous system, cell walls and vision; improve Raynaud's phenomenon; to improve heart health; to help prevent some cancers

A number of studies show that oil from cold water fish such as salmon and mackerel help reduce inflammation and pain from rheumatoid arthritis. It's the omega-3 fatty acids that do the work, providing the building blocks for anti-inflammatory agents. The acids also help preserve a healthy nervous system, cell walls and vision. And they improve heart health by thinning the blood and lowering triglycerides. In fact, the American Heart Association recommends that those with no history of heart disease eat fish twice a week, and daily for those with heart disease. Fish oil may also prevent some cancers.

SCIENTIFIC EVIDENCE

A 2006 University of Pittsburgh Medical Center study found results mirroring other controlled studies that indicates omega-3 fatty acids is equivalent to ibuprofen in reducing arthritis pain, and appears to be a safe alternative to NSAIDs for treatment of neck and back pain in this group. [Surg Neurolo. 2006 Apr; 65(4): 326-31.] At least 13 randomized, controlled trials have demonstrated that fish oil does have beneficial, anti-inflammatory effects on those with rheumatoid arthritis. [Drugs. 2003; 63 (9): 845-53.] A major review of inflammatory diseases and diet points out that fish oils can significantly reduce morning stiffness and painful joints in rheumatoid arthritis patients. [Br J Nutrition. 2001 Mar; 85: 251-69.] An Australian 15-week study of 50 patients with rheumatoid arthritis found major improvements in those receiving fish oil, particularly in morning stiffness and overall disease activity. [J Rheumatol. 2000 Oct; 27: 2343-46.] An accompanying editorial about the study suggested that fish oil now become part of standard therapy for rheumatoid arthritis patients. [J Rheumatol. 2000 Oct; 27: 2305-06.] Omega-3 fatty acids found in fish oil also have heart-healthy benefits. A recent study out of Australia found a reduction in cardiovascular disease risk factors in long-term fish oil used to treat early RA. Those patients, over three years, also reduced their NSAIDs intake by 75 percent and were 72 percent more likely to experience remission after three years compared to those not taking fish oil. [J Rheumatol. 2006; 33(10): 1973-9.] Another 2005 study showed fish oil benefits were enhanced when used in combination with olive oil.

SIDE EFFECTS AND INTERACTIONS

- May intensify the effect of blood-thinning drugs, or herbs like garlic and turmeric.

SAFETY CONCERNS

- Be careful if you take cod liver oil. You may get too much vitamin A and D.

- Women who are either pregnant, nursing or hoping to conceive should avoid shark, swordfish, king mackarel and tilefish, all of which have potentially dangerous levels of mercury, and should eat no more than eight ounces of albacore tuna each month. Fish oil supplements at normal doses are considered safe, and a 2005 study found the supplements may be safer than eating fish.

DOSAGE

- 3,000 mg of the fish oil components eicosapentaenoic acid (EPA) and docosahexaenoic acid (DHA) a day.

- For lupus and psoriasis, 2,000 mg EPA/DHA three times a day.

- For Raynaud's phenomenon, 1,000 mg EPA/DHA four times a day.

- For rheumatoid arthritis, 1,000 mg EPA/DHA two times a day.

Flaxseed

Common uses:

To reduce inflammation in rheumatoid arthritis; to ease symptoms in Raynaud's phenomenon; to boost heart health; to prevent some cancers

Flaxseeds provide an essential fatty acid called alpha-linolenic acid (ALA), which is converted by the body into the same omega-3 fatty acids found in some fish. Omega-3 fatty acids help fight inflammation and lower heart disease risk by lowering blood pressure and cholesterol. Flaxseeds also contain a particular phytoestrogen, or plant estrogen, called lignans that may help prevent breast cancer. In fact, in mice studies, offspring of mothers fed flaxseed had lowered risk of breast cancer compared to the control group. Flaxseed may also reduce menopausal symptoms like hot flashes.

SCIENTIFIC EVIDENCE

In a Finnish study of 22 patients with rheumatoid arthritis, flaxseed oil had no benefit. [Rheumatol Int. 1995; 14(6): 231-4.] A review of studies and case reports concluded that omega-3 and omega-6 fatty acids do have an anti-inflammatory effect but does not correct the immune system dysfunction in RA. [Hawaii Med J. 1999 May; 58 (5): 126-31.] And the data regarding flaxseed's contribution to heart health looks good but not yet solid. A 2006 study found dietary intakes of omega-3 fatty acids decreased cardiovascular disease risk, including flaxseed, fish oil, walnuts, canola oil and soybean oil. [Am J Cardiol. 2006 Aug 21; 98(4A): 3i-18i.] Human studies show that flaxseed lowers cholesterol and decreases inflammation but whether it lowers blood pressure or helps prevent clogged arteries is not clear. [Nutr Rev. 2004 Jan; 62 (1): 18-27.] A number of Canadian animal studies show that flaxseed may prevent breast cancer or block its spread but few human studies have confirmed that. In a small study, the tumor growth in women who ate flaxseed daily slowed compared to the control group. [Goss, 2001.]

SIDE EFFECTS AND INTERACTIONS

- You may experience some gas and loose bowels when you first start eating flaxseed. Start with small amounts and work up to the recommended daily amount.

SAFETY CONCERNS

None known

DOSAGE

One-fourth of a cup of ground flaxseed or 1 to 3 table-spoons of flaxseed oil a day. However, many of the cancer-preventive lignans are processed out of the oil. Do not use capsules, which are even more processed than the oil.

G-j

Gamma Linoleic Acid

(GLA; evening primose oil and borage oil)

Common uses:

To relieve pain and inflammation of rheumatoid arthritis

The body produces GLA from linoleic acid, an essential fatty acid obtained from corn, sunflower, soy and peanut oils. The body converts GLA into prostaglandins, which fight inflammation and help regulate blood pressure and other body processes. GLA may help quell the inflammation of arthritis and may benefit those with lupus. One study indicated that it may be helpful in boosting the effect of the breast-cancer drug, tamoxifen. And combined with fish oil, it may boost the benefits of calcium in strengthening bones and preventing osteoporosis.

Scientific Evidence

A small number of studies suggest that GLA is effective treatment for those with rheumatoid arthritis. [Semin Arthritis Rheum. 1995 Oct; 25 (2): 87-96.] [Br J Nutr. 2001 Mar; 85 (3): 251-69.] A double-blind study of 56 patients with rheumatoid arthritis found that GLA was effective. [Arthrtis Rheum. 1996 Nov; 39 (11): 1808-17.] More recent studies, however, have been less promising. A double-blind study of rheumatoid arthritis patients in the Netherlands found no benefit from treatment with GLA over four months. [Eur J Clin Nutr. 2004 Jun; 58 (6): 839-45.] A 2005 study found that people with Sjögren's syndrome who took a combination of GLA and linoleic acid experienced a significant improvement in tear production and reduction in eye discomfort. [Invest Opthalmol Vis Sci. 2005 Dec; 46(12): 4474-9.]

SIDE EFFECTS AND INTERACTIONS

- May augment the effect of prescription or herbal blood thinners.

- May cause nausea, diarrhea and stomach upset.

- May make epilepsy or seizures worsen.

SAFETY CONCERNS

None known

DOSAGE

- 240 mg daily

- It may take six months before you will feel any effect from GLA.

- Take with food to enhance absorption.

- There is no evidence that taking topical GLA oils have any effects.

Ginger

Common uses:
To relieve nausea, joint and muscle pain

Most of us think of ginger as the tang in our cookies but it's also an herb that has been used for centuries in Chinese and Ayurvedic medicine to settle upset stomachs. It is an antioxidant and anti-inflammatory as well. It's thought to reduce pain by inhibiting the production of prostaglandins and leukotrienes, implicated in pain and swelling.

SCIENTIFIC EVIDENCE

A number of studies show ginger does relieve some pain in those with arthritis, with recent studies reinforcing its anti-inflammatory effects and showing the extract inhibited inflammation-causing chemicals, including tumor necrosis factor-alpha and COX-2. A 2006 investigation on ginger extract to treat knee osteoarthritis found it provided a modest improvement with an efficacy less than that of ibuprofen. However, a highly purified, standardized extract had a significant effect, reducing knee pain during its six-week administration. [Med J Augst. 2006 Aug 21: 185(4 Supp): 54-24.] Mild stomach occurred, as it did in a six-week, double-blind study of 247 osteoarthritis patients that found ginger extract also reduced knee pain. [Arthritis Rheum. 2001 Nov; 44 (11): 2461-2.] In a randomized controlled trial of 29 patients with osteoarthritis, the treatment group had less pain and handicap compared to the placebo group after six months. [Osteoarthritis Cartilage. 2003 Nov; 11 (11): 783-9.] A 2000 study had mixed results. In a crossover study divided into three treatment periods of three weeks each (each followed by a week without treatment), researchers generally found no difference between placebo and ginger extract. However, in the first three-week treatment period, ginger relieved pain better than place-bo. [Osteoarthritis Cartilage. 2000 Jan; 8(1): 9-12.] A 2005 study showed ginger killed *Helicobacter pylori*, a bacterium that can cause stomach ulcers.

SIDE EFFECTS AND INTERACTIONS

- May cause occasional heartburn. Large doses may irritate stomach lining.

- May augment the risk of bleeding if taken with anticoagulant drugs or herbs.

- May increase the drowsiness of drugs such as lorazepam (*Ativan*), barbiturates (phenobarbital, narcotics, alcohol), and herbs such as valerian.

- May lower blood sugar levels. Anyone taking insulin should consult his doctor before taking ginger.

- May increase the absorption of oral medications.

SAFETY CONCERNS

- Pregnant and nursing mothers should not take ginger without consulting their doctor.

- Do not use before surgery because of the risk of increased bleeding.

DOSAGE

One to four grams per day of fresh powdered ginger or 100 to 200 mg in pill form. But fresh or freeze-dried ginger may be more effective. A ¼-or ½-inch slice of ginger root is equivalent to a common dose. Drink it steeped in water or add to food.

Ginkgo (Ginkgo biloba)

Common uses:
To treat Alzheimer's disease, dementia, "fibro fog" or age-related memory loss; cerebral vascular disease, depression, Raynaud's phenomenon; poor circulation

Chinese medicine has used the herb that comes from the leaves of ginkgo biloba trees for thousands of years. Ginkgo increases the blood flow to the brain and central nervous system and may also act as an antioxidant. It's thought to improve any number of conditions including memory difficulties, depression, impotence and asthma.

SCIENTIFIC EVIDENCE

The bulk of studies on ginkgo focus on memory. And a number of studies suggest that ginkgo can be helpful, particularly in Alzheimer's disease and dementia. [Curr Pharm Des. 2004; 10 (3): 261-4.] [Pharmacopsychiatry. 2004 Nov; 36: 297-303.] But all studies aren't positive. In a 24-week Dutch study, those with dementia were no different after taking ginkgo than those in the placebo group. [J Clin Epidemiol. 2003 Apr; 56 (4): 367-76.] A double-blind placebo-controlled trial of ginkgo for the treatment on Raynaud's disease revealed a reduction in flares by 56 percent. [Var Med. 2002: 7(4): 265-7.] As an antidepressant, animal studies show promising effects, but more research is needed.

SIDE EFFECTS AND INTERACTIONS

- May increase the risk of bleeding if taken with other anti-coagulants.

- May cause upset stomach or headache.

- May increase blood pressure when combined with thiazide diuretics.

- Do not combine with insulin. Ginkgo may affect blood sugar levels.

SAFETY CONCERNS

- Ginkgo seeds and unprocessed ginkgo leaves are toxic. Do not use them.

- Do not take if you are pregnant or nursing.

- Do not combine with trazodone, an antidepressant, or with prochlorperazine, an antipsychotic drug.

- More than 240 mg a day may cause intoxication or disorientation.

DOSAGE

120 to 160 mg per day of standardized extracts containing 24 percent flavone glycosides (substances that act as antioxidants) and 6 percent terpene lactones (chemicals that improve blood flow). It may take six to nine weeks to notice an effect.

Ginseng

Common uses:

To treat fatigue, stress, diabetes, high blood pressure, impotence and male infertility; to improve cognitive function; to protect the liver

There's no evidence to suggest that ginseng can help arthritis, but it may boost energy. There are several types of ginseng: Asian (*Panax ginseng*), American (*Panax quinquefolius*) and Siberian (*Eleutherococcus*). Asian ginseng is the one most commonly used in supplements. Siberian ginseng has not been well studied. The root is the part of the plant used for medicine.

SCIENTIFIC EVIDENCE

Studies show some immune-strengthening activity. [Integr Cancer Ther. 2003 Sep; 2(3): 247-67.] And research has indicated that Asian ginseng inhibits cancerous tumors. [Altern Med Rev. 2004 Sep; 9(3): 259-74.] Ginseng may improve mood and cognitive performance as well. In a British study of healthy young adults, those taking ginseng showed improved memory compared to placebo. Another British study found ginseng demonstrated beneficial glycemic effects, lowering fasting blood glucose levels in young, healthy adults. [Br J Nutr. 2006 Oct; 96(4): 639-42.] Studies on animals show the need for further investigations. One 2006 study of the beneficial effects of ginseng tea found an increase in systolic blood pressure was significantly inhibited by the infusion. [Biosci Biotechnol Biochem. 2006 Oct 7; epub ahead of print.] Another study on mice concluded that Panax ginseng may be useful as an immune promoter. [Indian J Med Res. 2006 Aug; 124(2): 199-206.]

SIDE EFFECTS AND INTERACTIONS

- May experience nervousness, stomach upset, insomnia or headaches. Caffeine can increase these effects.
- High doses of ginseng may affect menstruation and cause breast tenderness.
- Do not take with other anti-coagulants. May increase bleeding.
- May affect how other drugs or herbs react in the body, either increasing or decreasing their effect.
- May lower blood sugar levels. If you have diabetes, check with your doctor.
- Large doses of Panax ginseng may worsen insomnia.

SAFETY CONCERNS

- Do not take if you are pregnant or nursing.

DOSAGE

The dosage depends on the amount of ginsenoside, the active ingredient. Look for supplements that have 7 percent ginsenoside. In pills and capsules, take 100 mg twice a day. Of the powdered root, take 500 to 1,000 mg a day. Stop taking for a week every two to three weeks.

Gin-Soaked Raisins

Common uses:
To ease arthritis aches

Some people swear by this folk remedy. And it's true that the gin may temporarily dull pain and raisins do have anti-inflammatory effects. But you'd have to eat more than a handful to feel any relief.

SCIENTIFIC EVIDENCE
None

SAFETY CONCERNS
• Excess alcohol can make your symptoms worse by robbing your body of nutrients and contributing to depression.

DOSAGE
Skip the gin and eat some raisins as a snack or on your cereal.

Glucosamine

Common uses:
To ease osteoarthritis pain

Glucosamine is a natural substance that supplies the building blocks to make and repair cartilage. Although there is no evidence that glucosamine supplements repair cartilage, studies suggest they can help relieve pain from osteoarthritis. The supplement is extracted from shellfish and taken in capsules. It takes several months to see any effect.

SCIENTIFIC EVIDENCE

The National Center for Complementary and Alternative Medicine and the National Institute of Arthritis and Musculoskeletal and Skin Diseases (NIAMS) have funded the Glucosamine/Chondroitin Arthritis Intervention Trial, a multi-centered placebo-controlled study. The study of 1,583 people with knee osteoarthritis showed glucosamine was more effective when combined with chondroitin, but that the combination did not work significantly better than placebo or an NSAID in people with mild pain. However, a subgroup of people in the study who had moderate-to-severe pain did show significant benefit, even higher than the group takings NSAIDs. A second similar trial, called the GUIDE trial, conducted in Spain and Portugal measured the effects of 1,500-mg daily doses of glucosamin against a 3,000-mg daily does of acetaminophen or placebo in 318 people with knee osteoarthritis and conducted the glucosamine relieved pain significantlt better than the acetaminophen or placebo. However, a 2005 Cochrane Review of 20 studies and more than 2,500 people found glucosamine is safe, but not superior to placebo in reducing pain and improving function. In a study of its affects on people with rheumatoid arthritis, pain scale levels decreased significantly after 12 weeks and 1,500 mg daily dosages. [Rheumatol Int. 2006 Sep 5; epub ahead of print.]

SIDE EFFECTS AND INTERACTIONS
• May cause indigestion or nausea.

SAFETY CONCERNS
• Do not take if you have an allergy to shellfish.

DOSAGE
1,500 mg per day. It's often combined with chondroitin, also believed to nourish cartilage.

Green Tea

Common uses:

To lower the risk of cancer and other chronic diseases; to treat and prevent rheumatoid arthritis

Green tea contains anti-oxidant compounds called polyphenols that reduce inflammation and protect against cancer. It's been used medicinally in Asia for thousands of years. Green tea may protect against heart disease by lowering cholesterol and blood pressure; increase longevity; prevent tooth decay (the tea contains fluoride); and help heal gum infections.

SCIENTIFIC EVIDENCE

Several studies suggest that the polyphenols in green tea reduce the inflammation of rheumatoid arthritis. One study suggests it not only reduces inflammation but also slows cartilage breakdown. [J Nutr. 2002 Mar; 132 (3): 341-6.] In a study on mice with induced arthritis at Case Western Reserve University in Cleveland, the mice give green tea polyphenols had a 33-55 percent lower incidence of arthritis compared with the placebo group. And in those who did have arthritis, the symptoms were less severe. [Proc Natl Acad Sci USA. 1999 Apr 13; 96 (8): 4524-9.] A number of studies suggest green tea may prevent cancer as well. In fact, green tea is now an established cancer preventive drink in Japan. [Cancer Lett. 2002 Dec 15; 188 (1-2): 9-13.] In those who drink over ten cups of green tea a day, green tea has also been found to lower risk of heart disease. [Ann N Y Acad Sci. 2001 Apr; 928: 274-80.] A 2006 Japanese study found green tea consumption was inversely associated with mortality due to stroke and heart disease, with the effects of green tea even stronger on cardiovascular disease and women. The 11-year review did not find green tea reduced mortality rates due to cancer. [JAMA. 2006 Sep 13; 296(10): 1255-65.] A 2006 American study of the polyphenols found in green and black tea, however, regulated cancer cell growth. [Anticancer Agents Med Chem. 2006 Sep; 6(5): 389-406.]

SIDE EFFECTS AND INTERACTIONS

- The caffeine in green tea may cause nervousness or sleeplessness.

- Caffeine can increase the effects of drugs such as tricyclic antidepressants, theophylline and supplements such as ephedra.

- High doses may produce excess gas, upset stomach, nausea, abdominal pain and heartburn.

SAFETY CONCERNS

- Those with arthritis need to weigh possible benefit against the possibility of sleep disturbance. Pill form does not contain as much caffeine as the tea.

- Pregnant and nursing mothers should not drink green tea because of the caffeine.

DOSAGE

Three to four cups of tea a day, which contain a total of 300 to 400 mg of polyphenols. In extract or supplement form, take 100 to 300 mg per day. Most capsules standardized to 80 percent total polyphenols.

Guaifenesin

Common uses:

To treat fibromyalgia and rheumatoid arthritis

Guaifenesin is an expectorant used commonly in cough syrups and cold medicines. It works by thinning the mucus in the lungs. Originally it came from a tree bark extract called guaiacum and was used to treat arthritis in the 1500s. The theory behind its use for arthritis is that guaifenesin helps the kidneys excrete phosphates, preventing a buildup in the bones, muscles and tendons, which some believe interferes with the body's production of ATP, a molecule involved in energy release. But there's no scientific evidence to back the theory.

SCIENTIFIC EVIDENCE

No evidence has been established to support the idea that guaifenesin can treat arthritis. In an unpublished double-blind study in 1996, 20 women took 600 mg of guaifenesin twice a day. At the end of the study, there was no difference between the guaifenesin group and the placebo group. [Robert Bennett, MD; Paul St. Armand, MD.]

SIDE EFFECTS AND INTERACTIONS

• May cause nausea and vomiting.

• May worsen arthritis symptoms for several months.

• Salicylates may block guaifenesin's effect. People who take the supplement need to avoid anything with salicylates, including plants, medications such as aspirin, topical ointments, supplements and some cosmetics or toiletries, including some deodorants, toothpastes, mouthwashes and makeup.

• Low blood sugar may interfere with the supplement's effectiveness. People with hypoglycemia should follow a low-carbohydrate diet.

SAFETY CONCERNS

- Pregnant and nursing women should not take guaifenesin.

DOSAGE

300 to 600 mg a day. You should be under the supervision of a physician while you are taking guaifenesin.

Guggul (Gugulipid)

Common uses:

To lower cholesterol and triglyceride levels; to help control arthritis-related inflammation

Guggul comes from a tree native to India, the mukul myrrh tree. Its resin, gum guggul, inhibits the formation of plaque within arteries and lowers levels of fat and cholesterol. It may also lower inflammation from arthritis and even help people lose weight.

SCIENTIFIC EVIDENCE

Most studies focus on guggul's ability to reduce cholesterol, and most, but not all, are promising. One study of those with high cholesterol showed no effect after eight weeks of therapy and in fact LDL levels (bad cholesterol) rose. [JAMA. 2003 Aug 13; 290 (6): 765-72.] In two clinical multi-center trials, patients who took guggul lowered their cholesterol and triglycerides significantly.

[J Assoc Physicians India. 1989 May; 37 (5): 323-8.] Researchers at Baylor College of Medicine in Texas showed in animal studies that guggul aids the excretion of excess blood fats. [Science. 2002 May 31; 296 (5573): 1703-6. Epub 2002 May 02.] Although research is scant regarding guggul and arthritis, a study at Southern California University of Health Sciences showed that guggul significantly improved symptoms in those with osteoarthritis of the knee. [Altern Ther Health Med. 2003 May-Jun; 9 (3): 74-9.]

SIDE EFFECTS AND INTERACTIONS

• May cause nausea, gas, diarrhea, hiccups, restlessness, anxiety or headaches, though rarely.

SAFETY CONCERNS

• If you suffer from liver disease, inflammatory bowel disease or diarrhea, consult your doctor before taking.

• Do not take if you are pregnant.

• Buy only products marked as a gugulipid supplement and not as guggul or guggulu. The crude form could contain toxic compounds.

DOSAGE

25 mg guggulsterones three times daily.

Guided Imagery

Common uses:

To reduce pain and stress

Guided imagery is the practice of creating mental images that induce relaxation and relieve stress, with the help of a practitioner or audiotape. The process also boosts the immune system and reduces pain. In theory, the practice works because the body perceives the induced image as the real experience. If you imagine yourself on a sunny beach relaxing, your body will in fact relax, your pulse slow, your blood pressure drop, and you will also release endorphins, the body's natural painkillers. A session with a practitioner may begin with his asking you about places that make you feel happy. Next, he will lead you through a series of relaxation or breathing exercises, then a visualization exercise asking you to pick images important to you. For example, you may want to picture yourself free of pain or full of energy. With practice, you can learn to do such exercises on your own throughout the day whenever you are feeling stressed.

SCIENTIFIC EVIDENCE

Hundreds of studies have proven that guided imagery works in lowering stress, decreasing stress and boosting the immune system. And it addresses these areas whether patients have arthritis, cancer or even asthma. For example, a 2006 randomized pilot study found women using guided imagery for 12 weeks showed increased quality of life scores compared to those in the control group, even after statistically adjusting for changes in pain and mobility. [Res Nurs Health. 2006 Oct; 29(5): 442-51.] A 2005 study of older adults, aged 55 to 78, with hip and knee osteoarthritis compared to healthy adults found the 264 people with osteoarthritis had a greater impact on quality of life using guided imagery than the healthy controls. [Aging Clin Exp Res. 2005 Aug; 17(4): 253-4.] Another study showed women with osteoarthritis who listened to guided imagery tapes twice a day in 10-15 minutes segments, they experienced significant reductions in pain and an increase in mobility over 12 weeks compared to the control group. [Pain Manag Nurs. 2004 Sep; 5(3): 97-104.] In a small study of children with rheumatoid arthritis who were taught relaxation exercises twice a week for four weeks, their pain was substantially reduced, and they had increased functioning over 12 months. [Pediatrics. 1992 Jun; 89 (6 Pt l): 1075-9.] In a controlled clinical trial of cancer patients, those who received relaxation and imagery training reported reduced pain compared to the placebo group. [Pain. 1995 Nov; 63(2): 189-98.]

SIDE EFFECTS AND INTERACTIONS

- People with mental illness should talk with their therapist before using guided imagery.

SAFETY CONCERNS

• Let your practitioner know if you have nightmares or disturbing memories as the result of guided imagery.

FINDING A PRACTITIONER

Practitioners are not required to be licensed or certified. The best way to find someone is to ask your doctor for a referral. Wellness centers and hospitals also offer classes. Or contact the Arthritis Foundation about the Arthritis Foundation Self-Help Program. Check the credentials of any practitioner you plan to work with. Or contact the Academy for Guided Imagery, (800) 726-2070, or www.academyforguidedimagery.com.

Heat/Cold Treatments

(See also hydrotherapy, p. 148)

Common Uses:

To decrease pain and increase flexibility

Heat increases blood flow by dilating small blood vessels in the treated area, offering nourishment to the tissues, which speeds healing. Heat also relaxes muscles, lessening pain and muscle spasm. Heat can be applied through hot compresses, heat lamps, heating pads, whirlpool baths and hot tubs. Ultrasound reaches deeper joints and muscles than the other therapies.

Cold treatments help decrease blood flow and relieve short-term joint pain and swelling. Cold treatments can be in the form of ice packs, compresses or packs of frozen vegetables. Cold may be better for chronic pain (pain lasting longer than 14 days).

SCIENTIFIC EVIDENCE

Studies are inconsistent. Most studies of heat and cold therapies for arthritis show some relief of pain, stiffness and an increase in joint function. A 2006 Finnish study found local cryotherapy decreased pain. The randomized, controlled single-blind study on pain relief and inflammation in injuries and inflammatory conditions, including rheumatoid arthritis, examined therapy at -110 degrees, at -60 degrees, at -30 degrees and use of cold packs locally. While pain decreased in all, it was most noticed in those receiving -110 degree therapy. [Clin Exp Rheumatol. 2006 May-Jun; 24(3): 295-301.] A 2006 review of nine trials involving more than 1100 participants and the use of superficial heat and cold for low back pain found limited evidence and a need for more randomized, controlled trials. The review did find moderate evidence that heat wrap therapy provided short-term pain relief, but couldn't determine cold treatment was beneficial. [Cochrane Database Sys Rev. 2006; (1): CD004750.]

SIDE EFFECTS AND INTERACTIONS

None

SAFETY CONCERNS

• Don't use heat with topical rubs or creams like capsaicin, since this cause skin burns.

DOSAGE

Apply treatments four to six times per day for 20-minute sessions.

Homeopathy

Common uses:

To stimulate the body to heal itself

Homeopathy is one of most widely used complementary therapies. It was developed in the 18th century when a German doctor, Samuel Hahnemann, discovered that quinine, a drug for malaria, produced malaria-like symptoms in healthy people. He became convinced that a very small amount of the very substances that caused an illness in a healthy person could create a healing response in a sick one. Treatment consists of giving remedies that will create the same symptoms as the disease. And the belief is that the weaker the remedy, the stronger the healing reaction. It's unclear why this may or may not work.

SCIENTIFIC EVIDENCE

Homeopathic treatment is tough to assess scientifically since it involves what researchers call "a package of individualized care," including consultation (a vital part of homeopathy) and medication. A 2005 study involving 3,981 people in Germany and Switzerland showed significant improvements in quality of life and disease severity in people with chronic diseases. [BMC Public Health. 2005 Nov. 3; 5:115.] Another review of homeopathic care in Germany suggests that homeopathy has more effect than placebo. But the researchers also recognize the studies' weaknesses and inconsistencies. [J Altern Complement Med. 1998 Winter; 4 (4): 371-88.] In a small trial of 23 people with rheumatoid arthritis, researcher found that homeopathic remedies relieved pain, stiffness and grip compared to placebo. [Br J Clin Pharmacol. 1980 May; 9 (5): 453-9.] But a six-month, double-blind British study of patients with rheumatoid arthritis found no evidence that homeopathy improved symptoms of rheumatoid arthritis. A 2006 cancer study also found insufficient evidence to prove homeopathic therapy is beneficial in the treatment of cancer. [Eur J Cancer. 2006 Feb; 42(3):282-9.]

SIDE EFFECTS AND INTERACTIONS

• Do not take homeopathic remedies if you are pregnant or an alcoholic since many of the remedies are in a base of alcohol and water.

SAFETY CONCERNS

• The risks are small because the remedies are so diluted (typically in alcohol and water). And they are regulated as over-the-counter drugs by the FDA.

• Do not use to treat a life-threatening illness.

• Do not stop prescribed medication to use homeopathy without consulting your doctor.

FINDING A PRACTITIONER

Only a few states have homeopathic licensing laws: Arizona, Nevada and Connecticut. Homeopathy is part of the training for naturopathic physicians. Look for someone who has been through a homeopathic training or certification program. Ask your doctor for a referral. Also, contact the National Center for Homeopathy, (877) 624-0613 or (703) 548-7790, or at www.homeopathic.org.

DOSAGE

Follow the instructions on whatever homeopathic remedy you are using. Do not keep taking once you have recovered or if you have not improved after a week.

Horsetail

Common uses:
Used as a diuretic and as a remedy for bladder and kidney problems

Horsetail is a plant with long bamboo-like stems – the part used as medicine – and brown cones that give the plant its name. In the past, horsetail was used to control bleeding from lung lesions caused by tuberculosis. And in fact, animal studies show it does help staunch external bleeding. Currently, horsetail is used as a diuretic or to treat kidney and bladder problems. Several compounds –

equisetonin and flavone glycosides – promote fluid loss. It also has anti-inflammatory qualities, making it useful for treating gastrointestinal conditions like Crohn's disease. It contains silica as well, which helps strengthen nails, hair and teeth – and may help address baldness. The body also uses silica to keep connective tissue and joint cartilage strong, making it useful in preventing osteoporosis and in treating bursitis and tendonitis.

SCIENTIFIC EVIDENCE

Studies do indicate that horsetail acts as a diuretic but there has only been limited research on humans. One study suggests that horsetail increases the rate of bone formation and encourages the deposit of calcium into bones. But the study is too small and flawed to indicate any benefit for those with osteoporosis. A Spanish study of seven plants including horsetail found that it was of some benefit in preventing and treating kidney stones in rats. [Int Urol Nephrol. 1994; 26 (5): 507-11.]

SIDE EFFECTS AND INTERACTIONS

- Do not take with diuretic medications.

- Horsetail contains a small amount of nicotine so don't take it if you are wearing nicotine replacement patches.

- Reports of nicotine poisoning were reported in children who chewed on several stems.

- Drink plenty of water while you are taking horsehair.

SAFETY CONCERNS

- Large doses can cause problems because of the nicotine.

- Stop taking and call your doctor if you experience muscle weakness, a fast or irregular heartbeat, or other discomforts.

- Do not take to reduce swelling from poor kidney or heart function.

DOSAGE

Steep one tablespoon dried herb in one cup hot water. Add a little sugar to release silica from the leaves. Drink up to three times daily. If you use the extract, as one half teaspoon to a glass of water three times a day. Or take in capsule form, also three times a day.

Hydrotherapy

Common uses:

To reduce pain, stiffness and inflammation

Hydrotherapy is the use of water – hot or cold – to treat disease and injury. The therapy includes anything from hot packs to baths, from whirlpools to wraps. It can include exercise programs in hydrotherapy pools, whirlpool baths and swimming pools. Hot hydrotherapy relieves tense muscles; cold helps decrease inflammation. The motion of a whirlpool has a relaxing, massage-like effect. Whirlpools are particularly soothing for those with arthritis.

Contrast hydrotherapy uses alternating hot and cold treatments to stimulate circulation. For instance, a 30-minute bath, alternating four minutes of heat and one minute of cold can increase blood flow by 90 percent.

The easiest form of hydrotherapy, of course, is a hot bath. For those with fibromyalgia, a hot bath can soothe sore muscles and also improve sleep. The water should be no hotter than 110 degrees Fahrenheit.

Cold helps relieve pain, particularly after overexertion or exercise. Fill a plastic bag with ice or use a bag of frozen vegetables, wrap in a towel, and apply to the painful spot for 20 minutes. Wait 20 minutes between applications.

Balneotherapy is a specialized kind of hydrotherapy involving water full of minerals such as sulphur, or mineral-rich mud.

SCIENTIFIC EVIDENCE

A number of studies show the effectiveness of hydrotherapy in relieving arthritis symptoms, particularly on people with fibromylagia. A 2006 study that included three weekly training session of exercise in waist-high water or a control group resulted in a 20-percent increase in knee movement, a 29-percent reduction in pain and a quality-of-life improvement of 93 percent in people with fibromylagia. [Arthritis Rheum. 2006; 55(1): 66-73.] A 2004 study found similar results, with the group that had pool-based exercise experiencing longer lasting and more thorough relief than those who had balneotherapy without exercise. [Rheumatol Int. 2004 Sep; 24 (5): 272-7. Epub 2003 Sep 24.] For people with osteoarthritis or rheumatoid arthritis, some researchers note that the studies are too flawed to draw definite conclusions. [Forsch Komplementarmed Klass Naturheilkd. 2004 Feb; 11 (1): 33-41.] A review of six balneotherapy trials involving patients with rheumatoid arthritis concluded that despite positive results, the studies were flawed. [Cochrane Database Syst Rev. 2003; (4): CD000518.] In a randomized, controlled trial comparing gym-based and hydrotherapy-based strengthening programs for those with osteoarthritis, researchers found function improved in both groups, although the gym-based group gained greater strength. [Ann Rheum Dis. 2003 Dec; 62 (12): 1162-7.]

SIDE EFFECTS AND INTERACTIONS

None

SAFETY CONCERNS

- Hot immersion baths, whirlpool spas, and saunas are not recommended for people with diabetes, high or low blood pressure, or for pregnant women.

- Do not heat a compress in a microwave. It can get too hot. Heat with hot water instead.

- Wrap ice in a towel before applying a cold pack.

- Do not combine hot and cold treatments with topical ointments like capsaicin, or you may burn yourself.

- Do not use cold treatments if you have Raynaud's phenomenon.

DOSAGE

Make hot baths no longer than 15 minutes at no warmer than 115 degrees Fahrenheit. Apply cold treatments for 20 minutes. Wait 20 minutes before retreating.

FINDING A PRACTITIONER

Most hospitals and medical centers offer some form of hydrotherapy. Ask your doctor to refer you to a program. Naturopaths are also trained in hydrotherapy.

Hypnosis

Common uses:

To relieve pain, anxiety; to treat irritable bowel syndrome; to alter behavioral habits such as smoking or overeating

Hypnosis, also called hypnotherapy, is a kind of focused attention and deep relaxation. Modern hypnotism began in the late 18th century when an Austrian doctor named Franz Anton Mesmer, who treated patients with magnets, was thought to "mesmerize" his subjects. Hypnosis is used to change behavior and thinking, and its therapy can lower blood pressure, decrease heart rate and slow brain activity. Hypnosis will not make you go into a trance; it only allows you to focus more intently, augmenting the effect of mind-body techniques like relaxation exercises or visualization. Sessions begin with a relaxation exercise, followed by suggestions related to your therapeutic goals.

SCIENTIFIC EVIDENCE

In 1995, a National Institutes of Health panel recommended that hypnosis be part of medical treatment for chronic pain, but limited research has followed. A recent study out of Texas reviewed hypnosis to treat pain and anxiety in people who had colonoscopy. Patients who received hypnotic induction and instruction on the day of their colonoscopies reported less pain and anxiety and were less likely to need sedation than those who didn't receive hypnosis. [Int J Clin Exp Hypn. 2006 Oct; 54(4): 416-31.] Results were similar in a study of 236 women receiving large core needle breast biopsies. [Pain. 2006 Sep 5: epub ahead of print.] A 2002 French study examined two specific forms of hypnosis therapy, Erikson and Jacobson, and concluded both reduced pain related to osteoarthritis pain. The therapies also worked faster than traditional analgesics and even reduced the need to take medications. [Euro J Pain. 2002; 6(1): 1-16.] More studies suggest its effectiveness in treating pain generally, as well as irritable bowel syndrome. Scientists believe hypnosis may work by affecting the cortex, a part of the brain that affects how pain is experienced.

SIDE EFFECTS AND INTERACTIONS

None known

SAFETY CONCERNS

• Hypnosis doesn't work on everyone. Do not continue treatment if you don't see results.

- Don't try hypnosis if you suffer from psychosis, a psychiatric condition, or an antisocial personality disorder.

- Do not substitute hypnosis for medical treatment of an illness.

FINDING A PRACTITIONER

Hypnotists are not licensed or regulated, so it's best to get a referral from your doctor or from a practitioner you trust. You can also contact the following:

- The National Guild of Hypnotists
(603) 429-9438
www.ngh.net

- American Council of Hypnotist Examiners
(818) 242-1159
www.hypnotistexaminers.org

K-m

Kava Kava

Common uses:
Treating anxiety and pain; as a muscle relaxant or sleep aid

Kava kava is a member of the pepper family that grows in the Pacific Islands and Hawaii, where it has been used as a drink for special occasions and religious ceremonies. It has a relaxing effect without the stupor, say, of alcohol and drugs, and it is not addictive. Researchers aren't certain how kava works but believe it affects the limbic system, which controls emotion. Unfortunately, reports of liver damage have prompted the FDA to issue a warning about kava. Some practitioners believe short-term doses are not dangerous but others warn against taking it.

SCIENTIFIC EVIDENCE

A number of studies show that kava is effective for anxiety, but two 2006 studies found conflicting results. A Duke University Medical Center review of data from three randomized, double-blind, placebo-controlled trials and found no effects for kava but significant effects for those taking placebo. [Int Clin Psychopharmacol. 2006 Sep; 21(5): 249-53.] A British review of eight different herbs in randomized, clinical trials found a lack of studies and that only kava was shown to have positive benefits on anxiety levels. [Phytomedicine. 2006 Feb; 13(3): 205-8.] No research exists on kava and arthritis per se. However, a number of studies point to its relaxing effects on muscles, which may relieve muscle spasms and pain. Others suggest it promotes sleep.

SIDE EFFECTS AND INTERACTIONS

- May cause upset stomach. Long-term use may cause dry, scaly, yellow skin.

- May increase drowsiness caused by drugs that affect the central nervous system such as antidepressants, tranquilizers, sedatives, alcohol and herbs such as valerian.

- May increase the effects of MAO inhibitors and of herbs that act like MAO inhibitors such as evening primrose oil.

- May enhance effects of anesthesia. Do not take three weeks before surgery.

- Do not take with any medication that affects the liver, including acetaminophen (*Tylenol*).

SAFETY CONCERNS

- There have been reports of liver damage and death caused by doses once believed safe. It's best to avoid kava altogether. If you do take it, do so only under the supervision of a doctor.

- Do not take kava if you have a liver disease.

- Do not take if you have Parkinson's disease; it can aggravate symptoms.

- Do not take if you are pregnant or nursing.

• Fatigue, nausea, yellow skin, dark urine, yellowing of the eyes and light-colored stools are signs of liver toxicity. Stop kava immediately if you experience any of these signs.

DOSAGE

Do not take kava; it has been associated with liver toxicity and death.

Kinesiology Chiropractic (Applied Kinesiology)

(See also chiropractic, p. 78)

Common uses:

To diagnose and treat health problems by identifying weakened muscles

Kinesiology chiropractic is a completely different field than conventional kinesiology. Kinesiology is the study of anatomy in relation to movement; its students usually work in physical therapy. Applied kinesiology is practiced by chiropractors, some osteopaths, and MDs with specific postgraduate training. Only licensed health-care professionals can get certification in kinesiology chiropractic.

The practice was developed in the 1960s. It is based on the idea that changes in muscle function occur as the result of internal triggers such as injury, pinched nerves, skeletal misalignment, nutritional deficiencies or even emotional issues. Through muscle testing, the practitioner finds the internal trouble spot and plans a health regimen based on that. The plan could include anything from chiropractic to diet changes. There has been no evidence establishing applied kinesiology as effective.

SCIENTIFIC EVIDENCE

Virtually all the scientific exploration of kinesiology chiropractic is either inconclusive or indicates that the therapy is ineffective. Most suggestions for use are based on tradition or scientific theory. A Polish study examining the influence of cryotherapy and warm radiation on shoulder joint pain found both methods useful, with slightly greater benefits in those using cryotherapy. [Chir Narzadow Ruchu Ortop Pol. 2005; 70(4): 295-9.]

SIDE EFFECTS AND INTERACTIONS

None

SAFETY CONCERNS

- Kinesiology chiropractic should never replace conventional diagnosis or treatment.

- Ask to see the credentials of any practitioner you plan to use.

FINDING A PRACTITIONER

Ask your doctor for a referral to a health-care practitioner who has advanced certification in kinesiology chiropractic. You can also go to the International College of Applied Kinesiology Web site for referrals to practitioners, (913) 384-5336; www.icaksusa.com.

Lavender

Common uses:
Treating anxiety, sleeplessness, pain, digestive difficulties

Lavender is a flowering evergreen shrub native to the Mediterranean with a long history of medicinal use. The scent is thought to be relaxing, and Romans used it to freshen their baths.

SCIENTIFIC EVIDENCE

A number of studies suggest that lavender has a relaxing effect. In a 2005 Korean study, significant improvements on pain levels, depression and overall life satisfaction were found after patients used a mixture of oils, including lavender, marjoram, eucalyptus, rosemary and peppermint. The largest improvements were found in those using lavender and eucalyptus. [Taehan Kanho Hakhoe Chi. 2005 Feb; 35(1): 186-94.] Another Korean study found lavender used for sleep and depression in female college students also showed beneficial effects and suggested more studies. [Taehan Kanho Hakloe Chi. 2006 Feb; 36(1): 136-43.] Similar results were reported in an American study on its effects on insomnia. [J Ahern Complement Med. 2005 Aug; 11(4): 631-7.] The use of lavender in aromatherapy massage was found to have immunological benefits on postpartum women, while another study found it useful in a hospice setting, significantly improving sleep.

Several animal studies suggest that lavender – in particular, a component of lavender, perillyl alcohol – taken internally reduces some kinds of cancer growth. In studies at the University of Wisconsin at Madison, the growth of mammary tumors in rats fed perillyl alcohol slowed. [Clin Cancer Res. 2000; 6(2): 390.]

SIDE EFFECTS AND INTERACTIONS

- May cause a skin rash.

- May cause nausea, headaches and chills after inhaling.

- In large doses, perillyl alcohol can cause constipation, drowsiness and confusion.

- Taken internally, lavender may increase the drowsiness induced by drugs such as *Valium*, *Ativan*, barbiturates, narcotics, antidepressants, antihistamines and alcohol. It can do the same with some herbs such as valerian, chamomile or kava.

- May increase the risk of bleeding when taken with anti-coagulants.

- May increase the cholesterol-lowering effect of some drugs and supplements.

SAFETY CONCERNS

- Do not take lavender internally if you are pregnant or nursing.

- Do not take internally without consulting your doctor.

DOSAGE

For aromatherapy, use five to seven drops of essential oil of lavender in bath water; or two to four drops in three cups of boiling water (for inhaling the steam). Use one to two teaspoons of dried lavender flowers to one cup of water for tea.

Leeches

Common uses:

To relieve the pain of osteoarthritis of the knee; to drain blood around skin grafts

Leech therapy is used in Ayurvedic medicine, and it's a widespread treatment for knee pain in Germany. Analgesic and anesthesizing components in the leech saliva may produce the effect. In the past several decades, doctors have also found leeches useful in draining excess blood from serious wounds such as those created by skin grafts. Leeches secrete hirudin, a blood thinner that breaks up the blood by helping it drain from the wound, which, in turn, allows normal blood vessels to form. Indian researchers have had some success using leeches on varicose veins.

SCIENTIFIC EVIDENCE

In 2001, German scientists found that four leeches placed on the painful osteoarthritic knees of 10 patients for one hour resulted in 30 days of reduced pain. Those who had conventional therapy experienced no relief. The theory is that the leech saliva, which contains anesthetic and analgesic compounds, could have produced the result. [Ann Rheum Dis. 2003 Nov; 139 (9): 724-7300.]

In 2004, the FDA approved the marketing of leeches for medicinal purposes.

SIDE EFFECTS AND INTERACTIONS
- The "yuck" factor: Applying slimy creatures to skin may seem unpleasant to some people.

SAFETY CONCERNS
- Possible infection

DOSAGE

The researchers and doctors who have used leeches for therapy used several leeches at a time for an hour or more. In the case of blood draining, the leeches fill with blood and drop off after several hours and must be replaced.

FINDING A PRACTITIONER

Right now, leeches are only being used in studies or in specific circumstances like skin grafting. It may be difficult to find a practitioner.

Lipase

Common uses:

To help the body absorb food more easily; to treat auto-immune disorders such as rheumatoid arthritis and lupus; also celiac disease, indigestion, foods allergies and cystic fibrosis

Lipase is a digestive enzyme that breaks down fats, particularly triglycerides, so that they are more easily absorbed into the intestines. Lipase is produced primarily by the pancreas, but also in the mouth and stomach. Lipase supplements in tablets or capsules are usually from animal enzymes although there are also plant lipases available.

SCIENTIFIC EVIDENCE

Although no studies have been done connecting lipase supplements to relief of rheumatoid arthritis or lupus, some clinicians prescribe it. Pancreatic insufficiency, a condition in which the pancreas does not secrete enough chemicals and enzymes for normal digestion, frequently occurs in lupus, cystic fibrosis, ulcers, celiac disease and Crohn's disease. According to a study at the Oklahoma University College of Medicine, people with lupus, rheumatoid arthritis or Sjögren's syndrome often have antibodies to lipase, which in the lupus patients may contribute to high triglyceride levels. [Arthritis Rheum. 2002 Nov; 46 (11): 2957-63.] More studies exist indicating lipase's role in digestion and celiac disease. In a double-blind study, subjects who stuffed down almost 1,200 calories of high-fat cookies experienced significant relief in bloating and fullness after taking lipase, a response that could be helpful to those with irritable bowel syndrome. [Dig Dis Sci. 1999 Jul; 44 (7): 1317-21.] In children with celiac disease, those treated with lipase had significantly higher weight gain (a good thing) compared to those treated with placebo. [Dig Dis Sci. 1995 Dec; 40 (12): 2555-60.]

SIDE EFFECTS AND INTERACTIONS
- Orlistat (*Xenical*), a medication used to treat obesity, blocks the action of lipase.

SAFETY CONCERNS
- None known

DOSAGE
One to two capsules of 6,000 LU (Lipase Activity Units) three times daily.

Low Energy Laser Therapy (Cold Laser Therapy)

Common uses:

To treat osteoarthritis; to increase speed, quality and strength of tissue repair; to relieve pain and inflammation

Low-energy laser therapy was introduced about ten years ago as a treatment for osteoarthritis. But it's still unclear how effective it is. The therapy is the application of red or near infrared light over injuries to improve healing and relieve acute and chronic pain. Red light increases the production of ATP, the body's molecules that story energy, which offers the cell more energy for healing.

SCIENTIFIC EVIDENCE

Research is increasingly showing laser therapy's effectiveness. But many of the early studies lacked proper controls. A Cochrane review of five trials found that, although there were some positive effects, it was unclear which factors of the treatment had the effect: wavelength, duration, dosage or site of application (nerves instead of joints). [The Cochrane Library, Issue 2, 2004.] Researchers challenged the review, indicating a bias because the review only included trials with negative results. [Photomed Laser Surg. 2005 Oct; 23(5): 453-8.] Another review of 14 trials found that patients' chronic joint pain was cut in half compare to no change in the control group. [Australian Journal of Physiotherapy. 2003; 49: 107-116.] Another study showed pain halved for 10 weeks. [Lasers in Surgery and Medicine. 2003; 33: 330-338.] A randomized, placebo-controlled, double-blind crossover study using laser and sham therapy on patients with Raynaud's phenomenon found after three weeks with five days of treatment each week that significant reductions of attacks and intensity were found in those receiving laser therapy. [J Rheumatol. 2004: 31(12): 2408-12.]

SIDE EFFECTS AND INTERACTIONS

None

SAFETY CONCERNS

- You should wear goggles to prevent any harm to your eyes.

- If you are pregnant, you should not expose any area surrounding the fetus to laser therapy. Male genitals and malignancies should also not be exposed.

DOSAGE

Treatments can last from seconds to minutes. Studies indicate that it may be more effective to receive lower doses at multiple intervals than treatment with a single large dose.

FINDING A PRACTITIONER

Ask your doctor for a referral to a doctor trained in laser therapy.

Magnesium

Common uses:

To maintain muscle and nerve function; to keep heart rhythm regular; to strengthen teeth and bones; to alleviate premenstrual syndrome; to reduce fatigue and insomnia

Low levels of magnesium are linked to osteoporosis; high blood pressure, heart attacks, strokes, diabetes and migraines. The mineral is found in artichokes, oatmeal, wheat germ, brown rice, almonds, cashews, hazelnuts, sunflower seeds, beans, Swiss chard and mineral water. Magnesium is considered a natural tranquilizer that relaxes skeletal muscles as well as the muscles of blood vessels and the gastrointestinal tract.

SCIENTIFIC EVIDENCE

Many effects of magnesium deficiency have been verified by studies. In a Canadian study, patients with rheumatoid arthritis were found to lack magnesium, a finding replicated in other studies. [J Rheumatol (Canada). 1996; 23 (6): 990-4.] And stress, an emotional and physical factor in arthritis, increases the need for magnesium. [J Am Coll Nutr (USA). 1994 Oct; 13 (5): 429-46.]

SIDE EFFECTS AND INTERACTIONS

- Excess can cause diarrhea, confusion, muscle weakness, nausea, irregular heartbeat and low blood pressure.
- May make some antibiotics less effective.
- May reduce the effects or absorption of some diuretics, antibiotics, bone drugs and iron. Fiber may increase its absorption.

SAFETY CONCERNS

- See Side Effects above.

DOSAGE

Do not take more than 350 mg daily in supplement form. Acidity aids absorption so take magnesium between meals or before bed.

Magnet Therapy

Common uses:
Relieving pain.

Magnet therapy has been used for centuries. In fact, some say Cleopatra even used magnets. Although no one knows how they work (or even if they work), in theory, the magnetic fields of the magnets penetrate the body, increasing circulation around painful areas or interfering with pain signals. Therapeutic magnets are many times stronger than household magnets. Magnet strength is measured in gauss. A refrigerator magnet is about 60 gauss. Therapeutic magnets range from 300 to 4,000 gauss. They come in strips that can be attached to the body, shoe insoles, mattress pads or car seats. The costs can range from $25 for a small magnet to $800 for a magnetic mattress pad. Low-level magnets are not effective.

SCIENTIFIC EVIDENCE

Early studies have been mixed but recent studies have been more positive, at least in treating arthritis. In a randomized, placebo-controlled trial on 194 people with arthritis wearing a standard-strength static bipolar magnetic bracelet, a weak magnetic bracelet or a dummy bracelet for 12 weeks showed a greater reduction in pain scores for those wearing magnetic bracelets, but with concerns results were due to a placebo-effect. [BMJ. 2004 Dec 18; 329 (7480): 1450-4.] In a double-blind, placebo-control trial, patients with osteoarthritis of the knee had significantly less knee pain than the placebo group after six weeks. [Altern Ther Health Med. 2004 Mar-Apr; 10 (2): 36-43.] Another double-blind clinical study showed that those with osteoarthritic knees had considerably less pain after treatment sessions than the placebo group. [Altern Ther Health Med. 2001 Sep-Oct; 7 (5): 54-64, 66-9.] And fibromyalgia patients who slept on magnetic pads for six months had significantly less pain than the placebo group, but remained similar to the placebo group in the number of tender points they reported and in their ability to function. [J Altern Complement Med. 2001 Feb; 7 (1): 53-64.]

SIDE EFFECTS AND INTERACTIONS

- You may feel tingling in the part of the body closest to the magnet.

- If magnets do increase circulation, they may cause medications to be absorbed more quickly so watch for any changes in how you feel.

SAFETY CONCERNS

- Do not use if you are pregnant.

- Do not use if you have a pacemaker or implanted defibrillator, or if you are near anyone with those devices.

- Do not sleep on a magnetic mattress pad for more than eight hours.

- Turn off any electrical equipment such as electric blankets that may be sensitive to magnetic fields.

DOSAGE

Therapeutic magnets range from 300 to 4,000 gauss. Therapy may be anywhere from five minutes to several hours a day.

FINDING A PRACTITIONER

Practitioners need no certification. It's best to get a referral to a therapist from your doctor or from an allopathic pain management specialist.

Manganese

Common uses:

To help combat arthritis; keep bones strong; reduce fatigue and irritability; improve muscle reflexes and memory

Manganese is a naturally occurring metal that helps fight fatigue and jangled nerves, improve reflexes and boost memory. It also helps your body process glucosamine, a natural body substance that helps build and repair cartilage. Manganese is important for many functions including skeletal development; sex hormone production; digestion and conversion of food to energy. Foods high in manganese are bran, whole grains, nuts, leafy vegetables and wheat germ. Manganese deficiency is very rare.

SCIENTIFIC EVIDENCE

At least two studies demonstrate the effectiveness of manganese in treating osteoarthritis if used in combination with glucosamine and chondroitin. In a randomized placebo-controlled study of glucosamine, chondroitin and manganese, researchers found that that the combination was effective in treating mild to moderate osteoarthritis of the knee. [Osteoarthritis Cartilage. 2000 Sep; 8 (5): 343-50.] A 16-week randomized, double-blind, placebo-control crossover trial that also combined the three concluded that the combination relieves symptoms of osteoarthritis in the knee or low back. [Mil Med. 1999 Feb; 164 (2): 85-91.]

SIDE EFFECTS AND INTERACTIONS

- Oral contraceptives and antacids may interfere with manganese absorption.

- Manganese may inhibit the absorption of iron, copper and zinc.

SAFETY CONCERNS

- At high levels manganese can cause damage to the brain, liver, kidney and a developing fetus. Symptoms of overexposure include mental and emotional disturbances and clumsiness.

DOSAGE

Upper limit (UL) level is 2.6 mg for adults, including pregnant and nursing women.

Massage

Common uses:
To relieve pain, stress and stiffness

Massage therapy is an ancient practice, used even by Hippocrates, the father of medicine, as early as 430 B.C. It is part of Indian Ayurvedic medicine, and practiced in Europe and Asia as well. Doctors often recommend it for those with arthritis: It relaxes muscles, lessens pain, and helps relieve stress and tension. According to a 2003 survey by the American Massage Therapy Association, massage is the second most sought-after form of pain relief, following medication. Of those surveyed, one in five had received a massage within the past year, a 13-point jump since 1997.

There are more than 100 kinds of massage. Some of the more common forms include:

- Deep tissue massage: This method involves placing pressure on deep muscles and tissue, working in strokes across the grain, using fingers, thumbs and elbows. It can help tight muscles loosen but you can also feel sore afterwards.

- Myofascial release: Therapists apply gentle pressure to stretch the fascia, the connective tissue that covers muscles. It is often used for fibromyalgia.

- Reflexology: The therapist applies pressure with the tips of his fingers or thumbs to the feet, hands, and ears to improve function throughout the body. The theory is that energy flows through ten channels or zones ending in the hands or feet. And each zone links parts of the body to specific areas on the hands and feet. This gentle massage is a good choice for those who might find other massage painful.

- Shiatsu: Shiatsu also focuses on the flow of energy in the body. Body energy, or qi flows along pathways, or meridians, and illness is the result of blocked energy. As in acupuncture and acupressure, the therapist applies pressure to certain points on the meridians to restore energy flow.

- Skinrolling massage: The therapist gathers a roll of skin and moves across the underlying fascia to break adhesions that might be binding tissue layers and nerves. Although it can be very painful at first, some claim it offers long-lasting relief.

- Spray and stretch: The therapist applies a coolant spray like flouri-methane to a painful area and then gently stretches the muscles there. This is a therapy favored by physical therapists and medical doctors.

- Swedish massage: This is what most people think of as traditional massage. The therapist strokes, kneads and shakes muscles all over the body to relieve tightness. It increases circulation to muscles and joints and is also very relaxing.

- Trigger point therapy: The therapist applies strong finger pressure on specific spots to release knots of tension or pain. This can be painful if the pressure is too strong.

SCIENTIFIC EVIDENCE

The results of formal studies are equivocal, despite lots of anecdotal evidence that massage is helpful, at least in the short term. A 2002 review of studies founds that massage is particular helpful for back and neck pain when compared to placebo but not any more effective than physical therapy or exercise. [Med Clin North Am. 2002 Jan; 86 (1): 91-103.] A British review was more lukewarm, noting that results were promising but the evidence was not clear that massage could control pain. [Clin J Pain. 2004 Jan-Feb; 20 (1): 8-12.] A 2002 study also found people with fibromyalgia experienced less pain, a decrease in substance P and improved sleep after two 30-minute massages weekly for five weeks. [J Clin Rheumatol. 2002 Apr: 8(2): 72-76.]

SAFETY CONCERNS

- Some types of massage can worsen high blood pressure, osteoporosis or circulation problems. Ask your doctors before trying.

- Do not have a massage if you are having a flare or are coming down with an illness. Do not massage areas where skin is broken, sore or painful.

- Tell the therapist if you are pregnant.

FINDING A PRACTITIONER

Ask your physician to refer you to a therapist. Or you can contact one of the following institutions for a referral:

- The National Certification Board for Therapeutic Massage and Bodywork
  (800) 296-0664
  www.ncbtmb.com
- The American Massage Therapy Association
  (847) 864-0123 or (877) 905-2700
  www.amtamassage.org

Meditation

Common uses:
To relieve pain, stress and anxiety

Meditation is defined as an intentional but relaxed state of awareness. It has been practiced for centuries by many cultures including those of India and Asia. In the U.S. the closest practice to meditation is prayer. Meditation involves sitting in a quiet place and focusing on a single object, thought or sensation such as breath, a sound, a phrase or an image. Another form involves cultivating "mindfulness" or an awareness of the present moment.

The approach, often used in stress reduction programs, may begin with a focus on breathing and expand to awareness of feelings throughout the body. In any form of meditation, if your attention wanders, you refocus and begin again. Research has confirmed that meditation can slow heart rate, lower blood pressure and the levels of stress hormones. Harvard University professor Herbert Benson has dubbed the effect "the relaxation response."

Some people find it hard to sit still long enough to learn a meditation technique. In that case, try meditating as you walk.

SCIENTIFIC EVIDENCE

A number of studies show that meditation can have healthful and long lasting results, decreasing activity in the sympathetic nervous system, the system that controls reaction to stress. Meditation decreases heart and breathing rates, lowers blood pressure and stress hormones, and relaxes brain waves. In fact, in a study using an MRI to view the brain's response to pain found 40 to 50 percent fewer voxels responding to pain after participants used transcendental meditation they had learned and practiced for five months. [Neurorepot. 2006 Aug 21; 17(12): 1359-63.] A 2005 study of people with chronic lower back pain reviewed the use of breath therapy, a mind-body therapy integrating body awareness, breathing, meditation and movement, and discovered significant improvement in pain and disability levels. [Altern Ther Health Med. 2005 Jul-Aug; 11(4): 44-52.] A study that taught patients meditation or relaxation techniques found those of those who practiced 20 minutes daily for two weeks experienced less pain and anxiety and improved mood and spiritual health after spiritual meditation as opposed to secular meditation or relaxation. Patients also tolerated pain almost twice as long. [J Behav Med. 2005 Aug; 28(4): 369-84.] When 28 patients with fibromyalgia practiced mindful meditation weekly for eight weeks, they had a significant reduction in pain, fatigue and sleeplessness. They also had a lift in spirits and were able to function better. [Altern Ther Health Med. 1998 Mar; 4 (2): 67-70.] Another pilot study concluded that meditation (along with education and Qi Gong, a Chinese movement therapy) significantly lessened pain and tender points. [Arthritis Care Res. 2000 Aug; 13 (4): 198-204.] A similar study, however, indicated that the combination of meditation and Qi Gong was no more effective than an education support group. [J Rheumatol. 2003 Oct; 30 (1): 2257-62.]

SAFETY CONCERNS

- Meditation can raise powerful emotions, so choose an experienced instructor.

- If you feel uncomfortable with one type of meditation or class, choose another.

FINDING A PRACTITIONER

Meditation instructors are not licensed or certified. Some mental health professionals incorporate meditation into their practices. And meditation is offered at some hospitals, and spiritual and meditation centers. Ask your instructor about his training before you begin.

Melatonin

Common uses:

To treat insomnia and jet lag; migraine headaches; also used as an antioxidant

Melatonin is a hormone produced by the pineal gland, which lies within the brain. Melatonin regulates sleep; the gland releases more melatonin when it's dark and less during daytime hours. As we age, the pineal gland secretes less melatonin.

Melatonin supplements are synthetic versions of the hormone. It is not addictive and is used to relieve insomnia and jet lag. Although people with fibromyalgia take melatonin to sleep better, people with autoimmune diseases like lupus should not use it. And its effects aren't clear so it should be taken under your doctor's supervision.

SCIENTIFIC EVIDENCE

Multiple studies show that melatonin is effective for jet lag and for helping night workers adjust to new sleeping patterns. Other studies indicate it can be an effective sleep aid, especially in the elderly and in those with a low level of melatonin. A recent study indicated melatonin is effective as an antioxidant, has immune-enhancing properties and is efficient in the treatment of major depressive disorder and bipolar affective disorder. [FEBS J. 2006 July; 273(13): 2813-38.]

There are a number of studies that suggest melatonin levels plays a role in rheumatoid arthritis. In particular, they may have overly high nighttime levels of melatonin. Italian researchers found melatonin altered circadin rhythms in people with rheumatoid arthritis and plays a role in disease symptoms. [Automimmune Rev. 2005 Nov; 4(8): 497-502.] In a review of animal studies, researchers concluded that low melatonin doses in rats with induced rheumatoid arthritis produced less alteration of 24-hour rhythms including those of the immune system, and less inflammation than in rats given high doses of melatonin. [Curr Drug Targets Immune Endocr Metabol Disord. 2004 Mar; 4 (1): 1-10.] [Neurosignals. 2003 Nov-Dec; 12 (6): 267-82.]

Fibromyalgia patients who took melatonin for four weeks in a pilot study had less pain and improved sleep. [Clin Rheumatol. 2000; 19 (1): 9-13.] But another study indicated that fibromyalgia patients had significantly higher melatonin levels at night compared to those without fibromyalgia, leaving no reason for giving those with fibromyalgia melatonin supplements. [J Rheumatol. 1999 Dec; 26 (12): 2675-80.]

SIDE EFFECTS AND INTERACTIONS

- May cause drowsiness 30 minutes after taking.

- May cause headache, stomach upset, lethargy and disorientation.

- May induce post-nap grogginess, vivid or unpleasant dreams, and a worsening of insomnia.

- High doses may disturb your body clock and alter the production of other hormones. It may also affect a woman's menstrual cycle and fertility.

- Taken with sedatives, antihistamines, muscle relaxants, alcohol or narcotic pain relievers, melatonin may cause excessive drowsiness. The same is true if taken with herbs such as valerian, chamomile and kava.

• May increase blood pressure and heart rate in those taking antihypertensive medications.

SAFETY CONCERNS

• There is no evidence of its long-term safety. And because it is a hormone, it can have a number of effects. Talk to your doctor before taking, especially if you are taking other medications.

• Do not take it if you are also taking corticosteroids or birth control pills.

• If you have kidney disease, epilepsy, diabetes, depression, an autoimmune disease, serious allergies, heart disease, leukemia or multiple sclerosis, you should not take melatonin.

• Do not drive or do dangerous tasks while taking melatonin.

• Pregnant and nursing women should not take melatonin. Nor should children and teenagers.

• Buy synthetic melatonin only; melatonin from animal glands carry the risk of contamination.

DOSAGE

0.3 to 5 mg before bedtime for no longer than 2 weeks. However, start with a smaller dose; doses as low as 0.1mg are effective for some people.

Misai Kuching

Common uses:

To treat gout, arthritis, diabetes, kidney stones and hypertension; also used as a diuretic

Misai kuching is an herb that grows in Malaysia that has been used as a remedy for centuries for everything from gout to kidney stones. It began to interest researchers at the start of the 20th century when it became popular in Europe as an herbal tea. It's thought to have an anti-inflammatory effect and to also flush out acids that inflame joints. Uric acid build-up is a major cause of gout, a painful form of arthritis where uric acid crystals collect and settle in joints such as the big toe.

SCIENTIFIC EVIDENCE

- Few scientific studies have been done on misai kuching. The most definitive Malaysian study suggests that the herb may be useful in inhibiting the formation and growth of kidney stones, in part by reducing the production of uric acid. [Sahabudin Raja Mohamed, Hospital Kuala Lumpur.]

SAFETY CONCERNS

- None reported

DOSAGE

Since so little research has been done on this herb, the dosage amount is unclear. People drink it as a tea.

MSM (methylsulfonylmethane)

Common uses:

To treat arthritis, back pain, muscle pain and pain from repetitive stress injuries, as well as allergies

MSM is an organic sulfur compound found in the blood and most foods, and formed in the breakdown of DMSO. [See DMSO, p.111]. Sulfur works with B vitamins to help nerve cells communicate. It's also an important nutrient for joints, and research suggests that people with arthritis may have low levels of sulfur in the joints. Other studies suggest that mineral baths high in sulfur help relieve arthritis symptoms. MSM itself is thought to have pain-relieving and anti-inflammatory properties, and it may help keep cartilage healthy. These qualities make it an attractive treatment for arthritis. However, there is little scientific evidence to support these claims.

SCIENTIFIC EVIDENCE

There is little evidence about MSM supplements; studies focus more often on the effects of sulphur in baths or nutrition. While no large, well-controlled human studies have been conducted, a 2006 pilot study on MSM's effects on people with knee osteoarthritis showed improved physical function and a reduction in pain. [Osteoarthritis Cartilage. 2006 Mar; 14(3): 286-94.] In an Arthritis Foundation-funded study presented at a 2005 meeting of the American Association of Naturopathic Physicians, researchers highlighted MSM provided modest pain relief in people with knee osteoarthritis, reporting 12 percent less pain and 14 percent more knee function than those taking placebo after 12 weeks. In a study of those with osteoarthritis, researchers found that three weeks of sulfur baths reduced oxidative stress and improved cholesterol readings compared to the control group. [Forsch Komplementarmed Klass Naturheilkd. 2002 Aug; 9 (4): 216-20.] A double-blind study of the effect of MSM on those with degenerative arthritis found an 82 percent improvement in pain at the end of six weeks compared to an 18 percent improvement in the control group. [Ronald M. Lawrence, UCLA School of Medicine, 2001.]

SIDE EFFECTS AND INTERACTIONS

- May cause upset stomach, diarrhea and headache.

- May cause rash.

- Should not be used with anticoagulants such as warfarin (*Coumadin*), aspirin, or blood-thinning supplements such as ginger or ginkgo biloba.

- Some experts advise those who have allergies to sulfa drugs and sulfites not to MSM. Others say it is safe.

SAFETY CONCERNS:

- The long-term effects are not known.

DOSAGE

500 mg to 1,500 mg two times a day taken with meals to avoid an upset stomach.

Myofascial Release

Common uses:
To relieve muscle tension, pain and emotional stress

Myofascial release is form of massage and stretching in which therapists use gentle pressure to loosen the fascia, the connective tissue covering muscles. It is helpful for those with arthritis. The therapy is relatively new, begun by an osteopathic physician in the 1970s, although its roots go back to the soft-tissue manipulations of osteopathy. It's also considered an offshoot of Rolfing, a form of deep tissue bodywork begun in the 1930s. (See Rolfing, p. 218.) For the past 20 years, practitioners such as physical therapists and chiropractors have adopted the method, using it as part of preventive care but also in pain management.

SCIENTIFIC EVIDENCE

Not a lot of research has been done on myofascial release, particularly on its relief of arthritis pain. However there are positive pain studies. A clinical trial found that in those with myofascial pain in the shoulder and upper back, this type of massage (along with several others) was effective in relieving trigger point pain and range of motion. [Arch Phys Med Rehabil. 2002 Oct; 83 (10):1406-14.] A large clinical trial of those with low back pain found that those treated with osteopathic spinal manipulation, including myofascial release, required less pain medication that those receiving standard medical therapy. [N Engl J Med. 1999 Nov 4; 341 (19): 1426-31.] However, a British review of multiple clinical trials on the effectiveness of chiropractic and massage therapy to reduce pain did not find convincing evidence. [Clin J Pain. 2004 Jan-Feb; 20(1): 8-12.] Many experts believe that myofascial release is not specific enough to relieve trigger point pain. Others feel it can be an effective treatment for arthritis.

SIDE EFFECTS AND INTERACTIONS

- Some people feel sore following treatment, but it should resolve within a day or two.

- You may become nauseous or lightheaded during the treatment. Drink plenty of water following the treatment.

SAFETY CONCERNS

- If you have had recent surgery, an injury or are pregnant, let the therapist know before the session begins.

- If you take anticoagulants or bruise easily, also let the therapist know.

FINDING A PRACTITIONER

See Massage, p. 173.

Myotherapy (see neuromuscular massage, p. 189)

N-p

Naturopathic Medicine

Common uses:

To encourage healthy living habits, allowing the body to heal itself; to prevent disease

Naturopathic medicine stems from the natural cures practiced in European spas in the 19th century. Bernard Lust, who founded the American School of Naturopathy, introduced naturopathic medicine into the United States in 1896. Naturopathy became very popular until the rise of pharmaceutical and high-tech treatments after World War II. It is currently making a comeback; approximately 1,500 naturopathic physicians practice nationwide.

The principle behind naturopathy is one of prevention: the practice encourages exercise and good nutrition, relying on the body's ability to heal itself. The focus is on the individual, not the disease. A naturopath looks for causes of disease in a person's lifestyle and then recommends changes to eliminate those causes.

Naturopathic physicians receive four years of training that includes homeopathy, clinical nutrition, manipulation, herbal medicine and hydrotherapy. They are not licensed to perform surgery or to prescribe drugs.

SCIENTIFIC EVIDENCE

As this book attests, a number of studies on treatments that compose naturopathy suggest they can be effective treatments for arthritic pain.

SAFETY CONCERNS

- Naturopathic medicine is not meant to treat serious diseases, nor can naturopaths prescribe medication. If you have rheumatoid arthritis, lupus or other severe rheumatic diseases, your naturopath should refer you to a rheumatologist.

- Do not stop taking your medication without consulting your physician first.

- Make certain you are seeing a licensed naturopath (ND).

FINDING A PRACTITIONER

Naturopathic physicians (NDs) train for four years in homeopathy, nutrition, manipulation, herbal medicine, and hydrotherapy. The following organization can help you find a licensed practitioner:

- The American Association of Naturopathic Physicians (866) 538-2267
  www.naturopathic.org

Neuromuscular Massage

Common uses:
To release trigger point knots of tension and pain

The therapy involves placing pressure for 10 to 30 seconds on trigger point sites (specific knots or muscle spasms of tension and pain). Trigger points usually occur within a tight band of skeletal muscle in the fascia, the sheath that surrounds the muscles, and can cause pain in other parts of the body when they are compressed. As the muscle relaxes, lactic acid is released and circulation to the muscle increases. The therapy is painful at first, so it's important to tell the therapist if your treatment becomes too painful. But the pressure usually alleviates the muscle spasm. Resulting soreness should only last a day or two. Myotherapy (deep muscle massage and stretching) and trigger point therapy are forms of this type of massage.

Myotherapy grew out of myofascial trigger point therapy begun in the 1940s. It was more widely developed in the 1970s by health and exercise expert Bonnie Prudden. Prudden eventually developed the most widely know certification program for myotherapists.

Trigger point release therapy is a system of neuromuscular massage therapy developed by the Colorado Institute of Massage Therapy. Therapists learn a number of techniques to release trigger points.

SCIENTIFIC EVIDENCE

The American Academy of Pain Management recognizes this therapy as an effective treatment for back pain caused by soft tissue injury such as muscle strain. And a number of studies have found massage in general to be an effective therapy for muscle-related pain. A randomized trial comparing acupuncture, therapeutic massage and self-care education found massage (which included trigger-point therapy and neuromuscular therapy) the most helpful at the end of 10 weeks, with improvements that persisted for one year. [Arch Int Med. 2001 Apr; 161 (8).]

SAFETY CONCERNS

- Do not use this therapy if you have a bleeding disorder that causes you to bruise easily.

- Do not apply pressure to a recent fracture, surgical incision or tumor.

- Avoid if you have any condition aggravated by deep pressure, such as a fibromyalgia flare.

FINDING A PRACTITIONER

Ask your doctor to refer you to a therapist who is certified in neuromuscular therapy. Myotherapists typically receive 1,300 hours of training; trigger point therapists 1,150 hours. For more information or help with referrals, contact:

- Bonnie Prudden Myotherapy, Inc.
  (800) 221-4634
  www.bonnieprudden.com

- Colorado Institute of Massage Therapy
  (888) 634-7347
  www.coimt.com

Noni Juice

Common uses:

Preventing cancer; relieving pain, inflammation and digestive difficulties; treating anxiety and heart disease

The noni plant is native to Indonesia, where it has been used for thousands of years to treat a wide range of illnesses and symptoms. Although little research has been done on the plant, a number of in vitro and animal studies in recent years suggest it may prevent cancer. It also contains chemicals called anthraquinones that help relieve constipation.

SCIENTIFIC EVIDENCE

Over the past decade, researchers have focused on noni juice's potential as a cancer preventive. Researchers at the University of Hawaii in a series of studies (in vitro and with mice) showed that noni juice enhances the immune system, which in turn enables an attack on tumor cells. [Phytother Res. 2003 Dec; 17 (10): 1158-64.] It also appears noni juice has an analgesic effect. [Planta Medica 56 (1990). 430-434.] A more recent study also suggests noni has heart-healthy benefits. Researchers found a significant reduction in total cholesterol and triglycerides in smokers who drank noni juice every day for a month. While the study was funded by the manufacturer of the juice, researchers suggested more research is warranted. [World J Gastroenteology. 2005 Aug; 11; 4578-60.]

SIDE EFFECTS AND INTERACTIONS

- Not much is known about its side effects. It may cause nausea and upset stomach.

- Noni may increase potassium in the body. People with kidney disease or who are taking potassium-sparing diuretics should not drink noni juice.

- Do not drink noni juice with coffee, tobacco or alcohol.

- The taste and smell of noni juice can be unpleasant. That's not true of the capsules, but drying noni fruit may change its effectiveness.

SAFETY CONCERNS

- Little is known about noni's safety. People with diabetes should avoid noni juice since its effect on blood sugar levels is unknown also.
- Pregnant and nursing women should avoid noni juice, again because its dangers are unknown.
- Cases of hepatitis induced by noni juice in Europe were reported in 2005 but the European Union approved it safe for consumption after further review.

DOSAGE

1 ounce on an empty stomach one half hour before meals twice a day.

Olive Leaf

Common uses:

To boost energy and the immune system; to improve heart health

Olive leaf has been used for thousands of years to treat a range of ailments. The leaf is from the olive tree, a small evergreen common in the Mediterranean. The active ingredient in the plant is called oleuropein, which battles the replication of pathogens like viruses, bacteria and parasites. It may also lower blood pressure and cholesterol and ease blood flow. People with autoimmune forms of arthritis, such as rheumatoid arthritis, may be curious about olive leaf because of its purported immune-boosting properties.

SCIENTIFIC EVIDENCE

Several studies have found that olive leaf lowers blood pressure in animals. For instance in a study on hypertensive rats, olive extract returned their blood pressures to normal. [Arzneimittelforschung. 2002; 52 (11): 797-802.] And Italian researchers have also found that the oleuropein in olive leaf kills a range of bacteria, fungi and viruses. [J Pharm Pharmacol. 1999 Aug; 51 (8): 971-4.] Yet another study found that oleuropein protects LDL, the good cholesterol, from oxidation, a process involved in heart disease. [Life Sci. 1994; 55(24): 1965-71.] European studies also suggest that olive leaf helps relax blood vessels, improving circulation, regulating heartbeat, and lowering both blood sugar and blood pressure. However, the bulk of studies have been animal or in vitro studies, and more studies are needed to test its effect on humans. Its effectiveness for boosting the immune system is unproven.

SIDE EFFECTS AND INTERACTIONS

None known

SAFETY CONCERNS

• Do not take if you are pregnant or nursing.

DOSAGE

An effective amount hasn't been established. To make tea, steep 2 teaspoons of dry leaves in one cup hot water for 20 minutes, three to four times per day.

Osteopathic Medicine

Common uses:

To treat all illness, with an emphasis on the musculoskeletal system

Osteopathic medicine straddles complementary and conventional medicine. Its doctors (DOs) are educated in almost the same way as conventional MDs. They are licensed to perform surgery and to prescribe medications, and they can specialize in various fields. The differences lie in emphasis. Osteopaths view the musculoskeletal system as the seat of health so your treatment may involve manipulative therapy. Illness, osteopaths believe, upsets the balance in that system. And they also believe that blood flow helps most conditions, and that manipulation can improve blood flow. Osteopaths are particularly helpful to those with arthritis since their skills combine expertise with the musculoskeletal system and conventional medicine.

SCIENTIFIC EVIDENCE

Osteopathy is considered especially effective at treating back pain. [J Am Osteopath Assoc. 2006 Jan; 106(6): 330-5.] A look at osteopathic manipulative treatment in six trials found the treatment produced significant reductions in pain during short-, intermediate- and long-term follow-ups as opposed to a control group. [BMC Muscoloskelet Disord. 2005 Aug 4: 6:43.] A study of 500 patients in an osteopathy practice found that those with acute symptoms did better than those with chronic symptoms. [British Journal of General Practice, 1993 Jan; 43 (366): 15-8.] Another pilot study compared those with low back pain who had osteopathic treatment plus management advice, and those who simply had management advice. Fifty percent of those who had osteopathic treatment had recovered after two weeks compared with 22 percent in the control group. That difference had lessened at the end of 12 weeks. [Spine. 1990 May; 15 (5).]

SAFETY CONCERNS

- If your osteopath plans to use manipulation, tell him if you are having a flare or increased symptoms.
- You may be sore for a day or two after manipulation.

FINDING A PRACTITIONER

You can find an osteopath through most hospitals and health clinics. You can also contact the following for information and referrals:

Pau D'arco

Common uses:
To treat vaginal yeast infections; eliminate warts; to boost immunity; as a cancer treatment

Pau d'arco comes from the inner bark of an evergreen (*Iapacho*) tree native to South and Central America. Although it was touted as possible treatment for cancer in the 1970s, its side effects – blood clots, anemia, nausea – were too severe for further human studies. Since then the most convincing evidence has centered on its antibacterial and antifungal powers. Some herbalists also feel it strengthens immunity, making it of interest to some people with autoimmune forms of arthritis.

SCIENTIFIC EVIDENCE

While there are no studies confirming many of the claims made for pau d'arco, researchers have found infection-fighting compounds in pau d'arco called napthoquinones, which kill certain bacteria, viruses and fungi. [Int J Antimicrob Agents. 2003 Mar; 21 (3): 279-84.] The antifungal property makes it effective for vaginal infections and other fungi-related conditions like athlete's foot and jock itch. A new study suggests it may inhibit cancer growth in patients with lung cancer. [Int J Oncol. 2005 Apr; 26(4): 1017-23.]

SIDE EFFECTS AND INTERACTIONS

- Pau d'arco can intensify anticoagulant medications.
- If it upsets your stomach, take it with foods. Stop taking it if it continues to cause upset.

SAFETY CONCERNS

- High doses can cause nausea, vomiting, excessive bleeding and other complications.
- Do not take for more than a week.
- Do not take if you are pregnant or breastfeeding.

DOSAGE

- For tea, use 1 teaspoon of loose, dried bark per one cup of water and boil for 15 minutes. Drink up to eight times per day.
- Extract: Follow directions on the label.
- Tincture: Take 20 to 30 drops, two to three times a day.
- Capsules: 1,000 mg three times a day.

Prayer

Common uses:

To help us cope with suffering and depression; to give comfort in illness and perhaps even aid healing

Religion is a very important and private issue to many Americans. According to Gallup polls, 95 percent of us believe in God or a universal spirit. Two-thirds of us pray at least once a day, and one-third of us pray about our health. Government funding of prayer research began in the 1990s, and since 2000 at least 10 studies have been carried out by places like the Mind/Body Medical Institute in Boston, Duke University and the University of Washington.

SCIENTIFIC EVIDENCE

The very abstraction of religion and faith makes it difficult to quantify its results in scientific studies. In many, researchers question whether the effect is due to religion and prayer per se or to increased social contact and positive attitudes that often accompany religious practice. Still, research suggests positive results. Several studies indicate that the positive use of religion can help deal with the stress of rheumatoid arthritis, including a Johns Hopkins review that found it had a direct positive effect, giving patients higher health perceptions, controlling disease activity and physical function, and improving emotional adjustment and resilience. [Arthritis Rheum. 2003 Dec 15; 49(6): 778-83.] A 2005 review of studies conducted between 1999 and 2003 was performed to review religious activity and its effects on overall health outcomes. The study used five randomized, controlled studies that met its criteria and found religious intervention such as intercessory prayer may improve success rates of in vitro fertilization, decrease the length of hospital stays and duration of fever in septic patients, reduced anxiety, and increased immune function and improved rheumatoid arthritis. The review also found prayer may decrease adverse effects in people with cardiac disease. [Explore (NY). 2005 May; 1(3): 186-91.] Another study focusing on well-being among women with breast cancer found those more spiritual had a greater sense of well being and meaning of life. Oncol Nurs Forum. 2006; 33(1): E1-7.] And a number of older studies indicate that people who attend religious services take better care of their health. [Am J Public Health. 1997 Jun; 87 (6): 957-61.] [Int J Psychiatry Med. 2002; 32 (1): 69-89.] A more recent study found frequent churchgoers had lower rates of chronic diseases like cancer than non-worshipers. [Int J Psychiatry Med. 2002; 32 (1): 69-89.] Another study found that in ill elderly patients, those who felt God had forsaken them or was punishing them had a 19 to 28 percent higher mortality rate than those without such a struggle. [Arch Int Med. 161, 1881-1885.] The association between religious involvement and depression is less clear. In a study of those with congestive heart failure, religious activity was associated with greater social support but only weakly related to less depression. [J Religion Health. 41 (3): 263-278.]

SAFETY CONCERNS

- Don't expect your religion to heal you, or feel that faith has failed you if your prayers for recovery aren't answered. The rewards of prayer stem from the process itself.

• Do not believe any spiritual leader who promises faith will heal you. And don't sign your savings over for that purpose.

DOSAGE

Of course, no one knows what the effective "dosage" is when it comes to religion, which is one more factor that makes it tough to study and quantify.

Prolotherapy

Common uses:
To manage joint pain; to strengthen joints and ligaments

The method has its origins in ancient times, when Hippocrates (the father of modern medicine) thrust a hot lance into the joint of injured javelin throwers' shoulders. The resulting scar tissue made the joint stronger. The modern version of the therapy began in an injection technique called sclerotherapy first used in the 1920s to treat hernias and hemorrhoids, a use expanded to back ailments in the 1940s. The term prolotherapy began in the 1950s to describe injections for pain management and for strengthening joints and ligaments.

The therapy works this way: After an injection of dextrose or saline into ligaments or tendons, the area becomes inflamed. The inflammation starts the body's healing response and promotes growth factors, which lay down new tissue and trigger the growth of new blood vessels and the flow of nutrients.

SCIENTIFIC EVIDENCE

Unfortunately studies to date have been inconclusive. A 2005 review found the use of prolotherapy in the treatment of musculoskeletal pain or sports-related soft tissue injuries did not have high-quality data to support it. In a 2004 review of seven studies, three had inadequate controls, two were too small to be conclusive, and two others had no control groups. Only case reports supported pursuing more controlled studies on the use of prolotherapy and chronic neck pain. [Am J Phys Med Rehabil. 2004 May; 83(5): 379-89.] Other reports are more positive. A small study of prolotherapy for osteoarthritic thumb and finger joints found it effective in the treatment of pain during movement. [J Altern Complement Med. 2000 Aug; 6 (4): 311-20.] And a double-blind study concluded that prolotherapy resulted in significant improvement in pain, swelling and movement for those with knee osteoarthritis. [Altern Ther Health Med. 2000 Mar; 6 (2): 68-74, 77-80.]

SIDE EFFECTS AND INTERACTIONS

- Avoid caffeine, alcohol and anti-inflammatory drugs during treatments. They may reduce the effectiveness of the treatments.

SAFETY CONCERNS

• Injections should only be given by a physician, osteopath or a naturopath (in states where licensed to do so) who has training in the technique.

FINDING A PRACTITIONER

There is no legal credentialing required since the method is included in any state medical license. Most doctors are trained by other doctors. You can also call the following training organizations for information or a referral.

• The American Association of Orthopaedic Medicine
(800) 992-2063
www.aaomed.org

• American College of Ostepathic Sclerotherapeutic Pain Management Inc.
(302) 376-8080
http://acopms.com

Pulsed Electromagnetic Therapy

Common uses:

To stimulate healing of bone fractures and wounds; pain reduction

A Swiss physician began magnetic therapy in the 16th century, using magnets to treat epilepsy, diarrhea and hemorrhage. Modern research suggests that the therapy can be effective in stimulating repair of bone fractures and soft tissue injury. The theory is that injury changes the electric impulses between cells and that a pulsating electromagnetic field helps return those impulses to normal. The therapy may address pain by blocking the pain signals via electric signal changes.

SCIENTIFIC EVIDENCE

Several studies suggest the therapy is effective at blocking pain signals. [Elsevier Biomedical Press, Pain Therapy 1983.] The USDA has approved the therapy for treating bone fractures. And the treatment's effectiveness is borne out by at least two double-blind studies. [J Bone and Joint Surg (BR). 1990; 72: 347-355. [Spine. 1990; 15: 708-712.] A contradictory study, however, shows delayed healing of fractures in rabbits when the therapy was used. [Clin Orthop. 1979; 145: 245-51.] In the treatment of osteoarthritis, a Cochrane Review of three studies incorporating 259 people found it produced a 13 to 23 percent improvement in knee osteoarthritis over placebo. [Cochrane Database Syst Rev. 2002; (1): CD003523. While a Danish study found the treatment used twice a day, five days a week for six weeks did not demonstrate a beneficial effect on knee osteoarthritis in all patients, it had a significant effect on people younger than 65. [Osteoarthritis Cartilage. 2005 Jul; 13(7): 575-81.] A German double-blind study found patients with knee osteoarthritis did well on the therapy, with the least significant results at the end of the six-week study. [Z Orthop Ihre Grenzgeb. 2005 Sep-Oct; 143(5): 544-50.]

SIDE EFFECTS AND INTERACTIONS

None known

SAFETY CONCERNS

None known

FINDING A PRACTITIONER

Get a referral from your doctor of someone trained in the therapy.

Q-s

Qi Gong

Common uses:

To promote health and self-healing

Qi gong is an ancient system of meditation, breathing exercises and movement used to aid the flow of energy, or qi through the body. The exercises are fairly easy to do and can be done comfortably by those with arthritis – or even by someone in bed or a wheelchair. Classes begin with meditation and breathing exercises to help you quiet your mind and body so that you can focus on the flow of energy in your body. Ideally, qi gong should be practiced daily. It's thought that regular practice reduces stress and improves well-being. Although there are few verifying studies, practitioners believe it strengthens the immune system, decreases heart rate, lowers blood pressure and relieves pain.

SCIENTIFIC EVIDENCE

A number of studies show qi gong can reduce pain and stress. In fact, a German review of studies on qi gong and low back pain suggested it one of the most effective means of prevention. [Wien Med Woehenschr. 2004; 154(23-24): 564-7.] Another randomized, controlled trial of breath therapy for patients with chronic low back pain found after six to eight weeks and 12 sessions, breath therapy or physical therapy both reduced pain, but those involved in breath therapy also improved in physical and emotional function. [Altern Ther Health Med. 2005 Jul-Aug; 11(4): 44-52.] Participants with fibromyalgia in a study at the University of Maryland combining qi gong with mindfulness meditation found their pain lessened, and their depression, coping skills and functioning improved, changes that lasted at least six months following the study. [Altern Ther Health Med. 1998 Mar; 4 (2): 67-70.] A Japanese study of the Nishino breathing method significantly reduced stress after just one class. [J Altern Complement Med. 2005 Apr; 11(2): 285-91.] And a 2005 study out of Sweden investigated whether the combination of qi gong and group discussion would increase physical ability in patients with coronary artery disease with positive results. [Eur J Cardiovasc Prev Rehabil. 2005; 12(1): 5-11.]

SIDE EFFECTS AND INTERACTIONS
None

SAFETY CONCERNS

- Don't overexert when doing these exercises. Most teachers agree that the focus on energy is more important than the physical exercise.

- If you are pregnant, do only mild exercise and only under the instruction of experienced teachers.

- Avoid if you have a tendency to become dizzy.

FINDING A PRACTITIONER

No certification is required so look for someone affiliated with a reputable health center. Also, the *Qi Journal* Web site offers a list of teachers: www.qi-journal.com.

Quercetin

Common uses:

To reduce cancer risk, prevent heart attacks and cataracts; to ease asthma; to reduce inflammation from Crohn's disease; to prevent gout; to lessen heartburn

Found in apples, onions, and black tea, quercetin is a flavonoid (plant pigment) and antioxidant that combats the free radical molecules that play a part in many diseases. Antioxidants are often cited as possibly preventing the joint and tissue damage that may be associated with arthritis. Quercetin also inhibits the buildup of a kind of blood sugar that leads to cataracts. It may also help prevent heart attacks.

SCIENTIFIC EVIDENCE

Although most current studies of quercetin have not been on human subjects, research demonstrates positive findings in a variety of treatments. A number of studies suggest that quercetin may be effective in preventing heart disease. A 2006 study found a combination of a chemical found in turmeric and quercetin resulted in a reduction of colon cancer polyps by 60 percent, and a decrease in polyp size by 50 percent. [Clin Gast Hep.

Aug 2006; 4: 1035-38.] A 2002 study of 5,000 black tea drinkers showed that daily consumption reduced the risk of heart attack. [Am J Clin Nutr. 2002 May; 75(5):880-6.] Researchers at Cornell have found that quercetin protects brain cells against oxidative stress, the tissue-damaging process associated with Alzheimer's disease. [C.Y. Lee, Journal of Agricultural and Food Chemistry. 2004.] A randomized, double-blind study indicated that daily doses of quercitin for 12 weeks increased healthy blood flow in the legs. [Arzneimettelforschung. 50: 109-117.] A number of studies have shown its effectiveness in combating cancer as well. For instance, a Mayo Clinic research study showed that quercetin blocked hormone activity, which in turns helped prevent or stop prostate cancer cells. [Carcinogenesis. 2001 March.]

SIDE EFFECTS AND INTERACTIONS

- If you take hormone replacement therapy, quercetin may increase estradiol and reduce the effectiveness of other forms of estrogen.

- Don't take quercetin if you take felodipine, a calcium channel blocker.

SAFETY CONCERNS

None known

DOSAGE

To prevent cancer, heart attack and cataracts, take 125 to 250 mg a day; for asthma, take 250 to 500 mg three times a day; for Crohn's disease, take 400 mg three times a day; for gout, 500 mg twice a day; for heartburn, 500 mg three times a day.

Reflexology

Common uses:
To relieve pain and stiffness

Modern reflexology began in the early 1900s when American physician William H. Fitzgerald used gentle pressure on the hands and feet to stimulate health benefits in what he thought were corresponding zones in the body. The massages still center on points on the feet, hands, and ears – appealing choices when a full-body massage might be painful. The theory behind the therapy is that energy channels run vertically through the body. Because hands and feet have lots of nerve endings, stimulating them may affect other parts of the body. At the least, the therapy is relaxing.

SCIENTIFIC EVIDENCE

Although there are few studies about reflexology, some do indicate its benefits. In a 2006 Korean study on its benefits on depression, stress and functions of the immune system, 46 women were trained to give themselves self-foot reflexology massage daily for six weeks, Results showed it reduced both stress and depression while strengthening immunity. [Taehan Kanho Hakhoe Chi. 2006; 36(1): 179-88.] In a study of 35 women with premenstrual syndrome (PMS), those treated with reflexology had more relief of their symptoms than the placebo group. [Obstet Gynecol. 1993 Dec; 82 (6): 906-11.] In another study of 220 Danish patients with tension or migraine headaches, 81 percent found that reflexology decreased or relieved their pain. [Altern Ther Health Med. 1999 May; 5 (3): 57-65.] And a number of Chinese studies show relief in those with arthritis. For instance, when 42 people with arthritis in their shoulders received foot reflexology treatments every day for 15 days, eight had no more pain, 14 improved, and 20 found it effective. [Beijing International Reflexology Conference (Report). 1996, p. 55] Oncology patients had less anxiety after reflexology treatments. [J Nurs Manag. 2006; 14(2): 96-105.]

SAFETY CONCERNS

- Reflexologists are not qualified to diagnose or treat diseases.

- If you have a foot injury, blood clots, thrombosis, phlebitis or other vascular difficulties, talk to your doctor before trying reflexology.

- If you are pregnant, consult your doctor before trying the therapy. If you choose to do the therapy, let the reflexologist know you are pregnant.

- If you have a pacemaker, kidney stones or gallstones, let the reflexologist know.

FINDING A PRACTITIONER

Get a referral from your physician, from a physical therapist, or other therapist that you trust. There are no state laws regulating the practice of reflexology but there are certification programs. For a referral to a certified practitioner, you can also contact the American Reflexology Certification Board, (303) 933-6921. www.arcb.net.

Reiki

Common uses:
To promote self-healing, pain relief and relaxation

Reiki (pronounced ray-key) is the channeling of spiritual energy through the practitioner's hands into the person receiving treatment. The theory is that the gentle laying on of hands breaks up blocked energy, rebalancing one's energy to promote healing. The term "reiki" comes from the Japanese "rei," which means universal, and "ki," meaning energy. Tibetan monks may have begun the practice, and it was introduced into Japan in the early 1900s. The deep relaxation induced by the therapy may also trigger the release of painkilling endorphins.

SCIENTIFIC EVIDENCE

Most research on reiki consists of case reports and small studies. However, several studies do show its painkilling effects. Patients with different kinds of pain, including pain resulting from cancer, had significant pain reduction after reiki treatment. [Cancer Prev Control. 1997 Jun; 1 (2): 108-13.] In a more recent study, cancer patients had less pain and better quality of life but no less pain medication following reiki treatment. [J Pain Symptom Manage. 2003 Nov; 26 (5): 990-7.] In a study of healthy people, reiki resulted in greater relaxation, less anxiety and lower blood pressure. [J Adv Nurs. 2001 Feb; 33(4):439-45.] A pilot investigation showed beneficial effects of reiki on agitation in persons with dementia. [Geriatr Nurs. 2006 Jan-Feb: 27(1): 34-40.] And when five patients with chronic illnesses including lupus and fibromyalgia received 11 reiki treatments over nine weeks, they experienced increased relaxation, less pain and increased mobility. [Brewitt, Vittetoe, Hartwell.] No recent studies have been conducted in its effects on arthritis, but two 1998 studies found benefits. One single-blind, randomized controlled trial using therapeutic touch found a significant decrease of pain and improved function in people with knee osteoarthritis. [J Fam Practi. 1998 Oct: 47(4): 271-7.] Another study found therapeutic touch improved function and ability as compared to routine treatments and progressive muscle relaxation techniques. Pain, tension, mood and satisfaction all improved after therapeutic touch. [Nurs Sci Q. 1998 Fall: 11(3): 123-32.]

SAFETY CONCERNS

• It should not be used in place of conventional care.

FINDING A PRACTITIONER

There is no national or state licensing for reiki. Ask your doctor, a physical or massage therapist you trust to recommend someone. There are three levels of reiki training. Training for the third one, or for Reiki Master, takes a year and is available only to those who have practiced the other two levels for at least 15 months. You can also contact the following organizations for referrals to a practitioner:

• The Reiki Alliance
(208) 783-3535
www.reikialliance.com

• American Reiki Institute
(253) 582-5314
www.americanreikiinstitute.com

Relaxation Techniques

Common uses:

To release tension and stress; to cope with pain and negative emotions

Muscle relaxation and breathing techniques can help you learn to recognize and then release tension. The techniques are easy to learn and you can practice them at home. Deep breathing techniques taught in yoga tai chi and qi gong classes focus on breathing slowly and deeply to turn off the fight-or-flight response, lower blood pressure, ease panic attacks and control pain. Progressive muscle relaxation involves tensing and relaxing various parts of your body, muscle by muscle, focusing on the difference between tension and relaxation. Another technique is called a body scan in which you focus on the feeling in different parts of your body, section by section.

SCIENTIFIC EVIDENCE

A good deal of evidence suggests these techniques are effective in easing pain, depression, and anxiety. In a review of 25 studies, psychological therapies including relaxation techniques appeared to be more effective for those who have had rheumatoid arthritis only a short time that those in whom the condition is long-standing. [Arthritis Rheum. 2002 Jun 15; 476(3): 291-302.] Sixty-eight patients with rheumatoid arthritis had more mobility and were able to function more easily after muscle relaxation training for ten weeks. The improvements lasted up to 12 months. [Scand J Rheumatol. 1999; 28 (1): 47-53.] However, a review of studies conducted between 1996 and 2005 using relaxation techniques to address pain deemed the studies inconclusive and poorly done. [J Nurs Scholarsh. 2006; 38(3): 269-77.]

SAFETY CONCERNS

- Tensing muscles may bring on cramps or pain at first. If you have rheumatoid arthritis or fibromyalgia and are experiencing a flare, start progressive muscle relaxation slowly. Tighten your muscles just enough to be aware of it and then release.

• Breathing exercises may make you lightheaded at first. Get up slowly after these or any relaxation exercise, checking your balance.

FINDING A PRACTITIONER

Ask your doctor to refer you to a physical or massage therapist or mental health practitioner who uses these techniques. Or check your local hospital and health organizations for stress reduction classes. You can also learn these techniques from audiotapes, videos and books.

Rolfing

Common uses:

To reduce stress, ease mobility, and reduce musculoskeletal and back pain

Rolfing is a form of deep-tissue bodywork created by biochemist Ida P. Rolf in the 1930s. She wanted her therapy to address the way body structure affected function. It's based on the theory that physical and emotional stress can throw the body out of alignment, causing muscles and connective tissue (fascia) to become inflexible. Rolfing uses strong pressure from the knuckles, knees, elbows or fingers to stretch tightened fascia back into shape and to make them more flexible.

SCIENTIFIC EVIDENCE

Although there are few formal studies about rolfing, massage therapy in general has been found effective in promoting relaxation and improving pain. In a review of manipulation techniques for rheumatic diseases, researchers concluded that they are useful as a way to break the pain cycle – particularly for back and neck pain – and increase tolerance of exercise. But massage appears no more effective than other techniques such as physical therapy. [Med Clin North Am. 2002 Jan; 86 (1): 91-103.]

SAFETY CONCERNS

- Do not use this technique if you have rheumatoid arthritis or other inflammatory conditions.

- If you are pregnant, work only with an experienced practitioner and be sure to tell him you are expecting.

FINDING A PRACTITIONER

Ask your doctor, physical or massage therapist to recommend someone. You can also contact The Rolf Institute of Structural Integration at (800) 530-8875 or on www.rolf.org.

Rosen Method

Common uses:
To release muscle tension, increase flexibility, to enhance physical and emotional awareness

The Rosen Method uses gentle touch to release muscle tension and to increase both inner and outer body awareness and experience. The originator of the method, Marion Rosen, developed the method through 50 years of work as a physical therapist and health educator. She noted that chronic muscle tension affects emotional health, and as tension is released, the patient can then explore the effect of and reasons for such chronic pain and tension. With the therapist's help, a patient can use his insights to break free of old patterns and become more receptive to new choices. Rosen began teaching her method in 1972 and now has 13 training centers.

SCIENTIFIC EVIDENCE

There have been no studies on the benefits of the Rosen Method although Rosen has been recognized by the International Somatics Congress for her contribution to the somatics field.

SAFETY CONCERNS

- The method can be a powerful experience, evoking emotions and memories. Check with your doctor before committing to the treatment, especially if you are receiving treatment for any psychological or medical condition.

FINDING A PRACTITIONER

Ask your doctor, physical therapist or a massage therapist you trust for a referral. You can also find practitioners through the Rosen Method Professional Association, www.rosenmethod.org. Certification takes two years of instruction followed by an internship lasting nine to 18 months. Many Rosen practitioners are also massage therapists. Talk to the practitioner before you commit to working with her, asking about her experience and background.

SAM or SAMe (S-adenosylmethionine)

Common uses:
To ease depression, treat fibromyalgia, osteoarthritis, migraine headaches

SAM (S-adenosylmethionine) is a natural compound in the body, produced from methionine, a sulfur-contaning amino acid, and from adenosine triphosphate (ATP), an energy-producing compound. SAM helps form neurotransmitters, including serotonin and dopamine (which help boost mood), and helps maintain levels of glutathione, an antioxidant that helps protects cells from damage. It is an effective anti-inflammatory and analgesic for people with osteoarthritis.

SCIENTIFIC EVIDENCE

A number of studies suggest that SAM is as effective as tricyclic antidepressants in addressing mild to moderate depression, and that it works faster (often within a week) and with fewer side effects. A systematic review of 11 studies researching the benefits of SAM as a treatment of depression found all the studies were short term, making the clinical translations difficult, but also finding a possible role for SAM to treat major depression in adults. [Clin Invest Med. 2005; 28(3): 132-9.] In December 2003, the Agency for Healthcare Research and Quality (AHRQ) reviewed 39 clinical trials and found SAM as effective as medication in treating patients for major depression. And a study at Massachusetts General Hospital found that SAM, taken simultaneously with antidepressants, was significantly more effective in relieving depression than the antidepressants alone. [American Psychiatric Association Annual Meeting, 2004.] Studies regarding SAM and fibromyalgia have been mixed. A double-blind, placebo-controlled study found that SAM had no effect on those with fibromyalgia. [Scand J Rheumatol. 1997; 26(3):206-11.] But in a more recent review of 16 randomized, placebo-controlled trials involving several antidepressants including SAM, reviewers concluded that fibromyalgia patients felt overall improvement. [J Gen Intern Med. 2000 Sep; 15 (9): 659-66.] Osteoarthritis studies have been more consistently positive. A double blind cross-over trial, for example, found that SAM was as effective as celecoxib (*Celebrex*) in managing symptoms of knee osteoarthritis, but some may dispute these findings. [BMC Musculoskelet Disord. 2004 Feb 26; 5(1):6.] A 2002 review of 11 studies showed SAM was effective for reducing pain and improving mobility in people with osteoarthritis. In fact, the participants often received the same benefit as they would on NSAIDs but were less likely to report adverse side effects. [J Fam Pract. 2002 May; 51(5): 425-30.] SAM can be expensive.

SIDE EFFECTS AND INTERACTIONS

• Large doses may cause upset stomach, nausea or insomnia.

• People with bipolar disorder should not take SAM; its antidepressant effects may cause mania.

• If you take antidepressants or anti-anxiety drugs, SAM may increase side effects. Talk to your doctor before taking.

• Avoid if you are taking monoamine oxidase inhibitors (MAOI). SAM may worsen Parkinson's disease.

• SAM works closely with vitamins B12, B6 and folate so it's important to get enough of the B vitamins when taking the supplements.

SAFETY CONCERNS

• Do not treat severe depression with SAM.

• Theoretically, SAM may raise levels of homocysteine, a body substance associated with heart disease and stroke. However, a recent study at Massachusetts General Hospital found that SAM reduced homocysteine. It may be wise to ask your doctor to take a baseline homo-cysteine reading and monitor its levels while taking SAM.

DOSAGE

200 to 800 mg twice a day. Buy enteric-coated pills and take on an empty stomach. To avoid insomnia, take early in the day. SAM won't work without folic acid and B12, so make sure you have enough of these nutrients or take a supplement that includes them.

Sea Cucumber

Common uses:

To fight infection; to improve muscle strength; to treat arthritis, inflammation, muscle pain and high blood pressure

Sea cucumber is a marine animal in the same family as starfish and sea urchins. Its sausage shape has earned it the cucumber moniker. In Asia people consider sea cucumbers a gourmet delicacy. But they have also been used for thousands of years as a medicine to help the body fight infection. They are also used to increase muscle strength, and to treat arthritis, inflammation, muscle pain and high blood pressure.

SCIENTIFIC EVIDENCE

Researchers believe that sea cucumbers improve the balance of prostaglandins, which control inflammation. They also contain substances such as chondroitins that help strengthen connective tissue and rebuild joint cartilage. However, there are no studies supporting sea cucumber's effectiveness in relieving arthritis.

SIDE EFFECTS AND INTERACTIONS

• At high doses, it may act as an anticoagulant.

SAFETY CONCERNS

• If you are pregnant or breastfeeding, taking any prescription or non-prescription medicine or supplements, or have any medical problems, especially heart or blood vessel disease, consult your doctor before taking.

• Stop taking if you have trouble breathing, hives, itchy skin or rash. You may be allergic to the medicine.

DOSAGE

Follow the dosage information on the bottle or consult with your doctor. Typical dosages are 500 to 2,000 mg per day, divided into morning and evening doses.

Selenium

Common uses:
To protect cells from oxidation damage; to boost the immune system

Selenium is an essential mineral low in people with rheumatoid arthritis and other inflammatory conditions. Only a tiny amount is necessary to help protect cells from oxidation damage and boost the immune system, yet it exists in nearly every cell in the body. Its protective activity may help prevent cancer, cataracts and macular degeneration; protect against heart attack and stroke; help heal cold sores and shingles; and fight inflammation associated with lupus.

The best food source is a Brazil nut, but it's also plentiful in seafood, poultry, meat and grains, especially oats and brown rice.

SCIENTIFIC EVIDENCE

Studies indicate that those with rheumatoid arthritis have lower levels of selenium in their blood than normal. [Biol Trace Elem Res. 1996; 53: 51-6.] Researchers suggest high body levels of selenium may reduce risk of knee osteoarthritis. In a study involving 940 subjects, those with the highest levels of selenium were 40 percent less likely to have osteoarthritis than those with the lowest levels, suggesting further research. [Presented at 2005 American College of Rheaumatology.] And several studies suggest that selenium may help relieve arthritis symptoms by controlling the levels of destructive free radicals. [Analyst. 1998; 123: 3-6.] But more studies are necessary to indicate whether those with arthritis should take selenium supplements.

In one such study, 70 people with rheumatoid arthritis who took selenium had a reduction in tender joints, swelling, and early morning stiffness. But they were also taking fish oil supplements.

SIDE EFFECTS AND INTERACTIONS

- May be most effective when taken in combination with 400 IU of vitamin E. It is recommended that people supplement selenium with vitamins A and E and beta carotene, as the nutrients work together to prevent free radical cellular membrane damage.

- May cause nausea, vomiting, diarrhea, loss of hair and nails, irritability, and central nervous system disorders, as well as breath odor.

SAFETY CONCERNS

- Take only in tiny doses. It can be harmful in large doses, and it is already in many multivitamins.

DOSAGE

50 to 200 mcg per day. The RDA is 55 mcg for women and 70 mcg for men. Doses of 900 mcg have been toxic. Most people get enough through diet alone. Symptoms of a deficiency include muscle weakness and fatigue.

Serrapeptase

Common uses:

To treat inflammation and respiratory conditions; to help prevent plaque build-up in arteries

Serrapeptase is an enzyme produced in the intestines of silk worms. Studies suggest it reduces both inflammation and pain, and physicians in Europe and Asia often use it in place of NSAIDs. It has also successfully treated cystic breast disease and sinusitis.

SCIENTIFIC EVIDENCE

Serrapeptase appears to be a natural anti-inflammatory, reducing inflammation in a number of tissues. There are no studies yet documenting serrapeptase's effectiveness for arthritis or for cardiovascular health. Research is more definitive regarding its role in cystic breast disease and sinusitis. In a double-blind study, 70 patients with fibrocystic disease found serrapeptase reduced breast pain, swelling and firmness compared to placebo. [Singapore Med J. 1989; 30 (1): 48-54.] In a multicenter, double-blind, randomized trial, 193 subjects with ear, nose or throat inflammation had a significant reduction in symptoms, including pain, after three to four days of treatment with serrapeptase. [J Int Med Res. 1990 Sep-Oct;18(5):379-88.] In a study of 66 patients, those who took serrapeptase following surgery had a 50 percent decrease in swelling by day three. The control groups had none. [Fortschr Med. 1989 Feb 10;107(4):67-8, 71-2.]

SIDE EFFECTS AND INTERACTIONS

None

SAFETY CONCERNS

None

DOSAGE

Follow dosage instructions on the bottle or check with your doctor. Take enteric tablets or the enzyme will be killed by acid in the stomach.

Shark Cartilage

Common uses:

To promote bone and cartilage health; to treat the pain and inflammation of arthritis; to treat cancer

Shark cartilage is a rich source of chondroitin and glycosaminoglycans (glucosamine-like compounds), natural substances thought to contribute to bone and cartilage strength and repair, and which act as anti-inflammatories. Shark cartilage is also rich in calcium. The cartilage has gotten the most attention for its ability to slow the growth of blood vessels that nourish tumors.

SCIENTIFIC EVIDENCE

Although there is evidence that both chondroitin and glucosamine support bone and cartilage health, there are few studies about shark cartilage and arthritis. In general, chondroitin supplements derived from shark cartilage are not recommended because the cartilage may contain metals. Shark cartilage has received the most attention as a possible treatment for cancer. A Mayo Clinic evaluation of shark cartilage in patients with advanced cancer was unable to prove efficacy. [Cancer. 2005 Jul 1; 104(1): 176-82.] Some animal and in vitro studies suggest that shark cartilage slows the formation of blood vessels in tumors, stopping their growth. But patient outcome hasn't been good in clinical trials, and researchers are unsure how well the body even absorbs shark cartilage. [Biol Pharm Bull. 2001 Oct; 24 (10): 1097-101.]

SAFETY CONCERNS
• Shark cartilage may contain toxic metals.

DOSAGE

Shark cartilage supplements are not recommended because of metal content.

Shiatsu

Common uses:
To ease muscle tension, aches and pains

Shiatsu (meaning "finger pressure") is a Japanese form of massage therapy much like acupressure. (See acupressure, p. 39). Practitioners use their fingers, thumbs, palms, elbows, knees and feet to apply pressure along the body's energy channels called meridians. The goal is to release blocked energy associated with illness. The scientific explanation is that shiatsu releases pain-killing endorphins and lowers stress hormones.

SCIENTIFIC EVIDENCE

Although there have been positive case studies, few clinical studies have been done on shiatsu. A 2005 study examining local back massage with automated massage chairs found people rated shaitsu and roll-stretch massages more pleasant than beat massage, and shiatsu rapidly induced relaxation in distant muscles not directly massage and was accompanied by lower stress and anxiety. [J Altern Complement Med. 2005; 11(6): 1103-6.] Another study of 66 people with lower back pain found shiatsu lowered pain and anxiety levels. [J Holist Nurs. 2001; 19(1): 57-70. There have also been positive studies about acupressure, shiatsu's therapeutic cousin, indicating that it can be effective at reducing pain.

SAFETY CONCERNS

- Avoid if you have an open wound, a rash or an infectious skin disease.

- Avoid if you are prone to blood clots; if you have recently had surgery or chemotherapy; if you have phlebitis or any circulatory ailment.

- Also avoid if you have a fracture or sprain.

FINDING A PRACTITIONER

Ask your physician or physical therapist to refer you to a practitioner, or contact the American Organization for Bodywork Therapies of Asia, (856) 782-1616 or www.aobta.org.

Spray and Stretch

Common uses:
To reduce tension and offer pain relief

Another massage technique, spray and stretch involves spraying a coolant such as flourimethane over a painful area to cool the blood vessels and inactivate the tender points. The therapist then gently stretches the muscles in that area. Afterward the muscles should feel looser and the patient should have greater range of motion. The technique is most often used by a physician or physical therapist. (See Massage on page 173.)

SCIENTIFIC EVIDENCE

There are no studies to confirm this method's effectiveness, although therapists recommend it and patients report relief. And massage in general has been found effective in relieving tension and pain.

SAFETY CONCERNS

• A practitioner should never press on an open wound, swollen or inflamed skin, bruises, surgical scars, varicose veins, broken bones, lymph nodes or tumors.

• Tell your practitioner if you are pregnant.

FINDING A PRACTITIONER

Ask your doctor or physical therapist to refer you.

St. John's Wort

Common uses:

To treat anxiety, insomnia, fibromyalgia

St. John's wort is known as the "natural *Prozac*." It comes from a flowering plant that grows all over the world. Scientists aren't clear how St. John's wort works, but it may raise levels of serotonin, the neurotransmitter associated with mood and pain.

SCIENTIFIC EVIDENCE

A *JAMA* study on St. John's wort raised a stir in 2002 when it indicated that the herb was no better than placebo in relieving major depression. However, the study showed the same thing about sertraline hydrochloride (*Zoloft*), a selective serotonin reuptake inhibitor (SSRI). And 35 percent of studies of approved antidepressants also show those antidepressants no more effective than placebo. [JAMA. 2002; 287: 1807]. A more recent systematic review of randomized controlled trials found that despite methological concerns, all the studies demonstrated St. John's wort improved mild to moderate depression when compared to placebo or antidepressants. [Holist Nurs Pract. 2006 Jul-Aug; 20(4): 197-203. A 2006 study comparing St. John's wort to placebo in treatment of major depression found benefits as well. The randomized, double-blind, placebo-controlled, multi-center trial involved 332 patients on a six-week treatment plan. Patients received either 600 mg daily, 1,200 mg daily or placebo. St. John's wort showed significant improvement of pain scores compared to the pacebo group and the number of patients receiving remission was found greater in those on the higher-dose treatment. [BMC Med. 2006 Jun 27; 4:14.]

SIDE EFFECTS AND INTERACTIONS

- It may cause constipation, upset stomach, sedation, restlessness or dry mouth.

- It may also affect the way protease inhibitors, tricyclic antidepressants, cholesterol-lowering drugs, digoxin and theophylline are broken down by the liver, decreasing the levels of those drugs in the blood. And it may increase levels of SSRIs and MAO inhibitors, and up the side effects of antidepressants or anti-anxiety drugs. Talk to your doctor before taking.

- St. John's wort may cause increased sensitivity to sunlight when taken with other drugs that have the same effect such as tetracycline and tretinoin.

- St. John's wort may interfere with the effectiveness of birth control pills, causing bleeding and unwanted pregnancies.

- Vitamin B6 taken in doses of 5 mg or more can prevent St. John's Wort from working.

SAFETY CONCERNS

- Do not treat severe depression with St. John's wort; it should be treated by a medical doctor.

- Do not take if you are pregnant or breast-feeding.

DOSAGE

300 mg a day (30 percent hypericin, the active ingredient in St. John's wort), three times a day. Take with meals to avoid upset stomach.

Stinging Nettle

Common uses:
To ease swelling and pain in sore joints

Stinging nettle has been used for hundreds of years, particularly to treat arthritis. Herbalists believe that stinging yourself with the tiny stingers on a nettle plant injects chemicals that may cause an anti-inflammatory reaction. Until 2000, only folklore backed the claim. But that year, a British study found that nettles did lower pain in patients with osteoarthritis. There's more evidence, however, that ingested nettles inhibit the chemicals causing inflammation. The nettles contain boron, histamines and formic acid, all of which may help relieve pain. (See Boron, p. 62.)

SCIENTIFIC EVIDENCE

Some animal, in-vitro studies, and a few human studies indicate that stinging nettle has anti-inflammatory properties. A randomized controlled trial showed that after one week's treatment with nettle sting, patients with osteoarthritic pain in their thumbs or index fingers had significant reductions in pain and disability compared to the placebo group. [J R Soc Med. 2000 Jun;93(6):305-9.] And in an open, randomized German study, patients with osteoarthritis who took stinging nettle plus one fourth of their usual dose of NSAIDs did just as well as those taking the full dose of NSAIDs. [Chrubasik, 1997.]

SIDE EFFECTS AND INTERACTIONS

- Skin redness and irritation may occur if you apply nettle topically.

- May cause upset stomach, fluid retention and hives.

SAFETY CONCERNS

- May cause an allergic reaction.

- Don't take nettle if you are pregnant or nursing.

DOSAGE

Capsules: up to 1,300 mg daily. Tea: Steep one tea-spoon powdered root in cold water for 10 minutes or pour two-thirds cup boiling water over three to four tea-spoons of dried leaves and steep for three to five minutes. Drink three to four times a day. Extract of leaves: 1 to 4 ml three times a day. Creams: As directed.

Sulfur (See also DMSO and MSM, pp. 111; 183)

Common uses:

To address the pain of arthritis and ankylosing spondylltis; to address skin disorders and cystitis

Sulfur is a mineral found primarily near hot springs and volcanoes. Its distinctive rotten-egg smell comes from its sulfur dioxide gas escaping into the air. In comes in two supplement forms – dimethyl sulfoxide (DMSO) and methylsulfonylmethane (MSM), both thought effective for pain. Sulfur is part of the chemical structure that builds protein and plays a role in producing collagen, a protein that keeps skin healthy. It also stokes metabolic processes and communication between nerve cells. Sulfur-containing mud baths (see balneotherapy, p. 55) are one of the oldest treatments for arthritis.

Good sources of sulfur include garlic, onions, brussels sprouts, asparagus, kale and wheat germ.

SCIENTIFIC EVIDENCE

In a study of those with osteoarthritis, researchers found that three weeks of sulfur baths reduced oxidative stress (the harm free radicals cause) and improved cholesterol levels more than those in the control group. [Forsch Komplementarmed Klass Naturheilkd. 2002 Aug; 9 (4): 216-20.] An Israeli study showed positive benefits of climatic therapy on people with ankylosing spondylltis. In a two-week, randomized, controlled study conducted at the Dead Sea, one group received balneotherpy and exposure to the Dead Sea while the second group used a fresh water pool. At a three-month follow-up, those who received climatic therapy at the Dead Sea improved pain, spinal movement and quality of life. [Isr Med Assoc J. 2005 Jul; 7(7): 443-6.] A review found sulfur a promising and safe treatment for a number of ailments including arthritis but also noted that human clinical trials are needed. [Altern Med Rev. 2002 Feb; 7(1): 22-44.] A double-blind study of the effect of MSM on those with degenerative arthritis found an 82 percent improvement in pain at the end of six weeks compared to an 18 percent improvement in the control group. [Ronald M. Lawrence, UCLA School of Medicine, 2001.] In a German double-blind study, 112 patients with osteoarthritis of the knee, DMSO applied over three weeks was an effective pain reliever compared to placebo. [Fortschr Med. 1995 Nov 10; 113 (31): 446-50.] In a Swedish double-blind study of 150 patients with some kind of tendon-related pain, 44 percent of the patients were pain-free after 14 days of DMSO topical treatment compared to only 9 percent of the placebo group. [Fortschr Med. 1994 Apr 10; 112 (10): 142-6.] In an Irish study of 23 patients treated for interstitial cystitis with DMSO, 17 responded well to treatment. [Cathy McLean, Dept. of Urology, Gartnavel General Hospital, Glasgow, Scotland, 2000.]

SIDE EFFECTS AND INTERACTIONS

- May cause stomach upset or even seizures.

- May cause headache or rash.

SAFETY CONCERNS

- Some people are allergic to sulfur so check with your doctor before using.

- Do not use if you are pregnant.

DOSAGE

There is no RDA for sulfur because a sufficient amount comes from a good diet. For arthritis, the recommended dose is 500 mg MSM two times a day taken with meals to avoid an upset stomach. Used topically, apply doses of 60 to 90 percent DMSO one to three times a day.

Swedish Massage

Common uses:

To relieve muscle tension and promote relaxation

Swedish, or European, massage is the method most Westerners are familiar with. It's a full-body treatment that involves kneading the top layers of muscles with oils. It's a particularly good introduction to massage for those with arthritis because it can be so gentle and relaxing.

SCIENTIFIC EVIDENCE

The results of formal studies are equivocal, despite lots of anecdotal evidence that massage is helpful, at least in the short term. A 2005 Swedish study reviewed the benefits of two treatments of Swedish massage in a 12-week period. The first treatment, focusing on the back, neck and chest, decreased systolic blood pressure immediately after treatment but did not affected diastolic pressure after four weeks. By 12 weeks, both pressure was decreased. The second treatment, which was on the legs, arms and face, increased systolic blood pressure. [Complement Ther Clin Pract. 2005 Nov; 11(4): 242-6.] A 2002 review of studies found that massage is particular helpful for back and neck pain when compared to placebo but not any more effective than physical therapy or exercise. [Med Clin North Am. 2002 Jan; 86 (1): 91-103.] A British review was more lukewarm, noting that results were promising but the evidence was not clear that massage could control pain. [Clin J Pain. 2004 Jan-Feb; 20 (1): 8-12.]

SAFETY CONCERNS

- Massage can worsen high blood pressure, osteoporosis or circulation problems. Ask your doctors before trying.

- Do not have a massage if you are having a flare or are feeling ill. Do not massage areas where skin is broken, sore or painful.

- Tell the therapist if you are pregnant.

FINDING A PRACTITIONER

Ask your physician to refer you to a therapist. Or you can contact one of the following institutions:

- The National Certification Board for Therapeutic Massage and Bodywork
  (800) 296-0664
  www.ncbtmb.com

- The American Massage Therapy Association
  (847) 864-0123 or (877) 905-2700
  www.amtamassage.org

T-z

Tai Chi (Tai chi chuan)

Common uses:

Increasing flexibility; easing pain, stiffness and anxiety

Tai chi, also called tai chi chuan, is a form of Chinese martial arts practiced since the 1200s. It's designed to balance and enhance life energy or qi. A principle of Chinese medicine is that ill health is caused by blocked or out-of-balance qi. By restoring balance, a person's body can begin to heal itself and resume normal functioning. Tai chi is based on a series of slow movements combined with deep breathing and mental focus. The gentle quality of the movements makes it an appealing exercise for those with arthritis, improving muscle strength without stressing joints.

SCIENTIFIC EVIDENCE

The growing data about tai chi is positive. In a 2004 review of four trials involving 206 participants, researchers found that tai chi had no ill effects on those with rheumatoid arthritis and significantly improved range of motion, particularly in the ankles. [Cochrane Database Syst Rev. 2004;(3):CD004849.] A 2006 Korean study found 50 minutes of daily tai chi for 12 weeks greatly lowered pain and fatigue and improved sense of balance in people with rheumatoid arthritis. [Taehan Kanho Hakhoe Chi. 2006 Apr; 36(2): 278-85.] Yet another review of nine randomized controlled trials, 23 nonrandomized controlled studies and

15 observational studies found tai chi benefits those with a range of chronic conditions including arthritis. Benefits included improvements in balance and strength, and flexibility. [Arch Intern Med. 2004 Mar 8;164(5):493-501. Review.] A randomized, controlled clinical trial found that the symptoms in older women with osteoarthritis improved after 12 weeks of tai chi, as did their balance and function. [J Rheumatol. 2003 Sep; 30(9): 2039-44.] Another study found tai chi to be safe for those with rheumatoid arthritis. It may also help stimulate bone growth and strengthen connective tissue. [Am J Phys Med Rehabil. 1991 Jun; 70(3): 136-41.] In a later study at the University of Maryland combining qi gong (a form of exercise similar to tai chi) with mindfulness meditation, participants with fibromyalgia found their pain lessened and their depression, coping skills and functioning improved, changes that lasted at least six months following the study. [Altern Ther Health Med. 1998 Mar; 4 (2): 67-70.] Recent studies continue to tout benefits. A 2006 Korean study involving 1,200 participants found tai chi in older patients prevented a decline in function, balance and gait. [Phys Ther. 2006; 86(9): 1189-201.]

SAFETY CONCERNS

- Tai chi is safe, but you should tell your instructor about any physical limitations before you begin.

- Do only what feels comfortable. Most practitioners believe the internal focus is more important than the physical exercise.

Finding an Instructor

There is no licensing or training requirement to be a tai chi instructor. Ask your doctor or physical therapist for a referral. You can also check with community centers, health clubs or a traditional Chinese medicine center. The *Qi Journal* Web site also lists instructors: www.qi-journal.com.

Thunder God Vine

Common uses:
To treat autoimmune diseases and inflammation

Thunder god vine is a vine-like plant used to treat autoimmune diseases in China. Although there have been only a few studies, some show that the vine interferes with the production of chemicals responsible for immune responses and inflammation. Another study showed it inhibited pain chemicals. The active ingredient comes from the plant's roots.

Scientific Evidence

Although there are few well-designed studies, a growing body of data suggests the vine's positive effects. In a small double-blind, placebo-controlled trial, thunder god vine was shown to relieve joint pain and inflammation in those with rheumatoid arthritis more effectively than placebo And it caused fewer and less severe effects than most rheumatoid arthritis drugs. [Arthritis Rheum.

2002 Jul; 46(7):1735-43.] In a randomized double-blind, placebo-controlled trial, patients with rheumatoid arthritis showed a 58 percent improvement rate when thunder god vine was applied topically compared to a 20 percent improvement rate in the placebo group. [J Rheumatol. 2003 Mar; 30(3):465-7.] However, a 2006 review of randomized clinical trials showed while thunder god vine improved symptoms of rheumatoid arthritis, it produced serious side effects. [Phytomed. 2006 May; 13(5): 371-7.]

SIDE EFFECTS AND INTERACTIONS

- May cause dry mouth, loss of appetite, nausea, diarrhea and rash.

- May cause temporary infertility in men and lack of menstruation in women.

- Avoid taking with immunosuppressant drugs like Predisone.

SAFETY CONCERNS

- The leaves and flowers are poisonous and can cause death. Take preparations made from the root only.

DOSAGE

No standard dose has been established, but 30 mg extract daily has been used in studies.

Trager Approach

Common uses:

To relieve chronic neuromuscular ailments such as back and neck pain, and stress-related conditions such as headache

The Trager approach is a combination of massage and movement therapy. Begun in the 1920s by Dr. Milton Trager, the approach involves two parts. In the first part, the practitioner gently rocks, shakes and stretches your body, loosening tight muscles and joints. In the second part, the practitioner teaches you simple movements designed to reduce tension and increase mobility. The theory behind the therapy is that pain and reduced range of motion are the result of accumulated tension. If a person can relieve that tension and relearn how to move more easily, his physical pain and mental tension will ease.

SCIENTIFIC EVIDENCE

Although case studies and self-reports have suggested the therapy's effectiveness, there are few formal studies, and none related directly to arthritis. However, an early study found that two weeks of treatment with the Trager approach increased chest mobility in patients with chronic lung disease. [Phys Ther. 1986 Feb; 66(2):214-7.] In a more recent clinical trial, the Trager approach eased the shoulder pain of those with spinal cord injury. [Arch Phys Med Rehabil. 2001 Aug; 82(8):1038-46.] And among headache sufferers, the Trager approach decreased the

frequency of headaches and the need for medication.
[Altern Ther Health Med. 2004 Sep-Oct; 10(5):40-6.]

SIDE EFFECTS AND INTERACTIONS

• May experience muscle soreness the day following a session.

SAFETY CONCERNS

• Do not use this method if you are in the first trimester of pregnancy.

• If you have a history of blood clots or have had joint surgery within the last three months, do not practice the Trager approach.

• If you have rheumatoid arthritis, tell the practitioner about any inflamed joints.

• Deep relaxation may cause anxiety. If so, you may need to see a mental health-care professional to treat anxiety related to physical symptoms.

FINDING A PRACTITIONER

Check with your physician or physical therapist for a referral. You can also contact The Trager Institute, the only international organization certifying practitioners in the method, at (250) 337-5556 or www.trager.com.

Trigger Point Therapy

(See Neuromuscular Massage, p. 189)

Turmeric

Common uses:
To treat arthritis, inflammation, clogged arteries, bruises, bursitis; to prevent cancer

Turmeric, a root related to ginger, features curcumin as its main ingredient. It has long been used in Indian Ayurvedic medicine to treat ills including inflammation, clogged arteries, and bursitis. And in Chinese medicine it's been used to treat arthritis. The active ingredient is curcumin, which, combined with other ingredients such as boswellia and zinc, inhibits prostaglandins and stimulates the production of cortisol, both actions which relieve inflammation. Turmeric is also rich in antioxidants, which fight cell damage.

SCIENTIFIC EVIDENCE

A 2006 study suggests curcumin paired with celecoxib may be a novel treatment in osteoarthritis. The study found the combination enabled users to require a lower and safer dose of celecoxib. A double-blind, randomized, placebo-controlled trial using the combination in people with knee osteoarthritis is now underway. [Rheumatology (Oxford): 2006 Feb; 45(2): 171-7.] Another study involving curcumin and quercetin found curcumin inhibited inflammatory aspects of arthritis, while quercetin showed no effects. [Inflamm Res. 2006 Apr; 55(4): 168-75.] In a randomized, double-blind study of 90 people with osteoarthritis, half of those who took a combination of spices including turmeric had significant and sustained pain relief compared to only 20 percent of placebo. [American College of Rheumatology 1999 annual scientific meeting]. In a similar study two years earlier, rheumatoid arthritis patients also experienced less pain and stiffness and had increased function compared to placebo. They also had lowered amounts of rheumatoid factor and interleukins, both markers of disease activity. [American College of Rheumatology 1997 annual scientific meeting]. A number of studies on animals have found significant benefits of turmeric on the treatment of osteoarthritis and rheumatoid arthritis.

SIDE EFFECTS AND INTERACTIONS

• Prolonged use at high doses can cause upset stomach and other gastrointestinal difficulties.

SAFETY CONCERNS

• Do not use if you are pregnant or breastfeeding.

• Avoid if you have gallstones or any gall bladder problem, bile duct blockage, a blood-clotting disorder, or a history of stomach ulcers.

DOSAGE

400 mg three times a day in capsules or tablets.

Valerian

Common uses:
Treating insomnia and anxiety

The root of this pink flowering perennial has been used as a sedative for centuries. It contains compounds, including valepotriates and valeric acid, thought to bind to a neurotransmitter called gamma-aminobutryric acid (GABA) thus improving sleep. That resembles how other sedatives work but valerian is not addictive, and you don't wake up foggy-headed the next morning. Instead valerian appears to relax the mind and body so that you can sleep. Health officials in much of Europe have approved it as a sleep aid.

SCIENTIFIC EVIDENCE

Recent research on valerian has yielded mixed results. One randomized, placebo-controlled clinical trail found only a moderate improvement in sleep using valerian compared with placebo at the end of a 28-day study. [Sleep. 2005 Nov 1; 28(11): 1465-71.] A 2004 double-blind, placebo-controlled study of 16 sleep-disturbed patients found that valerian had no significant effect compared with placebo. [Phytother Res. 2004 Oct; 18(10): 831-6.] A 2003 randomized, controlled clinical trial had similarly bleak findings. Valerian wasn't any better than placebo in promoting sleep among 24 patients with chronic insomnia. [Complement Ther Med. 2003 Dec; 11(4):215-22.] Yet a randomized, controlled clinical trial involving 202 patients with chronic sleep difficulties found valerian improved sleep as well as the sedative oxazepam. [Eur J Med Res. 2002 Nov 25;7(11): 480-6.] A double-blind, randomized, controlled German study also found that valerian works as well as the sedative benzodiazepine (*Librium*) with no withdrawal. [Wien Med Wochenschr. 1998;148(13):291-8.]

SIDE EFFECTS AND INTERACTIONS

- There are few side effects when used at correct doses, although headache, decreased concentration, dizziness, low body temperature and upset stomach sometimes occur.

- May cause drowsiness. Do not combine with others sleep aids, barbiturates, narcotics, antidepressants, alcohol or St. John's wort without speaking to your doctor first.

SAFETY CONCERNS

- May impair performance such as driving ability. Do not drive or operate machinery after taking valerian.

- The effects of long-term use are unknown.

- Pregnant and nursing women should not take valerian.

DOSAGE

400 to 450 mg capsule (standardized to 0.8 percent valeric acid) 30 minutes before bedtime. If that is not effective, you can increase the dose to 600 to 900 mg. In liquid

form, dilute one teaspoon of liquid extract in water. For a milder effect, drink a cup of valerian tea before bed. Avoid powdered valerian root and do not exceed 500 mg of extract or 15 g of root per day.

Visualization

See Guided Imagery, p. 140.

Vitamins

Common uses:
General health and wellness

The body needs 13 vitamins to function – A, C, D, E, K, the B vitamins (thiamin, riboflavin, niacin, pantothenic acid, biotin, B6, B12, and folate). Although the best way to get these vitamins is through diet, many people fall short. Some vitamins are thought to be helpful to those with arthritis in doses greater than the Recommended Daily Allowance (RDA). But not all vitamins are safe in large amounts, and studies don't yet show that vitamins in amounts greater than the RDA are helpful to healthy people.

If you have arthritis, it's a good idea to take a multivitamin. On top of that, you should get plenty of antioxidants (vitamins C, E, and A, or beta carotene, selenium, and flavonoids), available primarily in fruits and vegetables.

Lutein, found in leafy greens, and betacyptoxanthine, found in yellow and orange vegetables, both have been associated with lower risks of osteoarthritis.

Vitamin A (Beta carotene)

Common Uses:
To protect cells from free radical damage, which in turn may help prevent heart disease, and some cancers; for growth and development of the body; to boost the immune system

Beta carotene, converted to vitamin A in our bodies, is one of a number of carotenoids that color fruits and vegetables yellow, orange and red. Vitamin A is essential for body development. It also boosts the immune system, and as an antioxidant, protects the body from damaging free radicals. Some studies have linked low vitamin A to development of lupus. Other studies suggest it may lower the risk of osteoarthritis.

SCIENTIFIC EVIDENCE
The Framingham Osteoarthritis Cohort Study involving 640 participants found beta carotene slowed progression of knee osteoarthritis by as much as 70 percent. [Arthritis Rheum. 1996 Apr; 39(4):648-56.] One study, however, found an inexplicable increased risk. [Jordan.] A more recent ongoing study of 23,000 people found beta carotene associated with a lowered risk of rheumatoid arthritis.

[European Prospective Investigation of Cancer, 2004.] Because the studies on arthritis and also on heart disease and cancer have been mixed, especially when beta carotene is taken in supplement form, many nutritionists do not recommend supplements. While a 2006 study of anti-inflammatory effects of all trans-retinoic acids reduced the production of inflammatory cytokines, immunoglobulin and chemokines, suggesting it may be a treatment for rheumatoid arthritis, researchers have also found that high levels of vitamin A from retinol (not beta carotene) increased fractures among men, confirming research sowing that high levels raised the risk of hip fractures in women. [Clin Immunol. 2006 Jun; 119(3): 272-9.]

SIDE EFFECTS AND INTERACTIONS

- If you eat too much beta carotene, it's possible your palms and soles may turn orange. If so, see your doctor, although in most cases, the coloration is harmless and will fade.

- If you eat too little, you may get dry skin, night blindness or greater risk of infection.

- High levels are associated with bone fractures, liver abnormalities and birth defects. Signs of too much include headaches; dry, itchy skin; hair loss; joint pain; vomiting and loss of appetite.

SAFETY CONCERNS

- Do not use beta carotene if you are pregnant; it can cause birth defects.

• It is almost impossible to overdose as the body excretes what it doesn't need.

DOSAGE

2,333 IU of beta carotene supplements per day for women; 3,000 IU for men. RDA: 10,000 UL (including what you eat).

Vitamin B

Common Uses:

Relieve fatigue and depression; promote healthy skin, eyes, hair, other organs

The B vitamins – thamin (B1), riboflavin (B2), niacin (B3), pyridoxine (B6), folic acid (B9), cyanocobalamin (B12), pantothenic acid (B5), and biotin – are involved in many body processes, including energy production, digestion, and the nervous system. Because they work together, they are often taken as a B-complex supplement.

Some studies suggest that people with fibromyalgia have low levels of B vitamins, and symptoms of B deficiencies resemble those of fibromyalgia – confusion, muscle fatigue, depression, sleeplessness, anxiety, numbness or tingling in the hands or feet.

SCIENTIFIC EVIDENCE

Research indicates that there is a vitamin B12 deficiency in those with chronic fatigue syndrome and with fibromyalgia. [Neurology. 1993 Dec; 43(12):2645-7.] [Scand J Rheumatol. 1997; 26(4):301-7.] But in a randomized controlled trial, injections of B12 had no effect on the fatigue of those with chronic fatigue syndrome. [Arch Intern Med. 1989 Nov;149(11):2501-3.] In another randomized controlled trial, homocysteine levels – associated with inflammation and fatigue – fell in patients with rheumatoid arthritis given B vitamins. [Scand J Rheumatol. 2003; 32(4):205-10.] An Arthritis Foundation-funded study suggests inflammation from rheumatoid arthritis may lower the level B6 in the body. {Arthritis Res Ther. 2005; 7(6): R1404-11.] And a recent study showed that people treated for depression responded better if they had a higher level of B12 in their blood. [BMC Psychiatry. 2003 Dec 02; 3(1):17.] A diet rich in vitamin B3 may slow the progression of Alzheimer's disease, cataracts and help prevent migraines. [J Neurolo Nuerosurg Psychiatry. 2004 Aug; 75(3): 1093-9] [Headache. 2004 Oct; 44(9): 885-90.]

SIDE EFFECTS AND INTERACTIONS

- Thiamin (B1): No significant side effects. Sulfites (food preservatives) and black tea may lessen its effectiveness. Some drugs, such as diuretics, can cause a deficiency. Magnesium is needed to activate thiamin. Regular antacid use may interfere with thiamine absorption.

- Riboflavin (B2): Also no significant side effects. It may interact with some chemotherapy drugs, birth control pills, antibiotics and psychiatric drugs. Check with your doctor before using. Riboflavin requires B6 to be active.

- Niacin (B3): Niacin can be toxic in large doses. It may cause skin flushing, upset stomach and liver damage. It may also increase the effects of cholesterol-lower drugs, causing muscle pain and kidney damage. It may affect blood sugar levels as well. And you should avoid niacin if you have low blood pressure, glaucoma, gout, liver disease or ulcers. Do not take time-release niacin, which appears to affect the liver more. In short, consult your doctor before taking niacin.

- Pantothenic acid (B5): It has no significant side effects. High doses may affect the absorption of biotin and cause diarrhea.

- Pyridoxine (B6). High or even moderate doses of B6 can cause nerve damage when taken for long periods. Do not take more than 50 mg a day. B6 may reduce the effectiveness of anticonvulsant drugs. Those taking levodopa (*L-dopa*) should not take B6 unless combined with carbidopa (*Sinemet*). B6 taken in doses of 5 mg or more can prevent 5-HTP, tryptophan, St. John's wort and SAM-e from working.

- Folic acid (B9) Large doses may cause seizures in those with epilepsy and are dangerous to those with hormone-related cancers. They can also cause gas, nausea and loss of appetite. A high intake of folic acid can mask a B12 deficiency and vice versa, so take these vitamins together.

- Cyancobalamin (B12): No significant side effects. High intakes of folic acid can mask B12 deficiency and vice versa so take these vitamins together. B12 interacts with antibiotics, methyldopa (*Aldomet*), azidothymidine (*AZT*), birth control pills, cimetidine (*Tagamet*), metformin (Glucophage), famotidine (*Pepcid*) soprazole (*Prevacid*), omeprazole (*Prilosec*) and rantidine (*Zantac*). One thousand mcg per day is sometimes recommended for fibromyalgia as an injection or tablet.

- Biotin: No significant side effects. Very high doses may affect the amount of insulin a person with diabetes needs.

Vitamin C

Common Uses:

To boost the immune system; heal wounds, ease colds and other infections; relieve asthma, prevent cataracts and certain cancers

Vitamin C helps produce collagen, an essential protein in connective tissues, cartilage and tendons. High doses of vitamin C are associated with lowered risk of osteoarthritis.

SCIENTIFIC EVIDENCE

In a study of rheumatoid arthritis patients placed on a Mediterranean-type diet high in anti-oxidants, researchers found that the higher the blood levels of vitamin C, the lower the disease activity. [Nutr J. 2003 Jul 30; 2(1): 5.] In a multicenter, double-blind, randomized, placebo-controlled trial, Danish researchers found that vitamin C (calcium ascorbate) significantly reduced pain in those with osteoarthritis of the hips or knees compared to placebo. [Ugeskr Laeger. 2003 Jun 16; 165(25): 2563-6. Danish.] And when twelve women with fibromyalgia were given a 500 mg blend of ascorbigen and broccoli powder for one month, they reported less sensitivity to pain and an improved quality of life. [Altern Med Rev. 2000 Oct; 5(5): 455-62.] Most dramatic are the results of an ongoing European Prospective Investigation of Cancer. In the study of 23,000 people, 73 had inflammatory polyarthritis. Those who consumed less than 40 mg of vitamin C a day had three times the risk of the polyarthritis. [Ann Rheum Dis. 2004.]

SIDE EFFECTS AND INTERACTIONS

- The body excretes what it doesn't use, so high amounts aren't toxic. But doses above 2,000 mg can cause mouth ulcers, diarrhea, gas and bloating.

- High doses may increase the body's absorption of aluminum from antacids such as *Maalox* or *Mylanta*. Take vitamin C at least two hours before taking an antacid.

- Vitamin C increases iron absorption and decreases the absorption of copper.

- At high doses, it may decrease the body's ability to excrete acetaminophen (*Tylenol*), which could allow dangerous amounts to build up in the blood.

- If taken with tetracycline, it may increase levels of the antibiotic.

Safety Concerns

- It's considered safe. The body can only use up to 1,000 mg. Doses greater than that aren't beneficial.

- Those on dialysis or with kidney stones, kidney disease or gout should avoid high doses. They could increase the formation of kidney stones.

- Those with hemochromatosis, a disease resulting from too much iron, should not take vitamin C.

Dosage

500 mg daily

Vitamin D

Common uses:

To protect bones and joints; prevent osteoporosis; offset the bone-stealing effects of corticosteroid medications such as prednisone. Deficiency increases the risk of many cancers, rheumatoid arthritis, cardiovascular disease and type I diabetes.

Vitamin D comes primarily from exposure to sunlight and is necessary for bone growth and repair. Vitamin D also comes from dairy products, oily fish, liver, and fortified margarine and breakfast cereals. As we age, we become less efficient at producing D from sunlight or absorbing it from food.

SCIENTIFIC EVIDENCE

Some studies show that the progression of osteoarthritis slows in those who take higher levels of vitamin D. A 2005 German study linked disease activity and low bone mass with a vitamin D deficiency in people with ankylosing spondylitis. [Osteoporos Int. 2005 Dec; 16(12): 1999-2004.] In a recent study of 221 patients with knee osteoarthritis, 48 percent of those with low levels of vitamin D have more pain and disability than those who did not. [Kristin Baker, Boston University, 2004.] In a study of participants in the Framingham Study, researchers found that risk for knee osteoarthritis increased in those with low levels of vitamin D. [Ann Intern Med. 1996 Sep 1; 125(5): 353-9.] And in a study of elderly white women, development of hip osteoarthritis was associated with low levels of vitamin D. [Arthritis Rheum. 42 (5) PP 854 – 860; published online: 22 Mar 2001.] A randomized, controlled trial published in 2006 found a small but significant increase in body bone density in juvenile rheumatoid arthritis for those taking calcium supplemented with vitamin D as compared to placebo. [Arthritis Rheum. 2006 Jul; 54(7): 2235-42.]

SAFETY CONCERNS

- Excess doses (1,000 IU or more) may cause constipation, headaches, nausea, high blood pressure, seizures, growth retardation, and calcium deposits in the heart, blood vessels and kidneys.

DOSAGE

200 IU per day adults 50 and younger. 400 IU daily for adults ages 51 to 70. 600 IU daily for adults over 71.

Vitamin E

Common uses:
To prevent heart disease, cancer; slow down aging

Vitamin E is an antioxidant containing eight compounds: tocopherols and tocotrienols in four forms, altpha, beta, delta and gamma. Although E has gotten the most attention for its heart-healthy attributes, it also appears to help those with arthritis combat pain and boost immunity.

SCIENTIFIC EVIDENCE

Although vitamin E has been much touted for its role in preventing heart disease, a recent review of a number of studies found no protective effect. [Arch Intern Med. 2004 Jul 26; 164(14): 1552-6.] The research results about vitamin E are mixed. In a two-year, double-blind randomized, placebo-controlled study, vitamin E did not benefit those with knee osteoarthritis. [J Rheumatol. 2002 Dec; 29(12): 2585-91.] In a case controlled study at the University of North Carolina, Chapel Hill, researchers found that vitamin E was associated with a 30 percent lower risk of knee osteoarthritis in Caucasians but not in African-Americans.

[Am J Epidemiol. 2004 May 15; 159(10): 968-77.] But in another double-blind randomized study, patients with osteoarthritis given 400 mg of vitamin E had just as much pain relief, reduction in swelling and increase in mobility as those treated with 50 mg of diclofenac, an anti-inflammatory. [Z Rheumatol. 1990 Nov-Dec; 49(6): 369-73.] Research on its effects on cancer includes a 2006 National Institutes of Health systematic review of its safety and efficacy when use to prevent cancer and chronic diseases in adults. A French trial combining vitamin C and E, beta-carotene, selenium and zinc found cancer was reduced by 31 percent in men but not in women. [Curr Neurol Neurosci Rep. 2006 Sep; 6(5): 365-71.]

SIDE EFFECTS AND INTERACTIONS

- Considered safe, it may nonetheless cause nausea, gas, diarrhea, heart palpitations and increased bleeding.

- If you take anticoagulant drugs, talk to your doctor before taking E. It may increase their effects.

- Do not take E before surgery.

- It may affect the effectiveness of tricyclic antidepressants and antipsychotic drugs.

- If you are taking cholesterol-lowering drugs, they may reduce the antioxidant effects of E.

DOSAGE

15 mg RDA to UL 1,000 daily.

Wild Yam

Common uses:

To relax muscles and reduce inflammation; to relieve menstrual cramps, endometriosis and digestive problems; to fight cancer

Wild yam is a climbing vine, unrelated to yams or sweet potatoes. The root was used by Aztecs and Mayans as a pain reliever, and some present day herbalists believe it addresses everything from pain to menopausal symptoms. However, current evidence is scarce.

SCIENTIFIC EVIDENCE

The studies are few and have yielded mixed results. In an in vitro study, diosgenin, the active ingredient in wild yam, significantly inhibited inflammatory substances active in rheumatoid arthritis. [Int Immunopharmacol. 2004 Nov;4(12):1489-97.] In another study, diosgenin inhibited the growth of synoviocytes, the cells that promote inflammation and joint destruction in rheumatoid arthritis. [Arthritis Res Ther. 2004; 6(4): R373-83. Epub 2004 Jun 17.] In a cell study, diosgenin also appeared to inhibit leukemia cells. [Cancer Chemother Pharmacol. 2005 Jan; 55(1): 79-90. Epub 2004 Sep 14.] In a randomized clinical controlled trial, wild yam had little effect on 23 women suffering from menopausal symptoms. [Climacteric. 2001 Jun; 4(2):144-50.]

SIDE EFFECTS AND INTERACTIONS

None known

SAFETY CONCERNS

• Pregnant women should avoid wild yam.

DOSAGE

As directed on package labeling.

Yoga

Common uses:

To improve flexibility and promote relaxation

Yoga is an ancient practice that combines mental, physical and spiritual training. With its emphasis on breath control, meditation and exercise, it can help lower blood pressure, increase energy, and may even lift mild depression. It also improves flexibility, muscle strength, and balance, and relieves stress.

There are several kinds of yoga, including bhakti, which focuses on spirituality; hatha, a physical yoga common in the U.S. involving gentle stretches or even vigorous workouts. Each variation involves holding positions called asanas and using slow, rhythmic breathing techniques called pranayama. The positions are done while attending to one's breath and physical sensations.

Yoga is an excellent exercise for those with arthritis because of its focus on gentle stretching, meditation, and the ability to pace oneself. The best way to learn yoga is to take a class so that a certified instructor can correct your postures.

SCIENTIFIC EVIDENCE

A number of studies over the past 12 years have indicated that yoga can improve strength and flexibility, and help control blood pressure, respiration and heart rate. [J Altern Complement Med. 2002 Dec; 8(6): 797-812.] A pilot study of yoga in the treatment of knee osteoarthritis in beginner, obese patients found 90-minute classes once a week for eight weeks reduced pain and disability. [J Altern Complement Med. 2005 Aug; 11(4): 689-93.] A clinical randomized controlled trial found those with osteoarthritis in their hands had less pain and more flexibility after eight weeks of yoga. [J Rheumatol. 1994 Dec; 21(12): 2341-3.] Yoga was found more effective than conventional exercise in the treatment of chronic back pain after 12 weeks. [Ann Intern Med. 2005 Dec. 20; 143(12): 849-56.] In a randomized, single-blind, controlled study of those with carpal tunnel syndrome, half the participants practiced yoga and half wore splints. After eight weeks, the yoga group had significant improvement in pain and grip strength. [JAMA. 1998 Nov 11; 280(18): 1601-3.] And in a clinical randomized controlled trial, depressed young adults reported significant decreases in depression, fatigue and anxiety after five weeks of yoga classes. While a 2006 randomized, controlled, six-month trial utilizing yoga in healthy seniors found no significant benefit in cognitive function, researchers noted a significant improvement in quality of life and physical measures as compared to traditional exercise and wait-list control groups. [Altern Ther Health Med. 2006 Jan-Feb; 12(1): 40-7.]

Safety Concerns

- When done correctly, yoga is safe. However, be sure to tell your instructor about any physical limitations.

- Ask your doctors if there are poses you should avoid.

Finding a Practitioner

There are no licensing requirements for yoga instructors. But there are schools that offer certification. Ask your doctor or physical therapist for a referral. Or check with your local health clubs. Although the American Yoga Association does not offer referrals, you can call (941) 927-4977, or check the Web site, www.americanyogaassociation.org, for information about various types of yoga.

Zinc Sulfate

Common uses:

To boost the immune system, relieve pain, treat illness

Zinc is an essential mineral in every body cell, used in almost all enzyme reactions, and necessary for hormones to work. It is essential for the immune system, for healing wounds, and for healthy skin. Many Americans lack enough zinc, and that may be especially true of those with autoimmune diseases like fibromyalgia, lupus and rheumatoid arthritis. Some animal studies suggest that zinc may lower pain. Zinc lozenges are also used to treat colds and flu.

SCIENTIFIC EVIDENCE

In a study surveying more than 29,000 older women, those with greater intakes of zinc were less likely to develop rheumatoid arthritis. [American Journal of Epidemiology. Feb 2003.] In a much earlier clinical trial, patients with rheumatoid arthritis who took zinc for 12 weeks had less swelling and morning stiffness than the controls. [Lancet. 1976 Sep 11; 2(7985): 539-42.] But in a small clinical trial of those with chronic inflammation, zinc had no effect. [Am J Clin Nutr. 1993 May; 57(5): 690-4.] An Iraqi study of an oral supplement on Behcet's disease found no significant or beneficial effects. [J Dermatol. 2006 Aug; 33(8): 541-6.] In a randomized, placebo-controlled study of 100 patients, zinc significantly reduced symptoms of the common cold compared to placebo. [Ann Intern Med. 1996 Jul 15; 125(2): 81-8.]

SIDE EFFECTS AND INTERACTIONS

• More than 200 mg a day may cause nausea, vomiting and diarrhea. One hundred mg per day may lower HDL, the good cholesterol, suppress the immune system, and cause anemia. Talk to your doctor before taking.

- Zinc may also interfere with antibiotics. If you are taking zinc, take two hours after any antibiotic.

- High doses of iron or calcium may decrease the amount of zinc absorbed by the body.

Safety Concerns

- Some research has suggested that excess zinc is associated with Alzheimer's but more research is needed.

Dosage

30 to 60 mg per day used in therapeutic treatments, although the RDA is 11 mg for men and 8 mg for women and 40 mg UL.

ARTHRITIS FOUNDATION RESOURCES

The Arthritis Foundation, the only national, voluntary health organization that works for the more than 46 million Americans with doctor-diagnosed arthritis, offers many valuable resources through more than 150 offices nationwide. Your local chapter has information, products, classes and other services to help you take control of your arthritis or related condition. To find the chapter office nearest you, call **(800) 568-4045** or search the Arthritis Foundation Web site at **www.arthritis.org.**

PROGRAMS AND SERVICES

- **Physician referral** – Most Arthritis Foundation chapters can provide a list of doctors in your area who specialize in the evaluation and treatment of arthritis and arthritis-related diseases.

- **Exercise programs** – The Arthritis Foundation sponsors, develops and coordinates exercise programs for people with arthritis, featuring specially trained instructors. They include:

1) **Walk With Ease** – This course allows participants to develop a walking plan that meets their individual needs, accompanied by the Arthritis Foundation book *Walk With Ease: Your Guide to Walking for Better Health, Improved Fitness and Less Pain.* A new audio walking guide is now available to use during your walking routines, with guidelines, upbeat music and inspiring motivation. In addition,

a *Walk With Ease* group leader's manual is available to help you start and lead a walking group in your area.

2) Arthritis Foundation Exercise Program – Relieve stiffness and lessen arthritis pain by doing low-impact exercises designed for people with arthritis and taught by trained instructors.

3) Arthritis Foundation Aquatic Program – Join in the fun of a six- to 10-week exercise program in an heated pool led by trained instructors.

4) Arthritis Foundation Self-Help Program – Learn how to take control of your own care in this six-week (15-hour) class for people with arthritis. This program was developed at Stanford University.

INFORMATION AND PRODUCTS

Find the latest information about arthritis, including research, medications, government advocacy, programs and services through one of the many information resources offered by the Arthritis Foundation:

- **www.arthritis.org** – Information about arthritis is available 24 hours a day on the Internet at the Arthritis Foundation's interactive, comprehensive Web site. Find news about arthritis, ways to get involved and a variety of useful arthritis products, including books, brochures, videos and more.

- **Arthritis Answers** – Call toll-free at (800) 568-4045 for 24-hour automated information about arthritis and

Arthritis Foundation resources. Trained volunteers and staff are also available at your local Arthritis Foundation chapter to answer questions or refer you to physicians and other resources. Or e-mail questions to help@arthritis.org.

- **Books** – The Arthritis Foundation publishes a variety of books on arthritis to help you learn to understand and manage your condition, live a healthier life, and cope with the emotional challenges that come with a chronic illness. Order books directly at www.arthritis.org or by calling (800) 283-7800. All Arthritis Foundation books are available at your local bookstore.

- **Brochures** – The Arthritis Foundation offers brochures containing concise, understandable information on the many arthritis-related diseases and conditions. Topics include surgery, the latest medications, guidance for working with your doctors and self-managing your illness. Single copies are available free of charge at www.arthritis.org or by calling (800) 568-4045.

- *Arthritis Today* – This award-winning bimonthly magazine provides the latest information on research, new treatments, trends and tips from experts and readers to help you manage arthritis. A one-year subscription to *Arthritis Today* is included when you become a member of the Arthritis Foundation. Annual membership is $20 and helps fund research to find cures for arthritis. Call (800) 283-7800 for information.

- ***Kids Get Arthritis Too*** – This newsletter focusing on juvenile rheumatic diseases is published six times a year. Features speak to children and teens with the illness as well as to their parents. Stories examine the latest news in diagnosis, treatment and research of children's rheumatic diseases, as well as helpful ways kids can cope with their illnesses and the challenges they bring. This newsletter is free. To sign up, e-mail kgatmail@arthritis.org or write Kids Get Arthritis Too, 1330 West Peachtree Street, Suite 100, Atlanta, GA 30309.

Do you know what is in your medicine cabinet?

Get the facts about your arthritis medications from the experts you trust.

The Arthritis Foundation's newly updated book breaks through all the confusing news out there by providing you with the facts about 250 prescription and over-the-counter medications. Learn about the arthritis medications that can **relieve pain, reduce inflammation, lessen joint damage, and give you greater control over your arthritis.**

Organized in an easy-to-read A-to-Z format, this book includes:

- **Common drug interactions and how to avoid them**

- **Important information you need to know about your medications**

- **Advice on how to pay for your medications**

Only **$9.95**

835.260

TO ORDER
Call 800-283-7800 or visit
www.arthritis.org/afstore

ARTHRITIS FOUNDATION®
Take Control. We Can Help.™

AFPUE